Carthage

Joyce Carol Oates

Carthage

roman

Traduit de l'anglais (États-Unis)
par Claude Seban

Philippe Rey

Titre original : *Carthage*
© 2013 by The Ontario Review.
Published by arrangement with Ecco,
an imprint of HarperCollins Publishers.

Pour la traduction française
© 2015, Éditions Philippe Rey
7, rue Rougemont – 75009 Paris

www.philippe-rey.fr

Pour Charlie Gross, mon mari et premier lecteur

«Va au carrefour, salue le peuple, baise la terre
que tu as souillée par ton péché, et dis tout haut, à la
face du monde : Je suis un assassin!»

Sonia à Raskolnikov
dans *Crime et Châtiment*[1]

«Je ne me sens plus jeune à présent. Je pense que
j'ai le cœur vieux.»

Ancien combattant
de la guerre d'Irak, 2005

1. Fédor Dostoïevski, *Crime et Châtiment*, trad. Victor Derély, Plon, 1884.
(Toutes les notes sont de la traductrice.)

Prologue

Juillet 2005

On ne m'aimait pas assez.

C'est pour ça que j'ai disparu. À dix-neuf ans. Ma vie jouée à pile ou face !

Dans cet espace immense – sauvage – des pins répétés à l'infini, les pentes abruptes des Adirondacks pareilles à un cerveau plein à éclater.

La réserve forestière du Nautauga : cent vingt mille hectares de solitudes montagneuses, boisées, semées de rochers, bornées au nord par le Saint-Laurent et la frontière canadienne, et au sud par la Nautauga, le comté de Beechum. On pensait que je m'y étais « perdue » – que j'y errais à pied – désorientée ou blessée – ou, plus vraisemblablement, que mon cadavre y avait été « balancé ». Une grande partie de la Réserve est sauvage, inhabitable et inaccessible, excepté pour les marcheurs et les alpinistes les plus intrépides. Presque sans interruption, pendant trois jours, dans la chaleur du plein été, des sauveteurs et des bénévoles menèrent des recherches, se déployant en cercles concentriques de plus en plus larges à partir d'un chemin de terre en cul-de-sac qui longeait la rive droite de la Nautauga, à cinq kilomètres au nord du lac Wolf's Head, dans la partie sud de la Réserve. Une zone située à une quinzaine de

11

kilomètres de Carthage, État de New York, où mes parents avaient leur maison.

Une zone touchant le lac Wolf's Head, où, vers minuit le soir précédent, des «témoins» m'avaient vue pour la dernière fois en compagnie de l'agent présumé de ma disparition.

Il faisait très chaud. Une chaleur grouillante d'insectes après les pluies torrentielles de la fin du mois de juin. Les sauveteurs étaient harcelés par les moustiques, les mouches piqueuses, les moucherons. Les plus tenaces étaient les moucherons. Cette peur panique particulière inspirée par les moucherons – dans les cils, dans les yeux, dans la bouche. Cette peur panique d'avoir à respirer au milieu d'une nuée de moucherons.

Et pourtant vous êtes forcé de respirer. Si vous essayez de ne pas le faire, vos poumons respireront pour vous. Malgré vous.

À la fin de la première journée de recherches, les chiens n'ayant pas réussi à repérer la piste de la jeune disparue, les sauveteurs expérimentés n'avaient que peu d'espoir de la retrouver en vie. Les policiers en avaient encore moins. Mais les jeunes gardes forestiers et ceux des bénévoles qui connaissaient les Mayfield étaient déterminés à y réussir. Car les Mayfield étaient une famille bien connue à Carthage. Car Zeno Mayfield était une personnalité en vue à Carthage, et beaucoup de ses amis, de ses relations et de ses associés s'étaient joints aux sauveteurs pour chercher sa fille disparue, que la plupart ne connaissaient que de nom.

Aucun de ceux qui se frayaient un chemin à travers les broussailles de la Réserve, exploraient ravins et ravines, grimpaient les pentes rocailleuses et escaladaient, parfois avec difficulté, les parois zébrées d'énormes rochers en chassant les moucherons de leurs visages, n'acceptait de penser que dans une chaleur qui dépassait les 32 degrés à la tombée du jour le corps sans vie d'une jeune fille, un corps peut-être dénudé ou enfoui dans le sol, poissé de sang, serait prompt à se décomposer.

Aucun d'entre eux n'aurait voulu exprimer l'idée brutale (familière à tous les sauveteurs expérimentés) qu'ils pourraient bien sentir l'odeur de la fille avant de la découvrir.

Une telle remarque serait prononcée d'un air sombre. Hors de portée de voix de Zeno Mayfield.

Qui, trempé de sueur, épuisé, criait à s'en casser la voix : « Cressida ! Chérie ! Tu m'entends ? Où es-tu ? »

Il avait été bon marcheur. Un homme éprouvant le besoin de s'évader dans la solitude des montagnes, qui lui paraissaient alors un lieu de refuge, de consolation. Mais ce n'était plus le cas depuis longtemps. Et ça ne l'était pas maintenant.

En cet été 2005 chaud et humide, engendreur d'insectes, où la fille cadette de Zeno Mayfield disparut dans la réserve forestière du Nautauga avec la même apparente facilité qu'un serpent se coule hors des lambeaux desséchés de sa mue.

PREMIÈRE PARTIE

Perdue

1

Les recherches

10 juillet 2005

Cette fille qui s'est perdue dans la réserve du Nautauga. Ou, *cette fille qui a sans doute été tuée et cachée quelque part.*

Savoir où avait disparu la fille de Zeno Mayfield et s'il y avait une chance de la retrouver en vie, ou dans un état raisonnable entre vie et mort, était une question qui troublait tout le monde dans le comté de Beechum.

Tous ceux qui connaissaient les Mayfield ou avaient entendu parler d'eux.

Et pour ceux qui connaissaient le jeune Kincaid – le *héros de guerre* – la question était encore plus troublante.

Dès la fin de la matinée, ce dimanche 10 juillet, la nouvelle des recherches rapidement organisées pour retrouver la *jeune fille disparue* avait été lancée sur les ondes médiatiques : « flash de dernière minute » sur la station de radio et dans les bulletins télévisés locaux, puis, très vite, dans tout l'État et sur les réseaux de l'Associated Press.

Des dizaines de sauveteurs, professionnels et bénévoles, recherchent la jeune Cressida Mayfield, dix-neuf ans, demeurant à Carthage, N. Y., qui aurait disparu dans la réserve forestière du Nautauga hier soir, 9 juillet.

Vu par des témoins en compagnie de la jeune fille le soir du 9 juillet, le caporal Brett Kincaid, vingt-six ans, également de Carthage, a été placé en garde à vue par le département du shérif du comté de Beechum pour être interrogé.

Il n'a été procédé à aucune arrestation. Le département du shérif n'a fait aucun commentaire officiel concernant le caporal Kincaid.

Toute personne ayant des renseignements permettant de retrouver Cressida Mayfield est priée de contacter...

Il savait : elle était en vie.

Il savait : s'il persévérait, s'il ne cédait pas au désespoir, il la trouverait.

Elle était son plus jeune enfant. Elle était l'enfant difficile. Celle qui devait lui briser le cœur.

Il y avait une raison à cela, supposait-il.

Si elle le détestait. Si elle avait permis qu'il lui arrive malheur, pour faire son malheur à *lui*.

Mais il n'avait pas le moindre doute, elle était en vie.

« Je le saurais, je le sentirais. Si ma fille avait quitté cette terre – il y aurait un vide, forcément. Je le sentirais. »

Il lui était insupportable qu'on la déclare *disparue*.

Il soutenait qu'elle s'était *perdue*.

Ou plutôt, *probablement perdue*.

Elle s'était éloignée ou peut-être enfuie. Pour une raison quelconque, elle s'était *perdue* dans la réserve du Nautauga. Le jeune homme avec qui elle se trouvait – cela, le père ne le comprenait pas, car elle avait dit à ses parents qu'elle passerait la soirée avec d'autres amis – avait affirmé qu'il ne savait pas où elle était, qu'elle l'avait quitté.

Sur le siège avant de la Jeep Wrangler du jeune homme, il y avait des taches de sang, disait-on. Une traînée de sang sur le pare-brise, côté intérieur, comme si un visage ou un crâne ensanglanté l'avait heurté avec une certaine force.

Des cheveux isolés, et une unique touffe de cheveux, sombres comme ceux de la *jeune disparue*, avaient été recueillis sur le siège passager et sur la chemise du jeune homme.

À l'extérieur du véhicule, aucune empreinte de pas – le bas-côté de Sandhill Road, herbeux, puis rocailleux, dévalait en pente rapide vers le cours tumultueux de la Nautauga.

Le père ne connaissait pas (encore) ces détails. Il savait que le jeune caporal avait été placé en garde à vue parce qu'il avait été trouvé dans un semi-coma éthylique au volant de son véhicule, garé au petit bonheur sur un étroit chemin de terre à l'entrée de la Réserve, le dimanche 10 juillet 2005 vers 8 heures du matin.

Ce jeune caporal, Brett Kincaid, aurait été la dernière personne à avoir vu Cressida Mayfield avant sa «disparition».

Kincaid était un ami de la famille Mayfield, ou il l'avait été. Jusqu'à la semaine précédente il avait été le fiancé de la sœur aînée de la *jeune fille disparue*.

Le père avait tenté de le voir : simplement pour lui parler! Pour regarder le jeune caporal dans les yeux. Pour voir comment le jeune caporal soutenait *son* regard.

Cela lui avait été refusé. Pour le moment.

Le jeune caporal était en *garde à vue*. Ainsi que les bulletins d'information veillaient à le préciser *Il n'avait été procédé à aucune arrestation.*

Tout cela était si déroutant! Le père, qui s'était longtemps flatté d'être futé, habile, un peu mieux et plus rapidement informé que quiconque dans son entourage, ne parvenait pas à comprendre ce qui semblait étalé devant lui comme des cartes distribuées par un donneur sinistre.

Sa vie – sa vie quotidienne, complexe comme le mécanisme d'une montre de luxe, mais toujours parfaitement maîtrisée – avait été si brutalement bouleversée. Non seulement la surprise – le choc – de la « disparition » de sa fille, mais les circonstances de cette « disparition ».

Il était inimaginable que Cressida leur eût menti, à sa mère et à lui… et pourtant, c'était manifestement ce qu'elle avait fait.

À tout le moins, elle ne leur avait pas dit l'entière vérité sur ses projets, la veille au soir.

Cela lui ressemblait si peu ! Cressida avait toujours considéré le mensonge comme un signe de faiblesse morale. Il fallait être lâche pour se soucier de l'opinion des autres au point de s'abaisser à *mentir*.

Et qu'elle eût retrouvé l'ex-fiancé de sa sœur dans une taverne du lac… voilà qui était encore plus stupéfiant.

Les Mayfield avaient dû le dire à la police – ils avaient dû leur dire tout ce qu'ils savaient. Concernant un adulte, la police n'a pas coutume de lancer des recherches dans un délai aussi court, à moins que la disparition ne soit jugée « suspecte ».

Le père avait dû insister, dire sa crainte que sa fille ne se fût « perdue » dans la réserve du Nautauga, quoique ne pouvant se résoudre à admettre la possibilité qu'il lui fût « arrivé quelque chose ».

Ou, en tout cas, pas « quelque chose de grave ».

Se refusant à penser *agression sexuelle, viol*.

Se refusant à penser *ou pire*…

Cressida avait dix-neuf ans, mais paraissait beaucoup plus jeune. Menue, enfantine, le corps d'un jeune garçon – svelte, les hanches étroites, la poitrine plate. Le père avait vu des hommes (des hommes, pas des adolescents) regarder Cressida, notamment en été quand elle portait des tee-shirts amples, des jeans ou des shorts, le visage nu de tout maquillage, pâle et saisissant… la regarder avec une sorte de désir désorienté, comme s'ils tâchaient de déterminer si elle était une jeune fille ou un jeune garçon ; et pourquoi, alors qu'ils la regardaient si avidement, elle demeurait indifférente.

Pour ce qu'en savaient ses parents, Cressida n'avait aucune expérience des garçons ni des hommes.

Elle avait la férocité puritaine de qui dédaigne moins les rapports sexuels que tout contact physique intime et partagé.

Comme l'avait dit sa sœur Juliet *Oh je suis sûre que Cressida n'a jamais été – euh – avec quelqu'un… Je veux dire… je suis sûre qu'elle est…*

Trop soucieuse des sentiments de sa sœur pour prononcer le mot *vierge*.

Le père était surexcité. Le sang chargé d'adrénaline, le cœur battant à un rythme anormal. Il se disait *C'est l'excitation des recherches. Savoir que Cressida est tout près.*

Cette proximité, il la sentait. Cet homme qui avait toujours traité de « divagations mystiques » les discours sur la perception extrasensorielle avait maintenant la conviction de sentir la présence de sa fille, toute proche ; de sentir qu'elle pensait à *lui*.

Quoique sachant, dans un coin de son cerveau, que si elle avait été à proximité de l'entrée de la réserve, à proximité de Sandhill Road et de Sandhill Point, quelqu'un l'aurait certainement déjà retrouvée.

Car il avait une formation juridique, et il était avocat dans l'âme – doute, questionnement, encore et toujours.

Car il était formé à répondre *Oui, mais...?*

Quelle ironie que sa fille n'ait jamais aimé camper ni marcher! pensait-il. La nature l'ennuyait, disait-elle.

Ce qui voulait dire que la nature l'effrayait. Que la nature n'avait qu'indifférence pour *elle*.

Il avait connu d'autres gens comme cela et, peut-être par coïncidence, uniquement des femmes. Les femmes se sentent plus en sécurité dans un espace clos, un espace clairement défini où leur identité se reflète dans le regard des autres : un lieu où il est difficile de *se perdre*.

La rapacité de la nature, se disait Zeno. On n'y pense jamais quand on maîtrise les choses. Quand ce n'est plus le cas, il est trop tard.

Le père leva les yeux, avec un sentiment d'angoisse. Haut dans le ciel, à peine visible au travers des branches serrées des pins, une buse – deux buses – des buses à épaulettes chassant ensemble, en longues courbes glissantes.

Se détachant avec netteté sur le ciel, puis plongeant, disparaissant en l'espace d'un instant.

Il avait vu des rapaces nocturnes fondre sur leur proie. Un rapace est une machine à tuer revêtue de plumes et parfaitement silencieuse dans ces moments-là, le seul cri qu'on entend est celui de la proie.

Tandis qu'il se frayait un chemin à travers les ronces, des animaux détalaient sous ses pieds : lapins, rats des bois, une famille de moufettes ; des serpents. Quelque part, tout proche, le gloussement liquide d'un dindon sauvage.

Une solitude trop vaste pour sa cadette. C'était quelque chose qu'il n'aimait pas chez sa fille : elle abandonnait trop vite. Prétextant qu'elle s'ennuyait, préférait rentrer pour retrouver ses livres, son «art».

Elle éprouvait le besoin de se remplir le cerveau de tout ce qu'elle pouvait. Et on ne peut pas faire entrer cent mille hectares dans un cerveau.

Ne nous fais pas ça, Cressida! Si tu es quelque part près d'ici, montre-toi.

Le père était enroué à force de crier le nom de sa fille. C'était perdre bêtement son énergie, il le savait : aucun des autres bénévoles ne le faisait.

À des remarques qu'on lui avait adressées ou qu'il avait entendues, le père savait que pour l'instant il en imposait aux jeunes sauveteurs : un homme de son âge, bien plus vieux qu'eux, un marcheur apparemment expérimenté, dans une forme physique respectable.

C'était du moins l'impression qu'il avait donnée au début de la battue.

« Monsieur Mayfield? Tenez. »

Il avait bu sa ration d'eau trop vite. Respiré par la bouche, ce qu'un randonneur sérieux évite de faire.

« Merci, ça va. Vous allez en avoir besoin.

– Prenez-la, monsieur. J'ai une autre bouteille. »

Un jeune homme, mince, les muscles déliés, évoquant un lévrier ou un whippet – l'un des shérifs adjoints du comté de Beechum, portant tee-shirt, short et chaussures de randonnée. Le père se demanda si l'adjoint connaissait sa fille – l'une ou l'autre de ses filles; s'il en savait plus sur ce qui avait pu arriver à Cressida qu'il ne lui avait été accordé à lui, le père, d'en savoir.

Le père était le genre d'homme à qui il est plus facile de superviser les autres, de leur faire des faveurs, que d'en accepter lui-même. Le père était un homme qui se flattait d'être *fort, protecteur.*

Malgré tout, il n'est pas conseillé de se déshydrater. D'avoir des étourdissements. Rien de plus épuisant que ces poussées anarchiques d'adrénaline.

Il prit la bouteille d'eau. Il but.

Ce matin-là ils avaient commencé leurs recherches le long des rives de la Nautauga, dans la zone où avait été garée la Jeep Wrangler du caporal. C'était une partie de la rivière fréquentée par les pêcheurs, à la fois marécageuse et hérissée de rochers ; les empreintes étaient nombreuses entre les rochers, superposées les unes aux autres, remplies d'eau par une averse récente.

Quand on leur avait fait renifler des vêtements de la *disparue*, les chiens sauveteurs s'étaient élancés en aboyant avec excitation, mais ils avaient vite perdu la piste – s'il y en avait une – et s'étaient mis à tourner en rond, avec des jappements plaintifs.

Des kilomètres le long des boucles et des méandres de la rivière, entre les rochers, puis les sauveteurs avaient décidé de changer de stratégie et de se déployer en cercles plus ou moins concentriques à partir de Sandhill Point. Certains avaient déjà cherché des randonneurs ou des enfants perdus dans la Réserve et avaient leur technique particulière, mais les adjoints du comté de Beechum avançaient groupés, à quelques mètres seulement les uns des autres, malgré les broussailles et les troncs serrés des pins qui rendaient la progression difficile : il s'agissait de ne pas passer à côté de ce qui avait pu tomber par terre, s'accrocher aux ronces, frotter contre un arbre, du moindre indice du passage de la fille, peut-être capital pour lui sauver la vie.

Le père écoutait avec un calme apparent ce qu'on lui disait, ce qu'on lui expliquait. En public, Zeno Mayfield se présentait toujours comme le plus raisonnable des hommes : un homme en qui on pouvait avoir confiance.

Son métier avait consisté à s'adresser aux autres avec une intelligence et un enthousiasme de tous les instants. Maintenant, cependant, il n'avait aucune possibilité de donner des ordres à autrui. Dans la Réserve, un sentiment d'impuissance lui serrait la gorge. Il ne pouvait compter que sur sa force physique, et non sur la sagacité d'esprit qui lui était plus habituelle. *Mais s'il arrivait quelque chose à sa fille. S'il lui était arrivé quelque chose.*

Ne voulant pas penser qu'elle avait pu tomber, se casser une jambe, qu'elle gisait peut-être sans connaissance, incapable d'entendre leurs appels, incapable de répondre... Tâchant de ne pas penser qu'elle n'était peut-être pas à portée de voix, que les eaux rapides de la rivière, grossies par les violents orages de la semaine précédente, l'avaient peut-être entraînée cinquante kilomètres en aval, là où la Nautauga se jetait dans le lac Ontario.

Tout au long de la matinée il y eut de fausses alertes, de faux espoirs. Une campeuse, vêtue d'une chemise rouge, les regardant approcher de son campement avec ébahissement. Et sa compagne, une autre jeune femme, sortant d'une tente, effrayée, hostile l'espace d'un instant.

Excusez-nous, auriez-vous vu...?

... fille de dix-neuf ans, qui paraît plus jeune. Nous pensons qu'elle se trouve quelque part par ici...

En début d'après-midi, dans la septième heure de ce premier jour de recherches, le père aperçut sa fille, à moins de cent mètres devant lui.

Tiré en sursaut de son apathie, il hurla : «Cressida!»

Se lançant dans une course désespérée, folle, dévalant une pente abrupte tandis que les autres sauveteurs, pétrifiés, le suivaient des yeux.

Plusieurs d'entre eux virent ce qu'il voyait : de l'autre côté d'un étroit torrent de montagne, la jeune fille, tombée ou endormie, recrue de fatigue.

Des ruisselets de sueur, brûlants comme de l'acide, dans les yeux du père. Il dégringolait maladroitement la pente, des élancements de douleur entre les épaules, dans les jambes. Un gros animal balourd titubant sur ses pattes de derrière.

« Cressida ! »

Elle gisait sans mouvement de l'autre côté du torrent, à demi dissimulée par des buissons. L'un de ses membres – une jambe ou un bras – pendait dans l'eau. Le père criait d'une voix rauque : « Cressida ! » Incapable de croire sa fille blessée ou brisée, se disant qu'elle était simplement endormie, qu'elle l'attendait.

D'autres sauveteurs accouraient, maintenant. Le père ne leur prêtait aucune attention, il était résolu à rejoindre sa fille le premier, pour la réveiller, la prendre dans ses bras.

« Cressida ! Chérie ! C'est moi… »

Zeno Mayfield avait cinquante-trois ans. Il n'avait pas couru comme cela depuis des années. Il avait été un sportif, autrefois, il y avait très longtemps – au lycée. Mais à présent son cœur était un poing énorme dans sa poitrine. Une douleur aiguë, une série de petites douleurs aiguës entre les omoplates. Il continua cependant à courir, follement, désespérément, comme dans l'espoir d'échapper à ces éclairs de douleur. C'était un homme de haute taille, la poitrine large, le dos musclé ; ses cheveux étaient encore épais, couleur réglisse là où ils ne grisonnaient pas encore. Empourpré par la fatigue de ces heures de marche en pleine chaleur, son visage se vidait de son sang, se marbrait de teintes livides ; son cœur battait si laborieusement qu'il semblait pomper l'oxygène de son cerveau ; à une telle allure, il ne pouvait respirer, ne pouvait avoir de pensées cohérentes ; tout juste si ses grosses jambes patuades parvenaient à l'empêcher de tomber. Il se disait *Tout va bien. Cressida n'a rien, bien sûr.* En arrivant au torrent, cependant, il vit que ce n'était pas sa fille sur l'autre rive, mais la carcasse à demi décomposée d'une jeune biche, la tête encore belle, dépourvue de bois, et la poitrine déchiquetée, sanglante, dépecée par des charognards.

Le père poussa un cri d'horreur.

Un cri étranglé d'animal, comme s'il avait reçu un coup dans la poitrine.

Il tomba à genoux. Vidé de toutes forces.

Il cherchait sa fille depuis 10 heures ce matin-là. Il l'avait trouvée endormie à côté d'un petit torrent de montagne comme dans un conte de fées pour enfants et, sous ses yeux, elle s'était transformée en une horrible carcasse décomposée.

Zeno Mayfield n'avait pas pleuré depuis la mort de sa mère, douze ans auparavant. Et même alors, il n'avait pas pleuré ainsi. Secoué de sanglots, submergé d'une terrible pitié pour la biche tuée et à demi dévorée.

On l'appelait par son nom. Des mains sous ses aisselles, le relevant.

Il aurait voulu leur dissimuler la difficulté évidente qu'il avait à respirer. Entre ses épaules, les douleurs s'étaient fondues en une seule douleur lancinante, rappelant un éclair en zigzag de bande dessinée.

Ce matin-là il avait tenu à se joindre à l'équipe des sauveteurs. Le père de la *jeune fille disparue* se devait de la chercher, c'était évident.

On l'avait remis debout, à présent. L'animal blessé, vacillant sur ses jambes.

Avec quelle rapidité terrible un homme peut se retrouver privé de ses forces, de sa fierté.

C'étaient de jeunes bénévoles dont Zeno ne connaissait pas le nom. Eux, en revanche, connaissaient le sien : «Monsieur Mayfield…»

Il repoussa leurs mains. Il était debout, il respirait de nouveau normalement, ou presque…

Il aurait insisté pour reprendre les recherches après quelques minutes de repos, l'eau tiède d'une bouteille d'Évian et un jet nerveux d'urine derrière un rocher mangé de lichen, mais les ténèbres obscurcirent de nouveau son cerveau et, à sa grande honte, il poussa un soupir et sombra.

Prends-moi à sa place, mon Dieu. Si Tu dois prendre quelqu'un… fais que ce soit moi.

2

Future mariée

4 juillet 2005

Oui tu sais. Tu sais que oui. Bien sûr… tu me connais.
Comment as-tu pu douter de *moi*.

C'est un choc… bien sûr. Nous sommes tous – nous sommes
tous très – tristes…
Non! J'ai dit *tristes*. Nous le sommes tous – nous tous qui
t'aimons – et moi – surtout. Nous sommes *tristes*.

Non, Brett, attends. Nous sommes *très heureux* que tu sois
en vie, bien sûr, et que tu nous sois revenu.
Ce n'est pas cela qui nous rend *tristes*, nous en sommes *très*
heureux.
Pendant ces longs mois, nous avons prié. Nous n'avons pas
cessé de *prier*.
Et maintenant, tu es revenu.
Et maintenant, tu nous es revenu.

Je savais que tu reviendrais bien sûr – je n'en ai jamais douté.
Même quand nous n'avions pas de nouvelles – quand tu
étais *au combat* – je n'en ai pas douté.

Dans cet endroit terrible – comment prononce-t-on ça – « Diyala »...

Crois-moi je t'en prie chéri : je t'aime comme avant.
C'est pour ça que je voulais que nous nous fiancions avant ton départ – pour le cas où il arriverait quelque chose... là-bas.
Mais tu me connais, je suis... à toi.
Je suis ta *fiancée*. Ta *future femme*.
Cela ne changera pas.

Sauf que maintenant il y a tant de choses à prévoir !
J'en ai le tournis rien que d'y penser...
Ta mère a promis de nous aider mais maintenant...
... (Je n'aurais pas dû dire *promis*. Ce n'est pas ce que je voulais dire.)
Mais avant ça, avant – ça... Les opérations, la convalescence et la rééducation. Avant ça, ta mère se faisait une joie de préparer le mariage, avec ma mère et ma grand-mère, et nous projetions de faire le mariage dès que tu...
Eh bien oui : il y a un *avant*, et il y a *maintenant*.

C'est donc mal de dire *avant*? Et... *maintenant*?
Pourquoi me regardes-tu comme ça, Brett...
Pourquoi es-tu en colère contre *moi*...
Pourquoi as-tu l'air de me haïr...
... tu me regardes comme si j'étais une inconnue. Et tu es un inconnu pour moi et je... tu me fais peur dans ces moments-là.

Parce que je t'aime, Brett. Je *t'aime*.
Je *t'aime* et donc quelquefois cet autre – on dirait que c'est quelqu'un d'autre... qui me regarde par tes yeux.
Cela me fait très peur. Parce que je ne sais pas quoi faire pour satisfaire *cet autre*.

Je te fais le serment d'être *ta femme aimante pour toujours et à jamais Amen.*

Je t'en fais le serment comme à Jésus notre Sauveur *pour toujours et à jamais Amen.*

Je n'ai pas honte de t'aimer. D'être avec toi comme avant... Je n'aurais pas eu honte d'être enceinte (je me demandais si je l'étais, tu te rappelles?) et maintenant je me dis (presque) que c'est dommage que je ne l'aie pas été.

(Et toi?)

(Ce serait tellement différent, maintenant!)

J'ai l'impression de déjà être ta femme. Mais j'ai quelquefois l'impression que tu n'es pas mon mari – pas tout à fait.

J'ai l'impression qu'il y a mon Brett chéri, et puis... *cet autre.* Quelquefois.

Voici le croquis de la *robe de mariée.*

Elle est vraiment jolie, non? Elle te plaît?

Dis-moi que *oui,* s'il te plaît. J'aimerais tellement t'entendre dire *oui.*

Je sais que ça ne t'intéresse pas... tellement. Bien sûr... Certaines robes sont très chères. Celle-ci est une affaire que nous avons trouvée sur internet : «Robes Bonnie Bell».

Elle est vraiment belle, je trouve.

Soie ivoire. Dentelle ivoire. Encolure dénudant une épaule, dentelle fine dans le dos. Le corsage plissé est «ajusté» et la jupe, «évasée».

Le voile est en mousseline légère. La traîne fait un mètre de long.

Et voici les chaussures : des escarpins de satin ivoire.

Tiens, je te mets la photo à la lumière, tu verras peut-être mieux...

Tu crois que je serai... jolie, habillée comme ça ?
Tu disais que j'étais ta *belle*. Tu le disais souvent, Brett. Je te croyais alors, et je veux te croire maintenant.
Dis *oui*, s'il te plaît.

Tu porteras ta grande tenue de parade. Tu es si séduisant dans ton uniforme avec tes « décorations ».
Tu porteras les lunettes de soleil. Tu porteras des gants blancs. Et la casquette de grande tenue, si *élégante*.
Le caporal Brett Kincaid. Mon mari.
Nous nous entraînerons. Nous avons des mois pour nous entraîner.

(Tu avais eu une promotion « nationale » – disais-tu.)
(Tout a un sens dans l'armée – disais-tu. Et donc « nationale » avait un sens, mais lequel ?... Nous ne le savions pas.)
(Tout ce que nous savons, c'est que nous sommes fiers de notre *caporal Brett Kincaid*.)

Tu te trompes : *tu n'as pas l'air blessé*.
Tu *n'as pas l'air « esquinté »*.
Tu *n'as pas l'air « à chier »* !
Tu es mon séduisant fiancé, tu n'as pas vraiment changé. Il y aura d'autres opérations. Il te faut le temps de cicatriser, le chirurgien l'a dit. Cela « cicatrisera naturellement » – avec le temps.
On ne peut pas attendre d'un miracle qu'il soit parfait !
Les oreilles, le cuir chevelu, le front, les paupières de tes yeux. Le cou sous le menton, du côté droit. Sauf sous une lumière vive, on penserait à une... à des brûlures ordinaires.
Oh ! s'il te plaît ne te recule pas... quand je t'embrasse. S'il te plaît, Brett.

C'est comme un éclat de verre dans le cœur… quand tu me repousses.

Si les gens *te regardent* à Carthage, c'est parce qu'ils ont entendu parler de toi – de tes médailles, de tes décorations. Ils t'admirent parce que tu es un *héros de guerre*, mais ils ne veulent pas t'importuner.

Comme papa. Il a beaucoup d'admiration pour toi, Brett! Mais quand il est ému, ça se manifeste d'une drôle de façon : il devient très silencieux. On ne le croirait pas comme ça, mais Zeno Mayfield est quelqu'un de timide, en fait.

Dans le fond, je veux dire.

Les hommes ont du mal à parler… de certaines choses. Papa n'a jamais eu de fils, seulement des filles. Avec nous, c'est lui qui *parle*. Nous, nous *écoutons*.

Et maman parle sans cesse de toi. Quand tu étais en Irak, au combat, elle priait continuellement pour toi. Elle s'inquiétait presque davantage que moi quand nous n'avions pas de tes nouvelles…

Toute ma famille, Brett. Tous les Mayfield.

Essaie de le croire : *nous t'aimons.*

J'aimerais que tu reviennes à l'église avec moi, Brett.

Tout le monde regrette ton absence.

Nous avons un nouveau pasteur : quelqu'un de très bien.

Et sa femme aussi est très bien.

Ils demandent de tes nouvelles tous les dimanches. Ils ont entendu parler de toi, naturellement.

Je veux dire qu'ils savent que tu nous es revenu sain et sauf.

Il y a d'autres anciens combattants parmi les fidèles, je crois. Ils ne viennent pas toutes les semaines. Mais je pense que tu connais au moins deux d'entre eux : Denny Bisher et

Brandon Kranach. Ils étaient peut-être en Irak ou peut-être en Afghanistan.

Denny est dans un fauteuil roulant. C'est son frère cadet qui l'accompagne. Ou sa mère. *Comment va Brett,* voilà ce qu'il me demande toujours, et je lui réponds que tu prendras bientôt contact avec lui…

Comment va le caporal Kincaid. Comment va ce type super.

Non, s'il te plaît! Ne te mets pas en colère, je m'excuse.

… je ne parlerai plus de Denny.

… je ne parlerai plus de l'église.

Ne sois pas en colère, s'il te plaît, *je m'excuse.*

Juste un feu d'artifice, Brett. À Palisade Park.

Les fenêtres sont fermées. Le climatiseur marche.

Je peux mettre la musique plus fort pour que tu n'entendes pas.

Je te l'ai dit, chéri… juste un *feu d'artifice.* Tu sais bien : *le 4-Juillet dans le parc.*

Oui, mieux vaut ne pas y aller cette année.

Je leur ai dit de ne pas compter sur nous… maman et papa. Nous avons autre chose à faire.

Quels cachets? Les blancs, ou…

Je t'apporte un verre d'eau.

D'accord, un verre de bière. Mais le médecin a dit…

… pas conseillé, le mélange «alcool» et «médicaments»…

Non… s'il te plaît.

Nous nous entraînerons, à l'église. Avant la répétition du mariage, nous nous entraînerons.

Non, tu ne *boites* pas. Simplement – de temps en temps – on dirait que tu perds l'équilibre – tes jambes ont une brusque saccade, comme quand on rêve.

Je pense que *ce n'est pas réel*. C'est juste *quelque chose dans ta tête*.

Coordination main-œil. Ils ont promis.

Sur la vidéo, on voit les progrès qu'a faits ce garçon.

Il y a de nombreux miracles. Le grand miracle accordé par Dieu, *c'est que tu sois en vie et que nous soyons ensemble*.

Le médecin – le neurologue – dit que c'est une question de *réorganisation des circuits neuronaux*. Qu'il faut que les *nouvelles cellules cérébrales apprennent à remplacer celles qui sont endommagées*. C'est de la *neurogenèse*.

Comme quand on ne dort pas. Le cerveau «oublie» comment dormir. Comme – quelquefois – le cerveau oublie comment contrôler l'«élimination». *Personne n'y est pour rien*.

Ces réflexes reviendront avec le temps, a dit le médecin.

Quand la grenade a explosé et que le mur s'est effondré. C'était *au combat*. C'est pour ça qu'on t'a décerné la *Purple Heart*.

Et le *Combat Infantry Badge*, un insigne particulier, très beau, avec un galon d'or en forme de U et la reproduction miniature d'une carabine à canon long sur fond bleu. Un insigne qu'on tient dans sa main et qu'on admire comme une pierre précieuse.

Une pierre précieuse qui serait une énigme, ou une énigme qui serait une pierre précieuse.

Tu as été si courageux, depuis le début.

Voilà pourquoi tu ne dois pas avoir honte d'être revenu.

Tu n'es pas un *traître* ni un *lâche*. Tu n'as pas *laissé tomber ta section*. Tu as été blessé, et tu es en convalescence. Et tu es en rééducation.

Et tu vas te marier.

Nous aurons des enfants, j'en fais le serment. Un fils.
Je le sais. C'est possible!
Nous le ferons. Nous les étonnerons. Au centre, ils l'ont
promis – le vieux médecin m'a dit : *Si vous aimez votre futur
mari, si vous ne renoncez pas, une grossesse n'est pas impossible.*
Beaucoup d'invalides de guerre ont eu des enfants. C'est
bien connu.
L'IRM n'a pas décelé de tumeur. L'IRM n'a pas décelé de
caillots. L'IRM n'a décelé aucune «irrégularité».
Quoi que tu voies dans ta tête comme si tu rêvais, ce n'est
pas réel. Tu le sais!

LE CAPORAL BRETT GRAHAM KINCAID.
Sur les cartes, nous essayions de te suivre.
Bagdad – tout au début.
La province de Diyala. Sadah.
L'endroit où tu as été blessé : Kirkouk.
Là où les cartes ont fait défaut... se sont effacées.
Si loin de Carthage.

OPÉRATION LIBERTÉ POUR L'IRAK.
Très peu de gens à Carthage connaissent la différence – s'il y
en a une – entre «Irak» et «Afghanistan».
Je la connais : parce que je suis ta fiancée et qu'il est néces-
saire que je sache.
Malgré tout c'est confus, et je ne peux interroger personne.
Car je n'ose pas t'interroger, toi.
Ce regard que tu as, alors! Un tel froid m'envahit que j'en
tremble.
Il ne m'aime pas. Il ne me reconnaît même pas.

Le révérend Doig expliquait dimanche dernier qu'il n'y a pas, qu'il ne peut pas y avoir de fin à la guerre parce qu'il y a dans l'âme humaine un « germe mauvais » qui ne sera totalement éradiqué que lorsque Jésus reviendra sauver l'humanité.

Mais quand ? Quand Jésus nous reviendra-t-il ?

Comme le caporal Kincaid est revenu.

Oui j'y crois ! Je veux y croire.

Je dois croire qu'il y a une façon d'y croire… pour nous deux. Quand le révérend Doig nous mariera.

Ce que je leur ai dit ? La vérité : c'était un accident.

J'ai glissé et je me suis cognée à la porte… un accident idiot.

Aux urgences, ils m'ont fait une radio. Ma mâchoire n'est pas déboîtée.

C'est douloureux, j'ai du mal à avaler, mais les bleus s'effaceront.

Je sais que tu ne le voulais pas.

Je regrette de t'avoir contrarié.

Je ne pleure pas, je t'assure !

Nous nous rappellerons cette période difficile, plus tard, et nous nous dirons : *Notre amour a été mis à l'épreuve. Nous n'avons pas faibli.*

Ce matin je me suis sentie si seule dans mon lit. Oh Brett comme je regrette ces moments que nous passions dans ton appartement avant ton départ, rien que toi et moi…

Quand cela sera de nouveau possible, nous serons aussi heureux que nous l'étions alors. Pour nous, ce n'est pas normal de vivre comme nous le faisons en ce moment. Pas étonnant qu'il y ait cette tension entre nous. Mais cela passera, ce temps d'épreuve.

Si seulement ta mère ne me détestait pas. J'essaie si fort de l'aimer, pourtant…

Elle m'a dit *Tu n'as pas à faire semblant. Tu peux arrêter de faire semblant. Dès que tu veux, tu peux arrêter.* Et je ne savais pas quoi lui répondre… elle me regardait d'un air si mauvais… J'ai fini par dire *Mais je ne fais semblant de rien du tout, madame Kincaid! J'aime Brett et mon seul désir c'est de l'épouser, d'être sa femme et de m'occuper de lui autant qu'il le souhaite, c'est tout ce dont je rêve.*

Ce matin je me suis réveillée tôt et je n'arrivais pas à me rendormir (il y a un coq quelque part derrière notre maison, sur la colline derrière le cimetière de Post Road, j'aime bien l'entendre chanter, mais cela signifie que la nuit est finie et que je n'arriverai probablement pas à me rendormir) et je me suis rappelé nos adieux, juste avant ton départ.

Dans l'aéroport d'Albany. Il y avait d'autres soldats qui arrivaient au contrôle de sécurité, dont certains encore plus jeunes que toi. Et cet officier plus âgé : un lieutenant. Et tout le monde – tous les civils – te regardait avec respect.

C'était si triste de dire au revoir! Et tout le monde voulait te serrer dans ses bras et t'embrasser à la dernière minute, et tu disais en riant *Mais c'est Julie ma fiancée, les gars, pas vous.*

Nous sommes si nombreux à t'aimer, Brett. J'aimerais que tu t'en rendes compte.

Tu m'as donné ta «lettre spéciale» ce jour-là. Je savais ce que cela voulait dire – je crois que je savais – j'ai eu peur de m'évanouir – mais je l'ai cachée très vite et n'en ai jamais parlé à personne.

Je ne l'ouvrirai jamais maintenant. Maintenant que tu nous es revenu sain et sauf.

Oui, je l'ai toujours, bien sûr. Cachée dans ma chambre.

Ma sœur est au courant… ou plutôt elle l'a vue entre mes mains. Elle n'a aucune idée de son contenu. Elle ne saura jamais.

Elle me dit que je ne suis pas digne de toi, que je suis «trop heureuse», «trop superficielle» pour te comprendre.

En fait, Cressida ne sait rien de ce qu'il y a entre nous. Personne ne sait, sauf nous.

Ces moments précieux entre nous, Brett. Nous les partagerons de nouveau…

Cressida est quelqu'un de bien au fond d'elle-même! Mais ce n'est pas toujours visible.

Cela la blesse de voir des gens heureux autour d'elle. Même des gens qu'elle aime. Je crois que te voir tel que tu es maintenant lui a fait quelque chose; jamais elle ne le reconnaîtrait, mais cela l'a profondément bouleversée.

Elle est comme ça : dès que tu abordes un sujet personnel, elle te regarde avec froideur. *Pardon. Tu te trompes complètement.*

Elle a refusé d'être ma demoiselle d'honneur en disant qu'elle ne portait plus de jupe ni de robe depuis toute petite, et qu'elle n'allait pas commencer maintenant. *Les mariages sont les rites d'une religion éteinte dans laquelle je ne crois pas,* a-t-elle dit en riant.

Je lui ai demandé à quelle religion elle croyait.

Je lui ai posé la question sérieusement, pas avec ce ton sarcastique qu'elle-même prend toujours. Je voulais vraiment savoir.

Mais Cressida a gardé le silence. Elle s'est détournée comme si elle avait honte, et elle n'a rien répondu.

J'aimerais – je prie pour ça! – que Cressida vienne avec nous à l'église de temps en temps. Ou juste avec moi, si tu ne veux pas venir. Je sais qu'elle a été blessée, que quelque chose ou quelqu'un l'a fait souffrir, même s'il est impossible qu'elle me le confie jamais. J'ai le sentiment que son cœur est vide et aspire à la plénitude – à *passer sur l'autre rive.*

Non, Brett! Jamais.

Tu ne dois pas parler comme ça.

Nous ne pourrions pas être plus fiers de toi, je t'assure. C'est un sentiment qui dépasse la fierté – celui qu'on éprouve pour un véritable héros, qui a agi comme peu de gens seraient capables de le faire, dans un moment de grand danger.

Ce que tu as dit à la soirée d'adieu, des mots très simples qui ont fait pleurer tout le monde : *Je souhaite simplement servir mon pays, je veux être le meilleur soldat que je sache être.*

Et c'est ce que tu as été. Je t'en prie, Brett, aie foi dans l'avenir!

La guerre d'Irak a été le moment le plus excitant de ta vie, je sais. Ces mois que tu as passés loin de nous… «déployé». Des moments dangereux et excitants pour toi, et secrets (je le comprends), dont nous ne pouvions rien savoir à Carthage.

Opération Liberté pour l'Irak. Quels mots!

Nous avons essayé de suivre les nouvelles. Sur internet. Nous priions pour toi.

Papa retirait des journaux ce qu'il ne voulait pas que je voie. Surtout dans le *New York Times*, qu'il achète le dimanche.

Les photos des soldats morts à la guerre… *les* guerres. Depuis 2001.

J'en ai vu certaines, bien sûr. Je ne pouvais pas m'empêcher de chercher des femmes parmi ces rangées d'hommes qui avaient l'air d'adolescents.

Il n'y a pas beaucoup de femmes soldats. Mais ça donne un choc de les voir, leurs photos au milieu de tous ces hommes.

Et toujours souriantes. L'air de lycéennes.

À Carthage, il y a des gens qui ne «soutiennent» pas la guerre – les guerres. Mais ils soutiennent nos troupes, ils le disent clairement.

Papa l'a toujours dit clairement.

Papa te respecte. Il est juste mal à l'aise, il ne sait pas comment te parler, mais il y a des hommes comme ça. Il n'a jamais été soldat et il a des opinions tranchées sur la guerre du Vietnam, celle de sa jeunesse. Mais ça n'a rien de personnel.

Tu as dit *C'est un coup de dés*. Tu as dit *Ça n'intéresse personne qui vit ou qui meurt. Un coup de dés*.

Je sais que tu ne le penses pas. Ce n'est pas Brett qui parle comme ça, c'est *l'autre*.

Tu ne dois pas désespérer. La vie, nos vies sont un don. Notre amour l'un pour l'autre.

C'était étonnant, ma mère n'est pas très croyante, mais pendant ton absence elle est venue à l'église avec moi presque tous les dimanches. Elle priait.

Tous les fidèles priaient pour vous. Pour toi et pour tous ceux qui sont à la guerre – les guerres.

Tant de gens sont morts dans ces guerres, j'ai du mal à me rappeler les chiffres : plus de mille?

En majorité des soldats comme toi, pas des officiers. Et tous aimés de Dieu, c'est ce qu'on a envie de croire.

Car tous sont *aimés de Dieu*. Même les ennemis.

C'est vrai, nous devons nous défendre. Un chrétien doit se défendre contre les ennemis du Christ.

Cette guerre contre la terreur. C'est une guerre contre les ennemis du Christ.

Je sais que tu ne voulais tuer personne. Je te connais, mon chéri, et je le sais – tu ne voulais pas tuer l'ennemi ni… personne. Mais tu étais soldat, c'était ton devoir.

Tu as été promu parce que tu étais un bon soldat. Nous avons été si fiers de toi, à ce moment-là.

Ta mère est fière de toi, dommage qu'elle ne le montre pas davantage.

Dommage qu'elle ait l'air de penser que tout est *ma* faute.

Je ne sais pas bien pourquoi elle veut que ce soit *ma* faute.

Elle a peut-être cru que j'étais... enceinte, que c'était pour cela que nous voulions nous marier. Et peut-être qu'elle croit que c'est pour ça que tu t'es engagé : pour t'échapper.

J'aimerais pouvoir parler à ta mère, mais je... j'ai essayé... et je n'y suis pas arrivée. Ta mère ne m'aime pas.

Ma mère dit qu'il faut *continuer à faire des efforts. Que Mme Kincaid a peur de perdre son fils.*

Je sais que tu n'aimes pas que je parle de ta mère : pardonne-moi, j'essaierai de ne plus le faire. Mais je me sens si *blessée* quelquefois...

Je sais que la guerre est un terrible souvenir pour toi. Lorsque tu commenceras tes cours à Plattsburgh en septembre, ou peut-être – peut-être seulement en janvier – tu penseras à autre chose... À ce moment-là, nous serons mariés, les choses seront plus faciles quand nous vivrons ensemble.

Moi aussi je suivrai des cours à Plattsburgh. Je crois que je le ferai. À temps partiel, le master Enseignement et éducation.

Avec un master je pourrais enseigner l'anglais au lycée. Je pourrais briguer un poste «administratif» – papa pense que je devrais être «proviseur», un jour.

Papa a tant de projets pour nous! Pour nous deux.

J'aimerais que tu m'en parles, chéri.

J'ai vu des documentaires à la télé. Je crois que je sais à quoi cela ressemblait... d'une certaine manière.

Je sais que c'était un «high» pour toi : je t'ai entendu en parler avec tes amis. Les missions de perquisition dans les maisons irakiennes, quand tu ne savais pas ce qui t'arriverait ni ce que tu ferais.

Ce que tu ne dirais jamais à moi ni à ta mère, tu le raconterais à Rod Halifax et à «Grumpf»… ou peut-être à un inconnu rencontré dans un bar.

Ou à un autre ancien combattant. Quelqu'un qui n'a pas connu le caporal Brett Kincaid tel qu'il était avant.

Rien d'aussi «excitant» à Carthage. Jouer sa vie sur un coup de dés.

Nos vies depuis le lycée… comme si on regardait par le mauvais bout d'un télescope, j'imagine : *petites*.

Ces misérables maisonnettes en carton sous un arbre de Noël, des maisons, une église et de la fausse neige genre sucre glace. *Petit*.

Même nos blessures, ici, sont *petites*.

À Carthage, ta vie t'attend. Pas une vie aussi excitante que l'autre. Pas une vie au service de la Démocratie. Tu as dit quelque chose de très bizarre quand tu nous as vus à la sortie de la salle des bagages, nous étions tout heureux que tu marches sans aide et ton visage a pris cette expression que je ne t'avais jamais vue, comme si tu avais peur de nous, et tu as dit *Oh! mon Dieu vous êtes encore en vie? Je pensais que vous étiez tous morts. Que j'étais passé de l'autre côté et que je vous voyais tous là.*

3

Le père

*Oh papa pourquoi vous m'avez donné un nom pareil : Cressida.
Parce que c'est un nom qui sort de l'ordinaire, chérie. Et qu'il
est beau.*

Un feu brûlait dans le visage du père. Ses yeux étaient des orbites de feu.

Il n'avait pas la force d'ouvrir les yeux. Ni le courage.

Le torse de la biche avait été déchiqueté, un grouillement de mouches et de vers à l'intérieur. Et cependant les yeux étaient encore beaux : des «yeux de biche».

Il avait vu sa fille, là, sur le sol. Il en était certain.

Ce malaise au creux du ventre, ce n'était pas la première fois. *De nouveau, là. Ce lieu de peur, d'horreur. De culpabilité. Sa faute.*

Et en quoi : en quoi était-ce sa faute?

Couché sur le dos, les bras en travers du lit – il se rappelait maintenant : on l'avait ramené chez lui, à son immense honte – qui se creusait sous son poids. (La dernière fois qu'il s'était pesé, bon sang, il faisait… quatre-vingt-seize kilos! Le poids et la grâce d'un sac de ciment.)

Un souvenir lui revint en mémoire, un trampoline dans la cour d'un voisin quand il était enfant. Il se laissait tomber sur la toile grossière pour pouvoir être projeté dans les airs – gauche, euphorique – il s'envolait, perdait l'équilibre et retombait, à plat dos, bras écartés, la respiration coupée.

Sur le trampoline, Zeno avait été le plus téméraire des enfants. Les autres garçons l'admiraient.

Des années plus tard, quand ses propres enfants étaient petits, on s'était avisé que les trampolines étaient dangereux. On risquait de s'y briser la nuque ou le dos ; on pouvait tomber sur les ressorts et s'y déchirer. Mais même s'il l'avait su, enfant, Zeno s'en serait moqué : c'était un risque qui valait la peine d'être couru.

Rien dans son enfance n'avait eu la magie de ces sauts de trampoline : plus haut, toujours plus haut, les bras écartés comme les ailes d'un oiseau.

À présent, il était retombé sur terre. Et durement.

Il le leur avait dit : pas question d'aller à l'hôpital.

Plutôt crever que d'aller aux urgences.

Pas tant que sa fille n'avait pas été retrouvée. Pas tant qu'il ne l'avait pas ramenée saine et sauve à la maison.

Il s'était laissé aider. Les jambes en coton, hébété d'épuisement, il n'avait pas eu le choix. Tomber à genoux sur des rochers acérés : quelle stupidité ! Il avait abusé de ses forces, ce que sa femme l'avait supplié de ne pas faire, ce que d'autres, voyant son visage empourpré, entendant sa respiration laborieuse, lui avaient vivement conseillé de ne pas faire ; car dans l'après-midi du dimanche, une bonne cinquantaine de sauveteurs et de bénévoles battaient la Réserve, progressant en cercles concentriques à partir de Sandhill Point, le dernier endroit où la *jeune fille disparue* avait été aperçue.

C'était sa fierté de père, il ne supportait pas l'idée que sa fille puisse être retrouvée par un autre sauveteur. Le premier visage que Cressida devait voir était *le sien*.

Les premiers mots qu'elle prononcerait : *Papa! Dieu merci.*

Il avait déjà eu des «douleurs cardiaques» (si c'était bien cela : des élancements de douleur pareils à des décharges électriques dans la poitrine, et une sensation de moiteur sur la peau), rien de grave, il en était certain. Il n'avait pas voulu inquiéter sa femme.

L'amour d'une femme peut être un fardeau. Elle tient désespérément à vous garder en vie, accorde plus de prix à votre vie que vous-même.

Ce qu'il redoutait le plus : ne pas être capable de les protéger. Sa femme, ses filles.

Curieux que cela ne l'ait guère préoccupé quand il était plus jeune. Il croyait alors qu'il vivrait... eh bien, éternellement! Longtemps, en tout cas.

Même quand il avait reçu des menaces de mort au moment de l'affaire Roger Cassidy – ce professeur de biologie «athée» dont il avait pris la défense quand le conseil scolaire l'avait renvoyé.

Il avait ri de ces menaces. Il avait dit à Arlette qu'on cherchait simplement à l'intimider et qu'il n'était pas question qu'il cède à l'intimidation.

Il y avait tout juste un mois, son médecin, Rick Llewellyn, l'avait examiné de façon assez poussée dans son cabinet. Électrocardiogramme compris. Pas de problème cardiaque «imminent», mais la tension de Zeno était toujours élevée en dépit de son traitement : 15/9.

Hypertension, cholestérol. Le fait est que Zeno aurait dû perdre au moins dix kilos.

Dans son lit, il avait essayé de délacer et retirer ses lourdes chaussures de randonnée, mais Arlette était arrivée et les lui avait enlevées.

«Ne bouge pas. Tâche de te reposer. Si tu n'arrives pas à dormir, pour l'amour du ciel... *ferme au moins les yeux.*» Elle était terrifiée, bien entendu. Elle le dorlotait et le gourmandait pour ne pas penser au reste.

Ce matin-là, elle l'avait réveillée vers 4 heures du matin. Quand elle avait découvert que Cressida n'était pas rentrée.

Depuis cet instant, Zeno était réveillé comme il l'avait rarement été : tous les sens en alerte, jusqu'à la douleur. Les yeux implacablement ouverts, comme s'il n'avait plus de paupières.

Des recherches. Pour retrouver sa fille. Pour retrouver une *jeune fille disparue.*

Ces recherches dont on entend parler de temps à autre. Un enfant perdu, bien souvent.

Un enfant enlevé. Kidnappé.

Vous entendez, vous éprouvez un pincement de compassion... mais guère plus. Car votre vie ne recoupe pas celle de ces inconnus, et vous ne pouvez partager leur terreur.

Était-il réveillé? Ou dormait-il? Il voyait les collines abruptes et boisées, semées d'énormes rochers évoquant un cataclysme ancien, et derrière l'un d'eux, la main, le bras tendu d'une jeune fille... l'ombre d'une épaule nue qu'il savait terriblement meurtrie... *Oh papa où es-tu? Pa-pa.*

«*Ne bouge pas.* S'il te plaît. Si quelque chose t'arrivait maintenant...»

Ce n'était pas la voix de Cressida. Arlette était intervenue, on ne sait comment.

Sa femme ne lui faisait pas confiance, il le savait. Mariée avec lui depuis plus d'un quart de siècle... Arlette lui faisait moins facilement confiance qu'au début.

Car elle le connaissait, maintenant – jusqu'à un certain point. Connaître certains hommes amène assurément à ne pas leur faire confiance.

Elle était essoufflée, irritée. Pas terrifiée – pas visiblement – mais irritée. La maison était envahie de parents bien intentionnés. Des policiers entraient et sortaient ; leurs radios crachotaient et cacardaient comme des oies en folie. Il y avait aussi des journalistes de la région, à l'affût d'interviews – qu'on ne pouvait chasser parce qu'ils seraient utiles. Et, naturellement, il fallait leur fournir des photos de Cressida.

Café ? Thé glacé ? Jus de pamplemousse, de grenade ? Avec une sombre gaieté d'hôtesse, Arlette offrait des rafraîchissements à ses visiteurs, car elle ne savait se conduire autrement avec des gens entrés dans sa maison.

Inexplicablement, dès 10 heures du matin, avant même qu'Arlette ait eu la possibilité de lui téléphoner, sa sœur, Katie Hewett, était arrivée. Elle avait soulagé Arlette de son rôle d'hôtesse et l'aidait à répondre aux téléphones – fixe et portables – qui sonnaient fréquemment, éveillant chaque fois, malgré la présentation du numéro, l'espoir d'entendre au bout du fil la voix de Cressida.

Salut ! Dites donc, je viens d'allumer la télé, il paraît que j'ai « disparu »…

Ouaouh ! Désolée. Il m'est arrivé un truc incroyable, mais tout va bien maintenant…

Sauf que ce n'était jamais la voix de Cressida.

Des années plus tôt, dans un moment comme celui-ci, Arlette se serait blottie contre son mari, sans se soucier de l'odeur de transpiration refroidie qui imprégnait ses vêtements, short et tee-shirt ; elle aurait pris son mari angoissé dans ses bras pour le protéger. Et Zeno l'aurait prise dans ses bras pour la protéger. Grelottants, tremblants, hébétés d'épuisement, mais ensemble dans cette terrible épreuve.

À présent, Arlette tirait sur ses chaussures... si lourdes! Et les lacets qu'il fallait défaire. Ôtait les chaussures de ses pieds énormes en remarquant que, en dépit de sa précipitation, il avait pensé à mettre deux paires de chaussettes – sous-chaussettes blanches, chaussettes en laine fine – avant de partir pour la réserve du Nautauga.

Sous ses airs insouciants, Zeno était un homme méticuleux. Un homme consciencieux. Le seul maire de l'histoire récente de Carthage qui eût quitté son poste – après huit ans d'exercice, dans les années 1990 – en laissant un budget largement excédentaire au lieu d'un déficit abyssal. (Naturellement, et c'était un quasi-secret, le maire Zeno Mayfield avait financé sur ses deniers un certain nombre de projets menacés : entretien des parcs et terrains de jeux, championnat benjamins de softball, clinique de jour du quartier de Black River.) Ainsi que Zeno aimait le dire, non seulement il n'avait jamais été inculpé, jugé ni reconnu coupable de prévarication, mais il était l'un des rares maires du nord du New York à ne même pas avoir fait l'objet d'une enquête.

Arlette avait demandé au jeune homme qui l'avait ramené ce qui était arrivé à Zeno dans la Réserve, car elle savait que son mari ne lui dirait pas la vérité.

Le jeune homme avait dit que le malaise de Zéno était dû à la chaleur, à la fatigue et à la déshydratation.

Il avait dit que c'était pour cette raison qu'il était préférable que les membres de la famille ne participent pas aux recherches d'une personne disparue.

Zeno avait eu un pâle sourire. Zeno était parvenu à parler, car il fallait toujours que Zeno ait le dernier mot.

D'accord, il essaierait de dormir. Un somme d'une petite heure, peut-être.

Et ensuite il retournerait dans la Réserve.

« Elle ne peut pas y passer une deuxième nuit. Nous ne pouvons pas – il ne faut pas que ça arrive. »

Il avait monté l'escalier d'un pas vacillant. Sans entendre ce que lui disait Katie, et sans paraître enregistrer que la chaîne WCTG-TV viendrait interviewer les parents de la *jeune disparue* un peu plus tard dans l'après-midi, pour les informations de 18 heures.

Arlette l'avait accompagné au premier, tâchant de glisser discrètement un bras autour de sa taille, mais il l'avait repoussée avec un petit grognement irrité.

Il devait aller aux toilettes, avait-il dit. Il avait besoin d'un peu d'intimité.

« Je te promets de ne pas clamser à l'intérieur, chérie. »

C'était censé être de l'humour.

Elle avait émis un son ressemblant à un rire et s'était détournée, le laissant à son intimité.

Ils étaient presque adversaires, maintenant, convaincus chacun de savoir ce qui devait ou devrait être fait, s'irritant de l'aveuglement, de l'entêtement de l'autre.

Arlette avait su qu'il souffrirait de la chaleur dans la Réserve, il était parti battre les broussailles en la laissant seule à la maison. Seule à attendre un coup de téléphone… à attendre que quelque chose se passe.

Au bout d'une heure, elle remonta voir Zeno : il était affalé sur le lit, encore à demi vêtu. Comme s'il avait été trop épuisé pour faire davantage qu'ôter son short et le jeter sur le sol.

Affalé sur le lit, respirant bruyamment par la bouche, comme une baleine échouée. Un visage flasque, couleur mastic, dont on avait du mal à imaginer qu'il avait pu être séduisant quelques heures auparavant.

Pas rasé. Les joues bleuies d'une barbe rude.

Zeno Mayfield était un homme qu'il fallait empêcher de se surmener. Il semblait ne pas avoir un sens naturel de la modération, des limites.

Jeune avocat, par exemple, il s'était occupé d'affaires difficiles – d'affaires désespérées, impopulaires ; et même une fois, impardonnablement, d'une affaire si controversée qu'il avait reçu des appels anonymes les menaçant, lui et sa famille, et qu'Arlette avait craint qu'un dément ne leur envoie une bombe par courrier ou ne piège leurs voitures. *Au nom du ciel réfléchis à ce que tu fais, mec*, avait écrit l'un de ces anonymes.

Zeno avait protesté qu'il n'avait fait que défendre un professeur de biologie, suspendu de ses fonctions pour avoir enseigné la théorie de l'évolution de Darwin et dénoncé le « créationnisme ».

Et quand il avait été maire de Carthage, une incursion épuisante et donquichottesque dans le « service public », payée un salaire symbolique – mille cinq cents dollars par an ! – il s'était démené au-delà de ce que pouvaient attendre ses partisans les plus enthousiastes, ce qui n'avait pas empêché sa popularité de chuter. L'affaire la plus contestée de son mandat avait été sa tentative d'introduire le recyclage à Carthage – poubelles jaunes pour bouteilles et boîtes de conserve, vertes pour papier et carton. À la véhémence des réactions, on aurait cru que Zeno était un descendant de Trotski ! Ses filles demandaient d'un ton plaintif *Pourquoi les gens détestent-ils papa ? Ils ne savent pas qu'il est gentil et drôle ?*

Arlette ne s'était pas étendue près de lui. Elle ne l'avait pas serré dans ses bras. Mais quand elle avait posé sur son visage un gant mouillé d'eau froide, il l'avait écarté et avait étreint sa main avec angoisse.

«Lettie… tu crois que… il lui a fait quelque chose? Et que maintenant il a honte et ne peut pas en parler? Lettie, tu crois que… oh! mon Dieu, Lettie…»

Votre mère et moi avons choisi vos noms avec beaucoup de soin. Parce que pour nous vous êtes extraordinaires. Voilà pourquoi un nom ordinaire ne pouvait pas aller.

Il tentait de s'expliquer, solennel et buté. Elle était plus jeune qu'elle ne l'était dans la réalité et elle rit avec insolence.

Des conneries, papa. De vraies conneries.

C'était bien dans la manière de Cressida de vous rire au nez. Le visage plissé comme celui d'un méchant petit singe. Le rire aigu comme le jacassement d'un singe, et ses petits yeux bruns pétillant d'ironie.

Ils étaient dans un endroit que Zeno ne reconnaissait pas. Ce n'était pas la forêt, mais un endroit censé être la maison des Mayfield.

Comment se fait-il que, dans nos rêves, notre «maison» ou tout autre lieu «connu» ne ressemblent jamais à rien que nous ayons déjà vu?

Il essayait de lui expliquer. Elle faisait ses grimaces idiotes de petite fille, roulait les yeux et envoyait voltiger ces mots comme elle aurait renvoyé des volants de badminton de ses deux mains refermées en poings.

Des conneries, papa, son visage mis à part, Juliet est O-R-D-I-N-A-I-R-E.

Zeno s'indigna. Zeno se mettait en colère quand sa fille cadette, brillante et rebelle, se moquait de sa fille aînée, belle et adorablement sereine.

Et de toute façon, ce n'était pas vrai. Ou seulement en partie. Car la beauté de Juliet ne se limitait pas à son visage.

La conversation entre le père et Cressida n'était qu'un rêve. Elle avait néanmoins eu lieu, plus ou moins identique, des années auparavant.

Les petites Mayfield ressemblaient aux filles d'un roi de conte de fées.

La fille cadette reprochait à son père le fait – si c'était un fait, c'était improuvable – qu'il aimait sa jolie fille aînée davantage qu'il ne l'aimait, elle, dont il ne pouvait dompter le petit cœur tortueux.

J'aime nos deux filles. Je les aime pour des raisons différentes. Mais autant l'une que l'autre.

Et Arlette dit *Je l'espère. Et si ce n'est pas le cas, si tu ne peux pas, j'espère que tu sais le dissimuler.*

Tous les parents le savent : il y a des enfants faciles à aimer et des enfants qui réclament des efforts.

Il y a des enfants radieux comme Juliet Mayfield. Sans malice, sans ombre, heureux.

Il y a des enfants difficiles comme Cressida. Qui semblait avoir sucé l'encre de l'ironie.

Les enfants lumineux et heureux vous sont reconnaissants de votre amour. Les enfants sombres et tortueux doivent mettre votre amour à l'épreuve.

Peut-être Cressida était-elle « autiste » : à l'école primaire, cette possibilité avait été évoquée.

Plus tard, au lycée, l'épithète plus sophistiquée d'« Asperger » lui avait été accolée – sans plus de fondement.

Si Cressida l'avait su, elle aurait dit, d'un ton détaché : *Quelle importance ? Les gens sont vraiment bêtes.*

Zeno supposait que, secrètement, cela lui importait beaucoup.

Il était évident qu'elle supportait mal qu'à Carthage les gens qui connaissaient les Mayfield la décrivent généralement comme *intelligente*, par opposition à sa *jolie* sœur Juliet.

Quelle adolescente ne préfère pas cent fois être *jolie* plutôt qu'*intelligente*!

Car, naturellement, Cressida était invariablement jugée *trop intelligente*.

Trop intelligente pour son bien.

Trop intelligente pour une fille de son âge.

Quand elle avait commencé l'école, elle s'était plainte que « personne d'autre ne s'appelle "Cressida" ».

C'était un nom difficile à prononcer. Un nom qui vous encombrait la bouche.

Évidemment que personne d'autre ne s'appelait comme ça, avaient répondu ses parents, « Cressida » était son nom particulier à elle.

Cressida avait réfléchi un instant. Elle se pensait effectivement différente des autres enfants : plus agitée, plus impatiente, plus facilement contrariée, plus intelligente – généralement, en tout cas –, plus prompte à rire et à pleurer. Mais elle n'était pas certaine qu'avoir un *nom particulier* soit une bonne idée, car cela permettait aux autres de savoir ce qu'il était peut-être préférable de tenir secret.

« Je déteste que les gens se moquent de moi. Je déteste qu'ils m'appellent "Cress" ou "Cressie". »

Elle était l'une de ces personnes, plus souvent de sexe masculin que féminin, dont on ne pouvait s'approprier le nom – tel un Richard qui refuse qu'on le diminue en « Dick », ou un Robert qui ne veut pas être « Bob ».

Maintenant qu'elle était plus âgée, et qu'elle tirait peut-être une certaine fierté (secrète) de son nom inhabituel, il lui arrivait encore de se plaindre des questions qu'on lui posait sur son prénom ; car certains, y compris des professeurs, se montraient trop curieux ou carrément grossiers : « "Cressida" me met dans l'embarras quelquefois. »

Ou, avec une moue, comme si un hameçon invisible tirait sur ses lèvres : « "Cressida" me donne l'impression d'être maudite. »

Maudite ! Le mot n'était pas vraiment remarquable dans la bouche de Cressida, qui, à douze ans, aimait lire dans la section adulte de la bibliothèque de Carthage, et notamment les ouvrages étiquetés *dark fantasy, romans sentimentaux.*

Bien entendu, Cressida avait cherché son prénom sur la Toile.

Outrée, elle déclara à ses parents : « "Cressida" ou "Criseyde" n'a rien de bien. "Perfide" : voilà comment les gens la voyaient au Moyen Âge. Chaucer a écrit sur elle, et puis Shakespeare. Elle a d'abord été amoureuse d'un soldat nommé Troïlus, et puis d'un autre homme, et pour finir elle n'a plus eu personne. Personne ne l'aimait ni ne se souciait d'elle : voilà le destin de Cressida.

– Oh ! chérie, voyons ! Personne ne croit plus au "destin" de nos jours, dans les États-Unis d'Amérique… nous ne sommes plus au Moyen Âge. »

C'était la prérogative du père de plaisanter. Un petit sourire blessé crispa les lèvres de la fille.

L'automne précédent, quand Cressida était en première année à l'université de St. Lawrence à Canton, État de New York, elle leur avait rapporté la remarque de l'un de ses professeurs, elle était la « première Cressida » qu'il eût jamais rencontrée, avait-il dit. Il avait paru impressionné et lui avait demandé si on l'avait nommée ainsi en souvenir de la Cressida médiévale ; à quoi elle avait répondu : « Oh ! c'est à mon père qu'il faut poser la question, c'est lui qui a la folie des grandeurs dans notre famille. »

La folie des grandeurs! Zeno avait ri, mais cette remarque désinvolte l'avait piqué.

Et tout cela alors que sa fille l'attend.
Sa fille aux yeux brillants. Sa fille qui (croit-il) l'adore et ne lui mentirait jamais.
«Elle est peut-être retournée à Canton. Sans nous le dire.
– Elle se cache peut-être dans la Réserve. Une de ces "lubies" qui la prennent parfois...
– Peut-être quelqu'un l'a-t-il fait boire... jusqu'à la soûler. Peut-être a-t-elle honte...
– Ils jouent peut-être à un jeu, tous les deux. Cressida et Brett.
– Un jeu?
– ... pour rendre Juliet jalouse. Pour lui faire regretter d'avoir rompu ses fiançailles.
– Canton. Mais qu'est-ce que tu racontes?»
Ils se regardèrent avec consternation. Un vent de folie tourbillonnait dans la pièce, aussi palpable que l'électricité précédant un orage.
«Bon Dieu. Non. Bien sûr qu'elle n'est pas "retournée" à Canton. Elle y était très malheureuse. Elle n'y a pas de logement. C'est absurde.» Zeno s'essuya le visage avec le gant mouillé qu'Arlette lui avait apporté, et qu'il avait jeté sur le lit.
«Et Brett et elle ne "jouent" à aucun jeu, dit Arlette. C'est ridicule. Ils se connaissent à peine. Et je ne pense pas que ce soit Juliet qui ait rompu les fiançailles.
– Tu penses que c'était Brett? Que la décision venait de *lui*?
– Si c'est Juliet qui l'a prise, elle ne l'a pas fait par choix. Pas Juliet.
– C'est elle qui te l'a dit, Lettie?
– Elle ne m'a rien dit du tout.

– Ce fils de pute! C'est lui qui a rompu… tu crois?

– Il a peut-être pensé que Juliet le souhaitait. Il s'est peut-être dit que… c'était la bonne décision.»

La bonne décision parce que Kincaid était maintenant un invalide, à vingt-six ans.

Pas aussi visiblement mutilé que certains anciens combattants des guerres d'Irak et d'Afghanistan, exception faite de greffes de peau sur le crâne et le visage. Son cerveau n'avait pas été gravement lésé – estimait-on. Et Juliet leur avait rapporté avec enthousiasme que, concernant la rééducation de Brett, le pronostic des médecins de l'hôpital militaire de Watertown était «bon, très bon».

Avant d'abandonner brutalement ses études au lendemain du 11-Septembre pour s'engager dans l'armée avec plusieurs de ses amis de lycée, Brett était inscrit en marketing, finance et gestion à l'université d'État de Plattsburgh. Zeno s'était mis en tête que le jeune homme n'était pas très motivé : en sa qualité de beau-père putatif, il se préoccupait de l'aspect pratique de l'histoire d'amour de sa fille, sans s'estimer cynique pour autant : c'était son rôle de père responsable.

(Juliet lui en aurait voulu si elle avait su qu'il s'était arrangé pour voir le dossier du seul semestre que Brett Kincaid avait effectué en totalité à l'université d'État de Plattsburgh : B et B+. C'était peut-être injuste de la part de Zeno Mayfield, mais, bon Dieu, il voulait un tout petit peu mieux pour sa ravissante fille qu'un étudiant B+ de Plattsburgh.)

Il avait fait des efforts – de gros efforts! – pour ne pas imaginer Brett Kincaid faisant l'amour avec sa fille. *Sa* fille.

Arlette lui avait reproché d'être ridicule. Possessif.

«Juliet ne t'appartient pas plus qu'elle ne m'appartient. Essaie d'être content qu'elle soit aussi heureuse… qu'elle soit *amoureuse.*»

Mais c'était justement ce qui dérangeait le père... que sa fille aînée, sa douce Juliet, soit manifestement *amoureuse*. Pas de papa, mais d'un jeune rival séduisant. Qui avait la crânerie inconsciente du jeune sportif habitué aux succès et aux applaudissements. Habitué à l'adoration de ses pairs et à l'admiration des adultes.

Habitué aux filles, au sexe. Zeno en éprouvait une jalousie purement sexuelle. Rien ne l'agaçait davantage que de voir sa fille et son grand fiancé séduisant s'embrasser, s'enlacer, chuchoter et rire ensemble – manifestement intimes et à l'aise dans leur intimité.

Du moins, avant que Brett Kincaid ne soit expédié en Irak.

Zeno avait d'abord voulu penser que ce gamin avait eu la vie trop facile, qu'il s'était imposé dans l'univers lycéen de Carthage avec une facilité qui ne pouvait le préparer au dur monde adulte à venir. Mais c'était peut-être injuste : Brett avait travaillé à temps partiel pendant toutes ses années de secondaire – sa mère, divorcée, était employée dans les services du comté de Beechum, un emploi mal payé au tribunal – et, selon Juliet, c'était un « chrétien sérieux et convaincu ».

Il était difficile de croire qu'un adolescent de Carthage fût « chrétien »... pourtant, cela semblait être le cas. Quand Zeno était un membre actif de la chambre de commerce de Carthage, il avait souvent rencontré des gosses comme ça. Chez des filles du genre de Juliet, cela ne l'avait pas étonné : on s'attend que les filles soient croyantes. Chez elles, cela peut être *sexy*.

Chez un garçon comme Brett Kincaid, il s'agissait apparemment d'autre chose. Zeno ne savait pas vraiment quoi.

Lors de la soirée d'adieu organisée en l'honneur de Brett et de ses camarades de lycée, tous enrôlés dans l'armée et en partance pour Fort Benning, Georgie, où ils feraient leur entraînement de base, Brett avait dit vouloir être le « meilleur soldat » qu'il sût être. (Son propre père avait «servi» dans la première guerre du Golfe.) Après l'attaque terroriste contre le World Trade Center, le printemps et l'automne 2002 avaient été une période de ferveur patriotique; une période où la lucidité n'était pas de mise, surtout chez des jeunes gens comme Brett Kincaid, qui semblaient vouloir sincèrement défendre leur pays contre ses ennemis. Avec quel sérieux Brett avait parlé, et qu'il était beau dans son grand uniforme! Zeno avait contemplé ce garçon, et sa fille bien-aimée, collée contre lui. Le cœur serré de dédain et d'appréhension, il s'était dit *Oh! mon Dieu, veille sur ce pauvre benêt.*

Se rappelant maintenant ce moment poignant où toute la salle avait éclaté en applaudissements, et le visage brillant de larmes de Juliet, Zeno se dit *Le pauvre vieux. C'est payer bien cher pour sa bêtise.*

Difficile pour Zeno Mayfield qui avait atteint sa majorité dans les dernières années cyniques de la guerre du Vietnam de comprendre ce qui pouvait pousser un jeune homme intelligent comme Brett Kincaid à s'engager volontairement dans l'armée. Pourquoi, alors qu'il n'y avait pas de conscription! C'était de la folie.

Il voulait «servir» le pays... le pays de qui? Quel fils ou fille d'homme politique s'était engagé dans les forces armées? Quels étudiants? En 2002, déjà, on pouvait se douter que la guerre serait faite par les classes pauvres, sous la supervision du ministère de la Défense.

Mais Zeno n'avait pas abordé le sujet avec Brett. Il savait que Juliet ne voulait pas qu'il «interfère»: Zeno avait toujours tant d'idées, de projets pour quiconque était dans son orbite qu'il devait se faire une règle de ne pas intervenir. Et puis il ne se sentait pas suffisamment d'affinités avec ce garçon – il y avait une gêne entre eux, une timidité chez Brett Kincaid quand il serrerait la main de Zeno Mayfield, son beau-père putatif.

Souvent, Brett l'appelait « monsieur Mayfield » ou « *sir* ». Et Zeno lui disait alors : « "Zeno", s'il te plaît. Nous ne sommes pas à l'armée. » Il avait tourné cela à la plaisanterie. Mais dans le fond il était blessé que son futur gendre soit mal à l'aise en sa présence. Cela signifiait qu'il ne l'aimait pas.

Ou qu'il ne lui faisait pas confiance, peut-être.

Sur le sujet de l'armée, par exemple. Zeno n'avait pourtant jamais cherché à le dissuader de s'engager, il avait même mis un point d'honneur à le féliciter, comme tous les autres.

Servir mon pays. Le meilleur soldat que je puisse être.

Comme mon père...

Il y avait un père, manifestement. Un père absent. Un père soldat qui avait disparu de Carthage vingt ans auparavant.

Brett avait été élevé dans une religion protestante quelconque – la méthodiste, peut-être. Il n'était pas critique, curieux. Il n'était pas sceptique. Il voulait *croire*, et donc il voulait *servir*.

La chaîne de commandement : vous obéissez aux ordres de votre officier supérieur qui obéit aux ordres de son officier supérieur qui... et ainsi de suite jusqu'au sommet : le gouvernement qui avait déclaré la guerre à la terreur et, au-dessus du gouvernement, le Dieu chrétien militant.

Rien de tout cela n'était remis en question. Zeno ne souhaitait pas semer le doute. Il avait défendu le professeur de biologie, Cassidy, qui avait enseigné la théorie de l'évolution à l'exclusion du créationnisme – ou, plus exactement, tourné le « créationnisme » en ridicule et profondément offensé certains élèves – et leurs parents – chrétiens évangélistes ; Zeno avait défendu Cassidy contre le conseil scolaire de Carthage, et il avait gagné, mais c'était une victoire à la Pyrrhus, car Cassidy n'avait aucun avenir professionnel à Carthage et s'était attiré l'antipathie par ses positions « arrogantes et athées ». Et Zeno Mayfield avait eu droit à son lot d'insultes, lui aussi.

Mis à part que Brett Kincaid était le fiancé de sa fille Juliet, Zeno ne se sentait aucun désir de l'éclairer. On devait apprendre à vivre avec la religion quand on faisait une carrière publique. On devait savoir quand garder son scepticisme pour soi.

Juliet allait à l'église congrégationaliste de Carthage : elle avait pris cette décision au lycée, entraînée par une amie intime ; quand Brett et elle avaient commencé à se fréquenter, il l'avait accompagnée aux services du dimanche. Personne d'autre chez les Mayfield n'allait à l'église. Arlette se décrivait comme une « démocrate chrétienne modérée », et Zeno avait appris à tirer profit des questions sur la religion en se disant « déiste – dans la tradition sacrée de nos Pères fondateurs ». Les conversations sérieuses sur le sujet l'embarrassaient : révéler ce à quoi on « croyait » ressemblait un peu à l'exhibition d'un strip-tease ; on s'exposait à révéler beaucoup plus qu'on ne le souhaitait. Cressida considérait la religion comme un passe-temps pour « faibles d'esprit » – elle avait accompagné sa sœur à l'église pendant quelques mois quand elle était encore au collège et s'y était ennuyée à mourir.

Étrangement, bien que Cressida eût souvent raison – une réflexion que Zeno n'aurait pas exprimée à haute voix – ses remarques vous hérissaient et vous lui en vouliez de les faire.

La foi de Juliet lui était certainement une grande consolation depuis l'annonce des blessures de son fiancé – une nouvelle que les Mayfield avaient d'abord apprise par un message téléphonique précipité et incohérent de la mère de Brett ; Juliet n'avait cessé depuis de se dire heureuse que Brett n'eût pas été tué ; que Dieu l'eût « épargné ».

Le choc avait été si terrible, se disait Zeno, qu'elle n'avait pas entièrement assimilé le fait que son fiancé était un homme profondément changé – et que ces changements n'étaient pas uniquement physiques.

Depuis que Brett était revenu à Carthage et habitait chez sa mère, à environ cinq kilomètres de la maison des Mayfield, Juliet passait beaucoup de temps avec lui ; ses parents ne la voyaient guère. Chaque fois qu'elle le pouvait, elle accompagnait Brett à la clinique de rééducation de l'hôpital de Carthage ; elle assistait à certaines de ses séances d'assistance sociopsychologique ; avec enthousiasme elle rapportait à ses parents que, dès qu'il serait capable d'une meilleure concentration, Brett comptait se réinscrire à Plattsburgh pour obtenir un diplôme en gestion, et qu'il était question – était-ce vrai ? Zeno l'ignorait – qu'il soit engagé par un homme d'affaires de Carthage qui mettait un point d'honneur à embaucher d'anciens combattants.

Tu vois, papa… Brett a un avenir !

Je sais bien que tu aimerais que je le laisse tomber. Mais je ne le ferai pas.

Zeno aurait protesté si Juliet avait proféré cette accusation.

Mais, naturellement, elle ne l'avait pas fait.

La belle Juliet n'accusait jamais personne de pensées aussi basses. Son père adoré moins que quiconque.

Mais voici que la malicieuse Cressida glissait son bras sous celui de papa et lui murmurait à l'oreille, de sa voix râpeuse : « Pauvre Julie ! Pas tout à fait le "héros de guerre" qu'elle attendait, pas vrai ? » La cruelle Cressida, qui se tortillait comme pour s'empêcher de rire.

Zeno dit d'un ton réprobateur : « Ta sœur aime Brett. C'est l'essentiel. »

Cressida pouffa comme une petite fille espiègle.

« Ah oui ? »

Quelques soirs plus tard, le 4-Juillet, Juliet était rentrée de bonne heure – seule (un feu d'artifice spectaculaire commençait tout juste à illuminer le ciel au-dessus de Palisade Park) – et avait annoncé à sa famille que les fiançailles étaient rompues.

Elle avait les joues sillonnées de larmes. Son visage avait perdu tout éclat et paraissait presque laid. Sa voix n'était qu'un murmure rauque.

« C'est notre décision à tous les deux. C'est préférable. Nous nous aimons, mais… c'est terminé. »

Ses parents avaient été stupéfaits. Un sentiment de malaise avait étreint Zeno. Car n'était-ce pas ce qu'il avait souhaité… ? Qu'il soit épargné à sa jolie fille de vivre avec un mari handicapé et aigri ?

Lorsque Arlette avait voulu l'enlacer, Juliet s'était détournée avec un petit sanglot étouffé et avait couru s'enfermer dans sa chambre.

Même Cressida était bouleversée. Pour une fois, ses yeux bruns n'avaient pas pétillé d'ironie : « Oh ! mon Dieu ! Juliet va être si malheureuse ! »

À vingt-deux ans, Juliet habitait toujours chez ses parents. Elle avait fait ses études à l'université d'Oneida, mais souhaité revenir à Carthage pour y enseigner à l'école de Convent Street, non loin de leur maison familiale de Cumberland Avenue. Pendant dix-huit mois, la préparation de son mariage avec le caporal Brett Kincaid – liste d'invités, traiteur, robe de mariée et demoiselles d'honneur, musique, fleurs, cérémonie à l'église congrégationaliste – avait été la passion dévorante de son existence et, maintenant que les fiançailles étaient rompues, elle semblait presque incapable de prononcer un mot, en dehors de quelques brefs échanges avec sa famille.

Elle restait cependant courtoise et douce. Essuyait du bout de ses doigts, d'un air d'excuse, les larmes qui lui montaient aux yeux.

Jamais son père n'avait lu un reproche dans son regard. Jamais elle n'avait dit ni même insinué *Tu es content, papa? J'espère que tu es content que Brett ait disparu de nos vies.*

Zeno demanda à Arlette : «Elle ne t'en a pas parlé? Elle n'a pas voulu en parler?

– Non.

– Et avec Cressida?

– Non. Jamais Juliet ne lui parlerait de Brett.»

Concernant les deux sœurs, Arlette se rangeait plus souvent du côté de la *jolie* que de l'*intelligente*.

«Peut-être Brett voulait-il en parler avec Cressida. Peut-être est-ce pour cela qu'ils étaient ensemble hier soir...»

S'ils avaient effectivement été ensemble – *seuls ensemble.* Zeno ne pouvait s'empêcher d'en douter.

Se rendre dans un bar comme le Roebuck, un samedi soir de surcroît, ne ressemblait pas du tout à Cressida. Pourtant, des témoins avaient déclaré aux enquêteurs être certains de l'y avoir vue la veille, en compagnie de plusieurs personnes – essentiellement des hommes, dont Brett Kincaid.

Un samedi soir d'été au bord du lac Wolf's Head. Les tavernes étaient nombreuses, et le Roebuck était la plus ancienne et la plus populaire, vraisemblablement la plus bondée et bruyante à souhait; les clients se répandaient hors du bar, sur les terrasses surplombant le lac et jusque dans l'immense parking; un orchestre rock local y jouait à un volume sonore assourdissant. Des bateaux à moteur rugissaient sur le lac, des motos rugissaient sur Bear Valley Road.

Avant de devenir un mari rangé, père de deux filles, Zeno Mayfield avait fréquenté le lac Wolf's Head. Il connaissait le bar du Roebuck. Il connaissait les toilettes du Roebuck. Il connaissait le clapotis d'eau noire autour des pilotis moussus soutenant la terrasse en plein air.

Il connaissait l'«ambiance» du samedi soir.

Qu'il était déroutant de penser que Cressida s'y était rendue volontairement! Sa fille si sensible, qui se crispait quand elle entendait du rock à la radio et méprisait ce type de bar et quiconque les fréquentait.

«La plupart des gens sont si *grossiers*. Et si *indifférents*.»

La fille cadette de Zeno était coutumière de ce genre de déclaration depuis un très jeune âge. Son petit visage pincé se pinçait encore davantage.

Brett Kincaid reconnaissait avoir rencontré Cressida à la taverne du lac. Il avait reconnu qu'elle avait été dans sa jeep. Mais il semblait dire qu'elle n'était pas restée avec lui. Son récit des événements de la veille était incohérent et contradictoire. Interrogé sur les égratignures qu'il avait au visage et sur les taches de sang trouvées sur le siège avant de sa jeep, il avait donné des réponses vagues : sans doute s'était-il égratigné sans s'en rendre compte et le sang sur le siège était-il le sien. Un shérif adjoint avait recueilli d'autres «preuves» en examinant le véhicule, trouvé dimanche matin au bord de Sandhill Road, la roue avant droite dans un fossé.

Les taches de sang seraient analysées. (Lors d'un examen médical, l'année précédente, on avait fait une prise de sang à Cressida; les résultats seraient fournis à la police.)

Quand Zeno avait été informé de ces taches de sang, apparemment «fraîches» et encore «humides», son cerveau s'était bloqué. Arlette avait entendu, elle aussi, et était devenue silencieuse.

Car ils savaient – ils *savaient* – que le fiancé de Juliet, son ex-fiancé, qui avait failli être leur gendre, était incapable de faire le moindre mal à l'une de leurs filles. Ils ne pouvaient croire autre chose, et ne le croiraient pas.

De même qu'ils ne pouvaient croire que leur fille disparue n'allait pas arriver d'un instant à l'autre, faire irruption dans la maison et, devant le nombre alarmant de véhicules garés dehors, devant l'assemblage de visages familiers et inconnus dans la salle de séjour… s'écrier : «Qu'est-ce qui se passe? Qui a gagné au loto?»

Le père voulait croire que cela pouvait arriver. Si peu vraisemblable que ce fût, cela pouvait arriver.

«Oh! papa, c'est pas vrai! Tu me croyais *perdue*? Tu croyais qu'on m'avait *assassinée*?»

Le rire aigu de Cressida, évoquant un entre-choc de glaçons.

Ce matin-là, Zeno avait voulu parler à Brett Kincaid.

On lui avait dit que non, ce n'était pas une bonne idée. Pas maintenant.

«Mais je voudrais juste… le voir. Cinq minutes…»

Non. Hal Pitney, un ami de Zeno, haut placé dans le département du shérif du comté de Beechum, lui avait dit que ce n'était pas une bonne idée, et que c'était de toute façon impossible parce que le shérif McManus en personne s'entretenait avec Kincaid.

Pas un *interrogatoire*, ce qui aurait signifié une arrestation. Juste un *entretien*, c'est-à-dire l'étape précédant une éventuelle arrestation.

Tout ce que je veux qu'il me dise, c'est si Cressida est en vie.

«… juste le voir. Bon Dieu, il est presque de la famille… fiancé à ma fille… mon autre fille…»

Zeno bégayait, tâchait de sourire. Zeno Mayfield cultivait depuis longtemps un grand sourire éblouissant, un sourire d'homme politique, maintenant machinal et forcé. Voir Brett Kincaid, voir la façon dont Brett le regarderait, lui… cette perspective l'effrayait.

Dis-moi seulement si ma fille est en vie.

Pitney dit qu'il transmettrait à McManus. Pitney dit qu'il était «peu probable» que Zeno puisse parler directement à

Kincaid avant quelque temps, mais : « Qui sait ? Ça sera peut-être vite fini.

– Quoi ? Qu'est-ce qui pourrait "être vite fini" ? »

Une expression prudente se peignit sur le visage de Pitney. Comme s'il en avait trop dit.

« La garde à vue. Les questions qu'on lui pose. Cela pourrait être vite fini s'il nous dit tout ce qu'il sait. »

Ces mots glacèrent Zeno.

Il savait que Hal Pitney lui avait dit tout ce qu'il consentirait à lui dire dans l'immédiat.

Ce matin-là, alors qu'il traversait la campagne vallonnée des environs de Carthage et les avant-monts des Adirondacks pour rejoindre la réserve du Nautauga et les équipes de secours, Zeno avait passé une série de coups de téléphone sur son portable pour tenter de savoir s'il y avait du neuf dans les déclarations de Brett Kincaid. À la façon d'un maniaque du portable qui vérifie sa boîte de réception toutes les deux minutes, Zeno ne pouvait éteindre le petit téléphone plat, encore moins le glisser dans sa poche de poitrine et l'oublier. À plusieurs reprises il tenta de parler à Bud McManus. Car il le connaissait, suffisamment, aurait-il cru, pour avoir droit à plus de considération. (Dans la mêlée politique de Carthage, il avait rendu service à McManus au moins une fois, non ? Si ce n'était pas le cas, il le regrettait aujourd'hui.) Il finit par avoir au bout du fil un autre shérif adjoint nommé Gerry Eisner, qui lui dit (en confidence) que l'entretien avec Brett Kincaid ne se passait pas très bien pour l'instant : Kincaid déclarait ne pas se souvenir des événements de la veille, quoique semblant savoir que quelqu'un qu'il nommait tour à tour « Cress'da » ou « la fille » avait été dans sa jeep ; il pensait que « la fille » l'avait quitté pour monter dans le véhicule de quelqu'un d'autre, qu'il ne connaissait pas... mais il n'en était pas certain, car il était plutôt « fracassé » à ce moment-là.

Fracassé. Un vocabulaire de lycéens, de garçons se vantant entre eux de leurs cuites à la bière. Zeno tremblait d'indignation.

Au cours de cet entretien, Kincaid avait paru hébété, désorienté. Il sentait encore le vomi, bien qu'on lui eût permis de se laver. Ses yeux étaient injectés de sang, et son visage greffé lui donnait l'air de sortir d'un film d'épouvante, dit Eisner.

Difficile de croire qu'il n'a que vingt-six ans, continua-t-il. Difficile de croire que c'était un gosse séduisant, il n'y a pas si longtemps.

«Bon sang! Un "héros de guerre".»

Il y avait de l'effarement dans la voix d'Eisner, mi-compassion, mi-répulsion.

C'était un pur hasard si le caporal Kincaid avait été placé en garde à vue ce matin-là, à peu près au moment où les Mayfield passaient des coups de téléphone affolés pour signaler la disparition de leur fille : un shérif adjoint avait interpellé le jeune homme vers 8 heures du matin quand il l'avait trouvé à demi conscient, souillé de vomi et de sang, affalé sur le siège de sa Jeep Wrangler, dans Sandhill Road; la roue avant droite de la voiture avait quitté cette route non pavée traversant une zone marécageuse sur une levée de terre. Des randonneurs matinaux avaient appelé le 911 sur leur portable pour signaler un véhicule apparemment endommagé, portes avant ouvertes, et un conducteur «sans réaction», effondré sur le siège avant.

Lorsque l'adjoint avait secoué Kincaid pour le réveiller, se présentant comme un agent de la force publique, Kincaid l'avait repoussé et frappé en hurlant des mots incohérents, comme s'il était terrifié et n'avait aucune idée de l'endroit où il se trouvait : l'adjoint avait dû le maîtriser, le menotter et appeler du renfort.

Néanmoins Kincaid n'avait pas été arrêté. On l'avait simplement conduit au siège du département du shérif, dans Axel Road.

Zeno savait par Juliet que Brett Kincaid prenait une demi-douzaine de médicaments par jour, et que l'alcool lui était contre-indiqué.

Zeno savait que Brett Kincaid avait «beaucoup changé» depuis son retour d'Irak. Un fait qui n'avait rien de nouveau ni d'inhabituel – un fait qui n'aurait pas dû étonner – étant donné l'intérêt des médias pour d'autres anciens combattants rentrés au pays avec des troubles similaires – mais pour ceux qui connaissaient Kincaid, pour ceux qui se risquaient à l'aimer, c'était nouveau, c'était inhabituel et c'était troublant.

Eisner dit que Kincaid semblait tout de même avoir le «cerveau atteint». Car s'il se rappelait que quelque chose était arrivé, s'il se rappelait une «fille», il n'était pas sûr de ses souvenirs.

«On voit ça quelquefois, dit Eisner. Dans certains cas.»

Dans quel cas? demanda Zeno.

Eisner répondit, avec circonspection : «Quand ils n'arrivent pas à se souvenir.»

À se souvenir de quoi? demanda Zeno.

Eisner garda le silence. En fond sonore, on entendait des voix d'hommes, des rires incongrus.

Il pense que Kincaid lui a fait quelque chose, se dit Zeno. *Qu'il lui a fait quelque chose, qu'il a perdu connaissance et que maintenant il ne s'en souvient plus.*

Son esprit de juriste, froidement cruel, soupesa la situation : *La défense plaidera l'aliénation mentale. Quoi qu'il ait fait. Non coupable.*

C'était la première idée qui viendrait à l'esprit de n'importe quel avocat. La plus cynique et la plus fondamentale dans une situation de ce genre.

Mais le père chassa cette pensée : il était certain qu'il n'était rien arrivé de *grave* à sa fille.

Un flot de culpabilité, de contrariété le submergea : *évidemment* qu'il ne lui était rien arrivé de grave.

Sandhill Road était un chemin de terre qui traversait le coin sud de la réserve du Nautauga en suivant les courbes sinueuses de la rivière sur une grande partie de son tracé. On y trouvait quelques sentiers de randonnée mais, le long de la rivière, les broussailles étaient épaisses, quasi impénétrables ; on distinguait cependant de vagues passages vers le bord de l'eau, profonde d'au moins trois mètres à cet endroit, rapide, écumeuse, tourbillonnant entre de gros rochers. Un corps jeté là aurait été immédiatement arrêté par les rochers et les broussailles, ou aurait disparu sans laisser de trace, emporté par le courant.

Il devait y avoir dix minutes de route entre le Roebuck, sur le lac Wolf's Head, et l'entrée de la Réserve, et dix autres minutes jusqu'à Sandhill Point. Quiconque vivait dans la région – un garçon comme Brett Kincaid, par exemple – connaissait les routes et les sentiers de la partie sud de la Réserve. Connaissait Sandhill Point – une longue péninsule étroite s'avançant dans la rivière, moins d'un mètre à son plus large.

À l'extérieur de la Réserve, Sandhill Road était presque asphaltée et croisait Bear Valley Road, laquelle rejoignait quelques kilomètres à l'ouest le lac Wolf's Head, le Roebuck et la Marina.

Sandhill Point se trouvait à environ dix-huit kilomètres du 822, Cumberland Avenue, adresse des Mayfield.

Pas très loin, en fait… pas si loin que la fille ne puisse rentrer à pied si nécessaire.

Si par exemple – le cerveau du père volait comme des ailes battant frénétiquement contre le vent – elle avait eu honte de ses vêtements déchirés et sales. Si elle n'avait pas voulu qu'on la voie.

Car Cressida était très timide. Paralysée de timidité à des moments imprévisibles.

Et… toujours en train de perdre son portable! Contrairement à Juliet pour qui il était précieux et qui ne se déplaçait jamais sans lui.

Zeno était toujours au téléphone avec Eisner, lequel se plaignait de la chaîne de télé locale, qui diffusait des «dernières minutes» toutes les demi-heures, harcelait le bureau du shérif pour obtenir des interviews, des citations citables : «Les conneries habituelles. Ils devraient avoir honte.

– Oui, bien sûr», répondit Zeno, sans trop savoir ce qu'il approuvait; il ne put s'empêcher de demander encore s'il ne pourrait pas parler à Brett Kincaid, qui avait presque été son gendre, le fiancé de sa fille, juste un instant, quand l'entretien s'interromprait – «Une petite minute, c'est tout ce qu'il me faudrait» – et Eisner répondit, avec une pointe d'irritation : «Désolé, Zeno. Je ne pense pas.» Pour des raisons que Zeno comprenait sûrement, expliqua-t-il, personne ne pouvait parler avec Kincaid tant qu'il était en garde à vue (tout suspect risquait d'appeler un complice, de lui demander de faire disparaître des preuves, de l'aider à distance), ce coup de téléphone n'aurait pu être autorisé que si Kincaid avait demandé un avocat, mais il n'en avait pas voulu, avait déclaré avec véhémence ne pas en avoir besoin. Zeno pensa avec soulagement *Pas d'avocat! Tant mieux.* Il ne voyait pas quel avocat Kincaid aurait pu appeler à Carthage : en d'autres circonstances, c'est à lui que le garçon aurait fait appel.

D'un ton grinçant et agressif, Zeno demanda encore une fois s'il pouvait parler à Bud McManus, et Eisner répondit que non, il ne le pensait pas, mais que, dès qu'il y aurait du nouveau, McManus l'appellerait personnellement. Et Zeno demanda : «C'est-à-dire? Voilà au moins deux heures que vous l'avez – deux heures qu'il est chez vous – et vous n'arrivez pas ou vous ne cherchez pas à obtenir qu'il parle – alors, quand? Je pose simplement la question.» Eisner répondit quelque chose que Zeno n'entendit pas tant le sang grondait à ses oreilles. Et Zeno dit, élevant la voix, craignant que la connexion s'interrompe maintenant qu'il approchait de l'entrée de la Réserve, engageait la Land Rover sur le parking défoncé : «Écoute, Gerry, il faut que je sache. Même respirer m'est difficile tant que je ne sais pas. Parce que Kincaid doit savoir. Il sait peut-être, il sait forcément quelque chose. Je veux juste parler à Bud, ou au garçon – si je pouvais seulement lui parler, Gerry, je saurais. À moi, il parlerait. Si... s'il a quelque chose à dire... il me le dirait. Parce que – j'ai essayé de te l'expliquer – Brett est presque de la famille. Il était presque mon fils. Mon gendre. Ça pourrait encore se faire, d'ailleurs. Des fiançailles, ça se rompt et ça se rafistole. Ce ne sont que des gosses. Ma fille Juliet. Tu connais Juliet. Et Cressida... sa sœur. Si je pouvais parler à Brett, peut-être juste comme ça au téléphone, pas avec des gens autour, à votre siège, si c'est bien là que vous le détenez – juste comme ça, au téléphone – je jure que ça ne durerait pas plus de deux ou trois minutes – je voudrais juste entendre sa voix – lui demander – je crois qu'à moi il parlerait...»

La ligne était coupée : le petit portable avait lâché.

«Papa.»

C'était Juliet, qui lui secouait l'épaule. Un instant, il ne put se rappeler où il était – quelle était la fille qui lui parlait. Puis la lame acérée de la peur lui transperça de nouveau le cœur, l'autre fille avait disparu.

À la mine sombre de Juliet, il comprit que rien n'avait changé.

Et cependant, à sa mine sombre, il comprit qu'il n'y avait pas eu de mauvaise nouvelle.

«Ma chérie. Comment vas-tu, toi?

– Pas très bien, papa. Pas en ce moment. »

Juliet l'avait réveillé d'un sommeil de mort. Elle avait certainement une raison pour le faire, et elle la lui expliquait, mais le grondement qu'il avait dans les oreilles l'empêchait d'entendre.

Le battement du sang dans ses oreilles, l'afflux de sang. Quoique son cœur battît maintenant avec la lenteur d'un bourdon d'horloge.

La fille aurait dû se pencher vers lui pour l'embrasser. Frôler sa joue de ses lèvres fraîches. Voilà *ce qui aurait dû se passer.*

« Je vais descendre dans un instant, chérie. Dis-le à ta mère. »

Juliet était profondément blessée, Zeno le savait. Ce qui s'était passé entre sa sœur et son ancien fiancé donnait lieu aux élucubrations les plus scabreuses. Inévitablement les médias divulgueraient son nom. Inévitablement des journalistes chercheraient à l'interviewer.

Il était 17 h 20. Bon sang de Dieu, il avait dormi deux heures et demie ! Quelle honte !

Sa fille avait disparu, et Mayfield *dormait.*

Il espérait que McManus et les autres n'en savaient rien. Si par exemple ils avaient cherché à le rappeler, à répondre à ses nombreux appels, et qu'Arlette ait dû leur répondre que son mari dormait en plein après-midi, rompu de fatigue. Que son mari ne pouvait pas leur parler pour le moment.

C'était absurde. Ils n'avaient pas appelé, naturellement.

Il se redressa. Il retira son tee-shirt, ses sous-vêtements trempés de sueur. Des replis de chair blanchâtre sur son ventre, des cuisses comme des jambons. Une toison de poils cuivre et acier sur le torse et aux aisselles, touffue comme les buissons de la Réserve.

Il était robuste, pas gras. Pas *encore* gras.

L'espiègle Cressida avait coutume de lui pincer la taille. *Oh là là, papa ! C'est quoi, ça !*

C'était un grand sujet de plaisanterie parmi les Mayfield et leurs proches : l'importance que Zeno accordait à son apparence. Le fait qu'on puisse l'embarrasser en remarquant qu'il avait grossi.

Tu devrais te mettre au régime Atkins, papa. Viande crue et whisky.

Cressida était menue comme une enfant. Sans son auréole de cheveux frisés, on l'aurait prise pour un garçon de douze ans.

Arlette disait, avec désapprobation : « Cressida ne mange pas parce qu'elle "refuse" d'avoir ses règles. »

Une remarque qui choquait tant le père qu'il feignait de ne pas entendre.

Un ou deux mois plus tôt, quand Brett Kincaid était venu chez eux, vêtu d'un short kaki, Zeno avait pu voir les cuisses décharnées du garçon, les muscles plats, atrophiés par des mois d'hospitalisation. Il s'était rappelé Brett tel qu'il était un an auparavant. Cela donne un choc de voir un homme jeune qui n'est plus *jeune*.

Brett suivait une thérapie pour se remuscler, mais c'était long et pénible.

Juliet l'aidait à marcher, l'avait aidé à marcher.

À marcher encore et encore… pendant des kilomètres. Le bras mince de Juliet autour de la taille du caporal, dans Palisade Park où il y avait peu de montées. Parce que les montées essoufflaient le caporal.

Les muscles de ses bras et de ses épaules n'avaient pas changé. Dans son fauteuil roulant, à l'hôpital militaire, il s'était propulsé partout où il pouvait aller, à titre d'exercice.

Il n'avait pas eu le crâne fracturé par l'explosion, mais son cerveau avait été traumatisé – « commotionné ».

Un cerveau blessé peut guérir. Un cerveau blessé guérit.

Il faudra du temps. Et de l'amour.

Voilà ce que Juliet avait dit. Avec un beau sourire courageux, sans ironie, serrant la main de son fiancé dans la sienne.

Si bien que cela avait été une surprise – une surprise et un soulagement – quand, quelques semaines plus tard, elle leur avait annoncé que tout était fini.

Sauf que tout ne finit pas aussi facilement. Le père savait. Entre hommes et femmes, rien d'aussi facile.

Bon Dieu! Zeno puait. La sueur de l'angoisse, du désespoir.

Avant de se coucher, ce soir-là, il changerait lui-même les draps, avant qu'Arlette n'entre dans la chambre : Zeno avait une façon spectaculaire de faire le lit : il faisait claquer et voltiger les draps dans les airs à la manière d'un magicien, les bordait serré, lissait les plis, habile, rapide, *zouip-zouip et zouip!* Il faisait rire ses petites filles comme un personnage de BD. Chez les scouts, Zeno avait appris toutes sortes de tâches utiles.

Il avait été un Aigle, bien sûr. Zeno Mayfield, quatorze ans, le plus jeune Aigle des scouts des Adirondacks.

Il sourit à ce souvenir, et puis il cessa de sourire.

Il se rendit en titubant dans la salle de bains. Ouvrit à fond les deux robinets de la douche. Se mit la tête sous le jet dans l'espoir de se réveiller. Perdit l'équilibre et se raccrocha au rideau de douche qui (Dieu merci) ne céda pas.

Le plaisir de l'eau brûlante, cuisante, ruisselant sur son visage, son corps. Un instant, Zeno fut presque heureux.

Arlette apparut sur le seuil de la salle de bains – dans le bruit de cascade de la douche, elle lui dit quelque chose d'un ton pressant – *On l'a retrouvée! C'est fini, notre fille a été retrouvée!* – mais quand Zeno lui demanda de répéter, elle dit, d'un ton anxieux : «Ils sont là. Les gens de la télé. Descends dès que tu pourras.

– J'ai le temps de me raser?»

Arlette s'approcha. Elle ne tendit pas le bras sous l'eau brûlante pour effleurer ses joues râpeuses.

« Oui. Je crois que ce serait mieux. »

Zeno se sécha en hâte, dans une immense serviette. Tenta de passer un peigne dans ses cheveux, y renonça au profit d'une brosse, tâchant d'éviter son reflet dans le miroir embué de la salle de bains, ses yeux injectés de sang, anxieux.

« Tiens. Voilà des vêtements propres. Cette chemise... »

Avec reconnaissance, Zeno prit les vêtements que sa femme lui tendait.

Un bruit de voix montait du rez-de-chaussée. Arlette tenta de lui dire qui se trouvait là, qui venait d'arriver, quels parents, quels journalistes, mais Zeno ne parvenait pas à se concentrer. Il avait le sentiment désagréable que sa porte d'entrée était grand ouverte, que n'importe qui pouvait entrer.

Par cette porte grande ouverte, sa petite fille s'était *éclipsée.*

Sauf que ce n'était plus une petite fille, bien entendu. Dix-neuf ans : une femme.

« De quoi j'ai l'air ? Ça va ? »

Être interviewé n'était pas une nouveauté pour Zeno Mayfield. La présence des caméras ajoutait juste à la tension, augmentait les enjeux.

« Oh ! Zeno, tu t'es coupé en te rasant. Tu ne t'en es pas aperçu ? »

Arlette eut un petit sanglot exaspéré. Elle tamponna la mâchoire de Zeno avec un linge mouillé.

« Merci, chérie. Je t'aime. »

Bravement, ils descendirent l'escalier main dans la main. Zeno vit qu'Arlette avait attaché ses cheveux, qui semblaient avoir brutalement perdu leur éclat ; elle avait étalé du rouge sur ses lèvres et pris à l'aveuglette dans son coffret à bijoux quelque chose pour orner son cou : un rang de perles de pacotille que personne ne lui avait vu depuis dix ans. Ses doigts étaient glacés, sa main tremblait. De nouveau, Zeno murmura : « Je t'aime », mais Arlette était distraite.

Et Zeno fut dérouté par le nombre de gens qu'il découvrit dans sa salle de séjour. Des meubles avaient été poussés contre les murs. La lumière des spots de télévision était aveuglante. La journaliste de WCTG-TV était une femme que Zeno connaissait ; à l'époque où il était maire, Evvie Estes travaillait au service des relations publiques de la mairie dans un minuscule bureau enfumé, au rez-de-chaussée du vieux bâtiment de grès. Elle était plus âgée, maintenant, la bouche et les yeux durs, maquillée à outrance, affichant une angoisse et une sollicitude feintes : « Madame et monsieur Mayfield, Zeno et Arlette, bonjour ! Quelle terrible journée pour vous ! » Et elle leur poussa un micro sous le nez, comme si sa remarque appelait une réponse. Un sourire crispé aux lèvres, Arlette la regarda, semblant totalement prise au dépourvu, et Zeno répondit, avec calme et gravité : « Oui… une journée de terrible angoisse. Notre fille Cressida a disparu, nous avons des raisons de croire qu'elle s'est perdue dans la réserve du Nautauga ou à proximité. Elle est peut-être blessée… sinon elle aurait pris contact avec nous. Elle a dix-neuf ans, et n'est malheureusement pas une marcheuse expérimentée… Nous espérons que quelqu'un l'a vue ou dispose d'informations à son sujet. »

Même dans ce moment de tension, Zeno Mayfield avait retrouvé ses réflexes d'homme public et regardait la caméra en face, le front légèrement plissé. S'il y avait un tremblement dans sa voix, personne ne le décèlerait.

Evvie Estes, cheveux teints d'un blond cuivré saisissant, posa plusieurs questions de bon sens aux Mayfield. De sa voix grave et calme, Zeno intervenait quand Arlette ne se montrait pas disposée à répondre. Oui, leur fille leur avait parlé le samedi soir, avant de sortir ; non, ils ne savaient pas qu'elle comptait aller au lac Wolf's Head – « Mais peut-être Cressida ne le savait-elle pas non plus quand elle nous a quittés. Peut-être cela s'est-il décidé plus tard. » Zeno préférait croire à cette hypothèse plutôt qu'à un mensonge de Cressida.

Mais il ne pouvait écarter la probabilité qu'elle eût menti. Par omission. Disant qu'elle allait chez une amie, mais non qu'elle projetait de se rendre ensuite au lac Wolf's Head, quinze kilomètres plus loin.

On savait maintenant que Cressida était restée jusqu'à 22 heures chez son amie Marcy, et qu'elle l'avait quittée en lui laissant croire qu'elle « rentrait chez elle ».

Cressida n'avait pas pris la voiture : la maison de Marcy n'était pas loin, elle y était allée à pied. Marcy pensait qu'elle était rentrée de la même façon, car elle avait décliné sa proposition de la raccompagner.

À moins que quelqu'un fût passé prendre Cressida en chemin après qu'elle eut quitté Marcy.

Rien de tout cela n'était (encore) très clair pour Zeno. Et il n'avait aucune envie d'exposer ces détails à des téléspectateurs.

Quelle ironie, cependant, qu'au moment où, à en croire les témoins, Cressida se trouvait au lac Wolf's Head en compagnie de Brett Kincaid, sa sœur Juliet eût été, elle, chez ses parents et, sans doute, à ce moment-là, dans son lit.

Ce samedi soir, les Mayfield avaient invité de vieux amis à dîner, et Juliet avait aidé sa mère à faire la cuisine. Cressida s'était empressée d'expliquer qu'elle ne serait pas des leurs parce qu'elle devait voir son amie de lycée, Marcy Meyer.

Evvie Estes demanda s'il s'était produit quoi que ce soit de nature à éveiller leurs « soupçons », la dernière fois qu'ils avaient vu Cressida.

«Non, c'était une soirée ordinaire. Cressida avait rendez-vous avec une amie de lycée et nous savions, sans qu'elle ait à nous le dire, qu'elle serait rentrée vers 11 heures au plus tard. C'était juste... une soirée ordinaire.»

Zeno n'avait pas apprécié qu'Evvie Estes lance ce mot : «soupçons».

Arlette et lui étaient assis côte à côte sur un canapé. Zeno serrait fermement la main de sa femme, comme pour la retenir.

Un peu plus tôt, Juliet avait aidé Arlette à trouver les photos de Cressida qui seraient fournies à la police et aux journalistes, montrées à la télé et diffusées sur internet toute la journée ; Zeno supposait que ces photos apparaîtraient aux informations de 18 heures, pendant l'interview. Et il espérait que cette inter-view, enregistrée, d'une durée d'environ un quart d'heure, ne serait pas férocement coupée.

«Notre seul espoir est que Cressida prenne bientôt contact avec nous... si elle le peut. Ou, au cas où elle serait blessée, ou perdue... que quelqu'un la retrouve. Nous prions qu'elle soit dans la Réserve – c'est-à-dire qu'elle n'ait pas été... emme-née...» Zeno marqua une pause, déstabilisé par cette possibi-lité, pareil à un obstacle soudain, à un énorme rocher sur son chemin. «... emmenée ailleurs.» Son aisance d'orateur public s'évaporait, comme l'air d'un ballon percé. À la fin de l'inter-view, il bégayait presque : «Si quelqu'un pouvait nous aider – nous aider à la retrouver – n'importe quelle information sur elle – l'endroit où elle se trouve – nous offrons dix mille dol-lars de récompense – pour le retour de – notre fille Cressida Mayfield.»

Arlette le dévisagea avec stupéfaction. Dix mille dollars !

C'était entièrement inattendu. Ils n'en avaient pas discuté. Pour autant qu'elle le sache, Zeno n'avait pas pensé à une récompense avant cet instant.

Zeno avait prononcé ce montant de «dix mille dollars» d'un ton étrangement euphorique. Et il avait eu un sourire étrange, les yeux plissés dans la lumière des projecteurs. L'interview se termina peu après. La chemise blanche de Zeno lui collait à la peau : il avait de nouveau transpiré. Et lui aussi tremblait, à présent.

Naturellement, ces dix mille dollars étaient dans les moyens des Mayfield. Et même bien davantage, si cela assurait le retour de leur fille disparue.

«Zeno? Où vas-tu?

– À la Réserve. Reprendre les recherches.

– Pas question! Pas maintenant.

– Il reste encore au moins deux heures de jour. Il faut que je sois là-bas.

– C'est absurde. Reste ici avec nous...»

Zeno hésita. Mais non non non *non*. Il n'avait aucune intention de rester dans cette maison, où le poids de l'attente l'oppressait, l'empêchait de respirer.

4

Descente et montée

J'ai su. Dès que j'ai vu que son lit n'était pas défait.
J'ai su que... quelque chose était arrivé.

À 4 h 08 ce dimanche matin, Arlette se réveilla en sursaut. Avec la sensation très étrange qu'il y avait... quelque chose d'anormal, de changé. Dans la pénombre de la chambre à coucher – leur chambre à coucher – tout semblait pourtant paisible, réconfortant. Pourtant, elle entendait la respiration rythmique, profonde et rauque de Zeno, qui l'apaisait et la réconfortait.

Sans doute était-ce un rêve qui l'avait réveillée. Un tourbillon d'angoisse, comme des feuilles tournoyant dans une soufflerie. Elle avait été entraînée... quelque part. Et se réveillait la bouche sèche, anxieuse, avec l'impression que quelque chose avait changé dans la maison ou dans la vie de la maison.

Ou que... elle avait été amputée d'un de ses membres. *Voilà!* c'était le rêve qu'elle avait fait.

Comment appelait-on ce phénomène? «Membre fantôme»? Dans ce cas-là, on a réellement été amputé, mais on ressent la présence (douloureuse) du membre (absent); dans

83

le cas d'Arlette, pour autant qu'elle le sache, son corps était intact.

Ce sentiment de perte était un mystère pour elle. Mais il était là, indéniable.

Et, de ce moment-là, il ne la quitterait plus jamais.

Sans réveiller Zeno, elle se coula hors du lit.

Quelquefois, quand ils se réveillaient pendant la nuit – au cours d'une même nuit, l'un et l'autre se réveillaient à plusieurs reprises, même si ce n'était parfois que quelques secondes –, Arlette posait un baiser affectueux sur les lèvres de Zeno, ou Zeno sur les siennes. C'étaient des baisers pareils à des saluts désinvoltes – pas des baisers destinés à réveiller l'autre.

Comment va ma chérie marmonnait parfois Zeno. Mais avant qu'Arlette ait pu répondre, il sombrait de nouveau dans le sommeil.

Il dormait profondément, à présent. Quel que fût le changement sismique, subtil et irrévocable qu'Arlette avait perçu dans la vie de la maison, Zeno ne l'avait pas ressenti. Comme s'il était tombé sur le dos, bras et jambes écartés, occupant les deux tiers du lit, il dormait d'un sommeil chaud et vibrant.

Arlette avait appris à dormir à côté de son mari sans être dérangée par sa respiration bruyante ; chaque fois que possible, elle l'incorporait dans ses rêves de façon très ingénieuse.

Les ronflements de Zeno pouvaient ainsi devenir des formes zigzagantes, des insectes métalliques voltigeant autour du visage de sa femme. Il arrivait même qu'Arlette fût réveillée par son propre rire.

Ce soir-là, en servant le vin à leurs invités, Zeno avait vidé une bouteille à lui tout seul. De très bonne humeur, il avait raconté des anecdotes, ri bruyamment. Il avait été tendre et plein de sollicitude avec Juliet, que, contrairement à son habitude, il s'était abstenu de taquiner.

Au cours de leur long mariage, il y avait eu des périodes – des intermèdes – où Zeno buvait à l'excès. Arlette comprenait qu'il avait bu ce soir-là parce qu'il se sentait coupable du soulagement qu'il avait exprimé à l'annonce de la rupture des fiançailles.

Pas devant Juliet, bien entendu, mais devant Arlette. *Dieu merci. Nous allons enfin pouvoir respirer.*

Sauf que ce n'était pas aussi facile. Ce ne serait pas aussi facile. Car leur fille avait le cœur brisé.

Juliet avait passé la soirée avec eux, et non avec son fiancé. Son ex-fiancé.

Elle avait aidé sa mère à préparer un repas élaboré, à servir à table, toujours gaie et souriante. Comme si elle n'avait pas eu une vie ailleurs, une vie de femme, avec un homme, un amant dont elle avait été brutalement et mystérieusement séparée.

Avec un petit coup au cœur, Arlette avait remarqué que la bague de fiançailles de Juliet (dont sa fille était si fière) avait disparu.

En fait, les doigts minces de Juliet étaient nus, comme endeuillés.

À la table du dîner, trois couples et la fille. Trois couples entre deux âges, une fille de vingt-deux ans.

Une fille de toute beauté. Le cœur brisé.

Naturellement personne ne l'avait interrogée sur Brett. Personne n'avait seulement mentionné le nom de Brett. Comme si le caporal Kincaid n'existait pas, comme si Juliet et lui n'avaient jamais projeté de se marier.

C'est sacrément triste. Mais nous n'y sommes pour rien, hein? Qu'avons-nous fait? Absolument rien.

Il était soûl et marmonnait tout seul. Se laissant tomber si lourdement sur le lit que les ressorts protestèrent. Envoyant valser une chaussure au milieu de la pièce.

Juliet devrait nous en parler. Nous sommes ses parents, bon sang!

Quand il était de cette humeur, Arlette le laissait dire. Elle ne cherchait pas à arrondir les angles, à l'apaiser. Elle le laissait mariner dans sa bile du moment.

C'était une décision à la con, de s'engager dans l'armée. «Servir son pays»... il n'y a qu'à voir où ça l'a mené.

En tout cas, il n'entraînera pas notre fille dans sa noyade.

Arlette ne se baissa pas pour ramasser la chaussure. Mais elle l'écarta du bout du pied, pour qu'ils ne trébuchent pas dessus s'ils se levaient dans la nuit.

La tête à peine posée sur l'oreiller, Zeno s'endormit.

Une respiration rauque en dents de scie, comme s'il avait des chardons coincés dans le gosier.

Le climatiseur marchait. Un mince filet d'air frais circulait dans la pièce. Arlette remonta le drap sur l'épaule de son mari endormi. Dans des moments comme celui-ci, elle éprouvait pour lui une bouffée d'amour, mêlée d'un sentiment de peur, la vue de ses épaules musclées, ses avant-bras couverts de poils rudes, la chair flasque de son menton quand il dormait sur le côté. À l'intérieur de cet homme entre deux âges demeurait toujours le Zeno jeune et hardi dont elle était tombée amoureuse.

Jamais la mortalité d'un homme n'est plus manifeste que dans le sommeil.

Ils arrivaient à un âge, et s'acheminaient vers un âge plus irrémédiable encore, où les femmes perdaient leur mari – devenaient des «veuves». Arlette ne pouvait se laisser aller à de telles pensées.

Elle se rappellerait plus tard que, ce soir-là, ils n'avaient été préoccupés que de Juliet, et de Brett Kincaid, qu'ils ne reverraient peut-être jamais.

Ils ne pensaient quasiment qu'à Juliet depuis que le caporal Kincaid était revenu, blessé, d'Irak.

Cressida passant parmi eux tel un fantôme. Pour se rendre ce soir-là chez une amie de lycée qui habitait si près qu'elle n'avait pas à prendre la voiture. Vers 18 heures, elle avait dû lancer un au revoir désinvolte : dans la cuisine, Arlette et Juliet y avaient sans doute à peine prêté attention.

Salut! À plus tard.

Peut-être n'avaient-elles même pas entendu. Cressida ne s'était pas donné la peine d'entrer dans la cuisine pour annoncer son départ.

Zeno n'était pas là. Il était chez un caviste, en train de choisir le vin avec la tâtillonnerie d'un homme qui n'y connaît rien, mais aimerait donner l'impression du contraire.

Une soirée qui aurait dû être parfaitement ordinaire, bien qu'on fût un samedi soir d'été.

Dans le nord du New York, dans les Adirondacks, la population triplait en été.

Des vacanciers. Campeurs, camping-cars. Bandes de motards. Le soir, même dans une rue résidentielle tranquille comme Cumberland, on entendait le rugissement railleur des motos dans le lointain.

Au bord des lacs – Wolf's Head, Echo, Wild Forest – des « incidents » étaient signalés tous les étés. Bagarres, agressions, cambriolages, vandalisme, incendies criminels, viols, meurtres. Les services de police locaux qui ne disposaient que de quelques agents devaient faire appel à la police de l'État de New York dans les cas désespérés.

Quand Zeno était maire de Carthage, plusieurs bandes de Hell's Angels s'étaient réunies dans Palisade Park. Après une journée et une nuit de festivités arrosées et de plus en plus dévastatrices, les plaintes des résidents avaient été si vives que Zeno avait envoyé la police municipale de Carthage évacuer «pacifiquement» le parc.

L'émeute avait été évitée de justesse. On avait attribué à Zeno le mérite d'avoir pris les bonnes décisions, juste à temps. Personne n'avait été arrêté. Aucun policier n'avait été blessé. Il n'avait pas été nécessaire de faire appel à la police de l'État.

Les bandes de motards n'étaient pas revenues à Palisade Park. Mais elles se retrouvaient, le week-end, au bord des lacs. On entendait encore parfois au loin, par une fenêtre ouverte, la plainte railleuse et provocante des motos, mêlée au chant nocturne des insectes.

Arlette sortit de la chambre. Zeno ne s'était pas réveillé.

Dans sa mince chemise de nuit de mousseline, pieds nus sur la moquette du couloir, elle dépassa la porte fermée de la chambre de Juliet – car elle savait que Juliet était là – Juliet était couchée depuis des heures, comme ses parents – se dirigeant infailliblement vers la pièce où elle savait que *quelque chose n'allait pas.*

À 4 heures du matin passées, Cressida devait normalement être rentrée de chez Marcy Meyer. Depuis longtemps. Pour ne pas déranger ses parents, elle montait dans sa chambre le plus silencieusement possible – c'était une particularité de leur fille cadette, depuis toute petite : *elle ne fait pas plus de bruit qu'une souris,* comme disait Zeno, et personne ne savait qu'elle était là.

Dans le temps même où Arlette se faisait ces réflexions, elle ouvrait la porte, allumait la lumière : le lit de Cressida n'avait pas été défait.

Ça n'allait pas. Ça n'allait pas du tout.

Figée sur le seuil, Arlette regardait fixement la pièce. Elle était vide, bien sûr. Cressida n'y était pas.

Ils étaient allés se coucher après le départ de leurs invités, quand la cuisine avait été raisonnablement rangée. Ils étaient allés se coucher après 23 heures, Arlette et Zeno, sans se soucier un instant, ou alors très fugitivement, de Cressida, qui – croyaient-ils – n'était qu'à quelques centaines de mètres de là, chez son amie Marcy Meyer.

Peut-être les deux jeunes filles avaient-elles dîné ensemble. Ou peut-être avec les parents de Marcy. Et regardé un DVD ensuite. *Deux marginales qui se tiennent compagnie par solidarité*, avait plaisanté Cressida.

Au lycée, Cressida et Marcy avaient été amies par défaut, selon Cressida. *Être impopulaires ensemble vous unit pour la vie.*

(Cressida aimait exagérer. Ni elle ni Marcy Meyer n'étaient « impopulaires », Arlette en était certaine.)

Elle s'avança lentement dans la pièce, effleura l'édredon de Cressida.

Il recouvrait le lit avec une symétrie parfaite. Arlette savait que, si elle le soulevait, elle trouverait les draps soigneusement lissés, car Cressida ne supportait pas qu'un tissu soit plissé ou froissé.

Ils seraient aussi impeccablement bordés.

Car leur plus jeune fille faisait tout *soigneusement*. Avec une expression de profond mépris, de dégoût – mais *soigneusement*.

Tout ce qui était tâches et corvées, tout ce qui relevait du « ménage », déplaisait à Cressida. Son imagination était plus noble, plus abstraite.

Mais, même en renâclant, elle s'en acquittait rapidement, pour en être débarrassée.

Je ne connais rien de plus abrutissant que la vie de femme au foyer. Pauvre maman.

Arlette était souvent irritée par les remarques irréfléchies de sa cadette. Elle avait beau savoir que Cressida l'aimait, il semblait parfois évident que Cressida ne la respectait pas.

Mais si tu n'avais pas été partante, Jule et moi ne serions pas ici, j'imagine.

Alors, merci!

Se pouvait-il que Cressida eût prévu de passer la nuit chez Marcy? se demanda Arlette. Elle l'avait fait quelquefois lorsque les deux amies étaient encore au collège. Cela semblait peu probable, mais...

Pour l'amour du ciel, maman. Quelle idée parfaitement idiote.

Arlette sortit de la chambre de Cressida et descendit au rez-de-chaussée. Elle avait le souffle court, à présent, bien que son cœur battît calmement.

Décrochant le téléphone mural de la cuisine, elle appela Cressida sur son portable.

Une faible sonnerie, mais pas de réponse.

Puis une explosion de musique électronique, des accords dissonants et une voix de synthèse l'engageant à laisser un message après le bip.

Cressida? C'est maman. Il est 4 h 10. Je me demande où tu es... si tu pouvais rappeler dès que possible...

Arlette raccrocha. Mais elle reprit aussitôt le combiné et refit le numéro.

Cette fois, elle bégaya en laissant son message. *Maman de nouveau. Nous sommes un peu inquiets, chérie. Il est vraiment tard... Donne-nous un coup de fil, d'accord?*

Elle était passée au *nous*. Car Cressida respectait son père.

Il lui traversa l'esprit que sa fille était peut-être dans la maison, mais dans une autre pièce que sa chambre.

Depuis toute petite, c'était une enfant imprévisible. Il était souvent arrivé à ses parents de la chercher partout, tandis qu'elle les épiait par la fente d'une porte entrouverte, éclatant de rire devant leur expression inquiète.

Cressida trouvait particulièrement drôles les *visages tout chiffonnés* (des adultes).

Arlette fit donc le tour des pièces du rez-de-chaussée : le salon-télé du sous-sol, où Cressida allait rarement, lui reprochant d'être en partie souterrain et, par temps humide, d'héberger de petits mille-pattes qui, à son grand dégoût, rampaient sur la moquette (de chez Sears, couleur ardoise, un peu tachée) ; le bureau encombré de Zeno, avec ses étagères surchargées de livres et de quantité d'autres choses, avec le bureau à cylindre, qu'il aimait présenter comme l'héritage d'un «quasi-ancêtre» de la guerre d'Indépendance, mais qu'il avait en fait acheté dans une vente aux enchères : une pièce où, lorsqu'elle était une lycéenne aux humeurs changeantes, Cressida s'était parfois *terrée* quand Zeno n'était pas là ; et les coins et recoins de la salle de séjour, une pièce aux poutres apparentes, étroite et longue, mangée d'ombre même quand elle était éclairée, où trônait un quart de queue Steinway dont plus personne ne jouait depuis que, à seize ans, Cressida avait brusquement arrêté de prendre des leçons de piano.

Mais pourquoi, chérie ? Tu joues si bien…

Sûrement. Pour le comté de Beechum.

Personne. Rien. Dans aucune de ces pièces.

Mais Arlette ne s'était pas vraiment attendue à découvrir Cressida endormie ailleurs que dans son lit.

Ouvrant la porte vitrée coulissante, qui donnait sur une terrasse dallée envahie de mauvaises herbes, Arlette se pencha au-dehors pour respirer l'air lourd et humide de la nuit. Elle leva les yeux : un lacis de constellations dont elle ne se rappelait jamais les noms, à la différence de Cressida qui, toute petite,

les récitait comme si elle les avait toujours sus : *Andromède.*
Gémeaux. Grand Chariot. Petit Chariot. Vierge. Pégase. Orion…
Arlette sortit sur la terrasse. Juste pour examiner d'un rapide
coup d'œil les fauteuils de jardin – et le hamac de Zeno, tendu
entre deux arbres robustes – mais pas de Cressida, évidemment.
Elle alla dans le garage, alluma : personne dans le garage,
évidemment.

Pieds nus, grimaçant, elle alla regarder dans chacune des
voitures de la famille : Land Rover de Zeno, break Toyota d'Arlette, Skylark de Juliet. Naturellement, personne ne dormait ni
ne se cachait dans aucune.

Arlette alla ensuite jusqu'à la longue allée asphaltée qui
menait à Cumberland Avenue. Bien que ce fût l'une des rues
résidentielles les plus prestigieuses de Carthage, située dans les
hautes collines du nord de la ville, à côté du cimetière de la
Première Église épiscopalienne de Carthage, Arlette aurait pu
se trouver au bord d'un abîme : pas un lampadaire allumé dans
la rue, pas une lumière dans les maisons voisines. Seule une
clarté sourde semblait émaner du ciel, comme si une lune brillait, emprisonnée derrière des nuages.

Peut-être – une pensée que son désespoir lui souffla –
Cressida avait-elle convenu de retrouver quelqu'un après sa soirée chez Marcy ; peut-être étaient-ils ensemble en cet instant,
dans un véhicule garé le long du trottoir, en train de bavarder
ou de…

Combien de fois Arlette avait-elle parlé, échangé baisers et
caresses dans la voiture d'un garçon, garée devant la maison de
ses parents.

Mais Cressida n'était pas ce genre de fille. Cressida ne «sortait» pas avec des garçons. Pas que sa famille le sache, en tout cas.

J'ai peur que Cressida ne se sente seule. Je ne crois pas qu'elle
soit très heureuse.

Ne sois pas ridicule! Cressida est unique. Elle se moque de ce qui préoccupe les autres filles, elle est d'une autre espèce.
Voilà ce que Zeno souhaitait croire. Arlette n'en était pas aussi sûre.

Elle devinait qu'il devait être douloureux d'être l'*intelligente* et de marcher dans les pas de sa *jolie* sœur aînée.

Quoi qu'il en soit, aucun véhicule n'était garé au bout de la longue allée des Mayfield. Cressida n'était pas rentrée, c'était évident.

Oubliant ses pieds nus, Arlette regagna rapidement la maison, la cuisine violemment éclairée par le plafonnier. On ne serait pas cru à 4 h 30 du matin! Le Formica couleur potiron des plans de travail resplendissait, et le lave-vaisselle, mis en route vers 22 h 30, était encore tiède; avec son entrain et son efficacité habituels, Juliet avait aidé Arlette à tout nettoyer après le dîner. Pendant qu'elles étaient ensemble dans la cuisine, après une agréable soirée en compagnie de vieux amis – une soirée qui resterait dans sa mémoire comme la dernière de son espèce –, Arlette aurait pu aborder le sujet de Brett Kincaid – mais Juliet n'avait pas paru disposée à une conversation intime.

Elles n'avaient pas non plus parlé de Cressida : à ce moment-là, qu'y aurait-il eu à dire?

Je vais juste faire un saut chez Marcy, maman. Je peux y aller à pied.

Ne veille pas pour moi, d'accord?

De nouveau, Arlette décrocha le combiné et composa le numéro du portable de Cressida, tout en se préparant à ne pas obtenir de réponse.

«Elle a peut-être perdu son téléphone. On le lui a peut-être volé.»

Cressida ne faisait pas attention à ses portables. Elle en avait perdu au moins deux, offerts l'un et l'autre par Zeno, qui voulait ses filles à portée de téléphone s'il souhaitait les joindre. Et qui considérait qu'elles devaient en avoir un en cas d'urgence.

Était-ce une urgence? Arlette refusait de le penser.

Elle retourna dans la chambre de Cressida, d'un pas plus lent, comme si elle était brusquement épuisée.

Personne. Une pièce vide.

Remarquant cette fois à quel point les livres étaient rangés – *serrés* – sur les étagères que Zeno avait fait encastrer par un menuisier dans trois des murs de la pièce, à la demande de sa fille, si bien qu'on avait – presque – l'impression que Cressida était emprisonnée par les livres.

Certains étaient de grands albums pour enfants aux couvertures colorées. Cressida avait adoré les livres de sa petite enfance, qui l'avaient aidée à lire à un très jeune âge.

Il y avait aussi les carnets de Cressida – eux aussi de grande taille, achetés dans un magasin de matériel d'art de Carthage : petite fille douée d'une imagination vive, Cressida y avait dessiné des histoires fantastiques avec des Crayolas de toutes les couleurs.

Au début, elle n'avait pas fait d'objection à ce que ses parents les montrent à des parents, amis et voisins, qui étaient impressionnés – plus qu'impressionnés, stupéfaits – par le «talent artistique» de la petite fille, mais ensuite, brusquement, vers neuf ans, Cressida était devenue timide et avait refusé que Zeno la mît ainsi en avant.

Il y avait des années maintenant que ces dessins colorés d'animaux fantastiques n'étaient plus punaisés sur un mur de sa chambre. Arlette les regrettait, car ils révélaient une fantaisie et une espièglerie enfantines, pas toujours apparentes chez la petite fille précoce avec qui elle vivait – qui l'appelait, avec une curieuse crispation de la bouche, comme si le mot lui était parfaitement incompréhensible : « Maman. »

(Cressida n'avait en revanche aucun problème pour dire «papa», «pa-pa», avec un sourire radieux.)

Ces dernières années il y avait sur le mur de Cressida des dessins à la plume et à l'encre sur papier Bristol, exécutés à la manière de l'artiste hollandais M. C. Escher, la grande passion de Cressida au lycée. Arlette faisait de son mieux pour les admirer : ils étaient élaborés, ingénieux, adroitement faits, et ressemblaient davantage à des énigmes visuelles qu'à des œuvres d'art cherchant à toucher le spectateur. Le plus grand et le plus ambitieux, intitulé *Descente et Montée*, collé sur un carton d'environ un mètre sur un mètre, était une réinterprétation de la célèbre lithographie d'Escher, *Montée et Descente*, qui représente des moines montant et descendant des escaliers interminables dans une structure surréaliste où les points de gravité semblent multiples. Cressida, elle, avait dessiné une maison familiale subtilement déformée, dont l'absence de murs révélait des escaliers beaucoup plus nombreux que n'en comptait la maison, disposés selon des angles «orthogonaux»; sur ces escaliers, des silhouettes humaines «montaient», tandis que d'autres «descendaient» sur l'envers des mêmes marches.

Contempler ce dessin vous désorientait, vous donnait le vertige. Car le *haut* était également le *bas*, simultanément.

Cressida avait travaillé à ces dessins de façon obsessionnelle pendant au moins un an, à l'âge de seize ans. Déclarant mystérieusement que M. C. Escher avait tendu un miroir à son âme.

Les silhouettes de *Descente et Montée* étaient à la fois vaillantes et pitoyables. Avec détermination elles «montaient», avec détermination elles «descendaient», n'ayant apparemment pas conscience de leurs homologues inversés. La version de Cressida était plus réaliste que l'original d'Escher : on reconnaissait la vieille maison de style colonial des Mayfield, avec ses meubles et ses tapisseries, dans la structure contenant les escaliers inversés, et les silhouettes représentaient manifestement les Mayfield – papa, grand et robuste, les cheveux touffus ; maman, placide et souriante, le visage vide ; la belle Juliet, lèvres et yeux exagérés, et, faisant la moitié de leur taille, une petite Cressida frisée à l'expression farouche, bras et jambes comme des allumettes, un gnome en leur sein.

Ces quatre personnages étaient répétés plusieurs fois, ce qui produisait un effet comique ; la détermination, répétée, suggère l'idiotie. Arlette ne regardait jamais *Descente et Montée* et les autres dessins eschériens de Cressida sans un petit frisson d'appréhension.

Il était plus facile pour Cressida de railler que d'admirer. De se détacher des autres que de tenter de s'y attacher.

Sans doute avait-elle été blessée, supposait Arlette : en classe de troisième, quand elle s'était portée volontaire pour enseigner dans le cadre d'un programme de soutien en mathématiques – une initiative de l'administration municipale de Zeno, face aux réductions budgétaires de l'État dans le domaine de l'éducation – après quelques séances enthousiastes avec des collégiens issus de milieux «défavorisés», elle était revenue un jour en déclarant, avec une petite grimace penaude, qu'elle n'y retournerait pas.

Zeno lui avait demandé pourquoi. Arlette lui avait demandé pourquoi.

«C'était une idée stupide, voilà pourquoi.»

Zeno avait été étonné et déçu qu'elle refuse de s'expliquer davantage. Mais Arlette savait qu'il devait y avoir une raison précise, et que cette raison avait sûrement à voir avec l'orgueil de leur fille.

Elle se rappelait un autre incident malheureux, survenu lui aussi au lycée, en rapport avec la fixation de Cressida sur Escher. Mais elle n'en avait jamais su les détails.

Sur le bureau de Cressida – une large planche polie, posée sur des tiroirs métalliques – se trouvait un ordinateur portable (fermé), un carnet (fermé), des petites piles de livres et de documents. Tout était rangé d'équerre.

Arlette entrait rarement dans la chambre de sa fille, à moins d'y être expressément invitée par Cressida. Elle redoutait d'être traitée de *fouineuse*.

Il était 4 h 36. Trop peu de temps avait passé pour qu'elle appelle de nouveau le portable de Cressida.

Arlette se dirigea donc vers la chambre de Juliet, juste à côté.

« Maman ? » Juliet se redressa en sursaut.

« Oh, chérie… pardonne-moi de te réveiller…

– Je ne dormais pas. Quelque chose ne va pas ?

– Cressida n'est pas rentrée.

– Cressida n'est pas rentrée ! »

C'était de l'étonnement plus que de l'inquiétude. Car Cressida n'était jamais rentrée aussi tard – du moins à la connaissance des siens.

« Elle était chez Marcy. Elle devrait être là depuis longtemps.

– Je l'ai appelée sur son portable. Mais je n'ai pas téléphoné à Marcy… il faudrait sans doute que je le fasse.

– Quelle heure est-il ? Mon Dieu…

– Je ne voulais pas les déranger à une heure pareille… »

Juliet était déjà debout. Depuis sa rupture avec Brett Kincaid, elle était souvent à la maison et se couchait de bonne heure, comme une convalescente ; mais elle dormait mal, quelques heures à peine, et passait le reste de la nuit à lire, écrire des courriels, surfer sur internet. Sur sa table de chevet, à côté de son ordinateur, il y avait quelques livres, empruntés à la bibliothèque – Arlette lut le titre *Irak, la machine infernale : politique de l'Irak moderne.*

Elles tentèrent de se rappeler ce que Cressida avait dit en quittant la maison. Rien qui sorte de l'ordinaire, elles en étaient certaines toutes les deux.

«Elle est allée chez Marcy à pied. Elle a dû revenir par le même moyen, à moins que...»

Arlette n'acheva pas. Maintenant qu'elle avait associé Juliet à son inquiétude, son angoisse s'intensifiait.

«Elle est peut-être restée chez Marcy...

— Mais elle aurait appelé, tu ne crois pas?

— ... Jamais elle ne passerait la nuit là-bas, il n'y a aucune raison. Elle serait rentrée, bien sûr.

— Mais elle ne l'a pas fait.

— As-tu regardé ailleurs que dans sa chambre? Je sais que c'est peu probable, mais...

— Je ne voulais pas réveiller Zeno, tu sais comme il s'inquiète vite...

— Tu as essayé son portable... as-tu dit? Si on réessayait?»

La crème de nuit que Juliet avait sur le visage, sur sa belle peau douce, luisait maintenant comme de l'huile. Ses cheveux, châtain clair, dégradés, floconneux, étaient aplatis sur un côté. Il y avait entre les deux sœurs une rivalité ancienne, non réglée : l'énergie mise par la cadette à miner et à contrecarrer l'énergie mise par l'aînée à être *bonne*.

Juliet appela sa sœur de son propre portable. Toujours pas de réponse.

«J'imagine que nous devrions appeler Marcy. Mais...

— Je ferais mieux de réveiller Zeno. Il saura quoi faire.»

Arlette entra dans la chambre obscure, où Zeno dormait toujours.

Elle le secoua doucement par l'épaule. «Zeno? Pardon de te réveiller, mais... Cressida n'est pas rentrée.»

Les paupières de Zeno battirent. Il y avait quelque chose de touchant, de vulnérable et de poignant dans ses réveils : on aurait dit un ours somnolent, tiré périlleusement de son hibernation.

« Il va bientôt être 5 heures. Elle n'est pas rentrée de la nuit. J'ai essayé de l'appeler, je l'ai cherchée partout dans la maison... »

Zeno se redressa. Zeno s'assit au bord du lit. Zeno se frotta les yeux, passa la main dans ses cheveux embroussaillés.

« Eh bien... elle a dix-neuf ans. Elle n'a plus de couvre-feu et n'a pas de comptes à nous rendre.

– Mais... elle est juste allée dîner chez Marcy. À pied. »

À pied. En disant ces mots, pour la deuxième fois, Arlette eut un frisson.

« ... À pied, de nuit, seule... Peut-être que quelqu'un...

– Ne sois pas alarmiste, Lettie, je t'en prie.

– Mais... elle était seule. Je pense qu'elle devait l'être. Nous ferions mieux de téléphoner à Marcy. »

Zeno se leva avec une agilité surprenante. Dans le boxer qui lui tenait lieu de pyjama, les cheveux hérissés, la taille et le torse empâtés, il alla prendre son portable sur la commode.

« Nous avons essayé de l'appeler, Zeno. Juliet et moi... »

Sans tenir compte de ses paroles, il composa le numéro, écouta avec une attention intense, coupa la connexion et rappela aussitôt.

« Elle ne répond pas. Elle a peut-être perdu son téléphone. Je suis terriblement inquiète. Si elle est rentrée à pied... on est samedi soir, quelqu'un est peut-être passé en voiture...

– Pas d'alarmisme, s'il te plaît, Lettie. Ça ne sert à rien. »

Zeno parlait d'un ton sec, avec irritation. Il enfilait le vieux short froissé qu'il avait jeté sur une chaise, quelques heures auparavant.

Chez Zeno, l'émotion était fondée ; chez les autres membres de sa famille, elle avait tendance à être excessive. Les inquiétudes intermittentes de sa femme, notamment, étaient généralement qualifiées d'*alarmistes,* d'*hystériques.*

Au rez-de-chaussée, la cuisine allumée les attendait comme un décor de théâtre. Zeno chercha le numéro des Meyer dans l'annuaire et appela, en présence de Juliet et d'Arlette.

« Allô ? Marcy ? Zeno à l'appareil, le père de Cressida. Désolée de te déranger à une heure pareille, mais… »

Arlette écoutait, tendue, en proie à une appréhension croissante.

Zeno questionna Marcy quelques minutes. Avant qu'il ne raccroche, Arlette demanda à lui parler, elle aussi. Quoique n'ayant pas grand-chose à ajouter à ce que Zeno avait dit, elle éprouvait le besoin d'entendre la voix de Marcy, espérait être rassurée par la voix de Marcy ; l'amie de sa fille était une robuste jeune fille au visage taché de son, inscrite à l'école d'infirmières de Plattsburgh, une amie de toujours de Cressida, même si elles n'étaient plus tout à fait aussi proches qu'elles l'avaient été.

Mais Marcy ne put que répéter que, vers 22 h 30 – après avoir dîné avec sa mère et sa grand-mère (âgée, malade) et regardé un DVD avec elle –, Cressida était partie, à pied comme elle l'avait prévu.

« Je lui ai proposé de la raccompagner en voiture, mais elle a refusé. J'ai insisté parce qu'il était tard et qu'elle était seule, mais… vous connaissez Cressida. Elle est têtue…

– As-tu une idée d'où elle aurait pu aller ? Après t'avoir quittée ?

– Non, madame. Je ne vois pas. »

Madame. Comme si Marcy était encore une lycéenne.

« Elle n'a pas mentionné quelqu'un ? Elle n'a pas passé de coup de téléphone ?

– Je ne crois pas...

– Tu es sûre qu'elle n'a appelé personne sur son portable ?

– Eh bien, je... je ne pense pas. Je... je connais assez bien Cressida, madame Mayfield... qui aurait-elle appelé ? À part l'un d'entre vous ?

– Mais où peut-elle bien être, à près de 5 heures du matin ! »

Le ton d'Arlette était sec. Elle en voulait à Marcy Meyer d'avoir laissé sa fille rentrer à pied un samedi soir : même si ce n'était pas bien loin, il fallait prendre North Fork Street, une rue où la circulation était importante après la tombée de la nuit en raison de sa proximité avec une autoroute ; et elle en voulait à Marcy Meyer d'avoir dit, d'un ton d'enfant offensé, *Qui aurait-elle appelé ? À part l'un d'entre vous ?*

Les quelques heures de nuit les séparant de l'aube passèrent rapidement, dans une atmosphère de désespoir.

Après s'être habillés à la hâte, Zeno et Arlette montèrent dans la Land Rover de Zeno pour se rendre chez les Meyer.

Fremont Street était une rue pentue, étroite et mal asphaltée ; les maisons, vieilles briques et mortier désagrégé, s'y succédaient, serrées les unes contre les autres et quasi identiques. Arlette se rappelait avoir craint, quand Cressida et Marcy Meyer étaient devenues amies à l'école primaire, que sa fille, directe et souvent irréfléchie, ne fasse des remarques involontairement blessantes sur la taille de la maison des Meyer ou sur son esthétique intérieure ; elle avait déjà été assez surprise de la façon brusque, franche, mi-moqueuse, mi-railleuse, dont Cressida s'adressait à Marcy, une fille réservée et stoïque, dépourvue de l'esprit de repartie de Cressida et de tout instinct d'autodéfense ou de riposte. Cressida avait fait des bandes dessinées racontant les aventures comiques d'une petite fille aux cheveux bruns frisés et au visage peu engageant, et d'une grande fille trapue et souriante : des histoires apparemment sans méchanceté, destinées à amuser et non à railler.

Un jour où, en les conduisant à l'école, Arlette avait reproché à Cressida une remarque spirituelle et blessante, adressée à Marcy, la jeune fille avait dit en riant : « Ce n'est pas grave, madame Mayfield. Cressie n'y peut rien, c'est plus fort qu'elle. » Comme si sa fille était un scorpion ou une vipère : *Elle n'y peut rien.*

Pourtant, de façon touchante, bien que Marcy l'eût appelée « Cressie », Cressida n'avait pas protesté.

Arrivé devant chez les Meyer, Zeno voulut entrer parler à Marcy et à sa mère ; Arlette l'implora de n'en rien faire.

« Ils n'en sauront pas plus que ce que Marcy nous a dit. Il n'est même pas 7 heures. Tu ne ferais que les perturber. Je t'en prie, Zeno. »

Lentement, Zeno roula dans Fremont Street en scrutant les façades de part et d'autre de la rue. Toutes semblaient aveugles, impassibles, à cette heure matinale ; beaucoup de stores étaient tirés.

Au bas de la rue, Zeno fit demi-tour dans une allée et remonta lentement la colline. Une fois passée la maison des Meyer, il suivit l'itinéraire qu'avait probablement emprunté Cressida pour rentrer.

Zeno et Arlette regardaient de tous leurs yeux. On se serait cru dans un film, un documentaire ! Quelque chose était arrivé, mais… dans quelle maison ? Et qu'était-il arrivé au juste ?

Une succession de maisons qui avaient pour seule particularité d'avoir vu passer Cressida quand elle était allée chez Marcy Meyer et quand elle en était repartie, la veille au soir. Là, au carrefour de North Fork, le repère d'un chêne calciné par la foudre ; une rue plus loin, au coin de Cumberland Avenue, sur la crête de la colline, l'imposante église épiscopalienne de brique rouge, avec son cimetière. Tous deux étaient des « monuments historiques » datant des années 1780.

Cressida était sans doute passée devant l'église. Sur quel trottoir ? se demanda Arlette.

Zeno émit un son – grognement, demi-sanglot, marmonnement – et, sans un mot d'explication, arrêta la Land Rover et en descendit.

D'un pas rapide, il entra dans le cimetière. Un homme de haute taille, mal peigné, le menton bleu de barbe, l'allure agressivement décidée. Il avait enfilé un tee-shirt sale, un short kaki, et chaussé de vieilles baskets informes, sans chaussettes. Le temps qu'Arlette le rejoigne, Zeno était bout de la première rangée de vieilles pierres tombales, si usées par le temps et les intempéries que noms et dates y étaient illisibles.

Au-delà du cimetière s'étendait un terrain vague de broussailles et d'arbres, propriété de la municipalité.

Le cimetière sentait l'herbe de tonte, une herbe un peu pourrissante aux relents aigres. Le temps était lourd et, par endroits, l'air grouillait de moucherons.

« Zeno, que cherches-tu ? Oh ! Zeno. »

Arlette avait peur, à présent. Son mari lui tournait le dos. Le plus cordial des hommes, le plus sociable des êtres humains, et cependant il arrivait à Zeno Mayfield d'être distant, voire hostile ; si vous le touchiez, il pouvait repousser votre main. Il se flattait d'être un homme exemplaire, un homme qui en savait beaucoup plus sur ce qui se passait dans le monde, à Carthage et dans les environs, qu'une femme comme Arlette ; beaucoup de choses qui ne parvenaient pas aux journaux ou à la télé. Il cherchait maintenant, d'une façon méthodique qui horrifiait Arlette, le corps de leur fille – était-ce possible ? – dans les hautes herbes en bordure du cimetière ; derrière de grandes pierres tombales ; derrière une resserre où s'entassaient herbe coupée, branches d'arbres et fleurs desséchées. Horriblement, avec une sorte de curiosité clinique, Zeno se pencha pour regarder sous ou dans cet amas de débris – Arlette eut la vision d'un corps brisé, bras écartés, au milieu des branches d'arbre brisées.

« Reviens, Zeno ! Rentrons. Cressida est peut-être à la maison, maintenant. »

Zeno l'ignora. Peut-être ne l'entendait-il pas.

Arlette attendit dans la Land Rover. Elle mit le contact, alluma la radio. Pour écouter les informations de 7 heures.

« Elle est quelque part, manifestement. Simplement, nous ne savons pas où. »

Et, comme si Arlette avait contesté ce fait : « Elle a dix-neuf ans. C'est une adulte. Elle n'a plus de couvre-feu et n'a pas de comptes à nous rendre. »

Pendant que Zeno et Arlette passaient des coups de téléphone de leur fixe, Juliet appelait de son portable. D'abord des membres de la famille, qu'il ne semblait pas trop impoli de réveiller d'aussi bonne heure ; puis, après 7 h 30, des voisins, des amis – y compris d'anciennes camarades de classe que Cressida n'avait probablement pas vues depuis qu'elle avait eu son bac, treize mois auparavant.

(Juliet dit : « Cressida sera furieuse si elle l'apprend. Elle jugera que nous l'avons *trahie*. » Arlette répondit : « Elle n'a pas à le savoir. Nous pourrons toujours les rappeler pour leur demander de ne rien lui dire. »)

Juliet avait de nombreux amis, filles et garçons, et elle entreprit de les appeler : au téléphone, sa voix, chaude et amicale, ne trahissait ni inquiétude ni angoisse ; elle ne voulait alarmer personne inutilement et craignait de déclencher une avalanche de commérages. Elle alla passer ses coups de fil dehors, en guettant l'arrivée de Cressida dans Cumberland Avenue. Plus tard, elle dirait *J'étais tellement sûre qu'elle allait rentrer. Je n'en aurais pas été plus sûre si Jésus en personne me l'avait promis.*

Juliet appela notamment son amie Caroline Skolnik, qui aurait dû être demoiselle d'honneur à son mariage. Elle lui dit que sa sœur n'était pas rentrée depuis la veille au soir et lui demanda si par hasard elle savait quelque chose. À sa stupéfaction, Caroline répondit d'un ton hésitant qu'elle avait vu Cressida, ou quelqu'un qui lui ressemblait beaucoup, au Roebuck, au bord du lac Wolf's Head.

Juliet manqua laisser échapper son téléphone portable.

Cressida au Roebuck? Au lac Wolf's Head?

Caroline dit qu'elle était allée y passer la soirée avec son fiancé Artie Petko et un autre couple, mais qu'ils n'étaient pas restés longtemps. Le Roebuck était une taverne très agréable, mais depuis quelque temps des motards – des Hell's Angels des Adirondacks – en faisaient leur quartier général le week-end. Il s'y produisait un orchestre rock de jeunes musiciens de la région que les gens aimaient, mais la musique était assourdissante et la salle, archicomble – «C'était trop.»

Dans la taverne, il y avait une bande de garçons qu'ils connaissaient, en compagnie de quelques filles. L'atmosphère était enfumée. Caroline avait été étonnée de voir Brett : «Il n'était pas avec une fille, juste avec ses amis, précisa-t-elle aussitôt, mais des filles traînaient plus ou moins avec eux. Brett avait l'air – il n'avait pas l'air – c'était peut-être l'éclairage, mais il avait l'air… bien. L'opération qu'il a subie – je crois que ça a arrangé les choses. Et il portait des lunettes sombres. Et… bref… Cressida est arrivée – je pense que c'était elle – on l'a vue tout d'un coup, et elle ne nous a pas vus – apparemment elle venait d'entrer dans le bar, seule – elle devait se frayer un passage à travers la foule – elle est si menue – je n'ai pas eu l'impression qu'elle était accompagnée, mais elle était peut-être venue avec quelqu'un, un couple – c'était difficile de savoir qui était avec qui. Cressida avait ce jean noir qu'elle porte toujours, un tee-shirt noir et une sorte de petit pull à rayures ; c'était étonnant de la voir là. Artie a dit qu'il n'avait encore jamais vu ta sœur dans ce genre de bar. Il connaît ton père, et il disait : "C'est la fille de Zeno Mayfield ? Celle qui est si intelligente ?" et j'ai dit : "J'espère bien que non. Qu'est-ce qu'elle ferait *ici* ?" Brett était dans un box avec Rod Halifax, Jimmy Weisbeck et ce connard de Duane Stumpf, et ils étaient plutôt bourrés ; et Cressida était là, en train de parler, ou d'essayer de parler avec Brett ; mais comme il y avait vraiment trop de monde et que ça dégénérait, nous avons décidé de partir. Ce qui fait que je ne suis pas absolument sûre que ç'ait été ta sœur. Mais je pense que oui parce que personne ne ressemble tout à fait à Cressida. »

Juliet lui demanda l'heure de cette rencontre.

Autour de 23 h 30, répondit Caroline. Parce que, ensuite, ils étaient allés à la taverne du lac Echo, où ils étaient restés une quarantaine de minutes, et que, à 1 heure, ils étaient chez eux.

« Mon Dieu, Juliet, tu dis que Cressida n'est pas rentrée ? Que tu ne sais pas où elle est ? Comme je regrette que nous ne soyons pas allés lui parler ! Elle avait peut-être besoin qu'on la raccompagne, elle était peut-être coincée là-bas. Mais nous avons pensé… qu'elle était sûrement venue avec quelqu'un. Et il y avait Brett, qui la connaît… alors nous avons pensé que, peut-être… »

Juliet regagna la maison à pas lents. Arlette la vit sur le seuil. Son visage avait une expression étrange, douloureuse, comme si on avait logé de force dans son crâne quelque chose de trop gros pour lui.

« Qu'y a-t-il, Juliet ? Tu as appris… quelque chose ?

– Oui, je crois. Je crois que j'ai appris… quelque chose.»

Ensuite, tout s'accéléra.

Zeno appela Brett Kincaid sur son portable : pas de réponse. Zeno appela le numéro de *Kincaid E.* qui figurait dans l'annuaire de Carthage : pas de réponse.

Zeno monta dans sa Land Rover et se rendit Potsdam Street, une rue à flanc de colline comme Fremont Street, où Ethel Kincaid habitait une maison d'un étage à charpente de bois dont la façade beige s'écaillait. Il frappa à coups répétés à la porte, qu'Ethel Kincaid vint finalement ouvrir, vêtue d'un kimono sale, une expression d'étonnement inquiet sur le visage.

«Il est là? Où est-il?»

Tripotant les pans de son kimono, dont la couleur criarde semblait fluorescente, Ethel lui jeta un regard méfiant.

«Je… ne sais pas. Je ne c… crois pas, sa jeep n'est pas dans l'allée.»

Entre Zeno Mayfield et Ethel Kincaid, les rapports étaient complexes : confus, vaguement hostiles (du côté d'Ethel, car lorsqu'il était maire de Carthage et, théoriquement, son patron, Zeno n'avait jamais paru se rappeler son nom quand il la rencontrait); teintés de culpabilité (du côté de Zeno, qui comprenait qu'il avait snobé cette femme quelconque au regard farouche, que la vie avait mystérieusement déçue). Et à présent s'ajoutait entre eux, telle une épave, la rupture entre leurs deux enfants.

«Avez-vous une idée d'où il se trouve?
– N… non.
– Savez-vous où il est allé hier soir?
– Non…
– Ou avec qui?»

Ethel Kincaid contemplait Zeno – sa tenue débraillée, la barbe métallique sur ses joues, son regard brouillé, à la fois menaçant et implorant – avec une alarme teintée de défi. Elle avait l'air imperceptiblement meurtri d'une femme connaissant bien les émotions capricieuses des hommes et la nécessité de se mettre hors de portée de leurs brusques accès de violence.

«Malheureusement, je ne sais rien, monsieur Mayfield. Les amis de Brett ne viennent pas ici, c'est lui qui va les retrouver. Je crois.»

Monsieur Mayfield, elle avait mis dans ces mots une aigreur ridicule. N'étaient-ils pas des égaux ou, en tout cas, ne l'avaient-ils pas été quand la fille de Zeno s'était fiancée au fils d'Ethel?

Zeno se rappela les remarques d'Arlette, qui jugeait la mère de Brett *très hostile.* Même Juliet, qui critiquait si rarement autrui, avait dit dans un murmure que la mère de son fiancé *n'était pas naturellement chaleureuse ni facile d'accès. Mais... nous y mettrons du nôtre!*

La pauvre Juliet y avait mis du sien, sans succès.

Arlette y avait mis du sien, sans succès.

«Je suis désolé de vous déranger d'aussi bonne heure, Ethel. J'ai essayé de téléphoner, mais ça ne répondait pas. Il est urgent que je parle à Brett... ou que je sache au moins où le trouver. Cela ne concerne pas Juliet, par parenthèse... il s'agit de ma fille Cressida.» Zeno prenait soin de parler lentement et clairement, sans laisser transparaître la fureur contenue qu'il éprouvait contre cette femme qui avait reculé d'un pas, serrant son kimono fripé sur sa poitrine comme si elle craignait qu'il ne le lui arrache. «On les a vus ensemble hier soir, au Roebuck. Et Cressida n'est pas rentrée de la nuit, nous ne savons pas où elle est. Nous pensons que... votre fils pourrait savoir quelque chose.»

Ethel Kincaid secouait la tête. Une tignasse de cheveux filasse grisonnants lui tombant aux épaules. Une odeur de vieille sueur et de talc montant par bouffées de sa chair molle et flasque.

Son visage exprimait maintenant l'appréhension. Et la ruse. «Non, dit-elle, en secouant vigoureusement la tête. Je ne sais rien de ce que fait mon fils.

– Est-ce que je pourrais voir sa chambre ?

– Sa chambre ? Vous voulez voir sa... chambre ? Dans cette maison ?

– Oui. S'il vous plaît.

– Mais... pourquoi ?»

Zeno n'en avait aucune idée. Il avait dit cela en désespoir de cause, parce qu'il ne pouvait battre en retraite sans avoir tenté quelque chose.

Ethel paraissait désorientée, à présent. C'était une femme d'environ cinquante-cinq ans, que la vie avait malmenée : elle avait la peau terreuse, des cils et des sourcils presque invisibles, une bouche maussade, barbouillée de rouge. Elle recula de nouveau d'un pas dans le vestibule mal éclairé, comme effrayée par le regard flamboyant de Zeno Mayfield. Elle bégaya qu'il ne pouvait pas entrer, que ce n'était pas une bonne idée, qu'elle allait prendre congé, fermer la porte, qu'elle ne pouvait plus lui parler.

«Ethel... attendez ! Laissez-moi juste voir la chambre de Brett. J'y trouverai peut-être... quelque chose qui m'aidera...

– Non. Ce n'est pas une bonne idée. Je vais fermer la porte.

– Ethel, je vous en prie. Je suis sûr qu'il y a une explication, mais – pour le moment – Arlette et moi sommes terriblement inquiets. Et on nous a dit avoir vu Brett avec elle, hier soir. Cela ne peut pas être une coïncidence, votre fils et ma fille...

– Si vous n'avez pas de mandat, monsieur Mayfield, je n'ai pas à vous laisser entrer.

– Un mandat ? Je ne suis pas de la police. Ne soyez pas ridicule. Je n'ai même plus de charge municipale. Je veux juste voir la chambre de Brett, une petite minute. Quelle objection pouvez-vous avoir à cela ?

– Non. Impossible. Ça ne plairait pas à Brett... il vous déteste tous. »

Ethel Kincaid fit mine de lui fermer la porte au nez, mais il l'en empêcha en appuyant sa paume contre le battant. Le sang cognait furieusement à ses tempes. Il n'arrivait pas à croire qu'Ethel Kincaid eût vraiment prononcé ces mots, mais jamais il ne les oublierait.

Il vous déteste tous. Vous.

« Si votre fils a fait du mal à ma fille – ma fille Cressida – si quelque chose lui est arrivé – je le tuerai. »

Ethel Kincaid pesa de tout son poids contre la porte pour la fermer. Et Zeno céda.

Il était abasourdi, incapable de réfléchir sensément. Il savait qu'il avait tout intérêt à regagner sa Land Rover s'il ne voulait pas commettre un acte irrévocable : marteler de coups de poing cette fichue porte qu'on venait de lui fermer grossièrement au nez, par exemple.

Entrer par effraction chez les Kincaid.

Cette vipère appellerait le 911, il le savait. Elle saisirait le premier prétexte pour détruire Zeno Mayfield et sa famille.

Il retourna à sa Land Rover, garée de travers le long du trottoir. Il remarqua qu'une ceinture de sécurité pendait hors de la voiture, comme quelque chose de brisé, d'abandonné. L'espace d'un instant, il revit l'amas de déchets dans le cimetière épiscopalien. Alors qu'il s'éloignait de la maison des Kincaid, il se dit *Peut-être ne m'a-t-elle pas entendu. Peut-être ne s'en souviendra-t-elle pas.*

Dans l'allée de leur maison, Arlette attendait son retour.

Elle l'attendait avec l'espoir de le voir revenir avec leur fille.

Zeno lut sa déception sur son visage quand il descendit de la Land Rover.

« Elle n'était pas là-bas ?

– Non.

– Tu as parlé à… Ethel ? Brett était là ?

– Ethel n'a rien pu me dire. Brett n'était pas là. »

Arlette dut presser le pas pour suivre Zeno, qui fonçait vers la maison.

Subitement, il était 8 h 20. Avec quelle rapidité la nuit avait-elle cédé la place à l'aube, puis à cette matinée ensoleillée, vibrante de chaleur !

L'intimité de la nuit. Le dévoilement du matin.

Arlette demanda, la voix tremblante : « Crois-tu que Cressida et Brett aient pu s'enfuir ensemble ou… qu'il l'ait emmenée quelque part ? Pour lui nuire ? Pour nous embarrasser ? Zeno ?

– Cressida a dix-neuf ans. C'est une adulte. Si elle décide de découcher, c'est son droit. »

Le ton de Zeno était âpre, ironique. Il ne croyait pas à ce qu'il disait, mais il pensait que cela devait être répété.

La main d'Arlette se referma sur son bras. Les doigts d'Arlette s'enfoncèrent dans son bras.

« Mais… si ce n'était pas sa décision ? Si quelqu'un lui avait fait du mal ? L'avait enlevée ? Nous devons aider notre fille, Zeno. Elle n'a que nous. »

Implicite entre eux, une même pensée : *Cressida n'est pas vraiment une adulte. C'est une enfant. Malgré ses prétentions de maturité, une enfant.*

Ils n'avaient plus le choix, maintenant, impossible de remettre plus longtemps ce coup de téléphone. Pourtant, debout dans l'allée, les yeux brûlants, Zeno continuait à regarder vainement dans la direction de Cumberland Avenue comme au fond d'un abîme d'où, à tout instant (c'était possible ! Cela n'avait rien d'illogique ni d'impensable! – jeune avocat agressif, Zeno Mayfield avait souvent joué avec la possibilité séduisante d'univers parallèles où des récits parallèles établissaient que ses clients [coupables] étaient « innocents » des accusations portées contre eux) –, sa fille Cressida pouvait surgir ; pas d'autre choix, il le savait, que d'appeler la police ; de téléphoner au département du shérif du comté de Beechum et de demander à parler au lieutenant Hal Pitney, qui, s'il n'était pas un ami proche, était néanmoins une vieille connaissance de la période politique de Zeno Mayfield et, souhaitait-il penser, quelqu'un sur qui il pouvait compter. Avec un calme forcé, il dit à Hal qu'il savait que signaler la disparition de sa fille Cressida pouvait paraître prématuré, étant donné qu'elle avait dix-neuf ans, mais que les circonstances semblaient le justifier : elle n'était pas rentrée depuis la veille, et ce n'était pas une jeune fille au comportement irresponsable ; ils avaient appris qu'on l'avait vue au Roebuck, d'abord seule, puis en compagnie de plusieurs hommes, dont Brett Kincaid. (Pitney connaissait sûrement le caporal Brett Kincaid, dont les médias locaux avaient beaucoup parlé.) Zeno ajouta qu'ils avaient appelé le portable de Cressida à plusieurs reprises, ainsi que quasiment tous les habitants de Carthage qui la connaissaient ou pouvaient avoir entendu parler d'elle… elle semblait s'être évaporée.

Zeno dit aussi qu'il était allé chez les Kincaid. Et que Brett avait également disparu.

Il parlait vite, de façon convaincante, espérait-il. Mais la réponse de Hal Pitney le prit au dépourvu. Bien qu'ils ne sachent rien sur sa fille, dit le lieutenant, il se trouvait que Brett Kincaid avait été amené au siège, moins d'une heure auparavant. Des randonneurs avaient signalé la présence d'une personne apparemment mal en point dans une Jeep Wrangler qui semblait avoir dérapé, juste à l'entrée de la Réserve, dans Sandhill Road.

Brett était seul, mais son visage portait des traces «d'égratignures ou de morsure», et le siège avant était taché de sang; le jeune homme s'était montré «agité» et «belliqueux», et avait tenté de résister au shérif adjoint, qui l'avait maîtrisé, menotté et conduit au siège.

«Il ne coopère pas. Il est plutôt à la ramasse. La gueule de bois, l'estomac à l'envers et la peur au ventre. Il paraissait ne pas se rappeler où il se trouvait, pourquoi, ni si quelqu'un, une fille, était avec lui. Nous avons envoyé deux adjoints examiner les lieux et la jeep. Nous sommes en train de l'interroger. Vous feriez bien de venir, Zeno. Votre femme et vous. Et apportez des photos de votre fille – les plus récentes que vous ayez.»

La nouvelle était si parfaitement inattendue que Zeno alla d'un pas titubant dans la cuisine et se laissa tomber lourdement sur une chaise; il avait la respiration coupée, comme s'il avait reçu un coup de pied dans le ventre. Si faible, si effrayé qu'il entendit à peine la voix implorante d'Arlette : «Que se passet-il, Zeno? Ils l'ont trouvée? Elle est... vivante? Zeno?»

*

Le temps se mit alors à zigzaguer.

Quand Zeno eut passé ce coup de téléphone. Quand ce qui avait été une inquiétude privée devint irrévocablement public.

Quand leur fille fut officiellement déclarée *disparue*.

Quand ils eurent apporté à la police des photos de la *disparue* à transmettre aux médias, pour diffusion à la télévision et sur internet, et parution dans les journaux.

Quand ils eurent décrit leur fille – de toutes les manières qui leur paraissaient essentielles pour s'assurer qu'on la retrouve.

Alors, le temps passa à une vitesse étourdissante, mais aussi, paradoxalement, avec une lenteur intolérable.

Vite parce que trop d'événements se bousculaient dans trop peu d'espace. *Vite* comme un film d'horreur projeté en accéléré pour produire un effet comique et cruel.

Lent parce que, si beaucoup de choses se passaient, il semblait y en avoir très peu d'essentielles.

Lent parce que, en dépit des nombreux coups de téléphone reçus au cours d'une journée, de deux, de trois, d'une semaine, l'appel qu'ils attendaient, l'annonce de la découverte de Cressida, ne venait pas.

En vie et en bonne santé. Nous avons retrouvé votre fille – en vie et en bonne santé.

Cet appel, si désespérément désiré, ne venait pas.

(Et ils savaient : à chaque heure qui passait, le risque augmentait que leur fille eût été blessée, ou pire.)

(À chaque heure qui passait sans que Brett Kincaid veuille ou puisse coopérer, le risque augmentait qu'elle eût été blessée, ou pire, et les chances de la retrouver diminuaient.)

Fournir à la police des photos de Cressida.

Étaler cinq ou six photos sur une table.

Quel choc de voir leur fille les regarder !

Cette méfiance dans les yeux de Cressida, des yeux sombres, ourlés de cils fins, brillants d'ironie et d'un imperceptible ressentiment, comme si elle avait su que des inconnus la dévisageraient, graveraient ses traits dans leur mémoire, sans sa permission.

Cressida ne souriait sur aucune de ces photos. Pas une seule fois depuis l'enfance, elle n'avait été photographiée en train de sourire.

Arlette avait voulu expliquer : *Notre fille n'était pas malheureuse. Mais elle refusait de sourire quand on la photographiait. Même sur les photos de classe. Et cela parce que...*

Mais Arlette ne pouvait prononcer ces mots. Sa gorge se contractait, elle ne pouvait pas.

... elle avait dit : l'une de ces photos illustrera forcément votre nécrologie. Alors c'est impossible de sourire. On aurait l'air malin de sourire à son propre enterrement.

En fin de matinée, le dimanche 10 juillet 2005, les recherches commencèrent dans la réserve du Nautauga, et elles se poursuivirent jusqu'à ce que les sauveteurs soient contraints de quitter le parc, au crépuscule ; elles reprirent le lendemain, jusqu'au crépuscule ; et le jour suivant, jusqu'au crépuscule.

Ces recherches différaient considérablement de celles, plus habituelles, menées dans la Réserve pour retrouver le nombre non négligeable de randonneurs, de campeurs ou d'alpinistes qui se perdaient chaque été : on pensait en effet que la *jeune disparue* avait pu être agressée – violée, tuée ? – par un homme.

Les recherches se compliquaient de la possibilité que la *jeune disparue* eût été jetée dans la Nautauga et emportée très en aval.

Néanmoins le moral était bon. Surtout parmi les bénévoles qui connaissaient Cressida Mayfield, et parmi les gardes de la Réserve (jeunes, de sexe féminin), résolus à retrouver la jeune fille qui avait *disparu* sur leur territoire.

La dernière fois que quelqu'un s'était perdu et n'avait pas été retrouvé vivant remontait à onze ans : un jeune garçon, qui avait sans doute fugué de chez lui en plein hiver, et dont le corps n'avait été retrouvé qu'au printemps suivant.

Au cours des recherches furent découverts divers objets abandonnés : des vêtements décomposés et desséchés, sous-vêtements compris (masculins et féminins) ; des moufles et des gants dépareillés ; des chaussures et des brodequins esseulés ; des ceintures et des chapeaux déchirés ; des bouteilles en plastique, des boîtes de conserve et du polystyrène ; des cartes de la

Réserve, des guides de randonnée, des livres sur les oiseaux, des jouets d'enfants, une unique poupée sans tête, terrifiante pour le bénévole qui la découvrit et crut voir, l'espace d'un instant, un bébé humain sans tête.

Et aussi des os épars, qui se révélèrent être ceux d'animaux ou d'oiseaux.

Ici et là, une carcasse pourrissante, telle la biche à demi dévorée, dont la découverte semblait avoir provoqué l'effondrement de Zeno Mayfield, le père de la *disparue,* affaibli par la fatigue et le désespoir.

Mon Dieu, si je pouvais troquer ma vie contre la sienne. Si c'était possible...

Il y avait tant de véhicules garés dans l'allée des Mayfield et le long de Cumberland Avenue que, si la *jeune disparue* était arrivée chez elle, elle aurait cru à une fête.

Et elle aurait marmotté, la bouche en coin, une remarque sarcastique que sa mère entendait presque : *En quel honneur, ce pince-fesses ? Juliet se re-fiance ?*

Lumière violente des caméras de télévision dans la salle de séjour où Arlette et Zeno Mayfield de Cumberland Avenue, Carthage, parents de la *jeune disparue,* étaient interviewés par la présentatrice vedette locale, Evvie Estes, pour les informations de 18 heures de la chaîne WCTG-TV.

Arlette n'était pas parvenue à parler. C'était Zeno qui s'en était chargé.

Naturellement, Zeno Mayfield savait très bien *parler.*

Sa voix n'avait que très légèrement tremblé. Ses yeux cernés de fatigue étaient humides et semblaient regarder dans le vague.

Mais il s'était douché et rasé, avait mis des vêtements propres et repassés, et convenablement brossé ses épais cheveux rebelles. Il sut s'adresser à l'auditoire télévisuel par le biais de la présentatrice, et ne pas céder à l'agacement ni se laisser désarçonner par certaines de ses questions.

Arlette serrait un mouchoir froissé dans son poing droit. Sa langue lui refusait tout service. Ses yeux étaient rivés sur les yeux rapaces d'Evvie Estes, outrageusement maquillée. Sa terreur était que son nez ne se mette à couler, que des larmes ne lui viennent aux paupières, implacablement éclairées par la lumière violente des spots.

Notre fille. Notre Cressida. Si quelqu'un a la moindre information pouvant permettre...

Vint alors la surprise des dix mille dollars de récompense.

Pas un seul des policiers qui avaient interrogé les Mayfield n'était au courant. À en juger par son air désorienté, Arlette n'était pas au courant. Zeno annonça d'un ton passionné une récompense de dix mille dollars pour toute information *permettant de retrouver notre fille Cressida.*

Une nouvelle étonnante : une récompense.
Une idée discutable.
Les appels vont être beaucoup plus nombreux.
Les appels vont être beaucoup plus nombreux.

Par exemple, ceux de «témoins» persuadés d'avoir aperçu la *jeune disparue* : dans, près ou pas vraiment près de la réserve du Nautauga.

Jusque dans l'extrême nord de l'État de New York, à Massena. Et jusqu'à Binghamton dans l'extrême sud.

Dans un 7-Eleven. En train de faire du stop. Sur le siège passager d'une camionnette roulant en direction du sud sur l'I-80.
Portant une casquette de base-ball, enfoncée bas sur le front.
Portant des lunettes de soleil.

À la sortie du CineMax d'Onondaga sur la Route 33, en compagnie d'un homme barbu – on y jouait La Guerre des mondes *avec Tom Cruise.*

Jusque dans l'extrême nord de l'État de New York, à Massena. Et jusqu'à Binghamton dans le Sud.

Des dizaines d'appels. Au fil des jours, des centaines.

Les plus utiles étaient ceux des «témoins» qui déclaraient avoir été au Roebuck le soir du samedi 9 juillet.

Des hommes qui connaissaient le caporal Kincaid de vue.

Des femmes qui avaient vu une fille qu'elles soupçonnaient, croyaient ou savaient être Cressida Mayfield : dans le bar bondé, sur la terrasse surplombant le lac, «rendant tripes et boyaux» dans les toilettes, «s'aspergeant le visage d'eau froide».

Un des barmans, qui connaissait Kincaid, et ses amis Halifax, Weisbeck, Stumpf : «La fille s'est pointée comme ça. Seule, apparemment, et avec un air plutôt effrayé. En jean, avec un tee-shirt noir et une sorte de haut ou de pull. Pas le genre qui fréquente le Roebuck le samedi soir. Possible qu'elle ait été avec Kincaid, ou qu'elle soit tombée sur lui par hasard. Je crois qu'ils sont partis ensemble. Ou… qu'ils sont tous partis ensemble. C'était plutôt bruyant là-dedans, avec l'orchestre sur la terrasse. En tout cas elle n'était pas avec l'un des motards. Hé… si d'autres types téléphonent au sujet de Kincaid, et s'il se trouve que c'est lui, s'il est arrivé quelque chose à la fille, je veux dire… est-ce qu'on partage les dix mille dollars? Comment ça se passe?»

Et il y eut une ex-petite amie de Rod Halifax, nommée Natalie Cantor, une soi-disant «amie» de Juliet Mayfield au lycée, qui téléphona au bureau de Zeno pour lui dire d'un ton véhément, la voix légèrement pâteuse, que, quoi qu'il soit arrivé à sa fille, Rod et ses potes étaient sûrement au courant :

«Un jour, ce salopard m'a fait boire, il a mis un truc en douce dans mon verre, il voulait rompre avec moi et il essayait de me vendre à ses copains pourris, ce maquereau – Jimmy Weisbeck, ce nullard de Stumpf –, dehors, dans son pick-up. En plein sur le parking, le fils de pute. Des soûlards vicieux, lui et ses copains. Je ne connais pas Kincaid, mais je connais Juliet. Je connais votre fille, c'est un ange. Je ne plaisante pas, un ange. Juliet Mayfield est un ange. Je ne connais pas l'autre – Cress'da. Je ne l'ai jamais vue. Tout ce que vous voulez savoir sur cette pauvre fille, Rod Halifax le saura. Je ne suis pas la première qu'il a larguée et traitée comme de la merde. Je n'étais pas "consentante", c'était un putain de *viol*. Et j'ai été malade après… infectée je veux dire. Alors, *demandez-lui*. Arrêtez-le, et demandez-lui. Tout ce qui a pu arriver à cette pauvre fille, si elle a été violée et étranglée, disons, et qu'on ait balancé son corps dans le lac… sûr et certain que Rod Halifax était dans le coup.»

Un temps en zigzag dans la tête : les heures s'écoulaient avec la lenteur de la boue, tandis que les jours s'enfuyaient avec un coup d'aile ivre.

Jusqu'au jour où elle pourrait se dire *Une semaine, dimanche, cela fera une semaine, et on ne l'a pas retrouvée* en ayant presque l'impression d'une bonne nouvelle : *On ne l'a pas retrouvée dans un endroit terrible.*

Il ne se le pardonnerait jamais, elle le savait.

Même s'il n'y était pour rien.

Arlette avait depuis longtemps surmonté sa jalousie à l'égard de ses filles – ou du moins cessé de la montrer. Zeno adorait particulièrement Juliet, mais il avait également eu un faible pour Cressida, la fille «difficile» – celle qu'il n'était pas aisé d'aimer.

Au tout début, les petites filles l'avaient adorée. Leur mère avait été tout pour elles quand elles étaient bébés. Ce qui n'est que naturel, bien sûr.

Mais ensuite, très vite, papa avait ravi leurs cœurs. Ce grand papa baraqué au visage rieur, si drôle et si imprévisible : un papa qui adorait subvertir les oukases de maman, *secouer la marmite maternelle,* comme il disait en plaisantant.

Comme si une maison ordonnée – manger à des heures régulières et à table, tous ensemble ; monter ou descendre l'escalier sans courir ; tenir sa chambre raisonnablement propre et ne pas laisser la salle de bains inutilisable pour les autres – ne représentait que des règles qu'il fallait tourner en ridicule.

Mais maman savait rire quand on riait d'elle.

Maman savait que c'était de l'amour. Une forme d'amour.

Sauf que cela faisait mal, parfois : le père et la fille, unis pour se moquer d'elle.

(Pas Juliet, bien sûr : Juliet ne se moquait jamais de personne.)

(Cressida avait la moquerie trop facile. Comme si elle redoutait que des sentiments plus tendres ne la rendent vulnérable.)

Arlette savait : si quelque chose de terrible était arrivé à Cressida, Zeno s'estimerait coupable. Même s'il n'avait aucune raison de le faire, aucune raison logique, il s'estimerait coupable.

Déjà, il déclarait à quiconque voulait l'écouter *Dire que je n'étais même pas là quand elle est partie !*

D'un ton pensif, s'adressant des reproches *Elle m'aurait peut-être dit... quelque chose. Elle aurait peut-être voulu me parler.*

Ils avaient évoqué la soirée du samedi d'innombrables fois : le moment où Cressida avait quitté la maison pour aller dîner chez les Meyer.

Lançant à sa mère et à sa sœur, avec désinvolture, voire avec indifférence : «Salut! À plus tard.»

Ou même, bien que ce fût moins vraisemblable, étant donné qu'elle n'était pas censée rentrer très tard : *Ne vous réveillez pas pour moi.*

(Cressida avait-elle dit cela? *Ne vous réveillez pas pour moi?* – intentionnellement ou pas? *Réveiller* au lieu de *veiller.* C'était son genre d'humour. Soudain, Arlette se demandait si cela n'avait pas un sens.)

(Se raccrocher ainsi au moindre fétu de paille, c'était pitoyable!)

Il était évidemment ridicule de la part de Zeno de se reprocher d'avoir été absent à ce moment-là. Comment aurait-il pu prévoir que Cressida ne rentrerait pas à l'heure où elle le prévoyait et où ils l'attendaient?

Ridicule, mais caractéristique du *père.*

Plus particulièrement du *père de filles.*

La sonnerie du téléphone!

Plusieurs téléphones chez les Mayfield : le téléphone fixe, le portable de Zeno, celui d'Arlette, celui de Juliet.

Toujours un coup au cœur, un tremblement, avant de décrocher.

Délibérément, Arlette évitait de regarder le numéro qui s'affichait dans l'espoir d'entendre Cressida.

Ou alors un inconnu, un policier, peut-être une femme… Dans l'imagination d'Arlette, c'était une femme qui annonçait la bonne nouvelle *Madame Mayfield!... Nous avons retrouvé votre fille et elle veut vous parler.*

Ensuite, bien qu'Arlette tendît l'oreille… plus rien.

Comme si, tout entière dans l'attente de cet appel, de la voix de Cressida au bout du fil, elle avait oublié le son de cette voix.

Se rendant en voiture à la banque, tripotant le bouton de la radio, affolée à l'idée de rater le journal d'informations... manquant heurter un camion poubelle.

Se ressaisissant et, au croisement suivant, manquant heurter un SUV et gratifiée d'un coup de klaxon indigné.

Et à la banque, se composant un visage avenant et souriant dans l'espoir (désespéré, transparent) d'éviter les regards de commisération, faisant la queue à un guichet *exactement comme elle l'aurait fait si sa fille n'avait pas disparu.*

Un fait qui la déroutait. Un fait qui semblait la railler.

Se cacher. Cacher son visage. Mais non, bien sûr.

«Arlette? Vous êtes Arlette Mayfield, n'est-ce pas? Je suis désolée, vraiment vraiment désolée, pour votre fille... Nous avons dit à nos enfants – l'un d'eux est en première au lycée, l'autre tout juste en sixième – que s'ils entendaient quelque chose – quoi que ce soit – ils devaient nous le dire aussitôt. Les enfants en savent tellement plus que leurs parents de nos jours. Au bord du lac et dans la Réserve, il s'en passe de belles : la consommation d'alcool des mineurs, ce n'est rien à côté du reste... drogues en tous genres, "cristal méth" : ces gosses ne savent pas ce qu'ils prennent, ils sont trop jeunes pour se rendre compte du danger... Je ne veux pas dire que votre fille fréquentait des drogués – absolument pas –, mais le Roebuck est un de leurs repaires – ces Hell's Angels, tout le monde sait qu'ils dealent – mais les parents se cachent la tête dans le sable, ils refusent d'admettre que le problème est sérieux... tragique...»

Et pas dans le parking de la banque, pas question de se laisser aller à pleurer. Il y a les clients de la banque qui entrent et sortent. Et tous ceux qui connaissent Arlette, y compris les inconnus qui l'ont vue avec son mari sur WCTG-TV, pourraient l'observer à travers le pare-brise de la voiture et aller raconter partout, les yeux brillants d'excitation *Cette pauvre femme! Arlette Mayfield! La mère de cette jeune fille disparue, vous savez...*

La police continuait à recevoir des appels.

Le pic avait toutefois été enregistré le second jour, lundi 11 juillet : un nombre record d'appels téléphoniques après l'article, accompagné de photos, paru en première page du *Carthage Post-Journal.* Et la mention des dix mille dollars de récompense.

D'innombrables témoins, affirmant avoir aperçu Cressida Mayfield... quelque part. Ou avoir une idée de ce qui avait pu lui arriver et d'où elle se trouvait.

Certains accusaient en termes voilés une personne précise (voisin, parent, ex-mari) susceptible d'avoir «kidnappé» ou «fait quelque chose à» Cressida Mayfield.

Zeno avait souhaité que ces appels lui soient transmis. Il craignait que le bureau du shérif ne néglige un coup de téléphone précieux.

Les enquêteurs lui expliquèrent qu'avec une récompense à la clé il faut s'attendre à un déluge d'appels, sans valeur dans la quasi-totalité des cas.

Malgré tout, il faut les prendre en considération, vérifier les «pistes».

Le département du shérif du comté de Beechum manquait de personnel. La police de Carthage les aidait dans l'enquête, bien que disposant de moyens encore plus réduits.

En cas de soupçon d'enlèvement, il serait possible de faire appel au FBI. À la police de l'État de New York.

Offrir une récompense aussi publiquement avait-il été une erreur? Zeno ne voulait pas le penser.

«L'erreur, c'est peut-être de ne pas offrir suffisamment. Doublons la somme… vingt mille dollars?

– Oh, Zeno… tu crois?

– Bien sûr. Il faut faire *quelque chose.*

– Tu devrais peut-être en parler à Bud McManus? Ou peut-être…

– C'est notre fille, pas la sienne. Vingt mille dollars attireront davantage l'attention. Nous devons faire *quelque chose.*»

Mais s'il n'y a rien? Si nous ne pouvons rien faire? pensa Arlette.

Zeno était déjà au téléphone. Aux téléphones : fixe et portable.

«Allô? Ici, Zeno Mayfield. Nous avons décidé de doubler la récompense. Oui… c'est bien ça. *Vingt mille dollars pour toute information permettant de retrouver notre fille Cressida Mayfield. L'anonymat sera garanti à qui le souhaite.*»

La chambre de Cressida. Dans la maison qui sonnait le vide, c'est là que leurs pas les conduisaient irrésistiblement.

Si Cressida avait été là, et dans sa chambre, elle aurait été étonnée, et sans doute assez contrariée, de voir ses parents.

Salut, papa. Maman. Qu'est-ce qui vous amène?

Vous ne venez pas fouiner… j'espère?

«Elle n'avait pas dormi dans son lit. C'est la première chose que j'ai remarquée.»

Arlette avait parlé dans un murmure, la voix rauque. On se serait cru dans un mausolée, tant la pièce était sombre, silencieuse et nue.

Zeno s'immobilisa au centre de la pièce, regardant autour de lui. Sans doute n'était-il pas entré dans la chambre de leur fille depuis des années, se dit Arlette.

Les enquêteurs lui avaient demandé si quelque chose avait «disparu» dans la chambre. Elle n'en avait pas l'impression, mais comment l'aurait-elle su ? Leur fille avait une vie très secrète, qu'elle ne partageait avec sa mère que partiellement, et à contrecœur, semblait-il parfois.

Des policiers avaient fouillé la pièce, observés avec anxiété par Arlette et Zeno. Dès qu'ils en avaient terminé avec un objet – l'armoire, la vieille commode en merisier que Cressida avait depuis l'âge de six ans –, Arlette se hâtait de se le réapproprier et de remettre de l'ordre.

Les mains gantées de latex, les enquêteurs avaient placé certains vêtements dans des sacs en plastique. Ils avaient emporté une brosse à dents d'une propreté douteuse, une brosse à cheveux et d'autres objets intimes, sans doute pour des prélèvements ADN.

L'ordinateur portable de Cressida. Ils avaient demandé l'autorisation de l'ouvrir, de l'examiner, et les Mayfield avaient accepté, bien entendu.

Mais ils ne l'auraient pas ouvert eux-mêmes. Fureter dans la vie privée de leur fille, quelle indiscrétion ! Cressida serait indignée !

Les enquêteurs avaient emporté le portable et laissé un reçu.

Arlette s'était fait cette réflexion impardonnable *J'espère que Cressida ne reviendra pas avant qu'ils nous l'aient rendu.*

« Une bonne chose que tu te sois réveillée, Lettie, que quelque chose t'ait réveillée, dit Zeno, d'un ton faussement enjoué. Une chance que tu sois entrée ici quand tu l'as fait.

– Oui. Quelque chose m'a réveillée… »

Cette impression qu'une partie de la maison manquait. Une partie de son corps. *Un membre fantôme.*

Regardant la pièce avec les yeux de Zeno, Arlette se dit qu'elle ne ressemblait pas à l'idée qu'un homme devait se faire d'une chambre de jeune fille.

Tous les vêtements de Cressida étaient rangés et invisibles – soigneusement pliés dans des tiroirs, sur des étagères, suspendus dans des armoires. Et ses petites chaussures, un peu trapues, soigneusement alignées deux par deux au bas de l'armoire. Pour dire un mot aimable, l'un des enquêteurs avait remarqué que la chambre de sa fille ado était bien différente. Zeno avait tenté d'expliquer que leur fille n'avait jamais été une *ado*.

Des années plus tôt Cressida avait rejeté les couleurs vives et les matières pelucheuses de l'enfance pour les motifs géométriques austères, les surfaces lisses et le noir et blanc de M. C. Escher, qui exerçait sur elle une étrange fascination. Elle montrait si peu d'intérêt pour les couleurs (ses jeans étaient généralement noirs, ses chemises, ses tee-shirts, ses pulls) que c'était à se demander si elle les voyait ; à moins qu'elle ne les juge sentimentales et mièvres.

Zeno examinait le labyrinthe de *Descente et Montée* comme s'il ne l'avait jamais vu. Comme s'il pouvait leur fournir un indice sur la disparition de leur fille.

Se reconnaissait-il dans le dessin ? se demanda Arlette. Ou les silhouettes humanoïdes minuscules étaient-elles trop déformées, trop caricaturales ?

L'œil de Zeno était fait pour l'imposant, le flagrant, l'aveuglant. Il manquait de discernement pour le minuscule.

Arlette glissa un bras sous celui de son mari. Depuis dimanche, elle ne cessait de le toucher, de l'enlacer. Dans ces moments-là Zeno s'immobilisait, ne s'abandonnant pas vraiment, mais ne se raidissant pas non plus. Parce qu'il n'osait pas lâcher la bride à ses émotions, elle le savait. Pas encore.

« Que s'est-il passé avec le professeur de maths de Cressida, Zeno ? Tu te souviens ? Quand elle était en seconde ? Elle ne me l'a jamais dit…

– "Rickard". C'était son professeur de géométrie. »

Arlette gardait le souvenir de journées, ou peut-être même de semaines, d'échanges voilés entre le père et la fille à propos de quelque chose qui s'était ou ne s'était pas passé convenablement au lycée. Il s'agissait peut-être d'un carton à dessin, apporté en classe par Cressida... Arlette n'en avait pas su davantage.

Quand elle avait demandé à sa fille ce qui la tourmentait, Cressida lui avait répondu que cela ne la regardait pas ; quand elle avait posé la question à Zeno, il lui avait répondu, d'un ton d'excuse, que c'était à Cressida de décider : « Si elle veut t'en parler, elle le fera. »

Il n'y a de complicité qu'entre eux deux, avait pensé Arlette. Elle les avait détestés, l'espace de cet instant.

En désespoir de cause, elle s'était adressée à Juliet. Mais Juliet, qui n'habitait plus chez eux à ce moment-là – elle était en première année à l'université d'État d'Oneida –, était alors si éloignée de sa sœur, lycéenne de seconde, qu'elle se souciait très peu de ses crises affectives : « Un professeur qui ne l'a pas suffisamment appréciée, probablement. Tu connais Cressida ! »

Justement non, avait pensé Arlette. C'était bien le problème.

Zeno dit, avec hésitation, comme s'il répugnait encore à trahir les confidences de leur fille que, au moment où Cressida avait commencé à s'intéresser à M. C. Escher, elle avait dessiné à la plume des chiffres et des figures géométriques imitant les lithographies d'Escher.

« Celui-ci, *Métamorphoses* – Zeno indiquait l'un des dessins décorant les murs de la chambre –, est le premier que j'aie vu, il me semble. Je ne savais pas quoi en penser, au début. »

Arlette examina le dessin : il était plus petit que *Descente et Montée* et apparemment moins ambitieux : de gauche à droite, des silhouettes humaines se transformaient en mannequins, puis en figures géométriques, puis en chiffres, puis en formules moléculaires abstraites, avant de redevenir des silhouettes humaines. Au fil de leurs métamorphoses leur «blancheur» devenait «noirceur», à la façon de négatifs; puis, toujours comme des négatifs, elles redevenaient «blanches» au fil de leurs métamorphoses inverses. Et certaines des scènes avaient pour cadre les ponts de Carthage sur la Nautauga, dont les reflets se métamorphosaient eux aussi.

«C'est inspiré d'un dessin d'Escher, bien sûr. Mais avec quelle adresse! Je me souviens d'avoir regardé ces *Métamorphoses* en suivant des yeux la transformation de ces silhouettes, dans les deux sens. C'était la première fois, je crois, que je me rendais compte que notre fille était quelqu'un d'*à part*. On ne peut pas imaginer Juliet faisant quelque chose comme ça.

– Elle n'en a aucune envie.

– Bien sûr. C'est ce que je veux dire.

– Les dessins de Cressida ressemblent à des énigmes. J'ai toujours regretté que son art soit aussi "difficile". Tu te rappelles quand elle était petite, quatre ans à peine… ces animaux et ces oiseaux merveilleux qu'elle dessinait aux crayons de couleur? Tout le monde les adorait. Je me disais que je pourrais travailler avec elle, que nous ferions des livres pour enfants ensemble, mais…

– Voyons, Lettie. Les "livres pour enfants" n'ont jamais intéressé Cressida – ni alors ni maintenant. Son talent est plus exigeant.

– Mais on dirait qu'elle ne dessine plus. Je ne vois rien de nouveau sur les murs.

– Elle n'a pas suivi de cours d'art à St. Lawrence. Elle disait ne pas avoir de respect pour ses professeurs, penser ne rien pouvoir apprendre d'eux.»

Du Cressida tout craché! Mais elle ne semblait pas pour autant avoir trouvé sa voie.

Arlette demanda ce qui s'était passé entre M. Rickard et leur fille.

De temps à autre, dans les rues de Carthage ou dans le centre commercial, Arlette rencontrait ce professeur moustachu. Elle lui souriait, prête à le saluer avec chaleur, mais Vance Rickard se détournait invariablement, le visage fermé, sans paraître la voir.

«Ce salopard! Il avait regardé quelques dessins de Cressida dans son cahier et l'avait complimentée, en se déclarant grand admirateur d'Escher, lui aussi. Cressida a donc apporté au lycée un carton de ses nouveaux dessins pour les lui montrer, et ce fumier l'a froissée en lui disant : "Pas mal. Plutôt bien, même. Mais vous devez être originale. Pourquoi copier ce qu'Escher a déjà fait?" Cressida a été anéantie.»

La remarque était cruelle, et Arlette comprenait qu'elle eût profondément blessé leur fille sensible.

C'était néanmoins une question qu'elle-même aurait souhaité poser à Cressida.

«Ses intentions étaient peut-être bonnes. Il a juste… manqué de psychologie. Je regrette que cela ait bouleversé Cressida.

– C'est pour ça qu'elle a eu d'aussi mauvais résultats en géométrie, ce semestre-là. Elle avait tellement honte qu'elle séchait les cours. Elle a fini avec tout juste la moyenne.»

Arlette se souvenait de cette période agitée.

«Cressida est venue me raconter l'incident. Elle était anéantie. "Je ne peux plus aller à ses cours, disait-elle. Je le déteste. Fais-le renvoyer, papa." J'étais furieux, moi aussi. J'ai pris rendez-vous avec Rickard, qui a prétendu n'avoir aucun souvenir de ses propos. S'il avait fait une remarque de ce genre à Cressida, m'a-t-il dit, c'était sûrement sur le ton de la plaisanterie. Il jugeait ses dessins et son travail impressionnants, mais trouvait préoccupants son "manque de constance, sa tendance au découragement".»

Arlette se dit que Vance Rickard avait raison. Zeno, lui, en parlait encore avec indignation.

« Je n'aurais pas cherché à faire virer ce salopard, naturellement. Même si... je le pouvais peut-être. Il avait juste été maladroit et brutal. D'ailleurs, Cressida elle-même a changé d'avis : "Il vaudrait mieux oublier toute cette histoire, papa. Je ne mérite pas une meilleure note que celle que j'ai eue, en fait." Mais c'était ridicule, elle aurait certainement eu un A sans cette fichue affaire Escher. »

Zeno n'avait pas besoin de préciser que Cressida aurait eu une moyenne générale bien plus élevée sans un D+ en mathématiques.

Au lycée, en effet, il arrivait souvent que Cressida fasse un bon semestre dans une matière et puis que, inexplicablement, comme pour narguer ses propres prétentions à l'excellence, elle ne termine pas le cours, ne travaille pas pour son examen final ou même ne le passe pas. Elle était souvent malade – troubles respiratoires, nausées, migraines. Ses résultats scolaires ressemblaient à une courbe de température en zigzag si bien que, loin de terminer ses études secondaires major de sa promotion comme l'escomptaient les professeurs qui l'admiraient, elle avait fini trentième sur cent seize – classement plutôt lamentable pour une jeune fille aussi brillante. Au lieu d'être acceptée à Cornell ainsi qu'elle l'avait espéré, elle avait dû s'estimer heureuse d'être admise à l'université de St. Lawrence.

Pendant la première année qu'elle avait passée loin de chez elle, dans la petite ville universitaire de Canton, Cressida s'était sentie seule et perdue ; en dépit de son mépris pour les comportements « conventionnels », le train-train et la sécurité de son foyer lui manquaient. Néanmoins elle écrivait et téléphonait peu, et Arlette avait du mal à la joindre ; quand elle réussissait à l'avoir sur son portable, Cressida se montrait distante et taciturne.

«Quelque chose ne va pas, ma chérie? Tu ne veux pas m'en parler? S'il te plaît?» implorait Arlette, et Cressida répondait par l'équivalent sonore d'un haussement d'épaules. «Ce ne sont pas tes cours, j'espère?» demandait Arlette, et Cressida répondait avec froideur par la négative. «Alors, qu'est-ce que c'est? Tu ne peux pas me le dire?» Et Cressida disait, en imitant sa voix : «Qu'est-ce... quoi?» Arlette avait lu des articles sur les dépressions suicidaires des étudiants de premier cycle, et la réaction de sa fille l'inquiétait. (Quand elle en fit part à Zeno, il se moqua d'elle. «Lettie! Il faut toujours que tu dramatises.» Lorsqu'elle vit un documentaire télévisé où le suicide chez les adolescents était qualifié d'«épidémie», elle n'osa pas lui en parler.)

Pendant les vacances de Noël, puis celles de Pâques, qu'elle passa chez elle, Cressida se montra morose et renfermée; à peine si elle rendit visite à ses amies de lycée; Marcy Meyer dut l'appeler à plusieurs reprises et finalement venir jusque chez elle pour la voir. Elle fut la proie de moments de dépression, de mélancolie sombre. Elle passa une grande partie de son temps dans sa chambre, porte volontairement close. Alors que Juliet nageait dans le bonheur de ses fiançailles avec le caporal Brett Kincaid, et que les Mayfield et leurs amis ne parlaient à peu près que de leur prochain mariage, Cressida était détachée et indifférente. Et à l'annonce des blessures de Brett, elle dit, le premier moment d'étonnement et de choc passé : «Après tout... Brett est soldat, et il faisait la *guerre*. On ne peut pas s'attendre à toujours être celui qui tue.»

Par bonheur, Cressida n'avait pas fait cette remarque en présence de Juliet.

Lorsque Brett était revenu, cependant, gravement handicapé et en fauteuil roulant, l'émotion de Cressida avait été visible; elle avait mis son ironie habituelle entre parenthèses.

«Juliet ne l'épousera plus, maintenant, avait-elle dit à sa mère. Je te le prédis.»

Arlette avait répondu avec contrariété qu'elle se trompait, que, manifestement, elle ne connaissait pas sa sœur.

«Tu verras! Je te le prédis.»

Un autre jour, alors qu'elles étaient seules à la maison, Cressida dit soudain, presque avec colère : «À quoi est-ce que ça rime, tout ça?» et Arlette demanda : «De quoi parles-tu?» Avec un geste d'exaspération, comme si elle chassait des mouches, Cressida avait répondu : «Tous ces *efforts*.»

Elle semblait entendre par là le monde entier. Et son histoire.

Arlette avait appris, indirectement, que Cressida avait été prise au dépourvu par l'université. Depuis l'enfance, sa supériorité intellectuelle était pour elle une évidence, de même que son statut social de fille de Zeno Mayfield, un homme qui avait acheté pour sa famille une belle demeure de style colonial dans Cumberland Avenue. Mais à Canton, au milieu d'inconnus dont beaucoup appartenaient à des clubs d'étudiants, loin de sa maison confortable et des gens qui la connaissaient, l'aimaient et s'inquiétaient de ses moindres caprices ou chagrins, Cressida avait dû se sentir perdue, à la dérive.

Si elle s'était fait des amis, Arlette n'en avait pas entendu parler. Si elle ne mangeait pas convenablement, si elle veillait toute la nuit, si elle sortait trop légèrement vêtue dans des vents glacials ; si elle négligeait sa santé ou manquait des cours, si elle se sentait en marge du monde universitaire, non par choix mais malgré elle… personne n'y prêtait attention, personne ne s'en *souciait*.

Pauvre Cressida! À Canton, on ne savait même pas qu'elle était l'*intelligente*.

«Quand elle revenait chez nous pendant les vacances, j'aurais dû faire davantage d'efforts pour la faire parler. Elle a beau ne plus être une enfant en théorie, elle en a la sensibilité. Elle ne s'est jamais remise de ses résultats médiocres au lycée, où elle aurait dû briller.»

Zeno parlait d'un ton pensif. Ses monologues, qui jusque-là tournaient obsessionnellement autour de Juliet et de ses fiançailles rompues, n'avaient plus maintenant que Cressida pour sujet.

La sonnerie d'un téléphone les interrompit. Zeno courut répondre : la ligne fixe, dans la chambre voisine.

«Il est *sorti*? Il est rentré chez lui? Comme ça... *en liberté sous caution*?»

Incrédule, Zeno apprit que Brett Kincaid avait été libéré après trois jours de garde à vue.

Il fut encore plus furieux quand il sut qu'on ne l'avait pas libéré *sous caution* : il n'avait jamais été arrêté, aucune poursuite n'avait été engagée contre lui.

L'analyse des taches de sang n'avait pas été concluante : Kincaid était du groupe A+, et le sang de certaines des taches trouvées sur le siège avant de son véhicule était du type B+, comme celui de Cressida ; mais il était impossible de déterminer que ce sang était celui de la jeune fille. Quelques-uns des cheveux trouvés sur le siège avant étaient «presque certainement» ceux de Cressida, et l'une au moins des empreintes relevées sur la poignée de la portière passager semblait correspondre, quoique brouillée, à celles relevées dans sa chambre à coucher.

Bud McManus téléphonait pour expliquer pourquoi il leur avait fallu relâcher Kincaid. Zeno raccrocha avec violence.

«Les enfoirés! "Pas assez de preuves" pour le garder en détention! Foutaises!»

Bien que longuement interrogé par les enquêteurs, Brett avait soutenu ne pas se rappeler grand-chose de ce qui s'était passé pendant la soirée du samedi, au Roebuck et après. Il pensait se souvenir – vaguement – qu'il y avait eu quelqu'un avec lui dans la jeep ; il pensait se souvenir qu'il avait bu avec ses amis Halifax, Weisbeck et Stumpf, un peu plus tôt ; avec l'air de quelqu'un qui lutte pour se rappeler un rêve perturbant et chaotique, il avait fini par se souvenir que la personne qui avait été avec lui, une fille, ou une femme, avait voulu à un moment donné descendre du véhicule, qui avait dérapé et quitté la route (pensait-il), mais il avait trouvé qu'il n'était pas sûr de la laisser descendre et se perdre dans la nature en pleine nuit, et donc il s'était – peut-être – « un peu battu » avec elle.

Mais peut-être que non. Peut-être… était-ce quelque chose qui était arrivé à un autre moment.

Si c'était arrivé, et quel que soit le moment où c'était arrivé… il était *désolé*.

Ses remarques étaient incohérentes, son comportement « imprévisible ». À plusieurs reprises il avait éclaté en sanglots. À plusieurs reprises il était entré en fureur. Il avait tenté de mettre fin à l'entretien, et il avait fallu le maîtriser.

Dans la bagarre, la chaise sur laquelle il se trouvait s'était dérobée sous lui. Il était tombé lourdement sur le sol et était resté là, sans un mouvement, comme un poids mort, son visage recousu pressé contre le sol, jusqu'à ce que des policiers le relèvent.

Oh ! mon Dieu il était désolé désolé il ne se rappelait pas ce qui s'était passé ni qui c'était mais il était désolé et voulait rentrer chez lui.

Malgré tout il ne voulait pas d'avocat. Il n'avait *rien fait de mal* et il ne voulait donc pas d'un *bon Dieu d'avocat*.

Il refusait de manger. Ou ne pouvait pas manger. Il parvenait à boire du Coca Light à petites gorgées prudentes.

Ce qu'il désirait le plus, disait-il, c'était se brosser les dents.

Sauf qu'il n'avait pas sa brosse à dents et pas de dentifrice.

Sa mère Ethel Kincaid était arrivée dans les bureaux du shérif d'Axel Road dans un état d'excitation et d'indignation avancé. Elle apportait une provision des médicaments dont son fils avait impérativement besoin (au moins une dizaine de médicaments différents, à prendre plusieurs fois par jour), ainsi que des rapports médicaux et son congé de réforme de l'armée américaine. Elle avait également apporté la *Purple Heart* de son fils et sa médaille de la campagne d'Irak dans une bourse en peau de chamois. D'une voix sonore elle déclara que son fils était innocent de tout méfait et qu'il ne devait pas être interrogé comme un «criminel»; il était «souffrant», «sous surveillance médicale», il avait été réformé pour «invalidité médicale». C'était un «caporal», un «héros de guerre», qui devait être traité avec respect, et il lui fallait absolument un avocat, un avocat «indépendant», même s'il semblait penser le contraire.

On autorisa Mme Kincaid à parler à son fils qui, épuisé et dans un état de quasi-délire, portait toujours les vêtements souillés de sang et de vomissures dans lesquels il avait été appréhendé le dimanche matin, et à tenter de le persuader de demander un avocat.

Le caporal Kincaid semblait en effet croire que seuls les coupables avaient besoin d'un avocat.

Et qu'en avoir un revenait à admettre sa culpabilité.

Mme Kincaid parvint aussi à convaincre les enquêteurs que son fils devait être examiné par un médecin; et qu'il devait être relâché rapidement afin de pouvoir suivre la thérapie qui lui était prescrite au centre de rééducation.

Le dimanche après-midi, puis de nouveau le lundi, des enquêteurs étaient allés questionner Ethel Kincaid à son domicile, et ils profitèrent de sa venue au siège pour la questionner une nouvelle fois. À ce moment-là la mère du caporal avait opté pour la phrase *Mon fils est innocent de tout méfait et cela sera prouvé devant un tribunal si nécessaire.*

Revenue chez elle, Ethel Kincaid passa de nombreux coups de téléphone. Elle prit contact avec Elliot Fisk, un homme d'affaires de la région qui, après le 11-Septembre, s'était publiquement engagé à faire tout ce qui était «humainement possible» pour soutenir les anciens combattants des guerres d'Irak et d'Afghanistan dans le comté de Beechum, et elle le convainquit de payer un avocat à son fils : un «vrai» avocat, pas un salarié commis d'office.

Ainsi fut choisi Jake Pedersen, un avocat au criminel de Carthage jouissant d'une certaine estime. Zeno fut outré, car Pedersen et lui avaient souvent été alliés lors de lancements d'émissions obligataires dans le comté, et l'avocat avait fait campagne pour lui quand il avait brigué la mairie. Tous les deux étaient des membres en vue du parti démocrate du comté de Beechum.

Moins d'une heure après l'arrivée de Pedersen au siège du département du shérif, le mardi après-midi, Brett Kincaid était libéré et confié à la garde de sa mère et de son avocat. Aucune poursuite n'était engagée contre lui, mais il avait interdiction absolue de quitter le comté et d'entrer en contact avec les Mayfield.

Kincaid était plus calme, à ce moment-là. Il marchait avec la canne que lui avait apportée sa mère. Il avait pris ses médicaments et été autorisé à mettre les vêtements propres également apportés par sa mère. Il s'était brossé les dents à s'en faire saigner les gencives.

«Maintenant je veux les aider. Je veux les aider, moi aussi.»

Aider de quelle manière? lui demanda-t-on. Aider qui?

«À chercher la fille. Cress'da. Je veux les aider.»

Par l'intermédiaire de ses amis du département du shérif, Zeno Mayfield eut connaissance des propos de Brett Kincaid. « Je ne le lui conseille pas, sacré bon Dieu ! Je ne lui conseille pas de s'approcher de l'un quelconque d'entre nous. »

Zeno tremblait de rage et d'indignation. Ses poings se serraient et se desserraient convulsivement, telles les pinces d'un crustacé marin.

Aux informations télévisées on vit le caporal Kincaid, flanqué de sa mère, le visage farouche, et de son avocat Jake Pedersen, monter en hâte dans un véhicule qui attendait à la porte de derrière des bureaux du shérif.

Des journalistes se ruèrent vers le jeune homme. Furieuse, Mme Kincaid les chassa en faisant de grands moulinets de ses bras. Le pas mal assuré, s'aidant d'une canne, le caporal se glissa à l'arrière du véhicule conduit par Jack Pedersen. Des lunettes noires avaient beau le dissimuler en partie, les caméras implacables se braquèrent sur le visage de mannequin, enflammé et couvert de cicatrices, et sur la petite bouche qui semblait recousue.

Interrogé sur la disparition de Cressida Mayfield, jeune habitante de Carthage âgée de dix-neuf ans qui aurait été vue pour la dernière fois samedi en fin de soirée dans la région du lac Wolf's Head et de la réserve du Nautauga.

Sur WCTG-TV, cette vidéo passée et repassée...

Suivait une version écourtée de l'interview du dimanche soir de M. et Mme Mayfield, au terme de laquelle Evvie Estes précisait que la « récompense » avait été portée à vingt mille dollars.

Et une vue aérienne des sauveteurs et des bénévoles fouillant les forêts de pins de la réserve du Nautauga.

Une interview de cinq secondes d'un blond et robuste garde forestier, qui disait que, si Cressida Mayfield était dans la Réserve, ils la retrouveraient sûrement !

Et, une fois encore, des photos de Cressida défilaient. La photo de classe où, sérieuse et grave, les traits quelconques, la jeune fille semblait regarder l'objectif avec un imperceptible mépris.

«Jusqu'à présent, il n'a été trouvé aucune trace de la jeune disparue. Si vous pensez avoir des informations concernant Cressida Mayfield, appelez-le... Votre anonymat sera garanti si vous le souhaitez.»

«Il faut que je le voie. Que je lui parle. Je promets... de ne pas perdre mon sang-froid.»

On avait déconseillé à Zeno de chercher à voir Brett Kincaid. On lui avait déconseillé de retourner chez Ethel Kincaid.

Ethel avait eu le front de signaler à la police qu'il avait tenté de lui faire croire qu'il avait un «mandat de perquisition», et qu'il s'était montré «menaçant en gestes et en paroles» quand elle avait refusé de le laisser entrer. Il «répandait des mensonges malveillants» sur le compte de son fils, un blessé de guerre, un héros, qui n'avait absolument rien fait à sa fille.

Son fils avait rompu de «mauvaises fiançailles» avec l'autre fille Mayfield, et c'était en partie à cause de cela que Zeno était venu chez elle la menacer.

Zeno apprit ces accusations d'un lieutenant de la police de ses connaissances qui passa lui rendre visite. Évite les Kincaid, dit-il. Évite toute situation où tu risques de te laisser emporter.

Zeno, qui connaissait ou aurait dû connaître la loi, comprenait le principe. Il était le père de la *jeune disparue*, il ne devait pas commettre l'erreur de violer lui-même la loi.

«Mais comment ont-ils pu le relâcher comme ça? Sans même une caution? Pourquoi ne l'ont-ils pas arrêté?

— Parce qu'ils ne le peuvent pas encore. Mais ils le feront.»

Ces paroles glacèrent Zeno.

« C'est-à-dire si Cressida est… n'est pas… si elle… »
Il ne savait plus ce qu'il disait. Il se couvrit le visage de ses
mains. Ses joues râpaient de nouveau, son haleine sentait l'aigre
au point de l'incommoder lui-même.

Le lieutenant posa une main sur son épaule. Zeno conserva
l'impression de ce contact, qui se voulait amical, amicale-
ment viril, même quand le lieutenant se fut éclipsé, impatient
d'échapper à l'atmosphère tendue régnant chez les Mayfield.

Il revint à Arlette d'apaiser son mari. Arlette, qui ne dormait
quasiment pas depuis le 10 juillet, 4 heures du matin, s'alar-
mait de la tension élevée de son mari, de son essoufflement
audible, du tremblement de ses mains.

« Les empreintes digitales dans la jeep étaient celles de
Cressida. Ses cheveux, bon Dieu ! Les taches de sang… probablement. Et il y a les "témoins" du Roebuck…

– Oui. Nous le savons.

– … comment ont-ils pu le *relâcher* ! Et maintenant il a un
avocat, et ce connard de Fisk va soigner sa pub en payant pour
sa défense !

– Oui. Mais on n'y peut rien pour le moment, Zeno. Viens
t'asseoir, viens dans mes bras. S'il te plaît. »

Leur couple, qui avait longtemps associé deux adultes
matures et prompts à plaisanter, régressaient à un stade anté-
rieur, fait de bouffées imprévisibles et désespérées d'émotion,
voire de désir physique. Indigné et belliqueux en public, Zeno
était sujet à des accès de faiblesse dans l'intimité, dans les bras
consolateurs de sa femme.

Arlette se disait *Je vais devoir le préparer au pire. Il est incapable de s'y préparer lui-même.*

L'analyse de sang n'avait pas été concluante parce qu'il n'y
avait malheureusement aucun moyen de déterminer si c'était
celui de Cressida. L'unique empreinte digitale brouillée et les

quelques cheveux n'étaient pas non plus «concluants» parce qu'il était impossible d'établir qu'ils n'avaient pas été laissés dans la jeep un autre jour que le samedi soir.

L'avocat de Kincaid tirait parti de cette incertitude pour affirmer que Cressida ne s'était pas trouvée dans la jeep de Brett ce samedi soir-là.

Pas de façon *prouvable*, en tout cas.

Au Roebuck, la cohue et la confusion avaient été trop grandes pour que les témoins ne se contredisent pas. Certains affirmaient avoir vu Cressida – ou quelqu'un qui lui ressemblait beaucoup – dans le parking de cendrée, se dirigeant vers le véhicule de Brett Kincaid, qui boitait et s'appuyait à elle; d'autres affirmaient avoir vu Cressida – ou quelqu'un qui lui ressemblait beaucoup – sur la terrasse du Roebuck, en compagnie d'autres personnes, parmi lesquelles se trouvait ou ne se trouvait pas Brett Kincaid.

Personne ne pouvait *affirmer catégoriquement* avoir vu Cressida dans la Jeep Wrangler de Brett.

Les témoins parlaient de la présence de «motards» au Roebuck. Du grondement assourdissant de leurs motos, de leurs vociférations avinées.

Les femmes qui affirmaient avoir vu Cressida s'asperger le visage d'eau froide dans les toilettes ne pouvaient assurer lui avoir parlé – «Elle ne demandait pas vraiment de l'aide, vous comprenez, et ce n'est pas le genre de fille à qui on tape sur l'épaule pour lui demander si "ça va" : on sent tout de suite que ça ne lui plairait pas.»

Les amis de Kincaid, Rod Halifax, Jimmy Weisbeck et Duane Stumpf, tous âgés d'une vingtaine d'années et ayant toujours habité Carthage, furent interrogés individuellement par des enquêteurs du comté. Deux d'entre eux, Halifax et Stumpf, étaient connus des services de police : ils avaient déjà

été arrêtés au lycée pour bagarres, destruction de biens, lar-
cins et ivresse sur la voie publique, mais le tribunal du comté
n'avait pas requis de peine d'emprisonnement à leur encontre.
Halifax et Weisbeck avaient comparu en justice à la suite de
plaintes pour « harcèlement » et « abus sexuel » : mais, là encore,
les poursuites avaient été abandonnées ou s'étaient évaporées.

Halifax s'était engagé dans les marines en novembre 2001,
mais après vingt-trois jours d'entraînement de base au camp
Geiger, en Caroline du Nord, il avait été renvoyé chez lui.

À peu près au même moment, à l'automne 2001, quand
Brett s'était engagé, Weisbeck et Stumpf en avaient également
fait la demande, mais ils n'avaient pas rempli leur dossier.

Avec la maladresse appliquée d'acteurs amateurs ayant
appris leur texte par cœur, Halifax, Weisbeck et Stumpf firent
un récit quasi identique de la soirée au Roebuck avec leur ami
Brett Kincaid : ils étaient arrivés chacun dans leur véhicule,
s'étaient retrouvés vers 22 heures, avaient quitté la terrasse
pour la salle intérieure afin d'être plus près du bar ; à un certain
moment il y avait eu une dizaine de types avec eux, et des filles
– d'anciens amis mais aussi de quasi inconnus ; à minuit, ça
se bousculait grave au Roebuck, et « la Mayfield » s'était pointée à peu près à ce moment-là, seule ; ou apparemment seule ;
aucun d'eux ne la connaissait (sauf Brett) parce qu'elle avait été
quelques classes au-dessous d'eux au lycée de Carthage, et que
personne ne l'avait jamais vue au lac Wolf's Head – « C'était
pas le genre. »

« La Mayfield » avait bavardé avec Brett dans un coin, peut-
être vingt minutes, peut-être une demi-heure, ils n'en savaient
rien. Ni à quel moment elle était partie. Ni avec qui.

Peut-être avec des motards : il y en avait une bande ce soir-
là, des Hell's Angels des Adirondacks qui tournaient sur le parking en faisant voler la cendrée.

Ce qui était sûr, c'est qu'elle n'était pas partie avec Brett Kincaid. Parce qu'ils étaient tous partis ensemble.

Et elle n'était partie avec *aucun* d'entre eux.

«Si je pouvais mettre la main sur eux. Les coincer entre quatre yeux. Juste cinq minutes. Juste un seul d'entre eux. Juste un.

– Oui, mais tu ne peux pas, Zeno. Tu le sais. Tu ne peux pas.

– C'est Stumpf qui craquerait le premier. En moins d'une minute. Si seulement…

– Oui, mais tu ne peux pas. Dis-moi que tu le sais, je t'en prie : tu ne peux pas.»

Un buffle blessé, ce pauvre Zeno! Arlette tâcha de l'enlacer, de caresser ses cheveux embroussaillés, d'embrasser sa joue râpeuse. Elle comprit à quel point il était malheureux, terrifié à l'idée de ce qui les attendait quand il se laissa faire sans chercher à la repousser.

5

AVIS DE RECHERCHE
CRESSIDA CATHERINE MAYFIELD

Si vous pensez détenir des informations
pouvant intéresser la police dans son enquête,
veuillez prendre contact avec le département du shérif
du comté de Beechum (New York) au 315 440 1198,
ou avec le service de police
de la ville de Carthage (New York)
au 315 329-8366.

20 000 $ de récompense pour toute information permettant
de retrouver ou d'identifier Cressida Mayfield.

Respect de l'anonymat garanti à ceux qui le désirent.

Nom : CRESSIDA CATHERINE MAYFIELD

Classification : adulte disparu en danger

Alias/Surnom : Aucun

Date de naissance : 6/04/1986   **Date de disparition** : 10/07/2005

De ville/État : Carthage, NY   **Lieu de disparition** (pays) : USA

Famille : Arlette Mayfield (mère), Zeno Mayfield (père)

Âge lors de la disparition : 19   **Sexe** : féminin

Race : blanche   **Taille** : 1,55 m

Poids : 45 kg   **Cheveux** : châtain foncé

Yeux : marron foncé   **Teint** : pâle

Lunettes/verres de contact : verres de contact transparents / lunettes à monture d'acier

Signalement : petite, cheveux sombres bouclés «frisés», yeux sombres proéminents, tache de naissance pâlie couleur fraise sur l'avant-bras gauche, cicatrice effacée (enfance) sur le genou droit

Dossier médical : migraine, bronchite, variole, rougeole, oreillons, scarlatine

Bijoux : aucun. Oreilles non percées

Vêtements au moment de la disparition : jean noir, tee-shirt noir, pull à rayures noires et blanches, sandales

Relation des faits : circonstances de la disparition inconnues, enquête en cours. Cressida a été vue pour la dernière fois par des témoins le 9 juillet à minuit dans le parking du bar Roebuck, au lac Wolf's Head, État de New York, mais on suppose qu'elle s'est ensuite rendue dans la réserve forestière du Nautauga.

Services en charge de l'enquête : département du shérif du comté de Beechum, service de police de la ville de Carthage

Enquête n° 04-29374

NCIC[1] : n° K-84420081

---

1. Centre national de renseignements criminels.

Pendant tout le mois de juillet 2005, ce mois cauchemardesque, et une bonne partie de celui d'août.

L'attente de la sonnerie du téléphone.

« C'est par le téléphone que nous saurons. Rien d'autre... le téléphone.

Il avait commandé six mille affichettes. Un premier tirage. C'était une reproduction de la fiche de *Cressida Catherine Mayfield* sur le site national de recherche d'adultes disparus.

Il avait organisé un mailing de grande ampleur, à destination de tous les habitants des comtés de Beechum, Herkimer et Hamilton.

Des volontaires apposèrent les affichettes sur les poteaux téléphoniques, les arbres, les murs publics et les bâtiments de Carthage, dans les villages en bordure des lacs Wolf's Head et Echo, et le long de la Black River. Dans les bureaux de poste de ces lieux et jusqu'à Watertown, Fort Drum, Sackets Harbor et Ogdensburg.

Et partout dans la réserve forestière du Nautauga (toilettes, postes des gardes, à intervalles de cent mètres sur les sentiers les plus fréquentés).

Quand il marchait dans la Réserve, le long de Sandhill Road où (s'obstinait-il à croire) il pourrait encore découvrir un vêtement ou un objet appartenant à sa fille, inexplicablement négligé par les sauveteurs, il contemplait ces affiches AVIS DE RECHERCHE DE PERSONNE DISPARUE : CRESSIDA MAYFIELD agrafées aux arbres, allant d'un prospectus au suivant, à celui d'après et à un autre encore, tel un unijambiste trébuchant sur sa béquille.

Quand une affiche manquait, ou qu'elle était déchirée, abîmée par la pluie, il en agrafait une autre. Il en avait une provision inépuisable dans son sac à dos.

«Quelqu'un la reconnaîtra. Quelqu'un aura des informations. Nous ne perdons pas espoir.»

Pendant tout le mois de juillet 2005, ce mois cauchemardesque, et celui d'août, et les premiers jours de septembre, l'espoir prévalut chez les Mayfield.

Se réveillant brusquement en un lieu où elle ne se rappelait pas avoir été (affalée sur le canapé avachi de la salle de télévision, un soleil éclatant, donnant sur d'étroites fenêtres d'une propreté douteuse) – ni à quel moment –, tirée du sommeil, une douleur aiguë à l'arrière du crâne. La sonnerie d'un téléphone au premier étage!

Titubante, elle courait décrocher.

Car il y avait toujours l'espoir que l'appel viendrait de Cressida.

Ou apporterait des nouvelles de Cressida.

Mme Mayfield? Arlette? Nous avons une bonne nouvelle…

Êtes-vous Mme Mayfield? La mère de Cressida? Nous avons enfin de bonnes nouvelles pour votre mari et vous…

«Oui. Ou plutôt non… nous n'avons pas abandonné. Nous n'abandonnerons jamais. Nous sommes convaincus que notre fille est en vie et qu'elle prendra contact avec nous…»

Ou : «C'est une question de *foi*. Nous savons que Cressida est… quelque part. Et que nous la reverrons.»

On les interrogeait : caméras de télévision.

On les photographiait : éclairs des flashs.

Ils étaient les Mayfield, Arlette et Zeno. Quelquefois, Juliet.

La famille de la *jeune disparue*.

« Non. Nous ne sommes pas amers. Nous comprenons que la police "enquête", "rassemble des preuves". Elle ne peut pas l'arrêter – arrêter qui que ce soit – avant d'avoir un "dossier". »

Et : « Nous savons qu'il sait. Tout le monde à Carthage sait que Brett Kincaid sait ce qui est arrivé à Cressida... mais la loi le protège pour l'instant. Jusqu'au moment où les enquêteurs auront un "dossier". »

Le courageux Zeno ne semblait pas se rendre compte que croire sa fille vivante au bout de plus de quarante jours de disparition et croire à une prochaine arrestation de Brett Kincaid pour un crime commis contre cette même fille était contradictoire.

Arlette percevait l'absence de logique. Arlette sentait la compassion suscitée par la foi têtue des Mayfield.

Et il y avait Juliet, avec son sourire hébété. La belle Juliet Mayfield, institutrice à l'école élémentaire de Convent Street, ex-reine du bal des terminales du lycée de Carthage en 2000, et ex-fiancée du caporal Brett Kincaid, « dernière personne » à avoir vu Cressida Mayfield au petit matin du 10 juillet.

« Je sais que ma sœur est en vie et en bonne santé... quelque part. Je sais que Brett ne lui a pas fait de mal, mais je pense qu'il sait peut-être qui lui en a fait et où elle se trouve. Toutes mes prières sont pour elle et pour Brett... Je crois au pouvoir des prières, oui. Non, nous ne nous voyons plus... Brett Kincaid et moi. Pas en ce moment. Mais je prie aussi pour lui... je prie pour son âme troublée. »

Elle avait cinquante et un ans ! Quelques mois auparavant, elle était une *jeune fille*.

Quelque chose de spectral avait pris racine en elle, dont elle ne se débarrasserait pas de sitôt.

Elle en était arrivée à redouter d'ouvrir les yeux au réveil.

Car une fois qu'ils étaient ouverts, elle ne pouvait plus les refermer avant le soir.

Une fois que ses pensées se mettaient en branle, à la façon d'un glissement de terrain, d'une crue subite, il était impossible d'en arrêter le cours. Impossible de les contenir. *Oh! mon Dieu! Cressida! Dis-nous où tu es, chérie. Si nous pouvons te rejoindre, dis-le-nous...* Arlette ne pouvait pas davantage ignorer son mari, étendu à son côté tel un animal épuisé, blessé, grognant et marmottant dans son sommeil, ou, pis encore, réveillé – réveillé depuis des heures –, le cerveau roulant des pensées comme le tambour d'un lave-linge.

Ils avaient la vieille habitude de s'embrasser le matin – des baisers appliqués au petit bonheur en manière de salut. Mais à présent Arlette se gardait de bouger, espérant que Zeno ne s'apercevrait pas qu'elle s'était réveillée.

Il s'en apercevait toujours. Son monologue ruminatif, qui s'était poursuivi toute la nuit en silence, devenait alors audible :

«Je vais aller voir McManus ce matin, bon Dieu. Ce salaud n'a pas répondu à mon message, hier, et je pense – je me suis dit – que la police sait quelque chose qu'elle nous cache. La raison pour laquelle elle n'a pas encore arrêté Kincaid.»

Ou : «Je vais aller chez les Meyer ce matin. Je me suis dit que Marcy savait sans doute quelque chose d'autre qu'elle ne disait à personne. J'arriverai peut-être à la convaincre de me le dire à moi.»

Sans un mot Arlette posait un baiser sur les lèvres de son mari, sur cette bouche uniquement occupée de ce monologue, de cette rumination perpétuelle.

Un baiser est une façon de ne pas parler. Une solution de lâcheté.

Arlette pensait au dessin à la plume de Cressida : *Métamorphoses.*

Des silhouettes humanoïdes blanches se transformant peu à peu en figures abstraites et «noires», puis reprenant leur forme et leur «blancheur» originales – mais profondément transformées.

Juliet aussi fut questionnée par les enquêteurs.

Son absence dura plus longtemps que sa mère ne l'aurait jugé raisonnable.

À plusieurs reprises, Arlette l'appela sur son portable. *Chérie? C'est maman. Je me demande juste comment tu vas, quand tu rentreras. Passe-moi un coup de fil, tu veux bien?*

Mais rien. Ce qui ne ressemblait pas à Juliet.

Arlette commençait à craindre qu'elle ne s'en aille bientôt de chez eux.

Un sentiment de terreur à l'idée de voir partir la seule fille qui lui restait.

Et ensuite : Arlette et Zeno, seuls dans cette grande maison.

Dire qu'elle avait été si heureuse pour Juliet! Si heureuse de son futur mariage avec Brett Kincaid – *Quel gentil garçon, courtois et séduisant! À part le fait qu'il est dans l'armée, tu as bien de la chance, Lettie.*

Les nouveaux mariés devaient vivre à Carthage. C'était apparemment leur intention. Juliet enseignait à l'école de Convent Street, à trois kilomètres à peine de Cumberland Avenue, et si tout allait bien Brett travaillerait pour Elliot Fisk. Aucune raison de penser que tout n'irait pas bien. Zeno avait parlé au jeune couple – avec beaucoup de diplomatie, assurait-il –, leur laissant entendre qu'il pouvait les aider financièrement à acheter une maison, prendre un crédit, quand cela les intéresserait...

Juliet rentra de son entretien avec les enquêteurs en début de soirée. Le visage sombre, évasive, elle déclara ne pas avoir faim et monta aussitôt s'enfermer dans sa chambre. Quand Arlette alla frapper à sa porte, Juliet répondit quelque chose comme *Oh maman s'il te plaît... va-t'en*, mais Arlette ne parut pas entendre. Elle entra, disant qu'elle voulait seulement savoir comment s'était passé l'entretien, les questions qu'avaient posées les enquêteurs, et Juliet, couchée tout habillée sur son lit, un bras sur le visage pour se protéger du regard anxieux de sa mère, garda d'abord le silence, puis finit par dire que l'entretien avait été très fatigant, des questions sur Brett auxquelles elle ne souhaitait pas répondre... Arlette s'assit au bord de son lit et lui caressa les cheveux, les beaux cheveux brun miel de sa fille, hésitant à l'interroger, sachant qu'elle ne devait pas se montrer indiscrète, même avec sa fille invariablement adorable; et finalement, dans un petit sanglot, Juliet dit : «Ces questions qu'ils m'ont posées sur Brett! J'avais tellement honte...

– "Honte"? Pourquoi?

– Parce que... parce qu'il y a des choses, des choses "personnelles", "intimes", qu'on ne dit pas sur quelqu'un qui vous a été très proche ... Ça ne se fait pas.»

Espérant que sa voix n'exprimait ni reproche ni alarme, Arlette dit : «Ton père nous a prévenues qu'il n'y aurait plus rien de "personnel" ni d'"intime" dans nos vies une fois que l'enquête serait ouverte. La police doit poser des questions, toutes sortes de questions. Concernant Brett, ils voulaient sans doute savoir s'il s'était montré menaçant ou violent avec toi.

– Oui. Je sais.

– "Oui"... quoi? Il ne l'était pas, j'imagine?

– Non. Je le leur ai dit.

– Eh bien... c'est la vérité, non?

– Oui.»

Mais Juliet avait hésité si longtemps qu'Arlette se demanda ce que signifiait sa réponse.

«Ils m'ont aussi demandé ce qu'il m'avait dit sur l'Irak. Le genre de chose qu'il avait fait là-bas. Ce qui avait pu lui arriver, à lui ou aux hommes de sa section. Et je leur ai répondu que je ne savais pas, que Brett refusait d'en parler.»

Au début de sa mission en Irak, Brett écrivait fréquemment à Juliet, et il lui envoyait de son téléphone portable d'innombrables photos, qu'elle montrait à tous leurs parents et amis communs. Puis cela avait diminué. Au moment où il avait été blessé et hospitalisé, Brett n'écrivait plus guère que tous les deux ou trois jours, des e-mails toujours plus brefs et plus évasifs.

À propos des photos et des premiers e-mails, Zeno avait fait ce commentaire : *Si ce gamin a d'autres types d'informations sur la guerre, il ne les envoie pas à sa fiancée.*

Arlette avait dit à Ethel Kincaid, l'une des nombreuses fois où elle avait cherché à amadouer la mère distante du fiancé de sa fille *C'est comme si on retenait son souffle… l'attente du retour de Brett.*

Ethel Kincaid l'avait regardée avec une expression qui semblait signifier qu'Arlette et sa famille n'avaient aucun droit d'attendre le retour de son fils – ni même de faire des remarques aussi ineptes.

À présent, Ethel Kincaid était leur ennemie. Dans une interview pour la WCTG-TV, elle avait accusé les Mayfield d'«exagérer», de «déformer» les faits concernant son fils et de «calomnier un héros de guerre». Poussée par Evvie Estes, qui cherchait éhontément à exacerber les émotions et la polémique, elle avait prétendu, de façon impardonnable, que les «deux filles Mayfield» «couraient» après son fils.

Ce que Juliet pensait de ces propos terribles, Arlette l'ignorait. Elle espérait que sa foi lui venait en aide – dans ces régions de l'âme où même une mère aimante ne pouvait la suivre.

Quoique sachant que Juliet voulait être seule, elle s'attarda dans la pièce, peu désireuse d'interrompre la conversation la plus intime qu'elle ait eue avec sa fille depuis la rupture de ses fiançailles.

« Eh bien, chérie, tu n'avais pas grand-chose à dire aux enquêteurs, n'est-ce pas ? Si Brett ne s'est jamais montré "menaçant" ni "violent" avec toi.

– Oui. Effectivement.

– Donc, tu ne leur as pas dit. Tu n'as...

– Rien dit de "personnel" ni d'"intime". Non.

– Parce que... il n'y avait rien à dire. C'est ça ?

– Oui. Je te l'ai déjà dit, maman. »

Arlette la regardait avec attention. À la pointe d'impatience qui perçait dans sa voix, elle comprit qu'il valait mieux ne pas insister pour l'instant.

*

En septembre 2005, le lendemain de la fête du Travail, un nouveau mailing de l'AVIS DE RECHERCHE DE PERSONNE DISPARUE : CRESSIDA MAYFIELD fut expédié à tous les foyers des comtés de Beechum, Herkimer et Hamilton.

Quel était le prix de ces mailings désespérés, de ces envois en nombre de quatrième classe, adressés à des milliers de « propriétaires » anonymes, Zeno ne le disait pas à Arlette, et elle ne lui posait pas la question.

Pas plus qu'elle ne lui demandait quel pourcentage de ces envois donnait un résultat quelconque : appels téléphoniques, e-mails.

Elle ne rappelait pas à Zeno qu'il jetait impitoyablement à la poubelle le courrier de quatrième classe qui encombrait leur boîte aux lettres. Jamais il n'aurait condescendu à jeter un coup d'œil à ce genre d'affichette, mêlé aux publicités et aux catalogues hebdomadaires des magasins de la région.

Comme si elle exprimait ses doutes à voix haute, il disait, sur la défensive : « D'accord, la plupart vont tout droit à la poubelle. Mais sur ces milliers de prospectus, si un seul nous apporte une information importante, cela en aura valu la peine ! »

D'autres incidents occupèrent la une des journaux et les bulletins « dernière minute » dans le comté de Beechum. Un accident de navigation dû à l'alcool sur le lac Echo. Une rixe conjugale débordant sur la voie publique dans le sud de Carthage, trois adultes et un enfant de dix ans tués dans une fusillade. Des Hell's Angels des Adirondacks arrêtés lors d'une descente de la police de New York dans un laboratoire clandestin de méthamphétamines à Independence River et, sur les sept personnes interpellées, trois avaient été interrogées par les enquêteurs du comté de Beechum dans le cadre de l'affaire Cressida Mayfield.

« Oui. C'est éprouvant. C'est...

– ... mais nous gardons espoir et nous sommes très reconnaissants...

– ... tous ces gens, ces inconnus, qui nous ont manifesté leur soutien. Les nombreux bénévoles qui ont fouillé la Réserve...

– ... Je ne perds pas espoir, non, notre fille nous reviendra...

– Oui, c'est triste : le premier trimestre commence à St. Lawrence, et elle n'y est pas...

– ... Cressida aimait beaucoup ses cours...

– … oui, ils ont promis… Il y aura une "avancée" bientôt.
Ils interrogent…
– … interrogent beaucoup de gens, ont-ils dit…
– … suivent des "pistes" dans d'autres parties de l'État…
– … des gens qui ont "aperçu" notre fille…
– … ils sont bien intentionnés, mais…
– … la police a convoqué Brett Kincaid à deux reprises pour le questionner… "Construire un dossier" demande du temps et si l'on procède à une arrestation prématurée…
– … réduirait à néant des mois de travail…
– … de l'espoir, bien sûr… Nous ne sommes pas "croyants"… Mais nous croyons que…
– … notre fille nous sera rendue. »
Et l'intervention de Zeno, la légère correction : « … que notre fille nous *reviendra*. »

Photographiés l'un près de l'autre, assis sur un canapé de la salle de séjour de leur maison de Cumberland Avenue, le bras lourd de Zeno Mayfield passé autour des épaules de sa femme, qui devait se raidir contre son poids.

Et quelle interview « de suivi » était-ce ?… Elles avaient été si nombreuses dans les médias locaux. *Carthage Post-Journal. Watertown Journal-Times. Black River Valley Gazette.*

Zeno affichait un sourire crispé. Arlette ne pouvait plus se résoudre à sourire : elle pensait à Cressida, refusant de sourire devant les photographes.

L'une d'elles illustrera votre nécrologie. Impossible de sourire à son propre enterrement.

Dans les médias de la région, il y eut un court moment d'émoi quand les Hell's Angels, objets d'un mandat d'arrêt et déjà titulaires d'un casier judiciaire chargé – coups et blessures aggravés, trafic de drogue, vol – furent mis en garde à vue par les shérifs adjoints du comté de Beechum pour «interrogatoire» – mais cela non plus ne sembla rien donner.

Le secret était le suivant : Arlette Mayfield ne *croyait pas* réellement.

Elle ne croyait pas que sa fille lui serait rendue.

Presque dès le début, après les piètres résultats de la première journée de recherche, quand avaient été révélés la rencontre entre Brett Kincaid et Cressida, les blessures sur le visage du jeune homme, les taches de sang «frais» sur le siège avant de sa jeep, son comportement coupable, Arlette s'était dit *Le pire est arrivé. Il l'a tuée à cause de Juliet. Parce qu'il nous déteste. Il l'a tuée et a caché son corps. Dans ce cas ce serait peut-être un bienfait qu'on ne la retrouve pas.*

Arlette n'osait parler à personne de ces pensées terribles – perverses – indignes d'une mère : à Zeno et à Juliet moins qu'à quiconque.

Pas même à sa sœur Katie Hewett, de trois ans son aînée, une femme très sensée, superintendante adjointe des établissements scolaires publics de Carthage, dont la capacité à percer subterfuges, faux-fuyants et mensonges était légendaire.

Katie pressait la main d'Arlette – fréquemment.

Katie étreignait Arlette – à lui endolorir les côtes.

Katie embrassait Arlette – un baiser mouillé, brûlant comme un fer rouge.

Comme si elle voulait qu'Arlette sache qu'elle comprenait.

Une seule fois, dans la cinquième ou sixième semaine des recherches, Arlette dit à sa sœur, dans un murmure confus, alors qu'elles s'affairaient dans la cuisine des Mayfield et que, dans une autre pièce, Zeno parlait rapidement au téléphone, du ton d'un homme habitué à donner des ordres : «Oh! Katie, je fais de mon mieux. Tu sais que je fais de mon mieux. Je n'abandonnerai jamais. Il ne me le pardonnerait pas.»

*

Pourtant, Arlette continuait à appeler le portable disparu. Juste pour appuyer sur les touches. Juste pour écouter, le souffle suspendu, la sonnerie fantôme.

Dans le *Carthage Post-Journal*, en page intérieure, des articles de plus en plus courts sur la «poursuite des recherches» dans l'affaire de la jeune Cressida Mayfield, se concluant invariablement par «la police n'a encore procédé à aucune arrestation» et «l'enquête se poursuit».

Les rumeurs se multipliaient : Brett Kincaid avait finalement été arrêté, non parce qu'on le soupçonnait d'avoir joué un rôle dans la disparition de la sœur de son ex-fiancée, mais parce qu'un voisin s'était plaint qu'il l'eût «bousculé et invectivé» devant sa maison de Potsdam Street ; le «cadavre d'une jeune fille» avait été découvert dans une décharge, près de Wild Forest, treize kilomètres à l'est du lac Wolf's Head, où se réunissait une vaste bande de Hell's Angels des Adirondacks ; Juliet Mayfield, l'ex-fiancée du caporal, avait démissionné de son poste à l'école de Convent Street et s'apprêtait à quitter Carthage – *Elle avait tellement honte…*

Pour autant qu'Arlette puisse le déterminer, aucune de ces rumeurs n'était vraie.

Mais il était vrai que Juliet envisageait de s'inscrire en master de pédagogie à Plattsburgh – un jour prochain.

Sans abandonner son poste d'institutrice à Carthage, mais en faisant la navette une fois par semaine pour aller suivre un cours du soir.

Et il pouvait parfaitement être vrai que Brett Kincaid eût fait assaut d'injures avec un voisin.

Et que... «le corps d'une jeune fille» eût été trouvé dans une décharge près de Wild Forest, sinon récemment, du moins dans le passé. Ou que cela se produirait un jour.

Une autre rumeur affirmait que Marcy Meyer avait fait une sorte de «dépression nerveuse» à Ogdensburg, dans la semaine qui avait suivi son retour à l'école d'infirmières. C'est-à-dire à la fin d'août. Les cours de l'école d'infirmières commençaient plus tôt que ceux de l'université.

Arlette téléphona aux Meyer, et ce fut la mère de Marcy qui répondit.

Mme Meyer lui dit que sa fille avait eu un «accident» : elle avait dégringolé une volée de marches alors qu'elle montait une valise dans sa chambre, au deuxième étage de la résidence d'infirmières.

Marcy avait perdu connaissance plusieurs minutes. Elle s'était foulé une cheville et démis une épaule. Ses souffrances étaient si intenses, en dépit des antidouleurs, que l'école avait tenu à ce qu'elle rentre chez elle.

Bégayant presque, Arlette se dit consternée de la nouvelle. «Dois-je venir la voir ? Puis-je faire quoi que ce soit pour vous aider ?»

Linda Meyer, qu'Arlette avait connue au lycée, mais d'assez loin, car elles appartenaient à des groupes très différents, hésita un instant avant de répondre, d'un ton catégorique : «Non, ce n'est pas nécessaire, Arlette. Cela ne ferait que lui rappeler Cressida, et elle n'a pas besoin de ça.»

Zeno avait parlé plusieurs fois avec Marcy Meyer.

Arlette devinait (elle n'avait pas voulu poser la question à son mari) que ses visites devaient perturber Marcy, qui avait déjà été questionnée à plusieurs reprises par la police.

Marcy avait été «anéantie» par la disparition de son amie. Mais apprendre que, au lieu de rentrer chez elle après l'avoir quittée, Cressida s'était rendue au lac Wolf's Head, apparemment pour y retrouver Brett Kincaid, l'avait «choquée» et «déstabilisée».

Car il était possible – ce n'était pas tout à fait une certitude – que sa meilleure amie lui eût menti.

La dernière fois que Zeno avait vu Marcy, avant son départ pour l'école d'infirmières d'Ogdensburg, il avait ensuite confié à Arlette que, à moins que son imagination ne lui jouât un tour, Marcy lui avait semblé *légèrement jalouse de quelque chose – ou de quelqu'un – dans la vie de Cressida*.

Arlette avait naturellement pensé à Brett Kincaid.

Zeno était assis sur le canapé de cuir de la salle de séjour. Il se frottait si vigoureusement les yeux de ses pouces qu'Arlette les entendait rouler dans leur orbite.

«Sers-moi une bière, Lettie, s'il te plaît! Je suis trop fatigué – vidé – crevé – pour aller m'en chercher une moi-même.»

Néanmoins, excité par une nouvelle idée, une nouvelle idée dont l'inefficacité n'avait pas encore été démontrée, Zeno parlait rapidement, presque avec entrain.

«Marcy a fini par me dire… quelque chose que je ne crois pas qu'elle ait dit à la police : elle pense que ce fameux soir, quand Cressida était chez elle, il se pourrait qu'elle ait passé un coup de téléphone sur son portable, ou qu'elle ait reçu un appel – son portable devait être en mode vibreur, il n'y a pas eu de sonnerie – à un moment où elle était dans une autre pièce (elles dînaient dans la salle à manger, avec les parents de Marcy et sa grand-mère, et Cressida s'est excusée pour aller aux toilettes), mais comme Marcy n'en était pas du tout sûre, et qu'elle avait le cerveau embrouillé à force de répondre aux questions des policiers et d'essayer se rappeler le moindre détail, elle a préféré ne pas leur en parler. "Ça n'est peut-être arrivé que dans mon imagination. Je pense tellement à cette soirée que j'ai la tête farcie de faux souvenirs, et je n'ose pas en parler à la police, ils enregistrent tout, cela aurait été ineffaçable." Marcy tâchait de ne pas pleurer, nous l'avons toujours crue raisonnable, solide – que disait Cressida, déjà ? *fidèle et le cœur droit, comme un gnou* – mais elle semblait avoir perdu cinq kilos, et elle était terriblement angoissée : "Cressida serait furieuse contre nous si elle savait que nous parlons d'elle comme cela… En cherchant à nous rappeler chacun de ses mots, à faire toutes sortes d'hypothèses…" Et là, Marcy s'est mise à pleurer pour de bon, et j'ai pris ses mains pour la consoler. Et je crois bien que j'ai pleuré aussi.»

«Rien de concluant. Mais sans doute rien d'important, non plus.»

La police avait l'ordinateur de Cressida depuis des semaines. Sans doute un expert en informatique légale l'examinait-il.

Mais il fut finalement rendu aux Mayfield, accompagné d'un rapport indiquant que leur fille ne s'était apparemment livrée à aucune activité inhabituelle ou dangereuse sur internet. Elle s'en servait surtout pour ses recherches universitaires ; ses fichiers scolaires étaient soigneusement classés par intitulé de cours ; sa correspondance électronique était tout à fait ordinaire, constituée principalement d'échanges de messages avec l'université de St. Lawrence. Elle semblait avoir peu d'amis, et uniquement des jeunes femmes, dont Marcy Meyer.

Pas de vie secrète ! Arlette trouvait cela triste, d'une certaine façon.

Mais en fait, non : c'était un soulagement.

«Votre fille n'a pas une vie sociale très soutenue, à en juger par ses e-mails. Savez-vous si elle a un petit ami ?»

Arlette secoua négativement la tête. Zeno fronça les sourcils et ne répondit rien.

Arlette savait gré à l'enquêteur de parler de leur fille au présent.

« Et ici, à Carthage, au lycée peut-être… y avait-il quelqu'un ? » Arlette hésita, comme s'il lui fallait réfléchir. Mais la réponse était non.

« Cressida avait-elle une préférence pour… des liaisons avec des filles ? Seriez-vous au courant si c'était le cas ? » Arlette hésita de nouveau. Une rougeur lui monta au visage. Zeno dit, d'un ton neutre : « Vous voulez dire des… "lesbiennes" ? Vous pensez que ma fille est "lesbienne" ?

– Seriez-vous en mesure de le savoir si c'était le cas ?

– Voilà une question difficile ! Étant donné votre formulation. Qu'en penses-tu, Arlette ? »

Arlette en pensait que *non* : *Ma fille ne pourrait pas aimer quelqu'un qui lui ressemble.*

« Je ne crois vraiment pas. Cressida a des amies comme en ont les autres filles de son âge. Par certains côtés, comme j'ai essayé de vous l'expliquer, elle était… elle est très jeune pour ses dix-neuf ans. Elle a toujours été intelligente, d'une intelligence précoce, mais elle vit surtout à l'intérieur de sa tête… Elle est plus attentive à ses pensées qu'aux gens qui l'entourent. Elle… je pense qu'on pourrait dire qu'elle n'est pas très… mûre. »

Arlette parlait d'un ton haché. C'était terrible pour une mère de trahir ainsi sa fille devant des inconnus !

Une image fugitive du visage pâle et furieux de Cressida, se tournant vers elle.

« En dehors de Kincaid et de ses amis, l'une des dernières personnes à avoir vu votre fille ce soir-là est Marcy Meyer. Sont-elles très proches ?

– Elles sont amies depuis l'école primaire. Mais pas – du point de vue Cressida, en tout cas – ce qu'on appelle *proches*.

– Et comment le savez-vous, madame? Comment précisément pouvez-vous le savoir?»

Comment Arlette savait-elle quoi que ce soit sur sa fille! L'enquêteur posait des questions sans réponse.

«À des remarques de Cressida. Au fait qu'elle semble parfois oublier Marcy. C'est Marcy qui doit prendre contact avec *elle*.

– Et si elles étaient en relations maintenant – si nous supposons un instant que votre fille est en vie, quelque part – avec quelle franchise parlait l'enquêteur Silber, avec quel détachement il maniait ce *si*! –, Marcy garderait-elle le secret sur ces relations? Si Cressida le lui demandait?»

Arlette et Zeno se regardèrent avec consternation.

Incapables de répondre.

Entrant dans la chambre de Cressida. Elle avait frappé… mais trop légèrement pour que sa fille entende, manifestement. Et c'était une erreur. Cressida était là, mi-couchée, mi-assise sur son lit dans son pyjama de flanelle, adossée au chevet, et elle écrivait dans un carnet – plus précisément un journal à la couverture marbrée qu'Arlette n'avait encore jamais vu – appuyé malcommodément contre ses genoux repliés. Et Cressida lui jeta un regard noir et laissa tomber le journal sur le lit, le dissimulant en partie sous la couette; Cressida lui lança d'un ton furieux : «Va-t'en! Tu n'es pas la bienvenue! Pas de fouineuse, ici!»

Elle avait onze ou douze ans à ce moment-là.

Blessée, Arlette avait battu en retraite.

Elle n'avait jamais revu ce journal à couverture rigide. Elle était rarement entrée dans la chambre de Cressida par la suite. Et l'incident était si embarrassant pour elle, ce qualificatif de «fouineuse», la grossièreté de sa fille, dont elle se jugeait responsable, qu'elle n'en avait jamais parlé à personne : ni à une amie, ni à sa sœur Katie, ni à son mari Zeno.

Neuf semaines et deux jours après la disparition de Cressida Mayfield, on apprit que, dans l'après-midi du 9 juillet, un kinésithérapeute de la clinique de rééducation de Carthage qui avait soigné Brett Kincaid pendant plusieurs mois et s'était lié d'amitié avec lui, un certain Seth Seager, avait vu la jeune fille dans Main Street. Cressida ne connaissait pas Seth Seager, mais lui la connaissait ou avait entendu parler d'elle – la fille *intelligente* de Zeno Mayfield. Quand il l'avait saluée, elle s'était d'abord montrée méfiante, mais dès qu'il s'était présenté comme un nouvel ami de Brett Kincaid, son attitude avait changé.

«Cressida avait quelque chose... elle m'a vraiment plu. Elle me rappelait l'une de mes cousines, toute jeune, le genre garçon manqué mais futée – et la langue affûtée. Ce genre de fille me plaît. Je les trouve cool. Parce qu'elles ne s'attendent pas que vous leur fassiez des compliments ou des amabilités... elles savent que ce n'est pas le style des hommes. De la plupart des hommes. Parce qu'ils ne les trouvent pas attirantes. Mais Cressida m'a beaucoup plu, et je crois que je lui ai plu aussi. Et je lui ai dit que Brett Kincaid comptait sortir ce soir-là, aller au Roebuck avec des amis – il m'avait invité mais je l'avais remercié en disant que ce n'était pas mon truc. (Et aussi que boire, avec les médicaments qu'il prenait, n'était pas une très bonne idée. Mais Brett a juste haussé les épaules : "Je m'en tape. Ça ira bien, et si ça ne va pas, tant pis!") Et Cressida m'a posé une drôle de question, elle m'a demandé s'il "fêtait" quelque chose. Je lui ai répondu que je ne voyais vraiment pas ce qu'il pourrait "fêter", et elle a dit : "Il ne se marie plus." Je le savais, en fait, mais pas par Brett; il ne parlait jamais de sujets personnels à la clinique. Du coup, je n'ai pas su quoi répondre, mais Cressida a semblé regretter ses paroles : "Ce n'était pas sérieux, je sais que

Brett doit être malheureux... qu'ils doivent être malheureux tous les deux. Je n'aurais pas dû dire ça." Elle avait presque les larmes aux yeux, ce qui surprend chez une fille comme ça, le genre qui ne pleure jamais, ou en tout cas pas en public. "Vous croyez qu'il pourrait faire quelque chose d'irréparable ?" a-t-elle demandé, et c'était une question bizarre, un sujet dont on ne parle pas, comme on ne parle pas des types qui se suicident dès qu'ils commencent à aller mieux, ceux qui ont perdu leurs jambes, par exemple, ou qui doivent porter une poche, ou qui sont incapables de prononcer une phrase compréhensible à cause d'une lésion au cerveau, dès qu'ils redeviennent un peu maîtres de leur vie, ils se suicident, ou alors ils meurent d'une "overdose", d'un "accident fatal". Bien entendu, j'ai répondu : "Bon Dieu, non. Pas le caporal Kincaid, sûrement pas." Et elle a dit : "Vous pensez qu'il va s'en sortir, alors ?" Elle n'était pas sarcastique, elle ne plaisantait pas, elle me regardait comme si je pouvais réellement répondre à sa question ; et j'ai dit ce que nous disons tous à la clinique : "Mais bien sûr ! Un jour après l'autre."»

Les enquêteurs à qui il fit cette déclaration lui demandèrent pourquoi il avait attendu aussi longtemps pour venir les voir.

La mine honteuse, il répondit qu'il n'en savait rien.

Peut-être pour ne pas «aggraver le cas» de Brett Kincaid, qui avait déjà été bousillé en Irak.

«Et puis je me disais que Cressida allait revenir. Qu'elle était partie quelque part et qu'elle allait revenir, expliquer ce qui s'était passé. Et que Brett serait innocenté sans que j'aie à intervenir.»

Les détectives demandèrent à Seager comment il pensait que Cressida s'était rendue de Fremont Street au Roebuck, distant d'une quinzaine de kilomètres. Il répondit en riant : «Si elle ressemble un tout petit peu à ma cousine Dorrie, elle a fait du stop sur la Route 33. Tout le monde va passer son samedi soir au bord du lac, au mois de juillet.»

*

15 septembre 2005. Accroché à des rochers et à des tuyaux rouillés sous un pont de Sackets Harbor, quarante-cinq kilomètres à l'ouest de Carthage, à l'endroit où la Nautauga se jetait dans le lac Érié, un curieux objet racorni fut découvert par un jeune garçon de douze ans, qui le tira sur la rive à l'aide d'un bâton et constata qu'il s'agissait d'un pull de fille couleur de boue, aussi raide qu'une planche. Il l'emporta chez lui pour le montrer à sa mère : il avait entendu parler de la *jeune disparue* et de la récompense de vingt mille dollars.

Le lendemain, l'un des enquêteurs du comté de Beechum téléphona aux Mayfield pour leur demander de passer au siège. Il souhaitait qu'ils examinent un vêtement trouvé à Sackets Harbor, sur une rive de la Nautauga, afin de déterminer s'il avait appartenu à Cressida Mayfield.

Ils partirent pour Axel Road dans la Land Rover de Zeno : Zeno, Arlette, Juliet.

«C'est trop loin…, dit Zeno. Sackets Harbor. C'est peu probable.»

Arlette ne répondant pas, il ajouta : «Sackets Harbor est trop loin. Nous perdons notre temps.»

À l'arrière, les bras serrés autour de la poitrine, grelottante, Juliet supportait sans se plaindre la climatisation réglée à plein régime par Zeno.

Il y avait des semaines que les Mayfield ne s'étaient pas rendus au département du shérif du comté de Beechum. L'enquêteur Clement Lewiston les attendait, et les conduisit dans une pièce où l'on avait disposé le pull racorni sur une table. Quelle qu'eût été sa couleur d'origine, il avait maintenant celle de la boue. Et il était trop petit pour une femme adulte – trop petit, constata Arlette, avec soulagement, pour avoir appartenu à Cressida. Après l'avoir examiné, le visage plissé, Zeno se dit certain de ne l'avoir jamais vu. Arlette effleura le vêtement d'un doigt hésitant. Ce n'était pas un pull en laine, à peine un pull, juste une chose avec des manches, un gilet en tissu synthétique, nylon, Orlon. À peine s'il avait des coutures. Un article manifestement bon marché. Il n'avait plus que deux petits boutons cassés, et ses boutonnières étaient croûtées de boue. «Non, dit Arlette, avec soulagement. Ce n'est pas à Cressida.»

Mais Juliet, qui avait retiré ses lunettes sombres en entrant dans la pièce sans fenêtre, se pencha sur le pull racorni un long moment. Depuis la disparition de sa sœur cadette, Juliet avait maigri. Elle avait les joues plus creuses, les yeux cernés. Zeno parlait à voix basse à l'enquêteur, des mots qu'Arlette ne saisissait pas. Elle éprouvait un sentiment de malaise depuis son entrée dans la pièce et avait décidé d'en attribuer la cause à l'odeur d'eau saumâtre qui émanait du pull.

Il était temps de partir. Arlette aurait voulu tirer son mari vers la porte. Et entraîner aussi Juliet.

«Oui. C'est bien ça. C'est le pull de Cressida… celui à rayures noires et blanches.» Juliet parlait lentement, d'un ton songeur. «Si l'on regarde bien, on distingue les rayures. C'était mon pull au départ… je l'ai donné à Cressida. Ou bien elle me l'a pris. Il était trop petit pour moi. C'est pour ça que je suis sûre de le reconnaître. Cela ne fait aucun doute, monsieur l'enquêteur : c'est bien le pull que portait ma sœur Cressida le soir où elle nous a été enlevée.»

6

Le caporal au Pays des morts

Juillet 2005-octobre 2005

Mon Dieu! Ce qu'ils avaient fait.

Ce qu'ils avaient fait *était*.

La plaquer au sol. Enfoncer un chiffon dans sa bouche hurlante.

Sur elle à tour de rôle. Avec des grognements, des glapissements de chiens.

Et après l'un d'eux lui avait tranché le visage.

La moitié du visage de chaque côté. Les coins de la bouche, avec un couteau suisse.

Du coup elle avait un grand sourire. Un sourire de clown fou.

Et ses yeux ouverts, qui regardaient.

Ils demandaient *ce qu'il lui avait fait. S'il lui avait fait quelque chose et où il l'avait laissée.*

Ils disaient *Si tu y as été poussé. Si tu passes aux aveux maintenant et que tu nous conduises à elle. À l'endroit où tu l'as laissée, caporal.*

Il ne voulait pas d'avocat. Avocat égale culpabilité.

Avocat égale honte, et avocat égale culpabilité.

Un goût aigre de vomi dans la bouche, il se l'était rincée pour essayer de s'en débarrasser. Et l'endroit où il s'était mordu la langue, ou peut-être que c'était un ulcère. En Irak il avait eu des ulcères dans la bouche. En voyant les minuscules points blancs dans la glace il avait pensé que c'était un cancer.

Une mort terrible par cancer, rongé vivant. À partir de la bouche.

Une mort pire que l'autre, parce que plus lente.

Il avait entendu – senti – l'explosion. Entendu des cris, puis des jurons.

Dans leur avant-poste de combat, une école abandonnée. Démolie, les fenêtres comme des yeux crevés et, derrière, dans un tuyau de drainage une bombe avait explosé en pulvérisant les mains du soldat Hardy et en tuant net le soldat Quinn.

Il avait couru vers eux. Couru aveuglément, pensant pouvoir leur venir en aide.

Et il avait vu ████████████

Quand son tour était venu de mourir plus tard et dans un autre endroit. Il n'aurait pas dû être aussi étonné, mais le fait est qu'il l'avait été.

Car on se dit toujours, on ne peut pas s'en empêcher : *Dieu ne permettrait pas que ça m'arrive. Jésus ne le permettrait pas. Je suis quelqu'un de bon, je serai épargné.*

Il avait été quelqu'un de bon, le caporal Kincaid. Toute sa vie il avait essayé.

Le Boy-scout de Jésus, raillait le sergent avec sa moitié de grimace, le visage comme un quartier de bœuf.

C'était dans la province de Salah ad Din. Du sable, de la poussière, un sale coin.

Des patrouilles quotidiennes de quinze, seize heures – le record c'était dix-huit heures. Le cerveau débranchait, les jambes et les pieds continuaient façon zombi à remontoir. Des godillots aussi lourds à soulever que des poids ou des chaînes et des chaussettes pas assez épaisses pour empêcher la peau de partir aux talons ou un ongle pointu d'entamer l'orteil d'à côté comme un éclat de verre. *Il est recommandé aux soldats d'infanterie de veiller aux infections, qui sont fréquentes dans les zones de combat et peuvent mettre leur vie en danger.* L'objectif était de protéger la base militaire (mais pourquoi aller installer la base dans ce sale coin de poussière et de sable nécessitant une protection) contre les grenades à fragmentation, les tirs de snipers, les attaques d'insurgés.

Bouge! Si fatigué que tu sois, si tu restes immobile plus de quatre secondes… tu es bon pour le sac à viande, petit. Ces putains de snipers ne dormaient jamais.

Ou alors c'était ailleurs : les noms étaient des énigmes irréelles, impossible d'être certain d'avoir entendu correctement, on sent une pression à l'intérieur du crâne à force de ne pas vouloir déconner et qu'on se paie votre tête.

Dans les e-mails qu'il envoyait chez lui, il avait essayé d'être précis. Au lycée, il avait essayé d'être précis. C'était le moins qu'on puisse faire, pensait-il, pour empêcher les choses d'être encore plus foireuses qu'elles n'étaient, n'empêche qu'il n'aurait pu jurer que c'était Salah ad Din et pas Diyala ou As Sadah. Et il y avait aussi Kirkouk.

On l'avait ramassé en petits morceaux là-bas… à Kirkouk. Les gars faisaient des blagues sur les *trafics d'organes*. De *bites*, de *testicules*.

Le bruit courait que des riches Saoudiens achetaient reins, foies, cœurs, yeux et moelle au marché noir. Ceux des leurs – «Arabes», «musulmans» – ne coûtaient pas cher.

Aux États-Unis, c'était illégal. Aux États-Unis on ne pouvait pas vendre ni acheter des parties de corps ou des organes, c'était contraire aux règles de la morale américaine.

Le combat contre la terreur est un combat contre les ennemis de la morale américaine : la foi chrétienne. Quelque part dans cet endroit perdu, abandonné de Dieu, il y avait les *imams* des terroristes d'Al-Qaïda qui avaient fait sauter le World Trade Center. Par haine pure, pour détruire la démocratie chrétienne américaine, comme les païens de l'Antiquité avaient espéré le faire, des siècles plus tôt. La Rome impériale antique du temps des gladiateurs : on devait mourir pour sa foi. Leur aumônier le leur avait expliqué : c'était une croisade pour sauver le christianisme. Le général Powell avait déclaré que les États-Unis n'avaient pas le choix, qu'ils avaient été contraints à une riposte militaire. Les États-Unis ne feront jamais de compromis avec le mal. Pas d'autre choix que d'envoyer des troupes avant que Saddam, le dictateur fou, ne déchaîne ses *armes de destruction massive* : bombes nucléaires, gaz chimiques et guerre bactériologique.

Seul un pays particulièrement stupide et lâche aurait attendu de «voir venir». À l'église, le pasteur leur disait *Nos ancêtres sont ceux qui ont le courage de la frappe préventive.*

Les insurgés étaient des ennemis terroristes. Les autres Irakiens – les «civils» – étaient des amis des États-Unis qui avaient besoin de la protection de l'armée américaine.

Certains étaient des Kurdes, et non des Irakiens. Kirkouk était un immense champ de pétrole.

Cela, les gars le savaient plus ou moins, ou l'avaient su à un moment donné.

Très vite, on se mettait à oublier. Obéir aux ordres vous fait oublier ce qui s'est passé la veille.

Les noms de lieux étaient faciles à oublier. Recouverts par le sable. Le sable qui vous remplissait les yeux, le nez, la bouche. Le sable qui entrait dans vos poumons, si bien que le désert s'installait plus profondément en vous à chaque respiration.

Plus tard à l'hôpital ce sable comme du gravier dans sa bouche. Dans ses poumons. Il s'étouffait, toussait pour se nettoyer les poumons et ce qui venait c'était des glaires épaisses teintées de sang.

Dans son cerveau, une sorte de grouillement : des vers ?

Un implant en titane pour faire tenir le crâne brisé.

Dans son œil gauche abîmé et dans la matière molle (cervelle) derrière l'œil était implantée une minuscule lentille intraoculaire (garantie jusqu'à une température de 500 degrés).

La vision est cérébrale. L'œil est la lentille du cerveau.

Sur l'un des insurgés (mort, déchiqueté), ils avaient pris des trophées : yeux, pouces, oreilles. Découpé des visages entiers, quoique rarement en un seul morceau.

Enveloppés dans de la gaze, puis enfermés dans des sacs zippés de la taille d'une main.

On se dit, merde, pourquoi pas. On l'a bien mérité.

Pas Kincaid le Boy-scout. Mais d'autres.

Le soldat Muksie était le blagueur de la section.

«Coyote» Muksie, le bras droit du sergent Shaver.

Les insurgés. Les snipers insurgés. Une armée d'ombres, impossible de combattre des ombres sauf en les anéantissant dans des vagues de flammes.

Des *mesures de contre-insurrection* avaient été mises en place avant l'arrivée du caporal. Mais le souvenir d'une stratégie précédente prônée par le colonel T*, commandant de brigade, restait vif dans les mémoires et emportait la préférence : TUEZ-LES TOUS, DIEU RECONNAÎTRA LES SIENS.

Il avait perdu ses médicaments. C'étaient des antibiotiques empêchant les bactéries de la mort de le dévorer vivant.

Ça commence dans le sang, puis les tissus mous. Puis le cerveau.

Il avait tendance à voir et à entendre des choses qui *n'existaient pas* depuis l'explosion à l'intérieur de son crâne.

Le problème, c'est qu'on ne fait pas la différence.

Il leur disait qu'il ne savait pas. La fille… il avait oublié son nom.

Jamais su son nom. Aucun de leurs noms. Les civils.

L'interrogatoire se poursuivit toute la nuit. Il avait été l'un des plus jeunes affectés à ce détachement. C'était électrisant d'entrer dans les petites maisons des civils irakiens où l'on soupçonnait que des insurgés se cachaient. On se courbait pour passer l'une de leurs portes naines, et l'instant d'après on pouvait être mort, une balle en pleine tête. Ça pouvait arriver.

Plus tard, il avait été malade de honte. Sur le moment, l'ivresse était incomparable.

Il avait fumé de l'herbe, bien sûr. Il n'avait jamais goûté à la cocaïne, à l'héroïne. Il n'avait pas (encore) goûté au cristal méth. Mais il savait que rien ne pouvait égaler cette ivresse-là *parce qu'elle était naturelle.*

«Le tableau de chasse» : le sergent Shaver était le superviseur.

Muksie était l'exécuteur.

Ils ne lui en avaient pas parlé. Ne l'avaient pas invité. Sachant qu'il cafterait. Putain de Boy-scout, c'est lui qu'on aurait dû descendre.

Une grenade à fragmentation. Lui qu'on aurait dû fragmenter.

Ce n'était pas un secret. «Coyote» racontait ça à tout le monde.

Ce qui est fait par quelqu'un de la compagnie est fait par tous.

Une armée ce sont des *fourmis.* À la base.

Il avait été malade deux, trois jours. Il avait senti son cerveau se ramollir et ballotter comme un embryon dans un bocal de formol.

Il était allé voir l'aumônier. La gorge si desséchée par le sable que c'était à peine s'il pouvait parler.

Tu es sûr, mon garçon. Prends ton temps, mon garçon.

Ce qui se dit entre nous est confidentiel.

Ils avaient demandé : qui a tiré.

Il essayait de se souvenir : elle s'était enfuie.

Incapable de comprendre pourquoi… elle s'était enfuie. Il l'avait appelée, mais elle s'était enfuie.

Il n'avait pas eu l'intention de lui faire du mal. Elle avait dit *Je suis la seule qui te comprenne. Personne d'autre ne sait ce que nous savons, ils sont bien-aimés de Dieu.*

Les intestins comme du béton. Il ne chiait que si ça se liquéfiait, des jets de feu liquide.

Autrement, c'était du béton.

Quelle putain de honte, ces douleurs dans les tripes. Il se tordait de douleur. Trempé de sueur. Et arriver à pisser, après le cathéter. Il faut apprendre comment, ça ne se fait pas d'instinct.

Il essayait de leur dire qu'il n'avait pas vu. Qu'il n'était pas du tout dans le même coin.

Ou peut-être qu'il avait été là mais qu'il n'avait pas vu – vraiment – ce que les gars faisaient ou avaient fait. Peut-être qu'à ce moment-là c'était fini. Depuis des heures. Depuis des jours.

Ou alors il était tombé dessus par hasard. Le sergent-chef Shaver qui l'appelait : KIN-CAID ! PUTAIN DE CAPORAL KIN-CAID ! comme si la surprise était pour lui.

Apporte ton portable, Kin-caid ! Opération photo !

Ils avaient cru qu'elle était plus âgée… sûrement. N'avaient pas su qu'elle était aussi *jeune*.

Et le petit frère, huit ou neuf ans.

Et les parents : si petits qu'ils auraient eu l'air d'enfants aux États-Unis.

Et les vieux... les grands-parents...

Ils avaient traîné la fille dehors et quand ils en avaient eu fini avec elle le sergent Shaver avait dit, avec écœurément *Pas de témoins! Liquidez-les.*

Ce n'était pas ce qu'ils avaient prévu. Ils se sentaient grugés. La fille n'était qu'une gosse et pas l'adolescente qu'ils attendaient, dont tout le monde avait parlé *Une fille! Sexy!* genre MTV avec fond de musique rap et si quelqu'un était violé ou battu à mort, ça ne ressemblait pas à un clip MTV quand ils rentraient en rigolant. Rien à voir, là ça ressemblait juste... à une *erreur minable, stupide...* Ils l'avaient traînée jusqu'à la buse à une centaine de mètres de la route du village et tâché de l'enterrer sous des mottes de boue, des pierres, les planches d'une clôture brisée. Une foutue corvée de plus à faire une fois l'excitation retombée. *En fait, c'était difficile de prendre les civils irakiens au sérieux. Difficile de comprendre que ça leur fasse quelque chose de vivre ou de mourir. Ou que l'un de leurs gosses meure, ou un vieux. Ou qui que ce soit.*

Muksie, Broca, Mahan, Ramirez. Pas Kincaid.

Combien de mètres le séparaient de Shaver et de sa «bande de tueurs», voilà ce qu'on lui demanderait plus tard. Dans la confusion et l'affolement du moment il n'en avait eu aucune idée car il n'avait eu aucune idée de ce que les autres faisaient précisément.

Et puis il avait vu Muksie avec les cisailles. Il avait entendu les autres gars rire, le même rire effrayé et haletant que les gosses de son lycée qui osaient monter sur le toit et se balader dessus pliés en deux pendant les heures de cours. *Énorme!*

Il avait ouvert la bouche pour protester. Mais aucun son n'était sorti.

Malade à crever. Vomissant ses tripes.

Opération photo, les mecs ! Regardez ça !

Il l'avait rapporté avec lui, cette dernière fois. Son nouveau portable, offert par ses futurs beaux-parents. *Les Mayfield sont des snobinards qui habitent les beaux quartiers sur la colline. Ils te traiteront de haut comme un chien, un petit bâtard de chien de manchon. Ne viens pas pleurnicher dans mon giron quand tu t'en rendras compte.* La vérité c'était qu'il les adorait. Zeno, Arlette.

Le ressentiment qu'il avait pu éprouver, à cause de l'amertume de sa mère, quelque chose en rapport avec la manière dont le maire l'avait ou ne l'avait pas traitée – possible qu'Ethel ait espéré plus d'intérêt de la part du maire, le genre d'intérêt qu'une femme raisonnablement séduisante (célibataire), mère d'un petit enfant (un garçon qui avait besoin d'un père) pouvait espérer d'un homme tel que Zeno Mayfield, dont la seule présence suffisait à illuminer une pièce : *Bon-jour ! Mesdames, je vous souhaite le bonjour !*

Un beau parleur, voilà ce qu'il était. Un faux jeton de politicard.

Elle avait été employée au classement. En contact avec le public. Talons hauts, rouge à lèvres. Pas une seule promotion. En onze ans.

Elle se vengeait, rapportait à la maison des fournitures de bureau dans son sac cabas.

Du papier qui ne lui servait à rien, des rames entières. Des stylos à bille par poignées. Et même des cartouches d'imprimante. (Mais elle devait faire attention : les cartouches coûtaient cher. Elle se limitait à une par semaine ou par quinze jours.) Et des rouleaux de papier hygiénique, intacts, pris dans la réserve. Comme ça ils étaient sûrs d'en avoir jusqu'à la fin de leurs jours.

Bon Dieu, maman! disait-il. Si tu te fais prendre, qu'est-ce que tu diras?

Je dirai *Je me dédommage! Ces crapules ont une dette envers moi.*

Sa mère lui faisait honte. Mais elle avait quelque chose de cinglé et de fascinant.

Dans les endroits quasi publics, par exemple, les restaurants du centre commercial où l'on pouvait prendre des sachets de sucre, des sachets miniatures de sel et de poivre, des serviettes en papier archiordinaires, des couverts en plastique. La mine sombre, Ethel les fourrait furtivement dans les poches profondes de sa parka en nylon. Y compris les gobelets en polystyrène, plus difficiles à cacher. On ne sait jamais, ça peut servir, disait-elle. Pour Ethel ce n'était pas du vol, mais une simple «compensation».

Le monde était terriblement injuste pour certaines personnes. Les mères célibataires, les femmes abandonnées, que les hommes traitaient comme de la merde. Il fallait prendre sa revanche où on pouvait.

À ceux qui ont, on prend. Encore et encore.

Ethel se plaignait amèrement du père de Brett depuis une éternité. Et puis brusquement elle se mettait à faire son éloge.

Brett aurait tellement voulu se rappeler son père! Des images brouillées comme essuyées avec un chiffon graisseux et pourtant il avait six ans quand son père était parti : un âge où, normalement, un enfant se souvient.

Sans ses deux parents, on n'est pas sûr de savoir ce qui est *normal.* Un peu comme si on marchait sur un sol incliné, sans pouvoir déterminer de quel côté il penche.

Le père de Brett avait été un sous-officier de l'armée américaine : le sergent de première classe Graham Kincaid, qui avait fait la première guerre du Golfe, de mai 1990 à mars 1991. Dans l'album-souvenirs, il y avait des photos, fanées et cornées. Le sergent Kincaid était apparemment un homme séduisant, malgré une mâchoire lourde, des yeux plissés et une façon déconcertante de sourire d'un seul côté de la bouche.

Sur ses photos de l'armée, le sergent Kincaid posait avec d'autres soldats de sa section, en uniforme : du plus vieux au plus jeune, ils avaient tous un air de famille. Une famille mystérieuse de *frères soldats*.

On en éprouvait – quand on était un enfant, privé de père – un profond sentiment d'envie.

Brett Kincaid : que veux-tu être quand tu seras grand ?

Sergent ! Comme papa.

Rendu à la vie civile, le sergent Kincaid n'avait pu se satisfaire de Carthage et de son emploi de contremaître chez Klinger, Pièces détachées. Pris de bougeotte, il était parti dans l'Ouest en promettant de faire venir sa famille dès qu'il aurait trouvé un emploi convenable, envoyant dans l'intervalle des cartes postales à «Ethel & Brett» (ces cartes étaient toujours dans la chambre d'enfant de Brett, près de son lit, fixées au mur par un Scotch jaunissant) ; la dernière était de Yosemite Park, des montagnes déchiquetées où passaient des nuages vaporeux.

Ethel les aurait déchirées en morceaux si Brett ne l'en avait empêchée *Non, maman ! S'il te plaît.*

C'était comme si son père avait eu une blessure, une infirmité secrète et qu'il eût abandonné derrière lui cette partie de lui-même, brisée et vaincue.

Ethel parlait de Graham Kincaid tantôt avec fierté, tantôt avec fureur. C'était *un meneur d'hommes né – il aurait dû être*

major ou capitaine. Ou alors *un foutu salopard de première.*
Point barre.

Elle avait tout juste dix-sept ans quand ils s'étaient connus.
Il avait profité d'elle, disait Ethel. Il l'avait *engrossée,* disait-elle.
Il ne voulait pas l'épouser, mais ça s'était fait quand même.

(Brett savait, par les bavardages de sa grand-mère, la mère
d'Ethel, que cette première grossesse s'était terminée par une
fausse couche. Une seconde grossesse s'était terminée par la
naissance d'un prématuré qui n'avait vécu que quelques jours.
Si bien qu'au moment de la naissance de Brett, Ethel avait *un
peu perdu la boule,* et Graham avait *pris du champ, comme font
les hommes.*)

Ethel ressentait profondément l'injustice du monde : elle
attrapait une revue qu'elle plaçait à côté de son visage et, sur
le papier glacé, il y avait le visage d'une femme – actrice, rock
star ? – et Ethel qui demandait *Elle est plus belle que moi ? Tu
parles !*

Ou alors *Tu sais la différence qu'il y a entre elle et moi ?* et
Brett ne savait pas ; alors Ethel disait *La veine, voilà la différence. Moi, j'ai eu toutes les poisses.*

Les Mayfield n'étaient pas la seule famille «snobinarde» de
Carthage qu'Ethel avait dans le nez, mais Zeno Mayfield avait
droit à un supplément d'hostilité en raison de leur proximité
professionnelle. Quand il était enfant, Brett avait entendu à
de nombreuses reprises sa mère se plaindre de ce que le maire
invitait des employés municipaux à boire un verre le vendredi
après-midi – mais jamais *elle.*

Ce salopard d'hypocrite ne se rappelait même pas son nom !

Sauf à l'époque où Brett avait été dans l'équipe de football
américain du lycée. Quand il avait eu sa photo dans le journal.
Et que tout le monde parlait de lui. À ce moment-là, Zeno
Mayfield avait oublié d'être snob, et il avait arrêté Ethel un jour

au bureau pour lui dire *Vous êtes la mère de Brett Kincaid ? Vous devez très fière.*

Elle avait dit *Oui, monsieur Mayfield, je le suis.*

Mais après ça, fini ! Si ce salaud d'hypocrite lui avait dit cinq mots dans les années qui avaient suivi, c'était le bout du monde.

Et puis, deux ans plus tôt, elle avait appris que Brett « sortait » avec l'une des filles Mayfield.

Ethel ne les avait jamais vues. Mais elle avait entendu dire que l'une d'elles, l'aînée, était la *jolie* et l'autre, l'*intelligente*.

Quand Brett lui avait parlé de Juliet, elle n'en avait pas cru ses oreilles. *Mayfield ? Tu sors avec une… Mayfield ?*

Ethel avait critiqué si sauvagement les malheureuses filles que Brett amenait parfois rue Potsdam pour les lui présenter qu'il avait laissé tomber ; mais maintenant, avec Juliet, il n'avait pas le choix.

Tu n'es pas sérieux. Elle va te ridiculiser.

À moins que ce soit l'autre… la pas belle ? Il a deux filles.

Avec le temps Brett avait appris à ne pas s'irriter des excentricités de sa mère. Il avait prévenu Juliet qu'elle n'était « pas facile », mais qu'elle avait « bon cœur », sans être certain que ce soit une bonne description d'Ethel.

Il avait éprouvé un curieux sentiment de satisfaction à organiser la rencontre de Juliet et de sa mère, non dans l'atmosphère aigre de la maison d'Ethel, mais en territoire neutre, dans un café en bord de rivière.

Dès que Brett avait vu Juliet Mayfield, toute l'hostilité qu'il avait pu avoir envers les Mayfield avait fondu. Cette étincelle immédiate entre eux… comme une allumette approchée d'une flamme.

Il avait vu son regard souriant posé sur lui. Il s'était senti illuminé de l'intérieur.

Dans sa jeune vie, il y avait eu une succession de filles et, plus récemment, de femmes. Il avait quitté la maison de Potsdam Street après son bac, en dépit des protestations d'Ethel. Il éprouvait le besoin de vivre seul, de *respirer*.

Quand il s'était engagé, il avait rendu son appartement de South Palisade Park. À son retour de l'armée, réformé et invalide, un déchet balancé en route de l'arrière d'un camion, il avait été forcé de revenir chez sa mère, ce qui équivalait pour lui à une condamnation à mort. Cette ancienne chambre d'enfant qu'Ethel avait laissée telle quelle : la chambre d'un enfant mort.

Mais cela, c'était plus tard : quand il avait rencontré Juliet Mayfield, il avait un appartement où la recevoir, où être seul avec elle.

Et Ethel pouvait toujours courir, il n'essaierait pas de lui expliquer ce qu'il ressentait.

Il était fou de Juliet et de ses parents, voilà la vérité. Et ils semblaient avoir de l'affection pour lui, eux aussi.

Son cœur bondissait dans sa poitrine quand Zeno s'avançait vers lui, la main tendue.

Salut, petit! Content de te voir.

Les Mayfield étaient les gens les plus sympathiques qu'il ait jamais connus. De toute sa vie.

Même la petite sœur bizarre au nom bizarre : Cressida.

Un nom qu'il avait mal entendu, d'abord… il avait cru qu'ils l'appelaient *Cressita, Cressika…* un nom de pays étranger.

Une fille menue aux yeux sombres, avec une coiffure presque afro, des cheveux sombres couleur d'encre, tout frisés. Un petit corps nerveux d'enfant de onze ou douze ans, et un visage sans expression qui ne laissait rien voir de ce qu'elle pensait.

La fille intelligente.

Mais même Cressida était gentille avec lui ! Elle lui serrait la main avec un sourire solennel qui s'effaçait aussitôt, bien que ses yeux d'encre, pénétrants, étonnés, restent posés sur lui. *Nous t'aimons tous, Brett. Maman, papa, Cressie. Tu es l'être le plus merveilleux qu'il y ait eu dans nos vies… je te le jure!* Juliet glissant sa main dans la sienne. Juliet entrelaçant ses doigts aux siens. Juliet lui donnant un petit coup d'épaule pour lui faire remarquer… quelque chose.

Ses copains ne lui posaient jamais de questions sur Juliet Mayfield. Les types avec qui il était allé au lycée, et dont il s'était détaché… dans une certaine mesure : Halifax, Weisbeck, Stumpf.

Ils n'avaient pas de mots pour parler des filles ou des femmes qui comptaient pour eux. Et donc ils n'essayaient pas d'en parler, sauf de la façon la plus crue. *Con, cul, loches. Salope. Drôlement chaude.*

Comment Brett aurait-il pu leur parler de Juliet ? Impossible. Même prononcer son nom, risquer d'entendre son nom répété par Halifax, Weisbeck, Stumpf… impossible.

Elle s'était ouverte à lui comme une fleur. Une de ces roses aux pétales serrés les uns contre les autres, enfermés dans un minuscule bourgeon, et puis, qui sait pourquoi, la chaleur du soleil peut-être, les pétales s'ouvrent, s'ouvrent…

Il avait été si *heureux*. Il avait dit, en bégayant *Je crois que je t'aime, est-ce que c'est trop tôt… est-ce que c'est trop tôt pour le dire? Ne te moque pas de moi, d'accord?*

Il n'arrivait pas à comprendre, pourquoi lui avait-il fait du mal, alors ?

La fille qu'il aimait, il lui avait fait du mal… lui? (*Lui?*)

La première fois, il l'avait repoussée brutalement. Un petit cri aigu d'animal battu.

Et sa mâchoire meurtrie, déboîtée.

Non : pas déboîtée, en fait.

Aux urgences, elle avait passé une radio. L'os n'avait pas été déplacé. Avait-elle dit.

Elle avait expliqué qu'elle avait glissé, fait une chute. Si maladroite! Sa faute à elle, entièrement.

Bizarre que tout le monde y ait cru.

La belle Juliet, une ecchymose pareille à un iris mauve s'épanouissant du bas de son menton à sa joue gauche, assurant en riant qu'elle avait glissé, qu'elle était tombée, que ce n'était rien du tout et que de toute façon avec un peu de maquillage il n'y paraîtrait plus... et personne n'avait rien remarqué.

Pas même ses parents. Rien vu.

On voit quand on a des yeux pour voir. Pour tout le reste, on est aveugle.

Et puis une autre fois. Parce qu'elle l'avait provoqué en lui parlant de... qui ça, putain... un type qu'il avait connu au lycée : *Bisher.* Elle l'avait asticoté *Comment va ce type super, le caporal Kincaid?*

Ou alors elle l'avait provoqué en disant *Il n'y a que moi qui puisse te comprendre à Carthage. Parce que nous sommes tous les deux des monstres.*

Dans un cauchemar essayant de la ressusciter. Appuyant sur sa poitrine avec la paume d'une main, comme on lui avait appris, penché sur sa poitrine, s'efforçant de faire repartir sa respiration, sanglotant, gémissant *Non non non ne meurs pas.*

Plus tard il avait trouvé un endroit pour elle dans un sol marécageux, entre des rochers. Il avait essayé de la recouvrir avec des pierres, des poignées de boue. Essayé de penser *Un corps doit être enterré. Un corps ne doit pas être abandonné aux animaux et aux oiseaux.* Il avait perdu un temps précieux à chercher de quoi faire une croix.

Pourquoi cela, caporal ?
Parce que... c'est l'enterrement chrétien.

*

Les éléphants aussi enterrent leurs morts. Du moins il le pensait.

Discovery Channel, peut-être. Il avait peut-être vu un documentaire.

Sauf que les éléphants étaient capables de reconnaître les os de leurs morts des années plus tard. Une mère éléphant poussant des barrissements angoissés, saisissant les grands os courbes de sa grand-mère, enfouis dans la terre desséchée.

Mais aucun être humain ne peut reconnaître les os d'un parent. Ni même ses foutus os à lui si on les lui servait dans une assiette.

Parmi toutes les créatures terrestres, seuls l'*Homo sapiens* et l'éléphant enterrent leurs morts. Par angoisse et par respect.

Et par désir de voir les morts rester *morts*.

Là où on les a mis. Recouverts de mottes de boue, de pierres, de terre. *Morts.*

Dans la lettre qu'il avait demandé à Juliet de n'ouvrir que s'il ne revenait pas de la guerre, il avait écrit de l'écriture raide et appliquée de qui n'écrit pas souvent à la main *Savoir quelque chose devrait nous donner la force de le faire mais quelquefois on n'est pas assez fort. Dieu ne nous donne pas assez de force.*

Ne fais pas à autrui. Aime ton prochain.

Tu ne tueras point.

L'esprit confus il s'était dit qu'il avait peut-être enterré cette lettre avec elle dans la tombe superficielle au bord de la rivière !

Auquel cas la lettre (mouillée, déchirée), signée *Je t'aime, Brett*, serait déchiffrée et on remonterait jusqu'à lui.

Peut-être devait-il en être ainsi. Peut-être était-ce pour cela que Dieu lui avait dicté d'écrire cette lettre.

De nouveau cette question sur ce qu'il avait vu. Qui il avait vu.

À quelle distance il était, et quand.

Le nombre de coups de feu. Combien de fois l'AK-47 avait tiré.

S'il avait vu les cadavres dans la maison. Le cadavre dans la buse.

Le mot de *caporal* railleur à ses oreilles.

Qu'affirmez-vous, caporal. Avez-vous été témoin.
Vous n'étiez pas là, et pourtant vous affirmez.
Vous étiez là, et pourtant vous affirmez.
Comment pouvez-vous êtes certain. Ce sont des allégations sérieuses.
Pas ce que vous avez entendu les autres dire, mais ce que vous avez vu.
Pas ce qu'ils vous ont dit. Pas ce que vous avez dit à l'aumônier ni vos souvenirs. Pas les photos que vous avez vues ou cru voir.
Des allégations sérieuses, caporal. Des accusations.

Qu'avez-vous vu précisément. Quels hommes précisément.
Pas ceux que vous «saviez» là, mais ceux que vous avez vus et les liens entre eux et avec vous et quand. Pas les hommes que l'on vous «a dit» être là, mais les hommes que vous avez vus.
Avez-vous vu les visages, caporal. Pouvez-vous identifier chaque individu.
Avez-vous été témoin.

Étiez-vous là. Si oui, pourquoi n'êtes-vous pas intervenu.

Pourquoi étiez-vous là si vous n'avez pas été témoin.

Des allégations sérieuses. Des accusations.

Quelqu'un pour corroborer?

Ils disaient Bien sûr que tu l'as fait, Brett.

Caporal? Dis-nous juste comment ça s'est passé. Ils n'étaient pas en uniforme. Leurs cheveux n'étaient pas rasés sur les côtés.

Cela lui troublait les idées que ses interrogateurs se soient transformés. Comme s'ils étaient entrés dans une zone floue au centre de sa tête et ressortis de l'autre côté, différents, et c'était si fascinant que cela concentrait toute son attention et qu'il ne savait pas très bien ce qu'on lui demandait ni surtout comment répondre avec exactitude.

Tu ne voulais pas lui faire de mal, hein? Tu as juste perdu ton sang-froid.

... allumé? Ça arrive.

Et c'est la sœur de l'autre.

Personne irait te jeter la pierre, mon vieux. Après ce que tu as subi, l'armée qui te traite comme de la merde, ta fiancée qui te plaque parce que tu es «invalide» et par là-dessus la sœur qui te tombe dessus... merde, mon vieux, on t'a poussé à bout.

On ne l'a pas poussé à bout, le caporal? Et comment que si... bordel!

Tu veux nous raconter comment? Et ce que tu as fait d'elle – du corps – après?

On sait que tu l'as jetée dans la rivière. On a trouvé des vête-ments à elle à Sackets Harbor, tu comprends. Aussi loin que ça, caporal... difficile à croire, mais il se trouve que c'est vrai.

Ça, tu vois, c'est son pull. Le pull de cette pauvre gosse, des gamins l'ont trouvé dans les rochers à Sackets Harbor, dommage pour toi qu'il n'ait pas été emporté dans le lac, hein, caporal ? C'est peut-être là qu'est son corps, hein... dans le lac ? À moins qu'il soit au fond de la rivière ? Ça te dit quelque chose ?

On retrouvera le corps, même si tu ne coopères pas, caporal. Ça prendra du temps, mais on le trouvera, la police de l'État nous aidera à draguer la rivière et le lac. Cette pauvre gosse ne pesait pas cinquante kilos et il y avait son sang dans ta jeep et sur ta chemise et aussi des cheveux à elle dans ta jeep parce que c'est par là que tu l'as attrapée... hein, caporal ? Tu l'as attrapée par les cheveux et tu lui as écrasé la tête contre le pare-brise, c'est ça ? Et il y a ses empreintes.

Ça va juste nous demander du temps alors tu pourrais nous faciliter la tâche et ça te serait compté, cela fera bonne impression au juge si tu coopères, tu comprends — pas comme ces connards de drogués, ces tocards trop stupides pour coopérer avec le procureur qui se retrouvent dans le couloir de la mort de Dannemora, qui pourrissent dans une cellule pas plus grande que des chiottes pendant dix ans, vingt ans, jusqu'à avoir envie de clamser vu qu'à ce stade-là ils ont le cerveau pire qu'Alzheimer. Mais si tu dis ce que tu as fait à la fille, possible que le procureur reclassifie l'homicide en homicide involontaire, c'est lui qui décide, possible que le juge te condamne à vingt ans ce qui fait que tu pourrais avoir la conditionnelle dans moins de neuf ans — un sacré bon plan vu ce que tu as fait à cette pauvre gosse, caporal. Tu sais et nous savons et il faut que tu le reconnaisses. Et la famille a besoin de savoir pour trouver le repos. Tout le monde à Carthage dit que le caporal Kincaid était un type bien, un bon Américain bousillé par l'ennemi irakien : ce n'est pas ta faute, caporal. Personne ne te jettera la pierre, ou quasiment.

Il était malade de honte. Malade de culpabilité. Amassée en lui comme dans un égout bouché. Il ne pouvait s'en débarrasser.

Mieux valait mourir. Mieux aurait valu mourir... « au combat ».

Maintenant c'était trop tard. Il avait été tué mais n'était pas mort – pas tout à fait.

Un truc fabriqué à la vague ressemblance d'un être humain, voilà l'effet qu'il se faisait, une momie, un mannequin. Des bouts de vraie peau racornie comme du cuir, des touffes de cheveux comme dans un musée d'histoire naturelle.

À Washington, il avait visité des musées : le Smithsonian, la National Gallery.

C'était apaisant de penser à un musée, parce qu'un musée contient des objets morts. Les gens regardent ces objets morts qui ont leur place dans ces endroits-là et ne provoquent pas d'émotion ni même beaucoup d'intérêt. Une sorte d'embaumement : air frais, sols de marbre, plafonds hauts.

Au moment de l'«exode» de Noël : à mi-parcours de son entraînement de base à Fort Benning, il avait eu dix jours de liberté et, au lieu de rentrer à Carthage, il avait pris l'avion pour Washington.

Seul. Il voulait voir le monument aux morts du Vietnam dont il entendait parler depuis des années. Il savait que ce monument avait été «contesté» au départ. Il voulait juger par lui-même.

Il connaissait un membre de sa famille – un cousin de son père – qui était mort au Vietnam. Il y avait eu d'autres morts à Carthage, mais il n'était pas sûr de leurs noms.

Tom, ou *Tim*, c'était son prénom. Un prénom auquel Brett n'avait pas fait très attention quand il était petit.

Il aurait voulu que son père sache qu'il s'était engagé dans l'armée. Qu'en entraînement de base au combat, il s'était distingué jusqu'à présent.

Le sergent instructeur semblait avoir de la sympathie pour lui. Les autres gars aussi. Il avait été élu «chef de section» de sa promotion.

Il aurait aimé que son père sache qu'il s'était engagé douze jours après le 11-Septembre.

Penser que son père ne le saurait peut-être jamais le terrifiait. On l'enverrait au Proche-Orient, probablement. Infanterie. C'était ce qu'il avait choisi. Irak, Afghanistan : ça lui était égal. Ni Juliet, ni sa mère, ni les Mayfield ne savaient… à quel point il était impatient de *partir*.

De terminer l'entraînement de base. Puis de passer au stage de perfectionnement, toujours à Fort Benning, en Georgie. Dans un coin de son cerveau il savait que c'était de la folie, mais il espérait tout de même – il espérait désespérément, comme un enfant – que la ou les guerres ne se termineraient pas avant qu'il ait rejoint les troupes américaines.

Ce n'était pas une attitude normale, il le savait. Au bout de six semaines épuisantes au camp d'entraînement, alors que tous les autres ne rêvaient que de rentrer chez eux, Brett Kincaid choisit de passer son premier week-end tout seul à Washington, où il ne connaissait personne. Sa fiancée l'attendait à Carthage, attendait de l'aimer, sans même savoir qu'il ne rentrerait pas directement.

Il aurait pu emmener Juliet. Il ne l'avait pas fait.

Un samedi matin froid et pluvieux, et malgré cela il y avait des visiteurs au monument. Des familles surtout, quelques couples main dans la main, mais, à part le soldat Brett Kincaid, personne d'autre qui soit seul.

Juliet ne savait pas où il était. Personne ne savait.

Se déplaçant avec les autres le long de l'immense mur horizontal sur un chemin en pente douce dont on ne s'apercevait pas immédiatement qu'il était censé évoquer une fosse commune en forme de V. Pas étonnant qu'il se sente mal, le pas hésitant, le souffle court.

Et ces noms qui s'alignaient à perte de vue !

Les visiteurs – sûrement des parents des soldats morts – cherchaient un nom, puis s'immobilisaient, le regard fixe, comme des somnambules. Avec une sorte de fascination enfantine, ils effleuraient les lettres gravées dans le granit noir. Certains devaient se mettre sur la pointe des pieds pour toucher des noms presque inaccessibles. Il y avait une échelle que l'on pouvait utiliser pour grimper plus haut. Parce qu'il ne suffisait pas de *voir*, il fallait *toucher*.

Sur le sol, au pied du monument, des petits drapeaux mouillés par la pluie, des photos, des fleurs artificielles ou véritables. Il avait lu que, tous les soirs, on retirait ces objets précieux.

Quand le cousin de son père était-il mort? Brett n'en était pas certain, mais il pensait que c'était plutôt à la fin qu'au début de cette longue guerre.

Il parcourut des yeux les colonnes de noms à la recherche de KINCAID.

Le nom de son père n'y serait pas, bien entendu. Brett le savait. Son père n'avait pas fait la guerre du Vietnam mais la première guerre du Golfe, et de toute manière il n'était pas mort à la guerre.

Plus de cinquante-huit mille soldats étaient morts au Vietnam! Impossible de comprendre un nombre pareil, le cerveau se fermait.

Il passa devant les années 1959, 1963, 1967, 1970... Ses yeux s'embuaient, il avait du mal à voir. Aucun nom connu n'arrêta son œil jusqu'à ce que, vers la fin d'une colonne de l'année 1971, il voie... TIMOTHY KINCAID.

C'était lui! Le cousin de son père.

Brett se figea. Il contempla le nom, gravé à peu près à hauteur d'épaule. Il se pencha pour le toucher, pour passer son doigt sur les lettres.

Son cœur se serra. Il ne comprenait pas pourquoi il était aussi profondément ému par le nom d'un quasi inconnu.

«Excusez-moi?» Une femme lui adressait la parole. Une femme d'un certain âge dans un imperméable transparent, qui marchait avec une canne, accompagnée de gens plus jeunes... Sans doute demandait-elle à Brett quels liens il avait avec TIMOTHY KINCAID, il murmura donc une réponse vague et polie en se détournant pour refouler ses larmes.

«Dieu vous bénisse.»

Il s'éloigna aussitôt. Sans un regard en arrière.

Il n'avait même pas pris de photo avec son portable comme il en avait eu l'intention.

À son retour à Carthage, il ne parlerait à personne de cette visite. Il se rappellerait souvent TIMOTHY KINCAID, comme on se rappellerait le nom d'un parent perdu, d'un frère que l'on n'a pas vu depuis de longues années.

Même le bout de ses doigts se rappelait : TIMOTHY KINCAID.

Dans cet endroit, le Pays des morts.

Sa mère, sa fiancée et ses parents. Ses amis.

Ses frères/copains du lycée. Des soldats de sa section.

Tous silencieux, le visage exsangue.

Pareils aux vieilles photos Kodak jaunies de l'album de sa grand-mère.

Brett? Viens.

Oui tu es au bon endroit.

Oui nous t'attendions.

Pornographie, bonbons au rabais, bonbons qui gâtent les dents.

Drogue. Dope. Joints à la chaîne. Merdes de chien. Desséchées, racornies. Tempêtes de sable.

Il était mort quand la grenade avait explosé. Quand le mur avait explosé.

On l'avait appelé. On lui avait donné l'ordre d'avancer. Fusil armé, fermement calé contre l'épaule, prêt à faire feu. *Ennemi en vue!* La dernière voix qu'il avait entendue était celle du sergent Shaver, qui braillait : *Par ici, Kincaid! Par ici! Fais vite, bon Dieu!*

Il était mort et s'était retrouvé *là-bas,* où il avait vu des silhouettes blotties les unes contre les autres pour se réchauffer.

Mais on avait rassemblé ses morceaux avec pelle et balayette. Ingénieusement cousu, collé et inséré des fils de fer pour que tout tienne ensemble. Il voyait des silhouettes : des formes pareilles à des nuages courant haut dans le ciel... et savait qu'il devait déduire, de ce motif toujours changeant, un point focal, un *moi,* capable de le voir; un *moi* pourvu du mécanisme qui le percevait.

Appeler ce *moi* d'un nom quelconque : *Brett Kincaid. Timothy Kincaid.*

Ils tentaient de le piéger en lui demandant de «lever» ses jambe droite, jambe gauche, bras droit, bras gauche, et il ne voyait pas comment faire, comment on pouvait réussir à «lever» quoi qu'on lui demande de «lever» – comment une partie du corps pouvait-elle en «lever» une autre? – il essayait d'expliquer *Avec quoi faire levier?*

Et ils vous touchaient avec une tige ou un bâton pointu? – pour vous chatouiller? – la plante d'un pied par exemple – mais lequel? – et il fallait deviner ce que c'était. Et si c'était «chaud» ou «froid» – «lisse» ou «rugueux» – et il faisait une réponse en l'air ou disait juste *Ce que vous voudrez* pour indiquer que ça ne le dérangeait pas – quoi que ce fût.

Loyauté. Devoir. Respect. Dévouement.
Honneur. Intégrité. Courage personnel.
Valeurs fondamentales de l'armée.
Caporal Brett Graham Kincaid propriété de l'armée des
États-Unis.
Lentille intraoculaire dans son œil gauche abîmé. Implant
en titane pour souder son crâne brisé. La ou les peaux de son
visage recousues et une irritation comme des piqûres de fourmis rouges qui démangeait horriblement mais interdiction de
gratter les points de suture parce qu'ils risquaient de céder et
les peaux se relâcheraient, saigneraient et s'infecteraient. Des
fils tendus dans le bas de son corps (intestins, bas-ventre) et
un *ca-thé-ter* enfoncé dans son sexe mou caoutchouteux pour
drainer la pisse empoisonnée et empêcher qu'il ne devienne
jaune moutarde comme certains des types à l'hôpital dont il
était impossible de deviner s'ils avaient son âge... ou celui de
son père.
Bon Dieu qu'il avait été heureux, enfant ! Il ne se rendait pas
compte à l'époque de la tristesse et de l'amertume qui fermen-
taient chez sa mère comme dans des toilettes bouchées (leurs
toilettes de Potsdam Street se bouchaient sans arrêt, Ethel se
lamentait et pleurait en essayant de les déboucher elle-même
avec une brosse crasseuse), il s'était fait facilement des amis
à l'école primaire ; grand, rapide, un sportif né, mais ni petit
chef ni fanfaron à cause de ce chagrin au fond de lui, de la
disparition de son père. Les gens disaient souvent qu'il ressemblait à Graham, beau gosse, cheveux bouclés châtain clair, yeux
marron pâle, prompt à sourire, rarement boudeur, renfermé ou
insolent avec les adultes parce qu'il leur inspirait naturellement
sympathie et confiance.
À la base Brett était un type bien. Tout le monde l'aimait :
les gosses, les adultes. Il ne la ramenait pas comme les autres, il se

taisait et réfléchissait. Il ne jugeait pas les gens, il ne se moquait jamais de personne. Un gosse handicapé... Brett était gentil avec lui. Un professeur qui avait du mal à se faire respecter, Brett l'aidait à maintenir la discipline. Il a dû faire des efforts à l'école en maths et en anglais, mais en fait il avait plutôt des bonnes notes... des B en général. Il était fidèle à ses amis, Duane Stumpf, Rod Halifax et Machin... Weisbeck. Ils avaient grandi ensemble dans le quartier de Potsdam, alors c'étaient un peu ses frères. C'est pour ça que Brett défendait Stumpf quand il avait des problèmes, ça s'explique par leur histoire. Quand il était gosse, Duane Stumpf avait un visage rondouillard, un visage de petit garçon, il vous faisait mourir de rire en sortant des grossièretés énormes comme s'il n'avait aucune idée de ce que ça voulait dire.

Ces types-là ne se conduisaient pas avec Brett Kincaid comme avec les autres gosses. Ils étaient plus ou moins à sa botte, ils l'admiraient. Aucun d'eux n'était un sportif comme lui.

Brett était le genre de type à qui on s'adressait quand on avait besoin d'un service. Et il vous le rendait s'il pouvait, sans poser de questions ni vous faire sentir que ça lui pesait, et sans se la jouer supérieur après.

Il ne prêtait pas d'argent, mais il prêtait d'autres trucs : son vélo, par exemple. Il faisait au moins deux petits boulots après ses cours : dans une alimentation comme aide-caissier, et dans une pépinière – il fallait qu'il économise tout ce qu'il pouvait, sa mère n'avait pas d'argent, elle n'arrêtait pas de le dire. Brett s'est engagé pour ça, pour être payé, il comptait passer officier et au bout de quelques années prendre des cours dans l'une des universités d'État de New York. Il aurait donné à sa mère l'argent qu'il pouvait.

Une timbrée, sa mère ! Elle sortait sur le pas de sa porte en peignoir, un truc comme au cinéma, brillant et soyeux sans rien au-dessous, on voyait ses seins et ses cuisses qui tremblotaient comme de la gelée, et une touffe de poils entre ses jambes que tout de suite vous regardiez ailleurs histoire de ne pas voir.

Une revue ou une vidéo porno, on ne demande qu'à voir, mais dans la vraie vie... la mère d'un copain! Non.

Brett avait honte d'elle, mais il la protégeait quand même.

Quand on était en seconde, ça déconnait sec chez moi, mon père était alcoolique et malade, ma mère répétait qu'elle allait avaler tous les cachets qui lui tomberaient sous la main, et je manquais beaucoup l'école. Et Brett ne disait pas grand-chose, mais il s'arrangeait pour me voir souvent. Quand il rentrait de son travail ou de son entraînement de football, il passait à la maison. Il n'entrait pas, je ne lui disais pas d'entrer : on traînait dans l'allée ou dans la rue. Ou on allait dans le parking du 7-Eleven. Brett ne me demandait pas pourquoi j'avais manqué l'école. Il ne posait jamais de questions. Il ne fumait jamais de joint avec moi : Non merci, c'était tout ce qu'il disait. Ce n'était pas son genre de critiquer les autres. Un jour où c'était vraiment la déprime il m'a dit Hé pourquoi tu viendrais pas dîner à la maison, comme s'il savait que j'avais toutes les chances de me passer de dîner ce soir-là, ma mère n'était pas en état de faire la cuisine ni même de manger. J'ai dit Non merci! C'était la première fois que quelqu'un m'invitait à dîner chez lui – la première et la dernière. Brett a dit que sa mère serait d'accord pour le repas. Alors j'ai accepté... jamais personne n'avait fait quelque chose d'aussi gentil pour moi. L'étonnant, c'est que ce soir-là la mère timbrée de Brett n'a pas été comme on s'y serait attendu. Peut-être parce que j'étais seul, sans ses autres copains. Peut-être qu'elle me plaignait, Brett avait dû lui parler de moi.

On a mangé une pizza surgelée que Brett avait rapportée du ShopRite où il travaillait. Poivron, fromage et tomates et Mme Kincaid a ajouté des tomates en boîte écrasées pour qu'elle ne se dessèche pas dans le four. On a regardé la télé tous les trois :

194

Urgences, *la série préférée de la mère de Brett. Elle aimait voir des gens encore plus mal lotis qu'elle et la façon dont ils s'en sortaient et ensuite je me suis dit : C'est pour ça que Mme Kincaid aime bien me voir. Mais ça ne me dérangeait pas, je comprenais.*

Cette année-là je suis allé chez Brett au moins cinq fois. Pas toujours pour dîner, quelquefois on traînait juste ensemble. Une de ces fois-là, Mme Kincaid buvait de la bière et elle m'a dit : Tu t'appelles Budny, hein ? J'ai répondu que oui, et elle a dit ce truc bizarre que je n'ai jamais oublié : Ta mère était mon amie au lycée, mais je ne lui en veux pas.

Elle voulait dire qu'elle reprochait à ma mère de ne pas être restée amie avec elle, j'imagine. Je pense que c'était ce qu'elle voulait dire. Mais si Mme Kincaid avait connu ma mère à ce moment-là, elle ne l'aurait pas dit. Ma mère était tellement nase que tout le monde, ses amis, sa famille, se barrait plutôt en courant.

Des gens qu'on connaissait, mariés et avec une famille, il n'y en avait pas un seul qui ne finissait pas nase tôt ou tard.

Brett était... un vrai chrétien, j'imagine. Il ne parlait jamais de religion, il aurait été terriblement gêné, mais c'était peut-être ça. « Ne fais pas à autrui... » comme on dit. C'est ce qu'il essayait d'appliquer, raison pour laquelle il a pris cette histoire d'Irak tellement au sérieux, peut-être. Et ensuite, « invalide » comme il était, avec ces médicaments costauds... et l'alcool, qui n'est pas indiqué quand on prend des médicaments. C'est ce que les gens disent. Mais son gros point faible, c'était qu'il ne savait pas dire non à ses vieux amis, Stumpf, Halifax et Weisbeck... impossible.

Si on a besoin d'un témoignage dans un procès — « un témoin de moralité » — je suis prêt. S'il y a un procès.

Quelqu'un m'a dit qu'on ne peut pas arrêter quelqu'un pour meurtre s'il n'y a pas de cadavre, alors peut-être qu'il n'y aura jamais de procès. Mais s'il y en a un, je défendrai Brett, quoi qu'on dise de lui. Et même s'il le dit lui-même. Parce que le Brett Kincaid qui est mon ami n'aurait jamais fait de mal à personne et s'il se révèle qu'il en a fait à cette fille, alors ce n'était pas Brett mais quelqu'un d'autre que je ne connais pas.

Dans la terre, dans les gravats qui tombent d'une pelle, on voit de minuscules morceaux de verre coloré, des « pierres précieuses » peut-être, qui vous disent *La beauté se cache dans la laideur. Le bien se cache dans le mal. Aie foi!* Difficile de croire que ce n'était pas le cas. Au fond de lui-même il ne pouvait le croire.

Au camp d'entraînement, par exemple, il n'avait pas eu peur comme les autres. En voyant la façon dont le sergent instructeur examinait les recrues de son regard d'acier pour déterminer lesquelles étaient fiables et mûres, concentrait son attention sur les plus faibles qu'il avait le devoir d'endurcir, plus les inévitables taches qu'il pouvait humilier, écraser et briser devant les autres, comme un boxeur qui continue à taper sur le visage en sang de son adversaire jusqu'à ce que le pauvre type s'écroule, KO pour le compte. En voyant la façon dont le sergent le regardait, *lui*, il avait su qu'il était OK, un homme digne du nom.

Alors quand le moment était venu, tout en sachant ou en devinant que les gars de sa section qui savaient ce qu'il savait sur ce qu'ils avaient fait à la fille irakienne et à sa famille, et ce qu'il avait (peut-être) dit à l'aumônier, complotaient de le tuer, sinon directement, du moins en organisant les conditions dans lesquelles il serait (peut-être) tué – « au combat » – en patrouille à la lisière nord de la ville dévastée de Kirkouk, il s'était tout de même avancé quand son sergent lui en avait donné l'ordre, il avait obéi à son officier supérieur comme on le lui avait appris parce que, en sa qualité de soldat, il ne voyait pas d'autre possibilité.

Et maintenant qu'il était mort, il n'aurait pas à témoigner à l'audience. *Division des enquêtes criminelles.*

Atteint de troubles neurologiques – «amnésie rétrograde» –, incapable de se rappeler avec un minimum de netteté, de précision, de certitude, ce qui était/n'était pas arrivé en début de soirée le 11 décembre 2004 en lisière nord de la ville dévastée de Kirkouk, Irak.

Pas même qui avait pris le couteau, tranché les joues de la fille. Pas de visage et pas de nom.

Il n'aurait pas besoin d'un avocat.

Il n'aurait pas besoin de se rendre – d'être «expédié» – à Washington.

N'aurait pas besoin d'un assistant pour l'accompagner dans l'avion, dans les taxis et aux audiences du Pentagone, pour l'aider à marcher et à compter ses médicaments, pour l'empêcher de boire ou de se suicider dans une salle de bains d'hôtel, et pour torcher son cul suintant.

Il n'aurait pas besoin non plus de supplier Juliet de le reprendre pour qu'elle puisse l'accompagner à Washington, l'aider à marcher et à compter ses médicaments, l'empêcher de boire de l'alcool qu'il aurait lapé comme un chien s'il avait pu, torcher son pauvre cul hémorroïdaire suintant en assurant qu'elle l'aimait, qu'elle l'aimerait toujours, dans la maladie et la santé et dans la vie future si seulement il voulait bien le lui permettre.

Ce que je leur ai dit, chéri, je leur ai dit la vérité : c'était un accident.

J'ai glissé et me suis cognée à la porte : le truc idiot.

Aux urgences j'ai passé une radio. Je n'ai pas la mâchoire déboîtée.

C'est douloureux, j'ai du mal à avaler, mais les bleus s'effaceront.
Je sais que tu ne le voulais pas.
Je regrette de t'avoir contrarié.
Je ne pleure pas, je t'assure!
Nous nous rappellerons cette période difficile, plus tard, et nous nous dirons : Notre amour a été mis à l'épreuve. Nous n'avons pas faibli.

Il avait dit non. Il ne le pensait pas.
Son visage grimaçant de clown si près du sien qu'il lui avait été épargné de le voir.

Des accusations graves. Je vous conseille d'être certain de ce que vous avancez, caporal.
Votre sécurité ne pourra être garantie si vous persistez dans ces accusations.
Le lieutenant C* regardant le caporal Kincaid comme s'il dégageait une mauvaise odeur.

La jeep avait été immédiatement saisie par la police, qui l'avait passée au peigne fin. Il avait fallu l'insistance de Jake Pedersen pour qu'elle soit rendue à son propriétaire qui, après tout, n'avait pas (encore) été arrêté.
Réunion de preuves. Enquête en cours.
À présent on ne savait trop si Brett Kincaid aurait dû conduire ce jour-là. Et s'il devait y être autorisé maintenant.
Son ami kinésithérapeute avait estimé que cela ne devait pas poser de problème. À condition qu'il y ait toujours quelqu'un avec Brett dans le véhicule.
Vision corrigée de l'œil droit : 5/10. Œil gauche ▮▮▮▮▮▮▮▮▮▮▮. Ce qui satisfaisait aux conditions minimales requises dans l'État pour la détention d'un permis de conduire.

Sa jambe gauche ne valait pas grand-chose, mais la droite – celle qui comptait : accélérateur, frein – fonctionnait.

C'était (peut-être) vrai : les réflexes du caporal n'étaient plus ce qu'ils avaient été. Sa vision périphérique était carrément *en petits morceaux*.

Malgré tout, il pouvait conduire. Il avait le droit de conduire. Il n'allait pas supplier. Ethel ferait ça pour lui.

Elle dirait *Vous n'allez pas lui retirer son permis par-dessus le marché !*

Vous lui avez déjà tout pris : sa santé, sa vie – le reste de sa vie – ces salauds de capitalistes ne peuvent pas lui prendre ça en plus.

Il avait dû rêver qu'il l'avait enterrée vivante.

La bouche pleine de terre mais cherchant à crier.

Il s'était réveillé en hurlant de terreur, il l'avait frappée avec la pelle.

L'avait bombardée de pierres jusqu'à ce qu'elle ne bouge plus. Puis d'autres pierres encore, des galets, des mottes de boue, transportés à la main et jetés sur le petit corps jusqu'à ce qu'il soit immobile et le visage invisible.

Ou alors c'était Grumpf qui faisait l'imbécile. On était forcé de rire avec Stumpf – Grumpf. Un jour en troisième, pendant le cours d'instruction civique au premier étage du collège, ils avaient regardé par les fenêtres – de l'autre côté d'une passerelle en béton – et là, sur le toit, il y avait Stumpf ! Il avait dû prendre un escalier réservé au gardien. Trouvé le moyen d'aboutir sur le toit de l'école, et il se baladait là-haut, un peu courbé pour ne pas être repéré, ou en tout cas pas trop vite. «Hé ! Regarde !» Rod lança un coup de coude à Brett.

Sur l'estrade, Mme Nichols parlait. Ou peut-être une fille faisait-elle un exposé au tableau. Et en face, sur le toit goudronné,

Duane Stumpf, et tout à coup ce barjo s'accroupit derrière une cheminée en brique et... on dirait qu'il *pisse le long du mur.*

Avant même d'entrer au lycée, Stumpf – Grumpf – était célèbre.

En terminale, il serait élu clown de l'année.

Il arrivait que Grumpf ne soit pas si drôle que ça. Mais, pas de doute, il était *drôle!*

Grumpf, Bouche-d'égout. Grumpf, le type qui pète en classe.

Cet écureuil mort, grouillant de vers, qu'il avait ramassé avec une pelle et balancé sur le siège de la voiture de M. Langley.

Les trucs qu'il faisait aux filles. Aux professeurs femmes.

Quelquefois il faisait ça avec d'autres, mais le plus souvent tout seul.

Quelquefois rien n'était révélé. Personne ne savait jamais.

Une des poseuses de leur classe. Jolie, pom-pom girl, beau visage, des pulls en angora duveteux. Son père était le concessionnaire Cadillac. Ils habitaient Cumberland Avenue près de l'église chic du quartier. Le jour de la Saint-Valentin Grumpf avait accroché à la porte du casier de «Debbie» une *merde de chien* dans un emballage de velours rouge.

Mme Gordiner, petit ventre tambour (enceint) bien visible qu'ils tâchaient de ne pas regarder fixement, et qui contrariait certains garçons, mais aussi certaines des filles. Bref, des tas de blagues sur Mme Gordiner, qui enseignait l'anglais aux premières et aux terminales et animait le club de théâtre. Ce barjo de Stumpf avait téléchargé la photo d'un *vrai fœtus humain dans du formol* qu'il avait trouvée sur internet et là aussi, comme une carte de Saint-Valentin, il l'avait laissée sur le bureau de Gordiner, glissée dans une enveloppe rose.

Des photos des filles de la classe – leur visage sur des corps de femme nues – des corps parfois *vraiment gros, vraiment nus –*, Stumpf envoyait ça par e-mail ou les postait sur le net. Ça ne l'avait pas empêché d'avoir des petites amies, plus tard, au lycée. Et après le lycée. Des *cochonnes*, disait-il. Des *salopes*. Brett ne trouvait pas Grumpf très drôle. Il ne trouvait pas «Coyote» drôle.

Un jour où ils étaient seuls tous les deux, Duane Stumpf avait raconté à Brett quelque chose qu'il n'avait jamais dit à personne.

«Quand j'étais tout gosse, mon père m'apprenait des gros mots – *merde, enfoiré, enculé* – pour faire rire les gens. Il m'emmenait dans les bars, quand par exemple on allait à Herreton Mills acheter des trucs pour la maison ou le jardin, après il faisait un détour par le lac Wolf's Head et il m'installait à l'arrière de la voiture pour que je puisse dormir – quelquefois il m'oubliait… et on ne rentrait pas avant la nuit tombée. Ma mère ne savait pas où on était, ça la rendait folle. L'été avant que je commence l'école ils se sont disputés et papa est parti en m'emmenant – comme ça, sans avoir rien préparé. Il appelait ma mère, il ne m'avait pas vraiment enlevé, mais on ne rentrait pas souvent à la maison. J'ai beaucoup pleuré au début et puis j'ai fini par aimer ça, surprendre les gens, les faire rire. Les choquer pour de bon, je veux dire. Et les femmes aussi. Les filles. Ils en appelaient d'autres pour qu'ils viennent m'écouter, on faisait cercle autour de nous au bar, papa s'y mettait à fond, comme un animateur de télé, et j'étais… c'était… vraiment bien. Un petit gosse qui sort des "gros mots" comme s'il ne savait pas ce qu'il dit, c'est vraiment drôle. Il y avait un sketch qu'on faisait ensemble… j'ai oublié le détail mais j'étais "petit enfoiré", et les gens se bidonnaient. Un jour, disait papa, mon petit enfoiré passera à la télé, vous verrez.

« Évidemment, il y avait aussi les fois où papa se soûlait et m'oubliait dans la voiture. Et oubliait aussi de me faire manger. C'était l'envers de la médaille. »

Ils demandaient ce qu'il avait fait d'elle. Ce qu'il avait fait de *son corps*.

Et il avait dit la vérité : il ne se rappelait pas.

Il se rappelait certaines choses, comme un tourbillon d'eau sale dans une bonde, mais il n'était pas possible d'y associer des noms ; et il n'était pas possible de former les mots, le son des mots, avec sa bouche.

Quelque part entre son cerveau et sa bouche/langue ça patinait.

... faciliter les choses à nous, et à toi. Le juge serait clément vu que tu as servi ton pays. Et tu permettrais à la famille de la fille d'enterrer le corps, c'est la seule chose bien à faire, caporal, et tu es un type bien, et encore jeune... en liberté conditionnelle d'ici huit, neuf ans.

Qu'est-ce que tu en dis, petit ?

*

Une sacrée surprise : le caporal fut libéré.

Il n'y comprenait rien ! Cela devait être une erreur.

Car maintenant un avocat « représentait » Brett Kincaid.

Il n'en voulait pas, il avait été catégorique. S'imaginant que, si son père savait, si le sergent-chef Graham Kincaid apprenait que son fils avait un avocat, qu'il avait besoin d'un avocat dans la situation où il se trouvait, il serait écœuré. Il pensait que c'était admettre sa culpabilité et il avait donc honte d'être « représenté » par un avocat, comme un criminel.

Shaver, Muksie, Broca, Mahan, Ramirez… tous avaient des *avocats conseils.*

Des procureurs militaires avaient négocié avec Ramirez, le plus jeune de la bande, à peine dix-neuf ans : plaide coupable, dénonce les autres, tu en prendras pour moins de vingt ans.

Avec indignation Ethel avait déclaré qu'on poussait son fils, un *héros invalide,* droit vers la prison, vers le *couloir de la mort.* Elle avait pris ses dispositions. Le caporal Kincaid avait de nombreux soutiens. Un avocat indépendant *réputé,* pas un type commis d'office.

On va voir ce que Zeno dira de ça, lui qui voulait nous détruire !

Brett refusait de parler à Machin-Chose… Pedersen. Son cerveau se fermait.

Ses copains gardaient leurs distances, maintenant. Ses vieux copains. Ils avaient peut-être peur… qu'il les dénonce, *eux.*

Putain de mouchard. Il n'avait que ce qu'il méritait.

C'était stupéfiant qu'il ait été libéré par la police du comté de Beechum. Autorisé à quitter le bâtiment, à sortir, soutenu par Ethel et Machin-Chose… Pedersen.

Des photographes, une équipe de télé sur le parking. Pas de quoi avoir honte, avait dit Ethel. Sous les projecteurs de la télévision, ses yeux étincelaient comme ceux d'un chat.

Un moment indéterminé, il était malade à demi vautré sur le vieux canapé crasseux du living d'Ethel. Des jours, une semaine maintenant qu'il avait les intestins comme du béton. Il hurlait de douleur. Des hurlements pareils au rire d'une hyène.

Le rire du «Coyote» : Muksie découpant le visage de la fille au couteau.

Le sergent Shaver avait tranché le petit doigt, avec les ciseaux de premier secours.

Broca prenait des photos. Le flash du petit portable dans la pénombre.

Une odeur de pétrole omniprésente. Pétrole, chaleur et sable.

Le caporal n'avait pas vraiment vu. Jamais été à moins de six mètres, d'après les estimations.

Oui, mais... il ne pouvait pas jurer. Sous serment on doit *jurer*.

Sous serment on ne peut pas être vague. On ne peut pas laisser parler l'émotion.

Tout le monde savait que ça lui pendait au nez, à Kincaid. Ses amis l'avaient averti. Ses amis s'inquiétaient pour lui. L'un d'eux avait envoyé des e-mails à son père, officier de marine à la retraite, pour lui raconter *la situation à Kirkouk*.

Un putain de mouchard. Un salopard de mouchard. Ils l'avaient averti, il n'avait pas écouté.

En fait, si, il avait écouté : il en avait parlé à l'aumônier. Peut-être une erreur, en fin de compte.

Mais il n'avait pas su comment se comporter autrement.

Plus tard, après l'explosion, après les hospitalisations, quand son attention était ailleurs, ils l'avaient «libéré de ses obligations militaires» – «avec les honneurs».

Purple Heart. Médaille de la campagne d'Irak. Et le beau *Combat Infantry Badge*, qui récompensait tout particulièrement sa bravoure et son sacrifice.

Ethel les avait fièrement exposés dans la salle de séjour. Quand elle donnait des interviews à la presse et à la télévision, elle les présentait à la caméra, les deux mains en coupe.

La commission d'enquête n'assignerait pas le caporal à comparaître.

Son témoignage était incohérent. Son témoignage était invalide.

Bizarre pour lui, à présent, d'être à nouveau libéré. Pendant sa garde à vue, il s'était dit *Si j'attrape un revolver. Une de leurs armes. Ils tireront à bout portant, mettront fin à mes souffrances.*

Car les policiers en civil avaient leur revolver, sous leur veste. En service, un homme doit toujours porter son arme.

Il avait perdu son fusil quelque part : c'était la douloureuse vérité. Tout son équipement, trente kilos... apparemment perdu. Où cela ?

Des sueurs froides à l'idée de la voix furieuse du sergent instructeur.

Kincaid. Qu'est-ce que tu as foutu ?

Sale petit merdeux, laisser tomber l'armée comme ça. Tu me dégoûtes.

Son avocat avait négocié les conditions de sa libération : interdiction de quitter le comté de Beechum sans en avertir les autorités. Le caporal n'avait pas été arrêté pour homicide, enlèvement, obstruction à la justice, soustraction de cadavre... pas encore.

Les policiers se montraient discrets sur l'éventualité d'une arrestation prochaine. On savait qu'ils enquêtaient aussi sur les Hell's Angels des Adirondacks.

Dans la maison de Potsdam Street il avait le temps de penser à tout cela, sauf que son cerveau était envahi de détritus comme un bras boueux de la Nautauga après de grosses averses.

La famille d'Ethel vint leur rendre visite. Certains des parents du père de Brett, qu'il n'avait pas vus depuis des années.

Ils s'indignèrent de concert sur le traitement «à vomir» que Carthage faisait subir à un *héros de guerre*.

L'ennemi leur semblait être Zeno Mayfield, qui avait été le premier à accuser Brett. La rupture des fiançailles était perçue comme le motif.

Certains des amis de lycée de Brett passèrent. Des types qu'il avait connus des années auparavant, et quelques filles, dont une qui était maintenant mariée, enceinte, et qui veilla à informer Brett qu'elle était venue malgré les objections de son mari.

Halifax, Stumpf, Weisbeck passèrent. Mal à l'aise en sa compagnie parce que Brett se taisait tandis qu'ils bavardaient, engloutissaient la bière et les chips qu'Ethel leur servaient devant la télé.

Drôlement salaud, Brett. Ce que ces putains de flics cherchent à faire.

Les gens disent n'importe quoi. Ces connards…

… on n'était pas là, tu leur diras ? On n'était pas là, aucun de nous, quoi qu'il soit arrivé, où que tu l'aies emmenée ou… autre chose…

Après le Roebuck. Où que vous soyez allés…

Tu étais tout seul, Brett, d'accord ? Cette fille qui te faisait du rentre-dedans, raide défoncée sûrement, elle le cherchait… quoi qu'il soit arrivé.

En entendant ça, Ethel fonça sur eux comme une furie et leur hurla de foutre le camp. S'ils étaient des amis de Brett, ils devaient *l'aider*, bon Dieu. Tout ce qui les intéressait, c'était de sauver leur cul, au lieu de penser à *l'aider*, lui.

Des voisins passèrent. Pas beaucoup. D'autres, en apercevant Ethel, le regard flamboyant, sur le trottoir, ou Brett Kincaid qui boitait jusqu'à sa jeep pour aller au centre de rééducation, se détournaient aussitôt sans même un salut.

Les journalistes cessèrent de venir. Les visites cessèrent.

Ethel ne s'était pas attendue à ça ! Quand le téléphone sonnait, au lieu de parents, d'amis ou de voisins bienveillants assurant qu'ils croyaient à l'innocence de Brett, c'étaient des inconnus qui accusaient Ethel d'héberger un assassin. *Vous devriez avoir honte ! Vous êtes sa mère… dites-lui d'avouer.*

Des cartes arrivaient dans la boîte aux lettres, adressées au caporal Kincaid : *Tu as violé cette jeune fille, sale assassin, tu n'as pas assez de cran pour avouer.*

Jésus voit au fond de votre cœur, vous êtes deux pécheurs et la justice vous punira.

Il ne quittait pratiquement plus la maison de Potsdam Street. Son ancienne chambre d'enfant, où étaient encore scotchées au mur les cartes postales jaunies de son père, qu'il ne voyait plus. Il ne pouvait pas sortir de la maison sans être remarqué. Il ne pouvait pas entrer dans le centre de rééducation sans être remarqué. Seth Seager, qui avait été son ami/kinésithérapeute jusqu'à sa rupture avec Juliet et un peu après, avait démissionné et quitté Carthage sans un au revoir. Les séances de kiné étaient pénibles, douloureuses. Une torsade de douleur dans sa colonne vertébrale comme un courant électrique. Il avait la respiration difficile, les poumons encore rongés par de fins filaments de sable, comme par la mort ; des larmes coulaient sur ses joues, qu'il ne parvenait pas à essuyer assez vite. Son nouveau kiné était une femme entre deux âges nommée Inge, qui lui souriait d'un air crispé et semblait ne pas supporter de le toucher, malgré leur intimité physique.

Inge l'appelait parfois « caporal »... il ne semblait pas entendre.

Les mauvais jours, Ethel devait prendre sa matinée pour le conduire au centre et l'en ramener, un trajet d'une dizaine de kilomètres. Alors qu'elle avait triomphé durant l'été parce que son fils *n'était plus en garde à vue*, elle acceptait maintenant de plus en plus mal d'être la mère d'un *ancien combattant invalide de la guerre d'Irak sous surveillance policière permanente.* Amère et tendue, il lui arrivait souvent de faire des embardées au volant de la jeep, de déraper, de freiner brutalement et d'accrocher des rambardes ou même d'autres véhicules, garés ou en mouvement.

Subitement, comme dans une série télévisée, une fille que Brett avait connue (avant Juliet Mayfield) réapparut dans sa vie pour le conduire au centre de rééducation, chez les médecins de

Watertown et partout où il le souhaitait, mais un jour, quand Gayle Nash téléphona, ce fut Ethel qui répondit, et elle lui dit sèchement : *Terminé. Il ne veut plus te voir. Il m'a dit de te le dire. Merci pour tout ce que tu as fait, mais... terminé.*

Si Ethel n'avait pas besoin d'une chose, c'était qu'une autre nymphomane mette le grappin sur son fils. Il n'y avait qu'à voir où la précédente, cette pimbêche de Mayfield, l'avait mené.

Il était rare que Brett se risque à sortir, à présent. Ses virées dans les bars du lac Wolf's Head avec ses amis avaient brutalement pris fin ce fameux soir de juillet.

De temps à autre, il accompagnait Ethel au centre commercial. C'était l'idée d'Ethel : *Sors de la maison, montre-toi, tu n'as rien à te reprocher, c'est eux qui devraient avoir honte... ces salopards!*

Dans le centre commercial, Brett marchait d'un pas hésitant. Il était toujours grand, mais curieusement asymétrique, comme s'il avait la colonne vertébrale tordue et les hanches décentrées. Il portait une casquette de base-ball enfoncée bas sur le front, des chemises amples à manches longues, des pantalons kaki aux revers cassés. Au premier coup d'œil, son visage semblait un masque de gaze. Des lunettes sombres en dissimulaient la partie supérieure.

Il regardait droit devant lui, marchait les bras serrés au corps. Ethel lui étreignait l'épaule pour le soutenir. Elle tremblait d'indignation même quand personne ne les regardait.

Qu'est-ce que vous regardez, hein? Allez-y, ne vous gênez pas.

Vous savez qui c'est? Un ancien combattant blessé de la guerre d'Irak.

Il s'est sacrifié pour vous... alors, regardez-le bien!

Qu'est-ce qu'il y a... on vous dérange? Connard!

Un jour, Ethel fit mine de se ruer sur un groupe d'adolescents qui les dévisageaient, elle et son grand fils qui ressemblait à un assemblage de pièces et de morceaux disparates.

Allez-vous-en! siffla-t-elle. *Foutez le camp! Ça sera bientôt votre tour, ne vous en faites pas!*

Personne ne posait de question à Brett sur Cressida Mayfield.

Personne ne parlait de *la fille… cette fille qui a disparu.*

Ethel ne lui posait pas de questions sur Cressida. Brett mit longtemps à se rendre compte qu'elle ne lui avait jamais posé la moindre question sur cette fameuse soirée, ni sur ce qui lui était arrivé à Kirkouk.

Il l'avait entendue parler au téléphone avec quelqu'un de sa famille, vraisemblablement l'une de ses sœurs.

Ce coin, Kik-kik ça s'appelle – en Irak –, eh bien, il y a un grand champ de pétrole là-bas… vraiment grand. Alors le gouvernement, tu penses bien que les gros pontes du pétrole lui ont graissé la patte pour qu'on aille mettre la main dessus. Pour que les capitalistes installent un foutu pipeline. Voilà pourquoi Bush a déclaré la guerre! Ce pauvre Brett, il ne savait rien de tout ça, personne ne savait, mais on a vite fait d'ouvrir les yeux. Ce pauvre ballot de gosse est ce qu'on appelle un dommage col-la-téral, une fois qu'ils ne sont plus en uniforme, tout le monde s'en contrefout, c'était pareil pour son salopard de père qui a disparu dans l'Ouest comme Machin-Truc… Clint Eastwood.

Tu parles qu'ils nous doivent un max. Dès qu'on sera débarrassés de ce procès, on engagera des poursuites en «responsabilité civile» contre le gouvernement. Le ministère de la Défense. Rumsfield. Tout le monde dit que nous serions idiots d'accepter la première offre de règlement, genre un petit million ou deux, vu le tapage que ça va faire quand les journaux et la télé s'intéresseront à l'histoire de Brett.

Chacun avait coupé un doigt, et chacun une oreille.

Sur d'autres cadavres, ils avaient coupé d'autres morceaux de chair. Un petit carré de peau sèche vite dans la chaleur du désert : «momification» instantanée.

Un visage presque entier. Il avait entraperçu une blague faite de trois visages de civils, des visages d'hommes apparemment, cousus n'importe comment. Muksie avait dit que les Sioux et les Iroquois faisaient pareil.

Des photos de cadavres avec des types qui faisaient les imbéciles, prises avec des portables. Des photos secrètes qui ne devaient pas tomber entre de mauvaises mains.

Ne montre pas ça à Kincaid. Pas pour le caporal!

Il avait tout de même vu. Devait voir. Impossible de ne pas voir.

Toute la section savait. La plupart disaient juste : *Bon Dieu, c'est gerbant. Vous êtes plutôt dégueu, les gars, vous savez?*

Mais on ne signalait rien. Pas même à l'aumônier. Ça ne se faisait pas, un point c'est tout.

Sauf que Kincaid était convaincu au fond de lui-même que c'était son devoir. Il savait, et ça l'empêchait de dormir : *C'est mon devoir.*

Du sable qui coule entre les doigts. Rien sur quoi on puisse mettre la main. Rien qu'on puisse nommer. En rentrant au pays, vous ne le confierez qu'à vos amis les plus proches, à un frère peut-être, mais à personne d'autre dans la famille. Des types qui comprennent, qui savent ce que vous avez enduré et pourquoi ça a de l'importance... les *trophées*.

Mère, petite amie ou femme, sœur, cousine... à elles, vous ne les montrez pas. Aucune femme ne peut comprendre. Même quand elles prétendent ne pas être de leur sexe, comme la jeune sœur farouche de Juliet, elles ne peuvent pas comprendre. On ne leur montre aucun trophée, juste des photos «pittoresques», des babioles, des souvenirs. Personne ne savait quoi que ce soit sur l'Irak, pas même où ça se trouvait, on pouvait acheter des bijoux vaguement orientaux ou des animaux africains miniatures en ivoire à l'aéroport de Francfort, des châles indiens : qui verrait la différence ?

À sa première affectation, quand il était rentré chez lui, il avait acheté ce genre d'objet pour Juliet, sa mère et Mme Mayfield. À la seconde, il était revenu hermétiquement zippé dans un sac à viande.

*

Dans la voiture de Halifax direction Route 31 pour aller acheter de l'herbe.

Une dope puissante, qui a des effets bizarres sur le cerveau.

Il éternue comme un asthmatique. Halifax lui tape dans le dos.

Bon Dieu ! Va pas me clamser dans les bras, Kincaid !

L'avocat de luxe qui s'était chargé de son affaire avait la manie de parler du caporal Kincaid à la troisième personne y compris en sa présence, comme on parlerait d'un légume ou d'un cadavre.

Mon client reconnaît que la fille est peut-être montée dans son véhicule, ce qui explique les empreintes, le sang et les cheveux. Mais pas ce soir-là. Un autre soir.

Mon client a des troubles neurologiques. C'est une réalité médicale. Les rapports médicaux sont dans le dossier. Sa mémoire est altérée depuis qu'il a été blessé en Irak : « lésion cérébrale traumatique ». Jamais un jury ne le condamnerait.

Dans les latrines des baraquements de la base au nord de Kirkouk. Il ne pensait pas *Je vais le tuer maintenant. Cela doit être fait.* Son fusil à la main il avait juste assez d'espace pour le brandir et envoyer la crosse frapper la tête du soldat Muskie, un, deux, trois coups rapides et avec une expression de profonde stupéfaction Muksie poussa un grognement et s'effondra sur les genoux, sur le sol de ciment souillé, pissant le sang. Sans penser *Dieu a guidé ma main. C'est le premier.*

Mais quelqu'un l'avait vu. L'un des types se précipita à son secours – au secours de Brett –, prenant le fusil, essuyant la crosse.

Expédié en enfer. C'est le premier.

Il riait. Trébuchait. Ses amis le tiraient, l'entraînaient vers les baraquements.

Plus tard il vit le soldat Muksie – «Coyote» – qui rentrait de patrouille.

Pleinement réveillé alors, se frottant les tempes, où les grosses artères battaient, battaient à éclater.

Ne peut garantir votre sécurité, caporal. Prenez vos précautions.

Elle avait voulu qu'il lui raconte ça : *Des secrets que tu ne peux confier à personne d'autre, Brett. Je sais que… tu en as.*

Affirmant à voix basse *Je suis la seule qui te comprenne, Brett. Personne d'autre ne peut savoir ce que nous savons, ils sont bien-aimés de Dieu et nous sommes… sur les marges.*

Au volant de la jeep. Étreignant le volant des deux mains parce qu'il avait bu et qu'il avait un sale bourdonnement, toute une ruche d'abeilles, dans le crâne.

Essentiel pour lui… de ramener la fille chez elle : la sœur de Juliet.

Ces mots désespérés qu'elle prononçait, même ivre, il était gêné : *Juliet ne te méritait pas. Juliet fait partie de ceux qui «demeurent dans la lumière», elle n'a aucune idée de ce que nous savons. Je suis celle qui saura t'aimer, Brett… crois-moi, je t'en supplie.*

Il était choqué. La sœur de Juliet !

Ne savait que lui dire. Quoique sentant frémir en lui – lointain – comme détaché de lui – ce qui aurait pu être, dans une autre vie, l'ombre d'un désir.

… celle qui saura t'aimer. Brett je t'en supplie.

Sa première pensée fut : trop jeune.

Et la sœur de Juliet qui, s'ils s'étaient mariés, aurait été pour lui une sorte de sœur.

Il souhaitait désespérément se débarrasser d'elle.

S'en débarrasser en lieu sûr… en la ramenant chez elle.

Si Juliet savait… elle serait choquée.

Il ne s'était jamais senti à l'aise avec la jeune sœur. Peut-être même n'avait-il jamais prononcé son nom : *Cres-sida*.

Il s'était bien entendu avec elle au départ. Il la connaissait, il l'avait rencontrée quelques années plus tôt, quand elle avait eu un accident de vélo : on aurait dit quelqu'un d'autre, à ce moment-là.

Plus jeune, en ce temps-là.

Ensuite elle avait changé. Elle restait à l'écart, à observer les autres, à les juger ; jamais elle ne souriait ni ne riait vraiment quand Brett venait chez les Mayfield. Elle se croyait *supérieure*.

Souvent en présence de Brett elle semblait le regarder, lui… d'une façon qu'il avait préféré ne pas décoder.

Car il fallait compter avec la *volonté* de Cressida chez les Mayfield, Brett l'avait compris.

À certaines remarques de Juliet, il avait compris.

Même son père autoritaire s'inclinait devant elle. Arlette la contredisait rarement et cessait souvent de parler quand elle était là, comme dans l'espoir d'éviter une remarque désagréable ou sarcastique de sa fille « précoce ».

Cressida aidait rarement à la cuisine. Si elle se laissait persuader d'aider à débarrasser après un repas, elle fourrait assiettes et couverts dans le lave-vaisselle sans prendre la peine de les rincer, avec une sorte de satisfaction mauvaise.

Un jour, après un repas, alors que même Zeno donnait un coup de main à la cuisine, Cressida entraîna Brett dans sa chambre du premier pour lui montrer ses «dessins Escher», dont certains étaient exposés sur un mur, et d'autres rangés dans un carton sur une étagère. Il avait été étonné et impressionné par ces œuvres d'art extrêmement détaillées, visiblement très habiles, qui ne ressemblaient à rien de ce qu'il avait eu l'occasion de voir jusque-là.

Dans cette chambre, qu'il se rappellerait encombrée de livres et de dessins bizarres, aux antipodes de la chambre féminine de Juliet, Cressida lui dit que ses dessins étaient un moyen d'explorer l'«intérieur» de son propre cerveau.

Quand tu prends un plume, que tu la trempes dans l'encre, tu sens comme un courant électrique te remonter le bras. Tu entres dans une sorte d'état second, comme si tu rêvais les yeux ouverts. Elle s'interrompit, puis ajouta, avec un petit haussement d'épaules *Mais… on s'y sent bien seul.*

Elle lui dit ce qu'elle n'avait pas dit à sa famille : à Canton, elle avait été étonnée de constater à quel point les siens lui manquaient. Et lui.

Vous me manquiez tous. Ça a beau être terriblement banal, j'avais le mal du pays, j'imagine! Toi, tu étais en Georgie… et pourtant je me sentais proche de toi. Plus proche que de mes ridicules camarades de chambre. Juliet me faisait suivre tes e-mails et tes photos, une partie en tout cas…

Que Cressida s'étonne que sa famille lui ait manqué parut bizarre à Brett. La nostalgie de chez lui, et l'absence de Juliet, n'avaient quasiment pas cessé de le tourmenter pendant toute la durée de son entraînement à Fort Benning.

Cressida lui avait envoyé des e-mails, elle aussi. Obscurs et tarabiscotés, et il n'avait pas perdu beaucoup de temps à chercher le sens de ses lettres énigmatiques. Sans doute avait-il laissé la plupart d'entre elles sans réponse. L'entraînement était intense et épuisant : quand il avait le temps de penser, c'était à Juliet qu'il pensait, Juliet qui lui manquait.

Il n'avait pas souhaité se dire que Cressida était jalouse de Juliet et de lui. Jalouse de sa jolie sœur aînée que tout le monde adorait. Ce ton railleur qu'elle avait eu en parlant des *bien-aimés de Dieu...* elle y incluait certainement Juliet.

Il n'arrivait pourtant pas à prendre au sérieux sa déclaration d'amour !

Quand il l'avait vue au Roebuck, dans cette foule... il n'en avait pas cru ses yeux ! Surtout quand il avait compris qu'elle venait pour *lui*.

Il ne l'avait pas encouragée. Mais il s'était senti responsable d'elle.

Elle avait insisté pour qu'ils s'installent seuls ensemble dans l'un des box.

Quand il avait dit vouloir la raccompagner chez elle, elle avait répondu *Oh merci Brett mais pas tout de suite... s'il te plaît.* Timidement, hardiment, elle avait posé une main – une petite main tremblante – sur son bras.

Qu'il aurait dû ôter, ou repousser... mais qu'il avait laissée là.

Il avait l'habitude que des filles et des femmes lui fassent des avances – en tout cas jusque récemment. Mais là, c'était différent.

Il avait du mal à la regarder, tant il était... choqué.

Embarrassé, désapprobateur.

Malgré tout il s'était plié à son souhait. À sa volonté.

Il avait décidé de quitter le bar et de ne pas y revenir. De ramener la fille chez elle, comme il l'avait dit à ses amis.

Ils avaient dévisagé Cressida. N'attendant que leur départ pour pouvoir faire des plaisanteries grossières que Brett préférait ne pas entendre.

Il avait dû l'aider à monter dans la jeep. Elle était excitée, anxieuse. Vacillait sur ses jambes, comme s'il avait suffi d'une seule bière pour l'étourdir.

Dans la jeep il avait conduit un peu trop vite.

Les vitres baissées et avec le sifflement du vent il était difficile d'entendre ce qu'elle disait.

Elle semblait implorer *Nous avons tant à nous dire, Brett. Tu ne me connais pas du tout, je pense, je ne suis pas vraiment comme eux... les « Mayfield ».*

Au volant de la jeep, il se sentait un peu mieux. L'air frais dans ses poumons, sur son visage, l'odeur du lac, des pins.

... Il fallait que je te voie. Si tu veux parler de Juliet ou... de nous. Ce que je pense pouvoir t'apporter, la façon dont je pourrais t'aider... pas à "t'adapter"... rien à voir avec ce lieu commun stupide... dans ta vie maintenant qu'elle a tant changé et je suis la seule à le comprendre, je crois.

Il l'avait écoutée : voilà l'erreur.

Il l'avait écoutée, il avait été persuadé. Non parce que ce qu'elle disait lui plaisait, ni parce qu'elle lui plaisait, mais parce que ses paroles étonnantes lui donnaient de l'*espoir*, à lui qui ne croyait pas (il l'aurait affirmé) à quelque chose d'aussi improbable que l'*espoir*.

Elle l'avait prié de ne pas la raccompagner à Carthage. Pas encore.

Elle l'avait prié d'aller dans la Réserve, et le long de la rivière – au clair de lune.

(La nuit n'était pas claire, mais brumeuse, humide. Sur la faucille brouillée de la lune, de minces langues de nuages, pareils à des bancs de poissons désorientés. Au-delà des phares de la jeep, une pénombre pâle et incolore, d'où émergeait avec une soudaineté théâtrale le haut tronc droit des pins.)

Il avait voulu l'avertir : *Ce qu'il y a entre Juliet et moi... je n'en parlerai pas. Mais il ne faut pas que je sois près des gens, je leur ferai du mal.*

On ne sait comment, bien qu'il sache que c'était une erreur, la jeep était entrée dans la Réserve.

On ne sait comment, la jeep avait tourné dans Sandhill Road.

Roulant au clair de lune sur le chemin de terre, creusé d'ornières. Et à quelques mètres à peine, de l'autre côté de la vitre, le scintillement intermittent de la rivière, blanche d'écume, le bruit de l'eau se mêlant à celui du vent sifflant aux vitres de la jeep.

Elle lui avait demandé d'arrêter la voiture. Juste... de s'arrêter.

Il se rappellerait ce détail (pas tout de suite, pas au moment où les enquêteurs du shérif l'avaient questionné, mais des semaines plus tard) – mais pas de ce qu'il avait dit pour tenter de la raisonner, évitant son regard comme on apprenait à éviter celui du sergent instructeur qui vous hurlait dessus – interdit de regarder, de soutenir son regard comme si c'était un égal ; quoi qu'elle lui ait dit, effleurant son bras, dont les poils se hérissèrent à ce contact ; se penchant plus près encore, effrayée, tremblante de son audace – *Elle est vierge, bien sûr, et terrifiée. Mais cela doit se produire, bien sûr, pour elle le moment est venu. Impossible de faire marche arrière.*

Il voulait lui dire, avec plus de force : il ne pouvait pas courir ce risque, celui de lui faire du mal.

Il était le fiancé de sa sœur. Il ne pouvait pas lui faire de mal.

Merde merde merde tu es dans la merde Kincaid. Sors-toi de là avant qu'il soit trop tard.

Il y avait des larmes sur les joues de Cressida. Elle était témé-raire, désespérée. Se jetait à sa tête comme si, alors qu'elle avait pris une décision contraire à tout ce qu'elle croyait et à tout ce qu'elle était, il était incompréhensible qu'il puisse la repousser.

Depuis combien de temps projetait-elle ce tête-à-tête, depuis combien de temps le complotait-elle, le préparait-elle avec fièvre ? Il n'en avait aucune idée.

Combien de semaines, de mois. Malade d'une jalousie qu'elle aurait nié éprouver.

Et voilà que Juliet était sortie de la vie de Brett. Du moins le pensait-elle.

... tous les deux nous nous comprenons. Des inadaptés, des monstres – maintenant tu sais ce que c'est, et cela t'a rendu plus profond et plus semblable à moi. Ce qui t'est arrivé est visible, ce qui m'est arrivé est...

Ils étaient garés dans Sandhill Road, près du Point. Il n'était pas venu là depuis...? Pas depuis son retour d'Irak.

Pas depuis qu'il était mort. Ce bourdonnement frénétique à la base du crâne.

La fille s'accrochait à lui, légèrement d'abord, comme par jeu – on pouvait encore se dire que ce n'était que passager. Puis, avec plus de force.

Il comprenait : elle n'avait aucune idée de ce qu'elle faisait. De ce à quoi elle s'exposait. Aucune idée de ce qu'étaient des rapports sexuels.

En dépit de sa supériorité, de la haute idée qu'elle avait d'elle-même, c'était une enfant, en fait.

Elle n'avait jamais touché personne comme elle touchait le caporal Kincaid. Jamais osé, de crainte d'être rejetée.

Il tenta de plaisanter *Hé non... mieux vaut pas.*

Il l'écarta. Sans brutalité, mais de façon à lui faire com-prendre qu'il était sérieux. Aussitôt, elle le repoussa en riant, un

rire égaré, blessé, furieux : *S'il te plaît, Brett, je sais que, mainte-*
nant, personne ne peut t'aimer comme moi je le peux. Maintenant
que tu as… changé. Je promets de t'aimer assez, je peux aimer assez
pour deux, ça ne fait rien si tu ne m'aimes pas.

7
Les aveux du caporal

12 octobre 2005

« Il a avoué.

– "Avoué"… quoi ?

– Pour Cressida. Ce que… ce qu'il lui a fait. »

Mais Zeno avait du mal à comprendre. *Avoué quoi ?*

Après un dîner tardif, affalé dans son fauteuil en cuir dans le désordre confortable de la pièce qui lui servait de bureau, Zeno regarda par-dessus ses lunettes sa femme, qui venait d'apparaître dans l'encadrement de la porte, le souffle court.

Il tenait un vieux manuel universitaire d'éthique, dont il avait examiné avec curiosité les nombreux passages surlignés en jaune, en vert et en rouge fluorescents : dans les marges du *Banquet* de Platon, par exemple, il avait écrit *À prouver ! Douteux ! Foutaises !*

Qu'il était sérieux, Zeno Mayfield, à l'âge de dix-neuf, vingt ans ! Quels rapports passionnels il avait avec ces vieux philosophes respectés, comme si une seule de ses critiques, de ses remarques ou de ses questions pouvait avoir la moindre incidence sur leur philosophie ou leur réputation.

Arlette hésitait sur le seuil. Zeno remarqua l'expression étrange de sa femme, bouleversée et rêveuse à la fois, le semblant de sourire qui tremblait sur ses lèvres.

Personne n'aurait pris Arlette pour une jeune fille, à présent, même de loin.

Depuis le mois de juillet ses cheveux s'étaient mis à grisonner visiblement. Son visage, si longtemps jeune, se fripait comme un parchemin.

«McManus a téléphoné. Il arrive. Il m'a dit avoir des "nouvelles"... J'ai insisté pour qu'il me dise lesquelles. Il voulait venir directement ici nous en parler. Je crois que c'est ce qu'il voulait. Il était très ému... C'est inattendu de la part de Bud McManus, non?»

Zeno posa gauchement son livre de poche. Sur l'accoudoir du fauteuil, luisant d'usure, une boîte de bière tiède se renversa, répandant son contenu sur le sol.

Arlette regarda la boîte, le tapis mouillé, sans un mot de reproche.

Il était 23 h 08, le 12 octobre 2005. Les Mayfield s'en souviendraient : le 12 du mois.

Le fantôme de Cressida avait été omniprésent tout au long de ces mois.

Avoir *disparu* depuis si longtemps lui avait donné une sorte d'ubiquité, l'avait – presque – rendue invulnérable.

Et maintenant, brusquement, cela avait pris fin.

Il lui avait fait quelque chose, oui.

Il n'en avait pas eu l'intention, mais c'était arrivé. Oui.

Dieu, qu'il le regrettait! Dieu ait pitié de son âme, il le regrettait.

Il lui avait fait quelque chose *pensait-il.*

Il lui semblait que oui… il lui avait *fait du mal.*

Incapable de se rappeler… pourquoi…

Pourquoi il lui avait fait du mal, puis essayé de l'enterrer, il était incapable de se rappeler *pourquoi.*

Au bureau du shérif. En garde à vue.

On l'avait arrêté sur la Route 31. Une altercation sur le parking d'un bar, la police avait été appelée, deux hommes se battaient et l'un d'eux était Brett Kincaid, le visage en sang, titubant, agressif, dans un état de fureur attribué d'abord à l'alcool, puis à de la marijuana additionnée de phéncyclidine – PCP.

Il avait fallu l'intervention de renforts. Trois policiers pour maîtriser le caporal, tout invalide qu'il était, pour le plaquer au sol et le menotter.

Et dans la voiture de patrouille qui l'emmenait, il avait tenté de dire aux policiers *Le coupable, c'est moi. Je l'ai tuée. Je veux faire des aveux complets.*

Il refusa de voir son avocat. Refusa de voir sa mère.

Ils lui conseilleraient de mentir, dit-il. Il en avait fini avec les mensonges.

Sept heures d'interrogatoire. Enregistrées en vidéo.

Il n'arrivait pas à se rappeler précisément la raison de leur dispute.

C'était son idée à lui : la raccompagner chez elle.

Ils n'avaient pas été au Roebuck ensemble. Elle était arrivée plus tard, seule.

Dans la réserve du Nautauga, ça s'était trouvé comme ça.

Peut-être qu'elle l'avait giflé. Bousculé, et il avait perdu son sang-froid, il comprenait maintenant que c'était ce qui avait eu lieu.

J'ai perdu mon sang-froid. Je ne voulais pas lui faire de mal. Et après c'était fini.

Comment? Il ne savait pas vraiment. Avec ses poings, peut-être. Ou alors, elle était si petite, presque une enfant, il l'avait peut-être juste poussée trop fort contre quelque chose, le pare-brise, la vitre côté passager, comme une allumette jetée quelque part où on ne s'attend pas que ça explose, et ça explose, et on ne peut pas reprendre l'allumette ni même se rappeler clairement pourquoi on a fait ça… la personne qui a fait cette erreur.

Des erreurs, il en avait fait beaucoup. Irrattrapables.

Ou peut-être qu'il l'avait étranglée. Maintenant ça lui semblait possible, que ses mains aient fait ça.

Pourquoi?… C'était difficile à déterminer.

Grimaçant comme si on fourrait dans sa tête un objet trop gros aux angles tranchants.

Sur la vidéo, le jeune visage ravagé du caporal, pareil à un oignon perdant ses pelures, croûté de sang séché.

Disant que peut-être – s'il l'avait tuée – c'était parce qu'elle n'était pas heureuse.

Ou peut-être… parce qu'elle disait qu'il était un monstre comme elle, qu'elle l'aimait parce qu'il était un monstre comme elle.

Et cela avait été plus fort que lui.

Il l'avait prévenue qu'il pouvait être dangereux pour un civil.

Pourquoi un civil, pourquoi s'en prendre à un civil, il ne savait pas très bien. Sauf qu'ils ont peur de vous. Dans leurs yeux, on voit qu'ils s'attendent à ce que vous leur fassiez quelque chose.

Il l'avait prévenue. Et sa sœur : sa fiancée.

À elle, Juliet, il lui avait fait du mal. Il n'en avait pas eu l'intention, mais c'était arrivé.

Elle l'avait exaspérée à force de ne jamais le juger, de ne jamais voir qui il était, ce qu'il avait fait, les choses terribles qu'il avait faites, qu'il avait vues mais aussi faites, et elle ne voulait pas le comprendre ni l'admettre.

Et ça lui était insupportable : *elle ne savait pas ce qu'il avait fait mais elle lui pardonnait quand même comme si tout ça n'avait pas d'importance et si cela n'en avait pas alors rien n'avait d'importance y compris elle et ce qu'il y avait entre eux : Juliet et Brett. Leur mariage soi-disant sacré, béni par Jésus.* Et si ce qu'il avait fait ou vu là-bas n'était que *des foutaises alors cela aussi, c'était des foutaises et c'est à cause de ça qu'il riait, un rire spécial qui lui faisait mal à la bouche.* Alors il l'avait frappée, bon Dieu, ou peut-être qu'il l'avait poussée. Elle était tombée comme ils le font tous, avec cet air étonné mais aussi embarrassé, presque honteux : *Oh ! ce n'est pas à moi que ça arrive.* Elle s'était cogné la mâchoire contre le coin d'une table et s'était éloignée en pleurant, et il avait voulu la conduire aux urgences, à l'hôpital, mais elle avait dit non non, qu'elle irait toute seule, elle s'était enfuie pour éviter de voir sur son visage monstrueux ce que serait leur vie commune, et il avait espéré qu'elle ne reviendrait pas mais elle était revenue parce qu'elle lui pardonnait, on voyait le pardon et la peur briller dans ses yeux.

Mais… *elle*, il ne l'avait pas étranglée.

On doit s'assurer qu'un combattant ennemi est bien *mort*.

Lui tirer dessus ne suffit pas, il faut le *tuer*.

C'était le sergent qui donnait cet ordre, en général. Ou n'importe quel officier présent sur les lieux.

Achevez-le.

Achever! C'était un mot qui se logeait dans votre cerveau. Un mot au fond de la gorge comme cette datte pourrie qu'il avait failli avaler. Et au check point. L'ordre de tirer et plusieurs fusils avaient fait feu sur le véhicule (en fuite?), difficile de dire quelles balles avaient atteint la famille irakienne, mais tous étaient morts ou mourants quand la fusillade avait cessé.

Telles sont les *règles de combat.*

Opération Liberté pour l'Irak.

Certains des interrogateurs étaient venus dans sa chambre, disait-il.

Quels interrogateurs? La police militaire, pensait-il.

En fait (il s'en rendait compte maintenant) c'étaient des policiers du comté de Beechum.

Dans sa chambre de Potsdam Street. Alors qu'ils n'avaient pas de mandat.

Ou alors il les confondait avec... il ne savait pas bien...

L'un d'eux avait réveillé le caporal dans sa jeep alors qu'il avait perdu connaissance. Ça lui avait fichu une trouille noire, il avait cru qu'il était de nouveau en Irak, qu'il s'était endormi pendant une patrouille.

Aucune idée d'où il se trouvait sauf que ce n'était pas l'Irak. Un goût de vomi dans la bouche qui lui redonnait envie de vomir.

Des vomissures et des taches de sang sur le devant de sa chemise, sortie de son pantalon. Tous les muscles et les articulations qui lui faisaient mal et ce battement de douleur sourde derrière les yeux – dès qu'il se réveillait, cela revenait.

Un policier en uniforme gris-bleu lui demandait son permis, les papiers de la voiture. Il s'efforçait de se réveiller mais ne réagissait pas assez vite pour le policier si bien qu'à un moment il avait sorti sa matraque pour asticoter le caporal, puis pour le contenir, en l'appuyant contre l'avant-bras gauche du caporal.

Pas de ça, mon garçon. Ne m'oblige pas à te menotter.

La surprise, c'était la jeep : en travers de la route, la roue avant droite dans le fossé. Et apparemment, c'était le matin… dans un endroit désert que le caporal ne reconnaissait pas.

Il ne savait pas le nom de la route, même s'il apprendrait plus tard que c'était Sandhill Road. Et qu'il se trouvait dans la réserve du Nautauga, non loin de l'entrée principale.

Les portières avant de la jeep étaient béantes, comme ouvertes avec violence. Celle du côté passager donnait dans un amas de ronces.

Dans l'autre véhicule, la voiture de patrouille du shérif adjoint, les crépitements d'une radio, que l'on aurait pu confondre avec le cri farouche de geais.

La rivière était à cinq ou six mètres. Le niveau était haut, l'eau filait, bondissante et scintillante dans le soleil du petit matin.

L'adjoint ordonna au caporal de s'écarter du véhicule. De s'écarter du véhicule et de s'agenouiller, mains sur la tête et coudes écartés.

L'adjoint jeta un coup d'œil dans la voiture, devant et derrière.

Des informations à lui communiquer? Armes, drogue, seringues?

Il y avait quelqu'un avec toi dans la voiture?

Et ça… qu'est-ce que c'est… on dirait du sang. Du sang sur le pare-brise?

Qui t'a égratigné le visage et pourquoi tes vêtements sont-ils déchirés?

L'adjoint appela du renfort. La jeep fut mise sous protection, et le caporal, silencieux, hébété et sans réaction, fut emmené en garde à vue comme un ennemi ne comprenant rien à ce qu'on lui hurlait, le regard *éteint*.

227

Achève-la! Finis le boulot.

Non. Il avait essayé de la ressusciter. Il connaissait la RCP : à l'entraînement de base, il avait appris.

Après, il avait essayé de l'enterrer, mais il n'avait que ses mains pour creuser. Pas de pelle, aucun outil dans la jeep. Il avait essayé d'utiliser des pierres plates relativement pointues, mais ce n'était pas pratique. Il n'arrivait pas à creuser une tombe assez profonde. La terre était marécageuse, mais caillouteuse aussi aux abords de la rivière. Le niveau de l'eau n'était pas prévisible. Au début du printemps quand la neige fondait dans les montagnes la rivière sortait parfois de son lit, à la fin de l'été elle n'avait parfois que quelques centimètres de profondeur. Mais là, après les orages de la semaine précédente, elle en avait trente, cinquante, tout près du bord.

Achève! Est-ce que tu l'as achevée, connard?

La tombe était trop peu profonde, il avait entassé des pierres et des galets sur elle. Il ne voulait pas recouvrir son visage de boue (car elle respirait peut-être, elle aspirerait la boue), alors il utilisa un chiffon trouvé dans la jeep. Il craignait aussi que des oiseaux ne viennent à l'aube lui picorer les yeux : rapaces, corbeaux. Ou des hiboux pendant la nuit. Mais dès que le chiffon sale fut en place, il se sentit mieux.

Et puis, il n'était pas certain de l'identité de la fille. La fille qui était venue avec lui dans la Réserve alors qu'il ne le voulait pas.

Qui avait posé une main sur son bras, éveillé son désir.

Le désir mauvais de l'invalide, dont la virilité est une rage brûlante qui monte à la gorge.

De toute façon la tombe n'était pas assez profonde. Une tombe mal creusée, une tombe foireuse. Il n'avait pas été aussi stupide, aussi maladroit, aussi foireux en Irak. Il avait fait partie des types fiables, il regardait les officiers dans les yeux quand il répondait, un soldat fiable en toutes circonstances mais maintenant il était bousillé, ne réfléchissait pas logiquement, il le savait. Malgré tout… il y avait un point positif : il avait trouvé une branche d'arbre brisée, qui pouvait être brisée à nouveau pour fabriquer une croix rudimentaire.

Un enterrement chrétien. C'était la chose convenable à faire. Les Mayfield apprécieraient. La mère et Juliet. Elles sauraient ce que signifiait la croix.

Lui ne croyait plus. Il avait essayé de l'expliquer à l'aumônier que cela avait paru ennuyer. Ou il croyait peut-être que Dieu existait, et Jésus-Christ, mais pas pour *lui*.

Ni pour la fille : Dieu ne l'avait pas «secourue».

Pourquoi Dieu intervenait pour certains et pas pour d'autres, on ne pouvait pas le savoir.

La fille était terriblement immobile maintenant. Elle l'avait mis en rage avec ses paroles blessantes et elle avait osé le toucher, lui qui ne supportait plus qu'on le touche. Ses yeux étaient beaux, mais la vie les avait quittés. Il souleva le chiffon graisseux pour voir : oui, la vie les avait quittés.

Il avait tellement honte! Il ne pourrait plus jamais regarder en face les Mayfield, qui l'avaient aimé.

C'était une bonne chose qu'il n'ait plus à revoir aucun d'entre eux. Leur amour était un fardeau. Leur amour l'étouffait et le suffoquait. Lui donnait la nausée. Dans le regard des civils on lit la peur, aucun remède à cette peur sauf en les tuant. Si un civil est tué, pourquoi pas tous.

Pourquoi s'arrêter à *un*. Pourquoi à *deux*.

Pourquoi à *trois, quatre, cinq*… Pourquoi *s'arrêter*.

Il espérait mourir face à un peloton d'exécution. Dans les intervalles de ses sept heures d'interrogatoire par les enquêteurs du comté de Beechum, il exprima ce désir.

229

Seulement au Nevada, mon garçon. Ici, c'est l'État de New York, pas le Nevada.

Dans l'État de New York à Dannemora, il moisirait dans le couloir de la mort.

On n'exécutait plus beaucoup de prisonniers du couloir de la mort dans l'État de New York.

Injection létale. Ni chaise électrique ni peloton d'exécution.

Toute la nuit il parla aux enquêteurs. Des aveux sporadiques, chaotiques, pas toujours cohérents.

Quand ils lui demandaient s'il parlait de *Cressida Mayfield*, il répondait oui. Mais pas une seule fois il ne prononça ce nom de lui-même.

L'avait-il oublié? Ne pouvait-il se résoudre à le prononcer?

La fille. La sœur de Juliet.

Celle qui est venue me trouver au Roebuck.

Comme lorsqu'on a une maladie contagieuse : sida, VIH. On ne peut pas éviter de contaminer les autres. Telle est la nature du mal.

L'autre – sa fiancée – avait parlé d'enfants. *Elle*, il avait très peur de lui faire du mal, et pourtant elle l'aimait toujours. Ou prétendait l'aimer.

L'envie de presser un coussin sur son visage quand elle dormait. (Par exemple.) Pour ne pas la meurtrir.

Elle avait un très beau visage. Il ne pouvait pas meurtrir son beau visage.

Elle l'aiderait, avait-elle dit. Ils auraient un enfant : elle tomberait enceinte. Il y avait des façons de faire. Il y avait des «techniques». Ils apprendraient.

Il avait fini par se rendre compte que la tuer serait peut-être plus charitable que de la décevoir.

On ne veut pas décevoir ceux qui vous aiment ou qu'on aime. La solution la plus facile est toujours de les tuer, comme il est plus facile de tuer un civil qui risque de vous foutre dans la merde en portant plainte, plus facile que de négocier un accord, une fois que quelqu'un est mort il n'y a plus deux versions de l'histoire.

Tel était le conseil du sergent Shaver. Tous les gars se le répétaient comme une plaisanterie qui devient plus drôle chaque fois qu'on la raconte.

Au matin ils le conduisirent dans la Réserve. Cinq voitures de police.

À Sandhill Point le caporal eut du mal à marcher. Il était menotté devant... malgré tout il avait du mal à marcher.

Il s'arrêta pour tousser, une toux sèche, violente. Les larmes lui vinrent aux yeux, roulèrent sur les pelures d'oignon de son visage.

Il ne réussit pas à retrouver la tombe. Il ne savait pas exactement dans quelle direction elle était.

Les enquêteurs étaient sceptiques, il était impossible qu'il y eût une tombe quelconque dans ce coin-là. L'étroite langue de terre avait été examinée à de nombreuses reprises, fouillée presque centimètre par centimètre.

Au bout d'un moment, le caporal parut repérer son emplacement.

On ne voyait qu'un sol marécageux, quelques rochers. Aucune trace qu'un cadavre eût été enterré là, mais un photographe prit des photos.

Il avait dû la mettre dans la rivière, dit-il.

La tombe avait été une erreur. Des animaux sauvages l'auraient trouvée, dévorée. L'idée que son corps soit profané lui avait été insupportable.

Il l'avait transportée, dit-il. Il les conduisit le long de la Nautauga à travers les broussailles, trébuchant sur les rochers, les pierres. À un endroit où la rivière avait une quinzaine de mètres de large, où un bouquet de bouleaux émergeait de la brume matinale, étonnant de beauté et de blancheur, c'était là qu'il pensait l'avoir déposée dans l'eau, en s'avançant entre les rochers, près du bord.

Il s'accroupit, il montra comment il avait fait.

Et où était la jeep? lui demanda-t-on.

La jeep! Sans doute quelque part à proximité.

Elle avait été emportée par la rivière, dit-il.

Ce qui lui était arrivé ensuite, où son corps avait été emporté, jusqu'au lac Ontario peut-être... il ne pouvait pas le savoir.

Entre les mains de Dieu.

Il était revenu en titubant à la jeep et avait perdu connaissance.

Dans la nuit il s'était réveillé, des crampes terribles dans le ventre, et il s'était mis à vomir.

Des vomissures qui avaient un goût d'acide de batterie. Il s'était dit que les trucs qu'il avait dans le cerveau, dans l'œil, et peut-être dans le cœur pour réguler la microvalve, que l'un de ces trucs-là ou tous avaient pu se détraquer à cause des vomissements, mais il n'avait aucun moyen de le savoir.

Quand il avait repris connaissance, l'adjoint le secouait.

Hé, petit! Réveille-toi.

Une grande partie de ces aveux, les Mayfield en furent témoins.

Fascinés, osant à peine respirer, ils en furent témoins.

Ce qu'on n'imaginerait jamais : comment est le monde quand vous n'y êtes pas.

Grâce à la caméra, nous pouvions regarder dans la salle d'interrogatoire.

Nous pouvions entendre, et nous pouvions regarder.

Sauf que Brett avait la tête tellement courbée... Tout ce que nous voyions, c'était sa casquette de base-ball que, de honte, il portait enfoncée bas sur le front.

Il leur faudrait un certain temps pour comprendre ce qu'ils voyaient et entendaient et il leur faudrait encore plus de temps pour comprendre que pendant ces longues semaines, ces mois où ils avaient cherché leur fille, téléphoné, passé douze heures par jour sur internet, envoyé des avis de recherche dans des milliers de foyers, leur fille n'était plus en vie.

Si le témoignage de Brett Kincaid était véridique, leur fille n'était même plus en vie au moment où ils s'étaient aperçus de sa *disparition.*

Tous les Mayfield avaient été leurrés. Par eux-mêmes.

Arlette s'était crue préparée à cette terrible nouvelle. Combien de fois s'était-elle répété *Tu dois préparer Zeno. Il ne sera pas capable de le faire lui-même.*

Zeno s'était cru le plus fort, le plus responsable du couple. Celui à qui il reviendrait de protéger Lettie... et Juliet. *Elles ne sont pas assez fortes. Ce sera moi.*

Mais il n'avait pas réellement cru que Cressida pouvait être morte.

Arlette n'avait pas réellement cru que Cressida pouvait être morte.

Une *personne disparue* ne peut pas être *morte.* Car un *mort* n'est pas vraiment une *personne disparue,* même si le corps n'a pas été découvert.

Finalement ils furent autorisés à le voir.

Douze heures après les aveux enregistrés ils furent enfin autorisés à parler au jeune homme ravagé qui avait presque été leur gendre.

Zeno demanda *Pourquoi ?*
Kincaid dit *Je ne sais pas, monsieur. Je ne sais pas.*
Qu'il était fatigué, brusquement !
Sa tête s'affaissa sur ses bras croisés devant lui sur la table. En un instant, comme une allumette que l'on souffle, il dormait.

8

La lettre du caporal

Elle l'avait glissée parmi des dessous soyeux et satinés dans un tiroir de sa commode. La lettre que son fiancé lui avait donnée quand il était parti pour l'Irak : « Ne l'ouvre que si tu ne dois jamais me revoir. »

Elle avait immédiatement su ce qu'il voulait dire.

Elle lui avait pris l'enveloppe très vite pour que personne d'autre ne la voie.

Elle l'avait embrassé. Serré dans ses bras et embrassé, pressant son visage mouillé de larmes contre le sien.

« Bien sûr que je te reverrai, Brett ! Ne dis pas des choses pareilles. »

À présent, en ce soir du 13 octobre 2005 où la nouvelle se répandait dans Carthage que le jeune caporal si longtemps soupçonné d'avoir assassiné Cressida Mayfield était passé aux aveux, à présent que les Mayfield savaient que Cressida était définitivement perdue et ne leur reviendrait jamais, que Brett Kincaid aussi était mort pour eux et ne leur reviendrait jamais, Juliet entra sans bruit dans sa chambre, alla à la commode et en sortit l'enveloppe qu'elle y avait cachée près de deux ans auparavant, espérant ne jamais avoir à l'y reprendre, ne jamais avoir à l'ouvrir et à la lire.

Au rez-de-chaussée, un murmure de voix. Des parents et des amis, venus consoler.

Comment pleurer une mort si désincarnée ? Une *disparition* éternelle.

Il y aurait néanmoins un service à l'église : un rite funèbre pour la *disparue*. Arlette, désespérée, ne trouverait pas de consolation sans cela.

Sur l'enveloppe, de l'écriture appliquée, légèrement penchée en arrière de Brett : JULIET MAYFIELD MA FIANCÉE.

Assise au bord du lit, maladroitement, en aveugle, elle ouvrit l'enveloppe.

Chère Juliet,

Si tu lis ces lignes, c'est que quelque chose m'est arrivé.

Je ne te reverrai pas j'imagine. Je t'aime tant !

Quelquefois je crois à l'« autre monde »… où nous nous retrouverons. Y croire n'est pas toujours possible mais j'essaie.

Quelque chose nous arrivera à tous un jour ou l'autre. Il n'est pas vraiment si triste de me perdre maintenant plutôt qu'à un autre moment. Si tu lis ceci, Juliet, ne regarde pas en arrière. Si tu y arrives.

Savoir quelque chose devrait donner la force de le faire mais quelquefois on n'est pas assez fort. Dieu ne nous donne pas assez de force.

Ne fais pas à autrui… Aime ton prochain.

Tu ne tueras point.

Quand on est soldat, on doit faire certaines choses que l'on ne ferait pas si l'on avait le choix.

On doit admettre que l'on ne rentrera peut-être pas sain et sauf chez soi, auprès des êtres que l'on aime.

Chère Juliet, j'espère que quand nous serons mariés je découvrirai un jour cette lettre dans la cachette où tu l'avais oubliée. Et que je la remettrai à sa place sans rien dire.

Car je t'aime tant, Juliet. C'est la seule vérité que je connaisse. Je ne me sens plus jeune à présent. Je pense que j'ai le cœur vieux. Cela ne servira à rien de me pleurer avec Ethel. Elle me pleurera à sa manière dans la colère et la solitude. Ta mère et toi ne devriez pas chercher à l'aider, elle le prendra mal.

Regarde vers l'avenir maintenant, Juliet. Épouse quelqu'un qui mérite ton amour et aie les enfants que nous aurions eus (je sais que ça paraît impensable, je n'y crois pas vraiment) et que Dieu te bénisse ma chérie surtout sois heureuse. Sache que je penserai toujours à toi.

Je me demande où je serai… quand tu liras ceci.

Je t'aime. Tu resteras toujours pour moi ma Juliet adorée.

Amour, baiser et étreintes
Brett

DEUXIÈME PARTIE

Exil

9

Chambre d'exécution

Orion, Floride, mars 2012

« Qui peut ouvrir cette porte ? Un volontaire ? »

La porte paraissait lourde. Encastrée dans le mur de pierre. Une apparence de pierre tombale, antique et décrépite. Les visiteurs hésitaient. Un vent coulis humide ébouriffait leurs cheveux, tels des doigts fantômes.

De sa voix sonore et tyrannique le lieutenant répéta : « Pas de volontaire ? Il nous faut un volontaire. »

La Stagiaire n'osait pas tourner son regard vers l'Enquêteur, qui était son employeur. La Stagiaire n'osait pas attirer l'attention sur elle, espérant demeurer aussi minuscule et aussi invisible que peut l'être une poule tachetée de brun dans un sous-bois touffu.

C'était le premier voyage de la Stagiaire en qualité d'assistante de l'Enquêteur. Elle espérait désespérément que ce ne serait pas le dernier.

« Alors ? J'attends. »

Le lieutenant était un homme au teint plombé, affable en apparence, avec un sourire narquois pareil à l'éclair d'un rasoir. Il pouvait avoir n'importe quel âge entre quarante-neuf et soixante-neuf ans, et était de taille moyenne, environ un mètre quatre-vingts. Il donnait l'impression d'un homme massif – une centaine de kilos – ayant récemment maigri. Il portait l'uniforme brun des surveillants du centre pénitentiaire de haute sécurité d'Orion. Il n'avait pas d'arme à feu, mais une matraque peu engageante pendait à sa ceinture de cuir. Son visage était buriné et totémique, et le regard abrasif de ses yeux gris pierre pesait sur ses auditeurs.

La visite avait commencé près de quatre-vingt-dix minutes plus tôt. La chambre d'exécution, à l'extrémité du lugubre bâtiment de parpaings du couloir de la mort, en était l'ultime étape. Le lieutenant venait de faire traverser le Quartier C à son groupe, pour qui l'expérience avait été extrêmement éprouvante, mais ils n'avaient pas visité le couloir de la mort, interdit d'accès à toute personne extérieure. Les quinze visiteurs titubaient presque tous d'épuisement et d'appréhension.

Dans le réfectoire, arrêt qui avait précédé la visite du Quartier C, deux volontaires avaient accepté de goûter la nourriture des prisonniers, deux jeunes gens à présent confus et silencieux.

«Nous n'entrerons pas si la porte n'est pas ouverte, mes amis. *Il nous faut un volontaire.*»

Le lieutenant parcourut rapidement le groupe du regard. Depuis le début de la visite, avant même de leur avoir fait franchir la première des grilles de la prison et les hautes clôtures grillagées, il semblait les compter sans cesse des yeux. Machinalement. *Un, deux, trois... six, sept... douze, treize, quatorze... quinze.*

On imaginait bien qu'à l'intérieur de la prison les surveillants soient entraînés à compter. À rendre compte.

Toutes les personnes se trouvant à l'intérieur des murs de l'établissement étaient sous leur responsabilité. Quinze personnes extérieures avaient été admises à franchir les contrôles de sécurité sous la conduite du lieutenant, quinze personnes devaient en ressortir à la fin de la visite.

Sinon, comme le lieutenant les en avait informés d'un ton jovial, la prison tout entière serait mise *en état d'alerte.* Personne ne pourrait alors plus y entrer ni en sortir avant qu'il n'ait été *rendu compte* de tous les individus censés se trouver à l'intérieur de ses murs.

Le cœur de la Stagiaire se serra. Sortant de l'invisibilité, elle fit un pas en avant pour se porter volontaire.

« Je veux bien, monsieur. »

Était-ce une surprise ? Le lieutenant aurait peut-être préféré un autre candidat.

Des quatorze visiteurs restants, tous étaient plus grands et semblaient plus forts, plus mûrs d'apparence et d'allure que la Stagiaire, qui ne devait pas dépasser le mètre cinquante-cinq et ne paraissait pas l'âge qu'elle devait forcément avoir – à savoir vingt et un ans – puisqu'elle avait été admise dans la prison.

Le lieutenant savait, ou aurait dû savoir, que la Stagiaire était une femme de vingt-cinq ans, car il avait examiné ses papiers d'identité au début de la visite ; mais le lieutenant avait oublié ce détail, car il n'avait guère accordé d'attention à la Stagiaire au cours de la visite, adressant la plupart de ses remarques provocatrices à la demi-douzaine de jeunes étudiantes en sociologie d'Eustis et à leur professeur, ainsi qu'au plus distingué des visiteurs, un grand gentleman d'au moins soixante-dix ans aux cheveux blancs et au dos très droit, portant costume, chemise blanche et cravate, qui avait l'air d'un avocat ou d'un juge à la retraite, et n'avait cessé de prendre des notes dans un petit calepin.

Le groupe comptait également quelques hommes, qui auraient pu se porter volontaires. Mais ils avaient évité l'œil scrutateur du lieutenant.

243

Depuis la visite du réfectoire, et plus encore après celle du Quartier C, même les visiteurs masculins les plus robustes auraient apparemment donné cher pour être ailleurs.

À plusieurs reprises pendant la visite, le lieutenant leur avait dit, avec un clin d'œil : «Sacrément dur de respirer là-dedans, hein? Et vous venez tout juste d'arriver à Orion. Imaginez un peu que vous ne deviez plus en ressortir le restant de vos jours!»

Le lieutenant était légèrement contrarié que le volontaire ne fût pas du tout celui qu'il aurait choisi. On comprenait que cette visite guidée était sa vie publique, et que chaque arrêt représentait une sorte de station de croix dont l'aboutissement était, au bout de ce sinistre bâtiment en parpaings, la chambre d'exécution.

«Ma foi! Vous devez faire quarante-cinq kilos tout mouillé, mon gars, mais… venez là.»

En fait, la Stagiaire pesait quarante-quatre kilos la dernière fois qu'elle était montée sur une balance digne de ce nom – ce qui ne lui était pas arrivé depuis un certain temps dans sa vie de bric et de broc. La Stagiaire ne releva pas le *mon gars,* ni le ton condescendant.

La Stagiaire se souciait peu que la question de son *identité sexuelle* n'en fût manifestement pas une, ni pour le lieutenant ni sans doute pour les autres, qui, en cet instant, ne s'intéressaient pas à elle mais à l'effort qu'elle faisait pour ouvrir la porte à leur place.

Sacrément lourde, cette porte.

«Essayez encore.»

La Stagiaire essaya de nouveau. Visiblement la Stagiaire souhaitait prouver qu'elle/il n'était pas un petit gars chétif.

Mais cette fichue porte ne bougeait pas.

Une de ces misérables situations où vous posez au chic type. Vous *persévérez.*

Les autres, les inconnus, vous jugent avec bienveillance, quelqu'un qui prend bien la plaisanterie.

Était-ce une plaisanterie? La Stagiaire tirait si fort sur la porte qu'elle avait l'impression que ses bras allaient se déboîter.

« Est-ce fermé à clé, monsieur?

– Non, ça ne l'est pas. »

Le lieutenant eut un rire irrité. Comme s'il était du genre à jouer un tour aussi grossier et cruel au volontaire!

Il appréciait le *monsieur*, cela dit. Car un groupe de visiteurs réunit des individus hétérogènes et imprévisibles dont, immanquablement, un certain nombre *n'est pas du côté du guide.*

La Stagiaire s'arc-bouta encore une fois. Haletante maintenant, embarrassée et mal à l'aise. Peut-être était-ce moins elle que le lieutenant punissait, que les autres, apparemment plus capables, qui s'étaient défilés en laissant le petit gars se dévouer à leur place.

La Stagiaire sentait que le pouvoir que le lieutenant avait exercé sur des générations de détenus l'avait corrompu et déformé, à la façon dont un vent impitoyable déforme le plus robuste des arbres.

Pourquoi la Stagiaire s'était-elle proposée pour ouvrir cette fichue porte, alors que personne d'autre ne le faisait?

Personne ne pouvait le savoir : elle y avait été poussée par l'Enquêteur, c'est-à-dire par le grand gentleman aux cheveux blancs, qui lui avait jeté un regard appuyé, un instant auparavant.

En fait, ce regard, elle ne l'avait même pas vraiment *vu*. Elle l'avait senti.

Allez-y, McSwain! Manifestez-vous.

Dans ce genre de circonstances, dans les lieux publics, c'était la procédure convenue : sans un mot, d'un simple signe, l'Enquêteur pouvait intimer un ordre à la Stagiaire, qui ne devait pas s'interroger sur ses raisons.

Ce signe était passé entre eux à la vitesse d'un neutrino. Car, contrairement aux apparences, ils n'étaient pas des inconnus l'un pour l'autre (ils avaient veillé à garder leurs distances pendant la visite, mais ils étaient venus à Orion dans le même véhicule, conduit par la Stagiaire). Mais personne, pas même le lieutenant, entraîné à percevoir les échanges de regards les plus furtifs, ne semblait s'en être aperçu.

« La porte doit être fermée à clé, monsieur, ou coincée… »

– Encore un essai, mon gars ! Ensuite, vous pourrez laisser tomber si vous voulez. »

En pantalon de velours sombre, chemise à manches longues et veste de velours, chaussée de brodequins taille enfant, la Stagiaire ressemblait à une sous-espèce précoce d'écolier pratiquement inexistante dans la Floride rurale. Elle portait des lunettes rondes en plastique noir. Sa chemise était de coton blanc et pas tout à fait propre. Elle avait le visage mince, quelconque et farouchement attentif. Ses cheveux noirs étaient rasés sur la nuque, coupés aussi court que ceux d'un garçon. Une ride précoce traversait son front, et une veine bleuâtre battait à sa tempe droite.

Un ultime essai, et la porte ne bougea pas d'un pouce.

« Très bien ! Dans ce cas, je vais l'ouvrir. Pardon. »

Le lieutenant se plaça devant la porte, empoigna le bouton, tira, souleva (voilà où était l'astuce, se dit la Stagiaire) et la porte s'ouvrit comme une bouche béante.

La leçon de cette démonstration semblait être : *La mort ne se laisse pas aisément approcher.*

D'un ton neutre, comme pour souligner le peu d'effort que cette tâche lui avait demandé, le lieutenant expliqua qu'en fait la porte de la chambre d'exécution était toujours fermée à clé… naturellement. « Elle n'est ouverte que dans des occasions comme celle-ci ou quand on prépare une exécution. »

Et maintenant? Étaient-ils censés entrer? Entrer et *descendre*? Personne ne fit un mouvement. Déjà, par la porte ouverte, une odeur lourde de terre, de produits chimiques, montait jusqu'à eux.

«Allez-y, mes amis! Je vous conseille de prendre une profonde inspiration avant.» Tel un imprésario cruel, le lieutenant les invitait du geste à entrer.

Naturellement, personne n'en avait la moindre envie. Les jeunes étudiantes, en particulier, reculaient, affolées et effrayées comme des oiseaux.

«Oh!… si des gens sont morts là…

– Est-ce que nous ne p… pourrions pas attendre dehors…»

Le lieutenant rit avec bonhomie. «Non. Personne ne peut attendre dehors. La visite ne se terminera, vous ne retrouverez l'air libre qu'après être passés par la chambre d'exécution : c'est notre tradition à Orion.»

Était-ce vrai? Le lieutenant se frottait les mains, de grosses mains aux doigts boudinés, avec un air de satisfaction. Ses yeux gris pierre continuaient à ratisser le visage de ses captifs.

«Mais si des êtres humains sont m…morts…

– *Naturellement* que des êtres humains sont morts ici. À quoi servirait une chambre d'exécution payée par le contribuable si personne n'y mourait?»

Il y eut quelques rires. Nerveux, comme ils l'étaient invariablement depuis le début de la visite.

Il parut tout à fait naturel que l'Enquêteur, ce gentleman plein de dignité, entre le premier dans la chambre caverneuse. Grand, le dos droit, il dut se courber pour passer la porte. Il posa le pied sur la première des trois marches de pierre crasseuses qui menaient à un sol de béton crasseux, pareil à celui d'une cave.

La Stagiaire remarqua qu'il portait des chaussures habillées, dont le cuir noir étincelait. Aucun des autres visiteurs n'était vêtu avec autant de soin.

Dans le groupe, ce vieux gentleman aux cheveux blancs était resté sur son quant-à-soi. Il avait résisté aux tentatives de « fraternisation », résisté à l'instinct – puissant dans ce genre de groupe comme une nuée de piranhas sur leur proie – poussant les autres à échanger des plaisanteries nerveuses avec le lieutenant. On ne l'avait vu ni méprisant ni hautain : il prenait avec concentration des notes dans son petit calepin, ce qui n'était pas interdit, contrairement à l'utilisation d'appareils photo ou de caméras vidéo. (Tout appareil de ce genre, si petit et ordinaire qu'il fût, était interdit dans l'enceinte de la prison.) On avait le sentiment, en le voyant griffonner dans son petit carnet à spirale, que si l'on jetait un coup d'œil par-dessus son épaule, on s'apercevrait qu'il écrivait en code.

L'Enquêteur passa devant la Stagiaire sans lui accorder un regard. La Stagiaire ne dévisageait pas l'Enquêteur – elle était trop professionnelle pour commettre une telle bévue –, elle regardait dans sa direction avec l'expression d'une jeune personne révérant et redoutant un aîné.

Ne me demandez plus rien d'autre... monsieur! Pas dans ce terrible endroit.

Un par un, les autres visiteurs suivirent l'Enquêteur dans la chambre d'exécution. Abandonnant la lumière de ce matin couvert de mars, blanchâtre et néanmoins vive, comme si un cataclysme avait englouti le soleil de Floride et que ne subsistent que ses dernières lueurs. Comparées à l'éclairage fluorescent de la chambre d'exécution, elles semblaient cependant presque aveuglantes.

La Stagiaire hésitait sur le seuil. Comme elle aurait aimé s'enfuir, regagner l'entrée de la prison! Mais la prison était labyrinthique et dangereuse : aucun visiteur n'était autorisé à s'écarter du groupe.

La Stagiaire avait la gorge serrée. La Stagiaire avait pressenti, avant que l'Enquêteur et elle ne laissent leur véhicule dans un coin éloigné du parking des visiteurs, qu'accompagner son employeur à la prison d'Orion était une erreur qu'elle regretterait.

À côté de la porte, le lieutenant l'attendait. Souriant pour indiquer que, s'il n'ouvrait pas l'œil, le petit *gars* s'éclipserait.

La Stagiaire prit une profonde inspiration et franchit le seuil. Mais il était déjà trop tard, l'air froid et humide de la chambre d'exécution avait pénétré dans ses poumons.

« Avancez jusqu'au fond, s'il vous plaît. Ce n'est pas la place qui manque. Que ceux qui sont devant avancent, *s'il vous plaît.* »

D'un ton grondeur, avec une sombre jovialité, le lieutenant assura aux visiteurs qu'une trentaine de personnes tenaient à l'aise dans cet espace exigu.

« Ces dernières années, avec l'injection létale, il y a parfois deux exécutions en même temps. Ce qui exige aussi deux fois plus de sièges, comme vous l'imaginez. »

Personne ne souhaitait avancer. Les jeunes femmes effrayées et leur professeur s'étaient figés à quelques mètres du fond de la pièce. Même les hommes qui avaient parcouru avec un courage stoïque la totalité du Quartier C sous les huées et les injures obscènes des prisonniers regimbaient à présent et restaient sur le côté, où deux rangées de chaises s'alignaient contre un mur de parpaings lugubre.

Au centre de cette chambre au plafond bas se trouvait une structure bizarre : une sorte de cloche à plongeur, peinte d'un bleu turquoise incongru. Elle était octogonale et percée de plusieurs fenêtres en Plexiglas. À l'intérieur, on voyait deux chaises, placées côte à côte.

À son sommet, le plafond de la cloche à plongeur ne semblait pas atteindre le mètre quatre-vingts.

Une structure hermétique, se dit la Stagiaire. Puisque jusqu'à une période récente l'État de Floride avait utilisé le gaz comme moyen d'exécution.

La Stagiaire éprouvait une sensation de vertige, comme si elle avait ignoré un avertissement et frôlât un danger… mais quel avait été cet avertissement?

Elle ne se souvenait d'aucun avertissement.

Accompagnez-moi à la prison de haute sécurité d'Orion. Je vous paierai une fois et demie votre salaire habituel.

La Stagiaire avait su gré à l'Enquêteur de sa proposition. La Stagiaire avait besoin d'un emploi et dépendait financièrement de l'Enquêteur. À quoi s'ajoutait peut-être aussi une dépendance affective.

De sa voix râpeuse, le lieutenant gourmandait le groupe : «Ceux qui sont devant… dégagez l'allée, s'il vous plaît. Asseyez-vous sur ces chaises! Ce sont les meilleures places de la maison, réservés à la famille de la victime et aux autorités concernées.»

Les membres du groupe chuchotaient et murmuraient entre eux. La partie de la chambre d'exécution destinée aux témoins était si *petite*… qu'on y était forcément très près du condamné où que l'on s'assoie.

Impossible de respirer un air qui ne fût pas contaminé par… la mort.

Le lieutenant disait, de son ton tyrannique et moqueur, que, lorsqu'un condamné était «récalcitrant», comme ça leur arrivait, on le *transportait de force* dans la chambre.

Le lieutenant avait-il eu un petit *rire*? Personne ne l'imita.

C'était une erreur d'être venue dans cette prison, pensait la Stagiaire. Car… est-ce que quelque chose l'attendait, *ici*?

Les visiteurs étaient enfin répartis dans la pièce, certains beaucoup trop près à leur goût de la cloche à plongeur. À contrecœur, quelques-uns avaient pris place sur les chaises de choix, face aux vitres de Plexiglas, et ne pouvaient éviter de regarder au travers.

L'Enquêteur était toujours debout dans l'allée. L'Enquêteur avait peut-être déclenché l'enregistreur (miniature) qu'il avait dans sa poche de poitrine, dissimulé dans un stylo à encre ; l'Enquêteur souhaitait voir et enregistrer le plus de choses possible.

Le lieutenant se frotta les mains d'un air réjoui : « Maintenant, les amis, si vous êtes bien installés… je vais fermer la porte. »

Vent de panique dans la pièce ! Des oiseaux auraient immédiatement pris leur envol dans un grand froissement d'ailes, mais les visiteurs n'avaient pas d'ailes, et ils étaient emprisonnés dans une grotte aveugle.

Des voix protestèrent : « Fermer la porte ? Oh ! mais pourquoi… »

La pièce était aérée par un appareil cliquetant dont le souffle froid et minéral arrivait du plafond telle la respiration d'un grand serpent onduleux. Elle n'était pas entièrement souterraine, mais en donnait l'impression. On sentait la terre obscure tout autour, la force d'attraction de la mort et de la dissolution.

Mi-railleur et mi-sincère, d'un ton de reproche mais aussi de fierté, le lieutenant disait à son auditoire captif : « Il n'est pas donné à tout le monde de voir notre chambre d'exécution d'Orion. Très peu de gens y sont admis et, parmi ceux-là, tous n'en repartent pas. Retrouver immédiatement le ciel et le grand air vous donnerait une fausse idée de ce qu'est véritablement une *exécution*. »

En une enjambée le lieutenant alla à la porte et la ferma.

La Stagiaire se dit *L'éternité n'a rien à voir avec le temps. Ceci – cet endroit où nous sommes – n'est qu'un endroit et un moment du temps. Il ne durera pas et ne peut m'emprisonner.*

*

Il avait dit, avec un air sceptique : vous ferez l'affaire.

Il avait passé en revue les dossiers de candidature. Il avait écarté, avait-il dit, des dizaines de candidats *purement universitaires* qui ne demandaient qu'à travailler avec le *professeur Cornelius Hinton de l'Institut de recherche avancée en psychologie sociale, criminologie et anthropologie de l'université de Floride à Temple Park.*

PROF. CORNELIUS HINTON : tel était le nom gravé sur la petite plaque fixée sur la porte de son bureau de l'Institut.

Elle avait présumé que c'était le nom du gentleman aux cheveux blancs : « Hinton ». Plus tard, elle apprendrait que ce n'était que l'un des nombreux noms temporaires utilisés par l'Enquêteur quand il était *incognito.*

Non seulement l'Enquêteur n'était pas « Hinton », mais il était plus âgé que « Hinton », né en 1941 d'après sa carte d'identité plastifiée de l'Institut.

À une remarque qui lui avait échappé, la Stagiaire avait compris que l'Enquêteur avait quelques années de plus que le fictif *Cornelius Hinton.* Mais il était si jeune d'allure pour un gentleman de son âge, si semblable au professeur un peu flou, lunetté et moustachu de la petite photo d'identité, que personne ne l'aurait soupçonné.

Elle n'avait pas fouillé dans les dossiers de l'Enquêteur. Elle n'aurait pas souhaité se percevoir ainsi : furtive, sournoise.

Dans sa vie précédente, qui ressemblait maintenant aux restes éparpillés et jaunis d'un album de photos jeté dans une décharge anonyme, elle avait fait un dessin à la plume cruellement malicieux, inspiré de son maître obsessionnel, M.C. Escher : de petites silhouettes humanoïdes s'espionnant mutuellement dans un paysage de symétries vertigineuses évoquant un papier mural surchargé ; des silhouettes blanches et des silhouettes noires sur un motif gestaltiste, de sorte que, si l'œil voyait « blanc », il ne pouvait simultanément voir « noir », et inversement. L'astuce du dessin était que ces silhouettes ridicules et pitoyables s'espionnaient les unes les autres sans se rendre compte qu'on les espionnait elles-mêmes ; son ingéniosité, le fait que toutes les silhouettes étaient strictement identiques les unes aux autres.

Elle avait fait ce dessin à treize ans, dans son premier jet d'inspiration.

Espionner, fouiner : elle éprouvait une répugnance morale pour ces activités humaines. Elle n'aurait pas voulu fouiner dans les papiers privés de L'Enquêteur, autant par respect d'elle-même que par égard pour lui.

Elle était encore une convalescente. Une convalescence qui durait depuis tant d'années qu'elle en avait perdu le compte.

Elle avait fui, elle était en exil. *Là-bas* était une façon de nommer l'innommable.

À la base, dans la vie, on est continuellement au Point X *– ici, l'endroit où nous sommes*. C'est une illusion de croire pouvoir retourner *là-bas* quand on en a été chassé.

Elle n'avait pas donc cherché autre chose dans les papiers de l'Enquêteur que le dossier mal classé qu'il lui avait demandé. (L'Enquêteur était un homme méthodique pour qui ordre et minutie étaient sacrés : on l'avait vu pâlir de rage parce qu'un petit objet n'était pas à sa place sur son bureau.) Elle avait cependant trouvé, dans un vieux meuble classeur, au fond d'un tiroir du bas mal huilé, une enveloppe Kraft fripée contenant des cartes plastifiées «identifiant» plusieurs individus, tous de sexe masculin, nés entre 1938 et 1943, et liés à des établissements universitaires ou de recherche du Minnesota, de l'Illinois, du New York, de Washington, de Bethesda et de Floride. Ces cartes étaient d'une autre époque, manifestement. Les années 1980, peut-être. L'Enquêteur avait alors des cheveux blond foncé, un visage anguleux mais moustachu, des yeux perçants dissimulés par des lunettes teintées.

À moins que ces photos ne représentent pas l'Enquêteur, mais quelqu'un lui ressemblant assez pour passer pour lui si le document d'identité était examiné à un poste de contrôle. Plus la Stagiaire regardait ces photos d'identité, moins elle leur trouvait de ressemblance avec l'homme qu'elle connaissait, voire entre elles.

Le marché des documents d'identité fabriqués sur commande, permis de conduire inclus, était florissant. La Stagiaire, dont l'identité n'était pas entièrement fixée, le savait bien.

Malgré tout, on pouvait examiner les nombreuses photos d'identité de l'Enquêteur sans savoir avec certitude si c'était ou n'était pas *lui*. De même qu'on pouvait observer l'homme lui-même, apparemment paisible, toujours occupé, fredonnant tout bas, interrogateur, amusé, captivé, regardant distraitement par une fenêtre un ciel strié de nuages opalescents au-dessus de l'océan Atlantique, tandis que (semblait-il) un tourbillon de pensées agitait son cerveau… sans avoir la moindre idée de qui il *était*.

Pour le centre pénitentiaire de haute sécurité d'Orion, dans les plaines du centre de la Floride, l'Enquêteur s'était muni d'une carte plastifiée au nom de *Cornelius Hinton, professeur de l'Institut de recherche avancée en psychologie sociale, criminologie et anthropologie, université d'État de Floride, Temple Park.* L'Institut existait réellement, de même que la faculté de Temple

Park, située dans l'une des banlieues plantées de palmiers de Fort Lauderdale. C'était là que, en auditrice libre, la Stagiaire avait suivi des cours du soir pendant quelques semestres sous le nom de «Sabbath Mae McSwain» – cours choisis moins pour leur sujet que pour la commodité de leurs horaires; elle était devenue l'une de ces personnes qui demeurent sur les marges des grands campus, attachées aux universités comme un archipel d'îlots dénudés au continent. *Déroutée. En exil. Profondément honteuse, méprisée.* Et pourtant elle avait si peu d'orgueil que, la plupart du temps, elle s'estimait heureuse d'être tout simplement en vie.

Il y a un art minimaliste : il y a des vies minimalistes.

Par défaut elle était devenue un certain type d'étudiant : plus âgé que la moyenne, solitaire.

Le camouflage idéal pour qui est en exil : un camouflage qui n'en est pas un.

Et elle était certaine maintenant que personne ne la poursuivait plus.

Elle avait habité à Miami un certain temps, dans différents endroits. Elle avait eu son «ami», son «protecteur». Et ils avaient déménagé à Fort Lauderdale, et maintenant elle vivait seule à Temple Park, et était contente de vivre seule, ou s'en persuadait. Temple Park était une banlieue résidentielle au nord de Fort Lauderdale, dont une partie était en front d'océan, mais une partie seulement. Dans tous ces lieux – Miami, Lauderdale, Temple Park – elle avait occupé une succession d'emplois disparates et mal payés (vendeuse, plongeuse, serveuse [l'espace humiliant d'une soirée], assistante vétérinaire, «technicienne de laboratoire», aide-vendeuse de produits frais); vaillamment, au petit bonheur, elle avait géré pendant quelques semaines une librairie de livres d'occasion, un magasin condamné et poussiéreux («Gay & Lesbian Pride, Livres neufs, rares et d'occasion ») qui sombrait dans la faillite et plus bas que cela. À peu près au même moment, à Temple Park, elle commençait une progression tortueuse au sein de l'université, qui dans ses interstices labyrinthiques accordait aux étudiants des bourses travail-études auxquelles elle pensait avoir accès un jour. Elle s'imaginait une carrière universitaire faite d'unités de valeur accumulées lentement et péniblement comme des galets précieux sur une plage ; une licence matérialiserait on ne sait comment ses valeureux efforts, puis une bourse de troisième cycle, un doctorat et un poste d'enseignement – dans une matière quelconque, quelque part. Elle ne pouvait s'imaginer qu'enseignante dans le supérieur ou chercheuse dans un laboratoire ; l'idée d'un poste de professeur de lycée ou de collège la faisait frissonner d'appréhension et de honte.

Dans sa vie précédente, elle avait déjà connu cet échec-là.

Elle ne se rappelait plus dans quelles circonstances. Mais elle savait qu'elle avait échoué.

Là-bas, elle avait été dépouillée de toute fierté. Elle avait été désignée comme méprisable, indigne. Et elle l'avait été, mais elle n'était plus *là-bas*.

Ici, où personne ne la connaissait ni ne se souciait d'elle, elle se sentait un petit reste d'espoir. Elle avait eu de vagues amis et s'en était éloignée, préférant vivre seule. Ses « progrès » à l'université ressemblaient à ceux d'un alpiniste qui s'élève centimètre par centimètre, si près de la paroi rocheuse qu'il ne la voit pas, pas plus qu'il ne voit le paysage spectaculaire derrière lui.

Il vous faut croire que vos efforts vous *élèvent*. Que vous *montez*.

De même qu'elle avait occupé une succession d'emplois quelconques et anonymes sans plainte, car sans espérances, elle avait habité une succession de résidences quelconques et anonymes, loin de l'océan Atlantique, des plages de sable éblouissant et des grands hôtels de luxe. Dans les villes touristiques de Floride, il est possible de vivre à moins d'un kilomètre de l'océan et de ne jamais le voir, de ne jamais y penser ni même s'en soucier. Elle avait vécu comme une épave emportée au hasard des marées pendant des mois, des années. Dans une vie aussi imprévisible, une année se confond avec la suivante, et avec celle d'après ; jusqu'à Temple Park, où elle semblait avoir échoué, du moins temporairement, et habitait une unique petite pièce mansardée, tout en haut d'une vieille maison victorienne couleur flamant rose de Pepperdine Avenue, en face d'une résidence universitaire multiethnique, appelée Maison internationale, où elle prenait des repas exotiques bon marché aux longues tables communes de la cafétéria, nouait des liens avec des inconnus, assistait à des projections, des conférences, des discussions ; elle s'était notamment liée à un groupe féministe, Femmes sans frontières, qui avait son siège dans le bâtiment. Dans ce milieu-là, l'identité de *Sabbath McSwain* n'était jamais mise en doute :

Sabbath Mae McSwain, née le 15 août 1986. Breathitt, Maryland.

Ce n'était pas un document d'identité plastifié, mais un véritable certificat de naissance, plié et froissé. Il s'accompagnait d'une carte de sécurité sociale : n° 113-40-3074.

C'était à une femme de ce groupe féministe, post-doc en psychologie clinique, qui s'était prise d'amitié pour elle que *Sabbath McSwain* devait d'avoir été mise en contact avec Cornelius Hinton : «C'est un type bien. Il est excentrique et *vieux*… il ne te harcèlera pas.»

Hinton cherchait une assistante, une «stagiaire» – à ceci près qu'il payait bien, nettement plus que le tarif universitaire en vigueur pour les assistants étudiants. Le stagiaire précédent (également une jeune femme : Hinton se disait féministe et s'efforçait toujours d'engager des femmes) avait dû le quitter brutalement, le laissant désemparé. Le travail consistait à conduire le véhicule de Hinton sur petits et grands trajets ; à prendre ses rendez-vous, faire ses courses et aller chercher ses médicaments à la pharmacie ; si Hinton devait prendre l'avion, la stagiaire s'occupait des réservations de billets et d'hôtels, et de tous les détails du voyage ; elle serait souvent amenée à l'accompagner quand il se déplaçait pour donner des conférences, diriger des séminaires – et pour ses nombreuses autres activités.

Cornelius Hinton se qualifiait d'*anatomiste culturel*. « Il enquête sur des trucs et écrit dessus : le sort scandaleux fait aux jeunes handicapés mentaux, par exemple, ou les maisons de retraite qui maltraitent leurs pensionnaires. Il garde l'incognito. Il utilise parfois des noms différents. Il paraît qu'il écrit des best-sellers sous des pseudonymes et que la photo de l'auteur ne figure pas sur les couvertures. Tout est secret chez lui. Il a été arrêté dans les années 1960. Il a également pris parti contre la guerre d'Irak. C'est ce qu'on appelle un « vieux gauchiste »... je ne sais pas vraiment ce que ça signifie. Une sorte de communiste, peut-être. Un socialiste, en tout cas. Il est plutôt ronchon et distant au début, mais après, c'est un type super – et généreux. Il nous a donné de l'argent pour notre centre. Il m'a aidée personnellement, avec ma petite amie. Il nous a fait de faux documents à l'en-tête de l'Institut. En fait, il est généreux quand on ne lui demande rien, et quand on ne s'y attend pas. Il aime étonner. C'est un type super... mystérieux. *Bizarre.* »

Chantelle marqua une pause, l'air songeur.

« Et il se pourrait qu'il soit riche. »

«Vous êtes... "Sabbath McSwain"?»

Oui, c'était bien elle.

«Et vous postulez pour le poste de "stagiaire"... pour être mon assistante?»

Oui, c'était bien ça.

«Recommandée par Chantelle Rios.»

Oui. En effet.

L'Enquêteur la dévisagea avec curiosité de ses yeux bleu clair. Son regard n'était pas celui d'un vieil homme, il était vif, pénétrant. Il portait une barbe, courte, bien taillée, du même blanc éblouissant que ses cheveux, mais aussi drue et rude que ses cheveux étaient duveteux et flottants. Son visage évoquait une vieille monnaie de bronze dépolie. Il avait des manières brusques et directes, quelque chose de militaire dans le maintien. Mais il était courtois, élégant. Avec sa veste sport en tweed, portée sur un col roulé noir, il évoquait un acteur de cinéma britannique d'une autre époque : le genre d'homme à qui vous auriez confié avec empressement tous vos secrets, mais qui n'aurait naturellement aucune envie de les entendre.

Il avait au poignet gauche une énorme montre disgracieuse au bracelet extensible, de celles qu'affectionnaient les jeunes sportifs – une montre à affichage numérique qui devait sûrement être étanche, luire dans le noir, indiquer les marées, la date et les heures de lever et de coucher du soleil.

Et, au troisième doigt de la main droite, une grosse bague d'argent en forme d'étoile.

«"*Sabbath McSwain*"... vous êtes... une femme?»

La question était si inattendue qu'elle rit.

«Oui. Je pense.

– Vous le "pensez" seulement?»

Effectivement, elle préférait les vêtements de garçon – pas d'homme, mais de garçon – généralement plus adaptés à sa minceur et à son absence de hanches. Chemises, pulls, pantalons kaki et jeans de garçon. Tennis et brodequins de garçon. Ses couleurs préférées étaient les beiges, les bruns, le noir – mais un noir mat sans éclat. *Petite, terne, minimale et insignifiante.*

Elle ne craignait plus sérieusement d'être reconnue. Tous ceux qui auraient pu la reconnaître, qui l'avaient peut-être connue *là-bas*, avaient dû l'oublier, elle en était certaine. *Oubliable, oubliée. Tant mieux!*

«Quand cela m'est demandé, je coche la case "F". Elle semble mieux convenir que la case "M". Mais ce n'est pas un fait *significatif,* j'imagine.

– Et pourquoi cela, mademoiselle?

– Parce que je pense que notre identité sexuelle n'a pas plus de signification que la couleur de nos yeux... Pour certains d'entre nous, en tout cas. Cela ne pèse pas d'un grand poids dans la balance.

– Vraiment? Vous pensez sérieusement qu'il n'y a pas de différences biologiques essentielles entre hommes et femmes?

– Je parle de différences culturellement induites.

– Et elles proviennent de... quoi?

– De la culture.

– Et la culture provient de...?»

C'était une riposte classique, mais Sabbath McSwain ne sut comment répondre : elle était déstabilisée par le regard bleu pâle de l'Enquêteur, impertinent, amusé et curieusement intime. Il y avait des années qu'elle n'avait eu avec un professeur – avec un adulte quelconque – cette sorte de dialogue intellectuel qui lui faisait battre le cœur comme une partie de ping-pong impromptue.

«Je sais bien entendu qu'il y a de nombreuses différences biologiques essentielles entre les sexes, dit-elle. Mais dans les pays industrialisés, nous avons dépassé la pure biologie : le destin de la femelle humaine n'est plus d'enchaîner les grossesses jusqu'à mourir d'épuisement.»

C'était un petit discours passionné. Passionné, haletant, et parfaitement dépourvu d'originalité. L'Enquêteur dévisagea cependant la Stagiaire (car elle souhaitait se voir dans ce rôle, si prématurée que ce fût) avec une apparence de sympathie.

«Vous avez raison, bien sûr! Personne ne devrait attendre de vous – ni d'aucune autre "femelle" – qu'elle fasse des enfants jusqu'à mourir d'épuisement. C'est un souhait parfaitement raisonnable. Mais je cherchais seulement à m'assurer que vous étiez effectivement une *femme* : l'expérience m'a appris qu'elles faisaient des stagiaires nettement plus capables.»

Confuse, Sabbath McSwain murmura que *oui*, elle était une *femme*.

Une vague de honte brûlante la parcourut. Elle n'aurait su dire pourquoi, au plus profond d'elle-même, elle éprouvait une telle *honte de son sexe*.

Tout comme elle éprouvait de la répugnance pour son corps menu, quand elle l'apercevait, dévêtu, exposé, dans une glace ou une surface réfléchissante. *Moche voilà la moche* sifflait une voix railleuse.

«Mais j'apprécie que vous ne soyez pas " féminine" le moins du monde – et par choix, me semble-t-il. Que vous ne reteniez pas l'attention. Ce qui, malheureusement, n'est pas le cas du "professeur Hinton".»

L'Enquêteur prononça ces derniers mots d'un ton si dédaigneux que la Stagiaire ne put retenir un rire.

«Et j'aime votre rire, Sabbath : il est inaudible.»

La Stagiaire eut un nouveau rire inaudible. D'aussi loin qu'elle se souvenait, c'était la première fois qu'elle riait ainsi, comme si on la chatouillait.

« D'après Chantelle, vous êtes une jeune femme très *solitaire*. Et une jeune femme *mystérieuse*... apparemment sans attaches. »

La Stagiaire cessa de rire. *Était*-ce drôle ? Peut-être pas tant que cela ?

Que quelqu'un parle d'*elle* l'embarrassait, car c'était inattendu et surprenant.

« "Sabbath McSwain" : un nom curieux. Je ne sais pourquoi, il me fait l'impression d'un nom inventé.

– Vous avez dit... "inventé" ?

– Il l'est ? »

La Stagiaire regarda l'Enquêteur comme s'il l'avait giflée : pas très fort, mais, comme on le dit dans les arts martiaux, assez fort pour capter son attention.

« C'est un vrai nom. Un nom de famille. J'ai une sœur aînée, Haley McSwain. Nous sommes... nous habitons toutes les deux dans la région de Fort Lauderdale... même si nous sommes moins proches que nous ne l'avons été.

– Vous avez donc une famille ? Chantelle se trompait ? »

L'Enquêteur s'était rembruni. Un mauvais point !

« Non. Pas vraiment. Haley est ma... demi-sœur. Je ne la vois plus, aujourd'hui... nous sommes brouillées.

– Mais vous vous appelez "Sabbath McSwain" ?

– Oui, c'est mon nom. »

(C'était vrai, elle n'aurait pas choisi de s'appeler "Sabbath McSwain". Ce nom était un cadeau, un don d'amour librement consenti qu'elle ne pourrait jamais désavouer, car c'est à lui qu'elle avait dû le salut de sa vie en lambeaux.)

(C'était à Haley qu'elle devait ce résidu de vie. Et pourtant, en l'évacuant aussi rapidement, elle l'avait trahie.)

Elle fourragea dans son sac pour en sortir ces papiers indispensables sans lesquels elle n'aurait pu poursuivre sa progression aveugle et tâtonnante sur cette paroi rocheuse périlleuse.

Pourvu qu'elle *s'élève*. Tout effort, tout danger était justifié.

« J'ai… une pièce d'identité. J'en ai deux. Un certificat de naissance et… une carte de sécurité sociale. Je peux vous les montrer si… »

Elle tendit ces documents, rangés dans une chemise Kraft, à l'Enquêteur, qui les examina avec attention. La Stagiaire se demanda si c'était le nom et la date de naissance de "Sabbath McSwain" qui excitait sa curiosité, ou la nature des documents : le papier même dont ils étaient faits.

Pensait-il que c'étaient des *faux*? Mais pourquoi l'aurait-il pensé?

« Ils sont authentiques, monsieur ! Vous pouvez les examiner au microscope si vous le souhaitez. Il y a le sceau de l'État du Maryland… Vous pouvez vous rendre là où il a été délivré, au bureau d'état civil du comté de Breathitt, dans le Maryland. Pareil pour le numéro de sécurité sociale. C'est celui de *Sabbath McSwain : 15 août 1986.*

– Pas de photo d'identité?

– Si. J'ai un… permis de conduire quelque part. Je ne l'ai pas sur moi parce que je… je n'ai pas de voiture en ce moment. Je ne conduis pas. En ce moment… je veux dire.

– Savoir conduire est essentiel pour ce poste, vous savez. Je ne conduis jamais si je peux l'éviter.

– J'ai un permis, monsieur, je vous l'ai dit. Pas pour l'État de Floride… mais pour un autre. Je le chercherai quand je retournerai… là où j'habite.

– Et où habitez-vous?… "928, Pepperdine Avenue, Temple Park", lis-je. C'est votre domicile?

– Non, juste une adresse temporaire. Pendant que je suis des cours, ici, à l'université. »

En fait, ce semestre-là, elle ne suivait pas de cours. Elle avait sombré au fond du grand filet pourri : un mollusque minuscule s'accrochant pourtant aux mailles, désespérément.

«Et d'où venez-vous, "Sabbath"? Vous n'êtes pas de la région, n'est-ce pas?

– Je... je n'ai pas de domicile permanent, monsieur. J'ai habité dans différents endroits, j'ai beaucoup déménagé ces dix dernières années. Mes parents sont... ne sont plus... en vie. Ma famille est "dispersée"...

– Où êtes-vous née?

– N... née? Vous voulez dire...

– Où était votre mère, physiquement, quand vous êtes née? Où, sur le territoire des États-Unis?

– Eh bien... manifestement à Breathitt, dans le Maryland. Ce n'est qu'un... village, dans un comté rural. Je n'y ai jamais vraiment vécu, sauf dans ma petite enfance. Et ma mère – ma mère et mon père – n'y vivent plus non plus.

– Et où avez-vous grandi?

– *Grandi?* Je vous l'ai dit... c'est dans ma lettre de candidature, je crois.

– Non. Cela n'y est pas.

– Nous avons quitté Breathitt pour une petite ville de Pennsylvanie alors que je n'avais que quelques mois. Personne n'en a jamais entendu parler : "Ephrata". Puis nous avons déménagé à East Scranton où je suis allée à l'école. Ensuite... la famille s'est plus ou moins défaite. Je suis allée à l'université, en cycle court, et puis j'ai décroché pendant un moment... j'avais quitté ma famille et... je travaillais, je voyageais.»

Elle parlait lentement, le débit haché, le ton incrédule.

Est-ce ma vie? Cela... Ma vie?

Mais ce n'est pas une vie... Si?

« Je n'ai pas de vie intérieure, de vie "intime". Je ne suis que...
ce que je fais. Je vais d'une habitation à une autre comme l'un
de ces... des bernard-l'ermite, non? Qui s'installent dans la
coquille des autres. »

Si la Stagiaire avait cru impressionner l'Enquêteur par ce
discours solennel, elle s'était trompée. Il dit, en haussant les
épaules : « La coquille des autres, c'est très bien. Vous arrivez,
et puis vous repartez. *Eux* ne sont plus là. »

Elle dit très vite, comme si le but de cet entretien était de le
divertir : « Et puis je suis arrivée en Floride, à Miami d'abord...
avec des amis. Pas vraiment des "amis" mais... des gens que je
connaissais. À l'époque.

– Pourquoi Miami?

– Ce n'est pas moi qui ai choisi. C'est là... qu'on m'a
amenée. »

Elle n'avait pas un souvenir très net de ces jours... ou de ces
mois.

Des choses lui étaient arrivées alors, à Miami. Mais rien
d'intime. Aussi faciles à gratter que des croûtes, une peinture
écaillée.

« Vous avez vingt-quatre ans? »

Il semblait vaguement incrédule, sifflotait entre ses dents.

Des dents grisâtres, pas très grandes, larges et luisantes.

Dans sa barbe bien taillée d'une blancheur éblouissante, ces
dents donnaient une impression de sincérité, voire de modestie.

« Je crois, oui. Vingt-quatre ans. »

Si peu de choses lui étaient arrivées qu'il lui était difficile
de comprendre comment vingt-quatre ans avaient passé en sa
présence.

« Vous faites plus jeune. Vous avez l'air – le ton de l'Enquêteur était légèrement railleur – d'une *adolescente*. »

La Stagiaire secoua la tête.

« Vous n'avez jamais vécu dans l'État de New York ?

– L'État de New York ? P... pourquoi cette question ?

– Pourquoi d'après vous, Sabbath ?

– Je... je ne sais pas trop.

– Je ne suis pas un expert en linguistique. Vraiment pas. Mais mon oreille inexercée repère certains accents régionaux, ceux de l'État de New York, par exemple... dans sa partie nord, et à l'ouest... du côté du lac Ontario. Vous avez vécu là-bas... longtemps.

– Eh bien, je ne me r... rappelle pas vraiment, mais... peut-être. Après Ephrata, mon père nous a emmenés quelque part, peut-être était-ce dans l'ouest du New York, jusqu'à ce que...

– À vous entendre, je ne pense pas que vous ayez vécu très longtemps en Floride. Peut-être avez-vous oublié les dates exactes. »

Amusé, l'Enquêteur relut la lettre de candidature de Sabbath McSwain. Un unique et bref paragraphe sur une feuille de papier à l'en-tête de *Femmes sans frontières, Temple Park, FL*, indiquant que la candidate souhaitait travailler comme assistante du docteur Hinton sur la recommandation de Mme Chantelle Rios.

Y était jointe la lettre de recommandation de Chantelle Rios, qui faisait un éloge démesuré de *ma sœur et amie Sabbath McSwain*. Chantelle avait eu l'attention de mentionner, quoique ce ne fût pas entièrement exact, que Sabbath avait été « technicienne de laboratoire » dans son laboratoire de psychologie de l'université, et qu'elle avait effectué pour Femmes sans frontières des tâches administratives « cruciales » ; Sabbath McSwain était une personne « zélée, infatigable, idéaliste et totalement fiable » que le docteur Hinton ne regretterait pas d'avoir embauchée pour ce poste « sensible et confidentiel ».

La lettre était également accompagnée d'une liste des petits emplois minables de Sabbath : vendeuse, plongeuse, etc. – et de la copie de son dossier universitaire, délivrée par le secrétariat de l'université d'État de Floride à Temple Park, deux pages agrafées récapitulant ses cours et ses notes.

Très légèrement baveuses, toutes ces notes étaient des A et des A-. Toutes avaient été attribuées à *Sabbath McSwain, Programme de formation continue.*

l'Enquêteur examina les photocopies comme s'il se pouvait que ce fussent des faux.

Ce qui n'était pas le cas !

«Vous n'avez pas de diplôme supérieur, si je comprends bien?»

L'émotion bouillonna de nouveau en elle, une sorte de colère nauséeuse. Elle espéra que la petite veine bleue ne battait pas trop visiblement sur sa tempe droite.

«Il y a beaucoup de choses que je n'ai pas, monsieur. Notamment un diplôme.»

L'Enquêteur rit. C'était la bonne réponse.

D'après ce qu'elle savait, Cornelius Hinton avait des diplômes impressionnants : Harvard, université de Cambridge et de Columbia. Il avait écrit bon nombre de livres, publiés par des presses universitaires, sur d'obscurs sujets de sémantique, de psychologie sociale et cognitive et de philosophie de l'esprit. Son *Texte/sous-texte/« sens » codé : une théorie existentielle de la sémantique* (Oxford University Press, 1979) était son ouvrage universitaire le plus estimé et avait été primé par la National Academy of Science; depuis lors, ses centres d'intérêt semblaient avoir changé, et s'il continuait à publier, il le faisait sous d'autres noms. À l'Institut, il occupait une position importante, mais était invariablement «en congé» : il n'avait pas assuré son cours très apprécié, «Anatomie de la civilisation américaine», depuis des années, et ses séminaires de troisième cycle aux intitulés obscurs («Charles Sanders Peirce : sémiotique et folie visionnaire») n'étaient destinés qu'à quelques étudiants triés sur le volet. Hinton était le directeur de thèses le plus convoité, mais aussi le plus inaccessible : Chantelle prétendait que certains étudiants préparant leur thèse sous sa direction ne l'avaient pas vu en chair et en os depuis des années. Hinton préférait les e-mails aux entretiens en tête à tête et s'était pris d'aversion pour les «copies papier copieuses», qui occupaient trop de place sur son bureau et dans sa vie. Pour ses lectures universitaires professionnelles, il privilégiait maintenant le *défilement.*

Derrière l'Enquêteur, une bibliothèque murale pleine à craquer. Les livres, debout ou couchés, y étaient rangés sans ordre apparent : sémantique, linguistique, philosophie politique, romans d'Upton Sinclair, John Dos Passos, Willa Cather et William Faulkner; grands livres d'art de Käthe Kollwitz, George Grosz, Ben Shahn, et (étonnamment) Saul Steinberg; livres de photographies de Mathew Brady, Edward Weston, Dorothea Lange, Robert Frank et Bruce Davidson; *Enquête sur l'entendement humain* de David Hume et *Léviathan* de Thomas Hobbes voisinaient avec *Les Problèmes du savoir et de la liberté* de Noam Chomsky, *Les Damnés de la terre* de Frantz Fanon, *Humiliés et offensés* de Dostoïevski, *Théorie de la justice* de John Rawls, *La Libération animale* de Peter Singer et une anthologie de poche à la couverture rouge vif, *Striking Back : Animal Rights Activism for the 21st Century.* À côté de la *Politique* d'Aristote et des *Méditations* de Descartes, un mince livre jaune : *L'Art du paradoxe : Zénon d'Élée.*

Remarquant la direction du regard de la Stagiaire, L'Enquêteur se retourna. «Lequel de ces livres vous intéresse-t-il? *Zénon d'Élée?*

– Non.

– Non?»

La Stagiaire secoua la tête. Abandonnant aussitôt les livres pour reporter son regard sur l'Enquêteur, qui l'observait d'un air amusé.

«Personne ne sait grand-chose sur "Zénon d'Élée". C'était un contemporain de Socrate, et ils se ressemblaient beaucoup, au fond. Des hommes qui poussaient les autres à *réfléchir*... et qui, du coup, se faisaient des ennemis.»

La Stagiaire gardait le regard fixé sur le bureau de l'Enquêteur. Ses paupières étaient baissées. Des larmes lui emplissaient les yeux, mais ne coulaient pas sur ses joues.

Elle contemplait les mains de l'Enquêteur, longues et minces – des mains d'homme, mais gracieuses, les ongles coupés court. Et cette bague en forme d'étoile à la main droite, qui faisait penser à un talisman.

L'Enquêteur revint au sujet de l'entretien.

«J'ai déjà eu plusieurs assistantes – plusieurs "stagiaires". Toutes se sont très bien tirées d'affaire quand nous avons été sur la même longueur d'onde. À la base, je cherche quelqu'un qui soit sérieux et digne de confiance. Je n'ai pas l'esprit pratique – j'oublie et j'égare les choses – je les *perds* rarement parce que ma stagiaire les retrouve pour moi – la plus difficile de ses attributions, peut-être! Je ne recherche pas une intellectuelle... encore moins quelqu'un d'"original" ou de "créatif" pour qui ce travail serait purement secondaire. Je veux quelqu'un qui, d'une certaine manière, *soit tout à moi* et ne m'oppose pas de refus – je parle des tâches que je lui confierai, naturellement, et qui seront passionnantes! Et parfois risquées. Il me faut donc une stagiaire intrépide, mais surtout pas téméraire. Quelqu'un qui suit mes instructions à la lettre, prévoit les problèmes et les résout sans avoir besoin de moi. Quelqu'un qui ait les idées claires et sache s'exprimer, mais qui parle très peu – comme si chaque mot lui coûtait. (Ma première stagiaire était si bavarde, dans l'intention d'être "charmante", que je l'ai avertie que je lui retiendrais sur son salaire un dollar par mot inutile. Elle a vite compris!) Et, surtout, je cherche une stagiaire qui passe inaperçue – qui pourra s'introduire dans des lieux où je serais immédiatement repéré. Je ne cherche pas à être "charmé" – j'ai eu plus que mon compte de ce côté-là, croyez-moi. Les seules séductions déployées dans mon alentour seront les miennes : la "séduction" de mes sujets, afin de les pousser à des paroles imprudentes et qui ne sont pas vraiment à leur honneur. Une stagiaire doit se méfier du bourbier du "transfert" – psychana-lytique – et je n'encourage aucune sorte de "confession". La stagiaire ne m'appellera pas "Cornelius" – ce nom vieillot n'est d'ailleurs pas mon vrai nom, ni même mon *nom de guerre** du moment... "docteur Hinton" ou "monsieur" feront l'affaire. La stagiaire ne tombera pas amoureuse de moi – même en imagina-tion. Elle ne me prendra pas non plus pour son père, ni surtout pour son grand-père. Nous avons à faire un travail que je juge urgent, à savoir exposer le ventre malade de l'âme américaine – si vous me permettez cette image surréaliste – et cela nous amènera peut-être à prendre des risques. Nous devons être aussi impersonnels que des missiles, et nous devons être efficaces. *Je me soucie comme d'une guigne de la vie intérieure de la stagiaire.* »

La Stagiaire eut un sourire hésitant. Avait-elle confié à l'En-quêteur qu'elle n'avait pas de *vie intérieure* ? Elle l'avait fait.

« Dites-moi, mademoiselle... "Sabbath", respectez-vous la loi ?

– Non.

– Non ?

– Eh bien, il faudrait que je sache... de quelle loi on parle. La loi est-elle unique et singulière ? »

L'Enquêteur eut un hochement de tête approbateur. « Bien ! J'aime votre scepticisme. J'aime même votre petite moue pincée :

"La loi est-elle unique?" J'ai ici... – presque avec gêne, quoique certainement content de lui, l'Enquêteur baissa la tête, indiquant un point sur le côté gauche de sa tête, au milieu de ses cheveux neigeux – une cicatrice commémorant le coup de matraque d'un policier, "siège de Chicago 1968", qui donne une idée de la brutalité de la *loi*. J'ai donc mes propres réserves sur le sujet.» La Stagiaire entraperçut un cuir chevelu traversé d'une étonnante cicatrice en fermeture Éclair, puis les cheveux blancs soyeux, une preuve de vanité masculine si raffinée qu'elle frisait l'abnégation, recouvrirent la vieille blessure amère comme une caresse.

«Vous m'avez l'air de quelqu'un qui a vécu ... non pas "hors" la loi, mais à son orthogonale, disons. Je me trompe?»

Orthogonale. Elle se risqua à deviner : parallèle? Perpendiculaire? À côté, mais sans s'en soucier?

«Non, monsieur.

– Il est toujours bon de se demander "quelle loi... et pour *qui*". Il est parfois impératif, d'un point de vue moral, d'enfreindre une telle loi, et plus noblement impératif de travailler à l'abolir. J'ai donc une sorte de casier judiciaire – pas sous le nom de "Cornelius Hinton", cela dit. Et vous, McSwain?

– Et moi... quoi?

– Avez-vous un casier judiciaire?

– N... non...

– Vous n'avez pas été une activiste? Comme Chantelle et ses amies? "Code rose"?

– Non.

– Et au cours de vos voyages, de ces années où vous avez erré en Floride – si vaguement que vous les ayez décrits... vous n'avez jamais été "coffrée", comme on dit?

– Non.»

La Stagiaire rit. Elle se demandait si elle devait se sentir insultée ou flattée.

« Cela arrive à gens parfaitement innocents et naïfs, dit l'Enquêteur. Quand, par exemple, une convention républicaine se réunit en ville et que la police locale sort ses troupes de choc. Les personnes de couleur, notamment, et celles dont l'identité sexuelle est mal définie. Il ne faut donc pas vous offenser de ma question. »

La Stagiaire était certaine que *Sabbath McSwain* n'avait pas de casier judiciaire : elle était morte trop jeune.

Elle n'avait jamais tapé ce nom sur un ordinateur. Par superstition, elle ne l'aurait pas davantage cherché qu'elle n'aurait cherché son ancien nom perdu – celle qu'elle avait été *là-bas*.

Elle n'avait pas la curiosité du passé, pour ce qui la concernait. Le passé impersonnel, « historique » – social, politique, culturel – l'intéressait bien davantage que le sien propre, souillé comme un pull d'été d'une matière légère et délicate que l'on aurait jeté dans une mare boueuse.

L'Enquêteur disait : « Vous seriez donc prête, si nécessaire, à "enfreindre" la loi, voire à "voler" ? Je ne parle évidemment pas d'objets ni de biens, mais de preuves dissimulées au public, dont nous pourrions avoir besoin pour dénoncer l'hypocrisie et l'imposture.

– Ou…oui, monsieur.

– Vous seriez prête à m'accompagner dans des endroits désagréables, voire dangereux, à ma demande ? Sans que je puisse vous aider si l'on vous repérait.

– Ou…oui, monsieur. Je veux dire… oui. J'y suis prête. Je ferais de mon mieux. »

Qu'on lui demande d'enfreindre la loi lui plaisait. La perspective d'une vie hors la loi, d'abuser les autres dans un but vertueux.

Une vie subversive pour laquelle elle serait payée. Une *vie*.

« Et le salaire. Avons-nous parlé "salaire" ? »

Comme incidemment, l'Enquêteur mentionna un montant hebdomadaire dépassant de beaucoup ce que la Stagiaire avait pu espérer.

Elle eut un sourire hésitant.

« Eh bien, cela vous conviendrait-il ? »

Le sourire de la Stagiaire se fit plus hésitant encore. La bonne réponse était-elle... *oui* ?

« Vous savez ce qui me plaît chez vous, Sabbath McSwain ? Vous ne perdez pas votre salive. Vous prenez très peu d'espace. »

L'entretien semblait s'acheminer vers sa conclusion. Peut-être même était-il terminé.

L'Enquêteur regardait maintenant son écran d'ordinateur, comme distrait par de nouveaux messages. La Stagiaire se demanda si elle avait été congédiée. Rejetée ? *Quelque chose de capital lui avait-il échappé ?*

« D... dois-je m'en aller ? Est-ce que... que se passe-t-il ensuite ? »

On ne faisait pas plus maladroit. Mais la Stagiaire ne trouvait rien d'autre à dire.

Elle passait si souvent des jours entiers sans parler à quiconque. Et quand elle apercevait les rares personnes qu'elle connaissait, il lui arrivait de les éviter, par une sorte de honte.

L'Enquêteur dit : « Oui. Bien. Vous pouvez partir maintenant, bien entendu. Mais soyez là demain à 7 h 15.

– Demain ?

– Oui. Comment pourriez-vous m'assister si vous n'êtes pas sur place ?

– Vous voulez dire que... je suis engagée ?

– Je crois que je veux dire... que vous ferez l'affaire pour le moment. »

La Stagiaire se leva, abasourdie et hébétée. L'Enquêteur l'imita avec plus de nonchalance. Il ne la raccompagna pas.

Il ne comptait pas se montrer galant : cela ne serait pas une caractéristique de leurs rapports. *Il ne veut réellement pas d'une relation personnelle*, comprit la Stagiaire. Elle lui tendit pourtant gauchement la main. Une main d'enfant, une main de garçon... aux ongles inégaux, bordés de noir, rongés. La manchette de sa chemise écossaise était tachée, le bout de ses boots d'hiver était taché. L'Enquêteur lui serra la main avec un petit sourire contrarié, ni vraiment exaspéré ni vraiment indulgent, fugitif et bienveillant, afin qu'elle quitte son bureau, et l'Institut, dont l'emplacement, en lisière du campus, sur une avenue passante, reflétait sa relation périphérique et orthogonale à l'université, son financement étant largement privé. Une fois dehors, la Stagiaire s'éloigna d'un pas rapide. Puis elle se mit à courir sous la petite pluie automnale que versait le ciel opaque, entendant son rire, un rire intérieur, inaudible, et clignant les paupières sous la pluie qui rafraîchissait son visage brûlant : *Vous ferez l'affaire pour le moment. Je pense que je veux dire. Vous!*

La première tâche de la Stagiaire fut de maîtriser l'«art retors» de photographier de très près un sujet (à son insu).

«Regardez. Ça date d'hier.»

L'Enquêteur lui indiquait l'écran – grand, plat, dernier cri – de son ordinateur de bureau.

Elle y découvrit avec stupeur dix-huit photos intitulées MCSWAIN...

Elle fit la grimace devant ces images d'elle-même, prises subrepticement, la petite ride qui lui plissait le front, et ce que l'Enquêteur avait appelé sa «moue pincée». Bien que légèrement floues, elles représentaient indubitablement *Sabbath McSwain*.

La Stagiaire éprouvait trop d'étonnement pour se sentir contrariée ou offensée. Sa curiosité l'emportait.

«Comment vous y êtes-vous pris? Je ne me suis d… doutée de rien…

– Naturellement que vous ne vous en doutiez pas. C'est tout l'intérêt de cet appareil miniature.»

L'Enquêteur rit, comme si la remarque de la Stagiaire était très naïve.

Il expliqua : adroitement et discrètement, pendant leur conversation, il avait pris ces photos avec un miniappareil Sony, dissimulé dans sa montre, lequel fonctionnait grâce à une pile minuscule se chargeant comme celles des portables.

L'Enquêteur lui montra comment procéder. Il lui rappela la façon dont il l'avait fait parler pour détourner son attention de sa montre-bracelet.

L'Enquêteur eut un sourire en coin. Manifestement il était content de lui.

«C'est un nouvel achat. J'en suis encore à le découvrir. J'ai utilisé des caméras-stylos, qui ne sont pas mal non plus. Aucun de ces appareils ne fait des photos aussi nettes qu'un téléphone portable, même moyen. Cela demande assurément un certain savoir-faire, mais aussi de l'entraînement, et du *sang-froid**, de la *houtzpah*. En votre qualité d'assistante, vous devez posséder les deux, tout en paraissant n'avoir ni l'un ni l'autre.»

L'Enquêteur marqua une pause. Il ne pouvait savoir (si?) que personne n'avait parlé à la Stagiaire sur ce ton, à la fois intime et agressif, depuis bien longtemps; et que le son même de sa voix la troublait.

Elle ne dit rien, bien entendu. Elle en savait autant sur le *sang-froid** que sur la *houtzpa*… par ses lectures, non par expérience. Mais elle ne dit rien. L'Enquêteur poursuivit :

«Dans le monde de l'espionnage high-tech, par exemple, ce ne sont pas des instruments très sophistiqués, mais mes sujets ne semblent pas s'en être aperçus jusqu'à présent. Et naturellement, le professeur Cornelius Hinton est un homme *très discret*.»

L'Enquêteur rit, fier de son ingéniosité.

La Stagiaire admira la montre et l'appareil photo minuscule qu'elle contenait. La Stagiaire désespéra de jamais maîtriser une opération aussi délicate en présence d'un sujet.

«J'ai les doigts trop maladroits, monsieur. Jamais je n'y arriverai. Je me ferai prendre, je...

– Vous ne vous ferez pas "prendre". Vous utiliserez ces appareils miniatures aussi bien que moi, mieux que moi. Vous allez commencer. Tenez.»

L'Enquêteur donna à la Stagiaire son premier appareil miniature, une version féminine de sa grosse montre à affichage numérique, adaptée à son poignet mince.

Elle en eut les larmes aux yeux. La montre était si belle!

*

Cela, c'était huit mois auparavant. Depuis, la Stagiaire avait appris à connaître l'Enquêteur intimement.

Pas *profondément*, mais intimement.

Elle savait par exemple que, lorsqu'il reportait sur son ordinateur les notes griffonnées sur son petit calepin – ce qu'il faisait de manière obsessionnelle, heure après heure, jour après jour – il écoutait du Mozart.

Les sonates pour piano, essentiellement.

La simplicité d'une sonate de jeunesse : la *Sonate en fa majeur n° 15*.

Celle, plus puissante, en *do* majeur, K. 330, jouée par Horowitz.

Une cascade fluide de notes montait de l'ordinateur. Clarté absolue. Perfection.

La Stagiaire, qui travaillait dans le même bureau à des tâches de secrétariat plus terre à terre, s'interrompait pour écouter, sous le charme. La prose de l'Enquêteur était souvent brute, rugueuse à force d'indignation – l'*indignation sauvage* de Jonathan Swift, disait-il – mais son idéal était la clarté classique. «Rien ne compte vraiment que la justice sociale, déclarait-il. Même si l'on sait combien il est difficile de faire reculer l'injustice…» Sa voix vibrait, cette gageure le galvanisait.

La Stagiaire se demandait si la «vie personnelle» avait déçu l'Enquêteur – s'il avait été blessé, brisé, ou s'il avait blessé et brisé d'autres êtres, incapables de faire de leur vie (personnelle) une vie (impersonnelle) au service des autres. La Stagiaire se le demandait, mais n'aurait jamais posé la question.

Longtemps auparavant la Stagiaire avait joué Mozart. Les premiers morceaux pour piano composés par l'enfant Mozart. Ce souvenir la faisait sourire… mais non, elle ne devait pas se souvenir.

Ce petit coup au cœur… l'émotion du souvenir! Non.

Tout ce qui était *là-bas* lui était fermé. On l'avait raillée, honteusement chassée. Elle était *la moche*, la mal aimée.

Elle se rappelait presque son corps (quasiment nu) couvert de boue, d'excréments. Ses cheveux, ses yeux. Ils avaient ri avec dérision.

Moche moche moche. Voilà la moche.

Elle avait fait honte à sa famille. Déshonoré son nom. Elle ne pouvait supporter d'y penser et donc elle n'y pensait pas, et n'y penserait pas.

Sauf que, quand elle entendait les notes de piano monter de l'ordinateur de l'Enquêteur, elle était forcée de se rappeler.

Elle écoutait, fascinée, le regard fixé sur la nuque de l'Enquêteur : ses cheveux blancs vaporeux, un peu trop longs sur le col, sa tête intelligente, qui semblait chercher à entendre avec plus de précision ce qu'une autre, à l'ouïe plus grossière, ne pouvait entendre.

Dans ces moments-là, il lui semblait que son âme se vaporisait. Les notes cristallines du piano, la clarté et la beauté, cette fluidité sans hâte ni urgence, quasi anonyme – comme si le compositeur Mozart n'était pas un individu, un simple mortel disparu des siècles plus tôt, mais la voix de l'humanité même, épurée de tout ce qui était grossier, bas et laid.

« McSwain ! » l'Enquêteur l'appelait. (Omettant souvent le *mademoiselle* de civilité parce que *McSwain* était plus efficace et plus adapté à la situation.

« Oui, monsieur ?

– Vous n'êtes pas occupée, si ?

– Je… n… non. »

Elle l'était, bien entendu. L'Enquêteur avait beaucoup plus de travail à lui confier qu'elle ne pouvait en accomplir en l'espace d'une journée.

En souffrance de stagiaire, l'Enquêteur avait « accumulé du retard ».

Il y avait les factures ordinaires à régler – gaz, électricité, impôts. Il y avait les chèques de droits d'auteur à envoyer aux banques où l'Enquêteur avait ses comptes. Il y avait les relevés bancaires à archiver, les documents fiscaux à remplir et à envoyer au comptable de l'Enquêteur, à Fort Lauderdale. Plus mystérieux, il y avait les chèques – certains mensuels – qu'il fallait libeller à l'ordre de personnes et de services divers. Et il y avait surtout les dossiers – des chemises Kraft bourrées de notes, documents, articles de journaux, copies d'e-mails – qui avaient été confiés à la Stagiaire.

« Pourrais-je avoir du thé ? Du thé vert. Une grande tasse. Avec du miel. Pour vous aussi, si vous le souhaitez. S'il vous plaît. »

Donner des ordres aux autres – le ton détaché, légèrement impérieux – était le mode de communication naturel de l'Enquêteur. Il avait été «chercheur principal» dans des laboratoires de psychologie expérimentale de l'Institut et dans différentes universités où son rôle consistait à donner des ordres à assistants, post-doc et étudiants de troisième et de deuxième cycle.

Mais il y avait le *s'il vous plaît* qui arrondissait les angles.

«Oui, monsieur.»

La Stagiaire en sut vite davantage sur l'Enquêteur qu'il n'aurait pu s'en douter.

Elle sut vite ses différents noms. Nom de naissance, nom sous lequel il avait commencé sa carrière professionnelle, nom(s) sous lesquels il publiait. Et nom(s) sous lesquels étaient ouverts ses comptes en banque.

Non seulement la Stagiaire savait imiter les signatures de l'Enquêteur, mais il lui demandait expressément de le faire quand il était trop occupé pour perdre son temps à des tâches aussi ordinaires.

«Les documents juridiques sont les seuls que nous ne puissions pas "contrefaire". Il faut pour cela des témoins et un notaire.»

À l'étonnement de la Stagiaire, alors que l'Enquêteur avait la réputation d'être un homme secret, vivant en reclus, «impossible à interviewer» (tel était le portrait de l'auteur de la série *HONTE!* que l'on trouvait sur internet, par exemple) –, ne communiquant que par le biais d'un dédale d'adresses électroniques fictives, y compris avec ses éminents éditeurs de New York et de Londres, il se montra d'une décontraction surprenante avec la Stagiaire une fois qu'il eut décidé pouvoir lui faire confiance.

Il avait apparemment compris, à l'expression de son petit visage impassible, où ses yeux semblaient immenses, pénétrants et cependant incertains, qu'elle était aussi ingénue qu'elle en avait l'air et n'avait aucune raison de le trahir. Peut-être aussi supposait-il que, comme ses précédentes stagiaires, elle l'adorait. La Stagiaire n'était pas encline à l'*adoration*. Plus depuis très longtemps.

Ni elle ni l'Enquêteur ne se seraient déterminés en fonction de cette adoration. Elle était simplement *là* – tel un talisman pendu au cou de la Stagiaire que l'on pouvait choisir de voir ou de ne pas voir.

La Stagiaire avait appris avec étonnement que l'Enquêteur, né *Andrew Edgar Mackie* à St. Paul dans le Minnesota, le 1ᵉʳ mars 1938, avait fréquenté le séminaire jésuite de Rockland de 1958 à 1959 ; il l'avait quitté pour s'inscrire à l'université du Minnesota, dont il était sorti avec une licence de psychologie et d'anthropologie en 1963. L'Enquêteur disait ne jamais avoir abandonné l'impératif jésuite : *Aimez Dieu, et faites ce que vous voulez.*

Il considérait *Dieu* comme «le plus sublime» de tous les projets humains – à l'instar du philosophe allemand Ludwig Feuerbach. La volonté, l'amour, l'espoir, le désir humains : une image gigantesque projetée sur un écran, un écran-ciel d'un bleu opaque.

La Stagiaire supposait que tel devait être le cas. Elle-même n'avait aucune conviction religieuse.

L'Enquêteur avait été un incroyant plein de mépris – un «athée militant» – quand il avait quitté le séminaire et l'Église catholique ; à présent, des décennies plus tard, il avait toujours le même mépris pour les institutions religieuses, mais davantage de compréhension pour les individus à qui la foi religieuse était indispensable.

L'Enquêteur avait abandonné *Andrew Edgar Mackie* au cours des années 1960. Peu après était apparu *Cornelius Hinton*, diplômé de Harvard et des universités de Cambridge et de Columbia. *Hinton* était un universitaire énergique et apparemment ambitieux. Ses domaines de spécialités étaient la sémantique, les psychologies sociale et cognitive, et la philosophie de l'esprit – la plus impénétrable des disciplines. Dans les années 1970, *Hinton* fut régulièrement publié dans des revues universitaires et se vit proposer des chaires dans des universités prestigieuses : Columbia, Duke, Yale, Cornell. Il avait occupé de nombreux postes de professeur ou de chercheur invité. Grades universitaires et titularisation ne l'intéressaient pas : il lui arrivait souvent de ne rester qu'un seul semestre dans une université. Il habitait dans les maisons ou les appartements (de location) de professeurs en congé. À Ithaca, il avait passé une grande partie de son séjour dans un camping du parc national Lebanon, à une demi-heure de voiture du campus de Cornell. Il avait les cheveux longs. Il ne se rasait plus. Il louait des voitures – quand c'était nécessaire. Il préférait le vélo, y compris à la mauvaise saison, qui dans cette partie de l'État de New York peut être particulièrement froide, avec neige et vents glacés.

En 1991, il avait accepté une poste de recherche à la Fondation nationale des sciences d'Arlington, en Virginie. Peu après, un poste permanent et grassement payé à l'Institut de recherche avancée de l'université d'État de Floride, dont des donateurs milliardaires de Fort Lauderdale espéraient faire un établissement de niveau international. Curieusement, cependant, *Cornelius Hinton* semblait avoir cessé de publier à peu près au moment de son arrivée à Temple Park.

Le premier de ses best-sellers controversés remontait en fait à 1979. *HONTE! ARCADIA HALL 1977-1978* relatait de façon saisissante le fonctionnement de la plus grande institution publique pour jeunes malades mentaux de Pennsylvanie, un établissement psychiatrique de Philadelphie où les patients avaient été victimes de brimades, coups et sévices sexuels systématiques de la part des soignants, le personnel médical et les administrateurs ignorant toutes les plaintes jusqu'à ce que surviennent des incidents graves et un décès. *HONTE! ARCADIA HALL 1977-1978* se présentait sous la forme d'un journal anonyme; la couverture attribuait l'ouvrage à « J. Swift» – un hommage de l'Enquêteur à son illustre prédécesseur. La courte notice biographique de la jaquette apprenait peu de chose sur « J. Swift», sinon qu'il était né dans le Midwest «à la fin de la Grande Dépression» et qu'il avait «voyagé beaucoup et en profondeur à l'intérieur des frontières des États-Unis»; il n'y avait pas de photo sur la jaquette. Le journal lui-même vous faisait imaginer un homme passionné qui, après avoir envisagé de devenir jésuite, avait abandonné le séminaire pour le mouvement pour les droits civiques. Pour préparer *HONTE! ARCADIA HALL 1977-1978*, l'Enquêteur avait suivi une formation d'assistant médical à l'école d'infirmiers de l'université de Pennsylvanie; douze heures par jour, neuf mois durant, il avait travaillé à Arcadia Hall dans des conditions de plus en plus pénibles, notant et photographiant ce qu'il y voyait jusqu'à son renvoi pour «insubordination» après qu'il eut tenté de s'interposer entre des patients et des collègues.

La controverse suscitée par l'ouvrage tenait en partie à ce que l'auteur avait lui-même été battu, blessé et hospitalisé; ses agresseurs avaient finalement été arrêtés, jugés et reconnus coupables de coups et blessures criminels. Sa vie avait été menacée à plusieurs reprises, mais au moment de la publication de *HONTE! ARCADIA HALL, 1977-1978* et de son ascension dans le classement des meilleures ventes à la suite d'une recension retentissante en première page de la *New York Review of Books* par le psychiatre et professeur de Harvard, Robert Coles, le mystérieux « J. Swift » avait disparu de Philadelphie sans intention de retour.

Cela, c'était en 1979. La Stagiaire ne naîtrait que sept ans plus tard.

Naturellement, dès ses années de lycée elle avait entendu parler de la série *HONTE !*, qui finirait par compter neuf ouvrages, neuf exposés brutaux, choquants et méticuleusement documentés, rédigés sous forme de journal par l'Enquêteur ; sur la couverture des livres, l'auteur demeurait « J. Swift ». Au fil des ans, sa biographie ne s'était guère étoffée que d'une liste de prix toujours plus longue : National Book Award, National Book Critics Circle Award, Anisfield-Wolf Award, Pulitzer. L'Enquêteur/J. Swift semblait ne pas avoir de vie privée : pas de femme, pas de famille, pas de domicile fixe. Et pas de photo.

Infatigable, il s'était infiltré dans d'abominables fermes industrielles du Midwest ; dans des hôpitaux pour anciens combattants de Nouvelle-Angleterre manquant déplorablement de personnel ; dans les abattoirs où se fournissaient des chaînes de fast-food – en hommage direct à l'un de ses héros, Upton Sinclair, de *La Jungle*) ; dans des laboratoires de recherche médicale faisant des expériences sur les chimpanzés, les chiens et les chats (où il avait pris des photos terrifiantes, dont la diffusion sur internet avait suscité protestations et indignation). Sous un autre nom que celui de « J. Swift » il avait été arrêté à San Francisco pour son activisme en faveur des droits des animaux (« terrorisme » était l'accusation officielle) ainsi que pour « terrorisme écologique » – mais les poursuites avaient finalement été abandonnées faute de preuves. (La Stagiaire apprendrait, en s'occupant des comptes de l'Enquêteur, qu'il avait fait des dons généreux à des organisations telles que la PETA, le Front de libération des animaux et la Milice des droits des animaux, ainsi qu'à des organisations activistes de gauche ou féministes telles que Code rose et Femmes sans frontières.) Son dernier best-seller, *HONTE! VOTRE (DÉS)HONNEUR*, publié en 2009, dénonçait avec virulence plusieurs juges des affaires familiales du comté de Nassau, à Long Island, qui, en l'espace de quatre ans et contre plus de deux millions de dollars de pots-de-vin, avaient envoyé près de trois mille primodélinquants dans des établissements pénitentiaires privés. La plupart de ces jeunes délinquants n'avaient commis que des délits qui leur auraient valu des peines de probation si les juges ne les avaient expédiés dans le système carcéral; ils n'avaient pas eu d'avocat, des auxiliaires de justice, également soudoyés, ayant persuadé leurs parents de renoncer à leurs droits. Dans l'un de ces camps de redressement de sinistre réputation, des baraquements sordides dans les Poconos, de jeunes détenus avaient été victimes de brimades, coups et sévices sexuels de la part des surveillants et des codétenus, lesquels avaient poussé au suicide une jeune fille de dix-sept ans, arrêtée pour avoir volé moins de vingt-cinq dollars de marchandises dans un magasin Rite Aid – son premier délit! L'Enquêteur avait rassemblé ces informations scandaleuses en se faisant passer pour «Hank Carpenter», représentant des services pénitentiaires privés Pioneer America Inc., offrant aux juges des affaires familiales du tribunal du Nassau «cinq mille dollars pièce» par délinquant juvénile envoyé dans son établissement; des conversations stupéfiantes qu'il avait enregistrées et reproduites *verbatim* dans *HONTE! VOTRE (DÉS)HONNEUR*.

Avant la publication officielle du livre, l'Enquêteur avait communiqué ses découvertes au procureur du comté de Nassau et à l'Attorney General fédéral de l'État de New York; des extraits, publiés dans *The New Yorker*, avaient soulevé un tollé national.

Les juges corrompus avaient finalement plaidé coupable de corruption, perdu leur poste et été condamnés à des peines de sept à quinze ans de prison. *Sept à quinze ans!* Avec des remises de peine pour «bonne conduite», et dans des centres de détention (gérés par l'État), les ex-juges ne purgeraient qu'une fraction de leur temps.

Grâce aux pots-de-vin reçus, ils s'étaient acheté des voitures coûteuses, un yacht, de nouvelles maisons; ils s'étaient offert des piscines, des croisières de luxe aux Bahamas, avaient envoyé leurs enfants dans des écoles privées prestigieuses. (Aucun des pots-de-vin n'avait été restitué.)

Aucune des prisons privées n'avait été assignée en justice.

Dans la Chine totalitaire, des fonctionnaires agissant comme ces juges corrompus auraient pu être exécutés.

Écœuré par le pouvoir judiciaire du comté de Nassau, l'Enquêteur s'intéressait à présent à la peine capitale aux États-Unis après les succès très médiatisés du Projet Innocence – et plus particulièrement aux États où le rythme des exécutions ne s'était pas ralenti en dépit des erreurs judiciaires constatées grâce aux tests ADN. Alors que des États tels que l'Illinois, le New York et le New Jersey avaient immédiatement suspendu toute exécution dans l'attente de compléments d'enquête, d'autres, tels le Texas, la Georgie, l'Alabama, le Mississipi, la Louisiane et la Floride, avaient à peine réagi aux révélations de Projet Innocence. «On dirait qu'ils se moquent éperdument de savoir si un accusé est véritablement "coupable"… une fois qu'un jury ou un juge l'a déclaré tel. Pour ces États l'*innocence* d'un homme n'est pas le critère déterminant de son exécution.» L'Enquêteur était outré, révolté.

C'était pour ce projet qu'il avait engagé la Stagiaire.

Il l'avait avertie que cela pourrait lui «retourner l'estomac», peut-être même «présenter des dangers». Ils chercheraient à se faire admettre dans les couloirs de la mort des prisons de haute sécurité, travestis en avocats, en criminologues, en professeurs de sociologie ou de psychologie; si les responsables pénitentiaires savaient qui était l'Enquêteur, l'auteur de la fameuse série *HONTE!*, ils ne le laisseraient pas entrer. La Stagiaire ne ferait pas l'objet de vérifications aussi poussées, il en était certain : « Votre qualité d'assistante vous permettra d'aller quasiment partout où je vais. Personne ne fera attention à *vous*. »

« McSwain! Occupez-vous de ça. »

Une pile d'enveloppes, non ouvertes.

Encaisser les chèques de l'Enquêteur et payer ses factures était l'une des tâches de la Stagiaire, car il avait une sainte horreur de ce qu'il appelait les *finances*.

Il répugnait notamment à ouvrir les enveloppes contenant ses chèques de droits d'auteur (adressées à « J. Swift », « Cornelius Hinton », entre autres) ou, quand il le faisait, à s'intéresser aux montants, comme si constater l'importance de ses revenus aurait été un acte d'immodestie. À peine s'il consentait à examiner les chèques mensuels de l'Institut à « Cornelius Hinton ».

Chose étonnante, il avait confié ces tâches à la Stagiaire presque aussitôt après son entrée en fonctions. (Elle ne travaillait pas à l'Institut, mais dans l'hôtel particulier que l'Enquêteur louait à un collègue en congé au bord de Rio Vista, le canal reliant Temple Park à Fort Lauderdale. Comme par hasard, ledit hôtel avait, sur deux niveaux, une salle de séjour toute en baies vitrées d'où l'on avait une vue, éblouissante le matin, sur l'océan Atlantique et son ciel brumeux, deux kilomètres à l'est.

Voilà donc ce que *best-seller* veut dire! avait pensé la Stagiaire, en sifflant entre ses dents.

« Il est riche ! Ses comptes en banque sont pleins à déborder d'un argent dont il ne sait que faire. »

Et il y avait aussi les traductions, les ventes à l'étranger, les rééditions en poche d'ouvrages récents ; les adaptations télévisées de plusieurs de ses titres en Europe ; et même, en Suède, un projet d'adaptation théâtrale de *HONTE ! VOTRE (DÉS) HONNEUR* sur l'une des grandes scènes de Stockholm.

L'Enquêteur s'habillait avec l'élégance d'un gentleman quand il voulait offrir une image convaincante du *professeur Cornelius Hinton* ; mais pour autant que la Stagiaire puisse en juger, il vivait dans l'ensemble très en dessous de ses moyens, ne possédait aucun bien immobilier, et ne loua qu'à contrecœur, dans un but pratique, un véhicule haut de gamme, une Acura MDX gris acier, à la fin de l'hiver 2012 pour ses déplacements dans les prisons procédant à des exécutions capitales.

(La Stagiaire n'avait pas menti en lui assurant avoir un permis de conduire… quelque part. Depuis son embauche, elle s'était arrangée pour obtenir, grâce à une connaissance de Fort Lauderdale ayant un contact au Service des véhicules automobiles du comté de Broward, un permis plastifié avec photo, délivré à *Sabbath McSwain née le 15/08/1986*. Car l'Enquêteur se refusait à conduire un véhicule, sauf en cas de nécessité absolue.) En même temps que les factures de routine – gaz, électricité, assurance – la Stagiaire réglait également celles envoyées chaque mois par bon nombre d'organismes, dont un hôpital de soins longue durée de Minneapolis, le Mount St. Joseph. Elle adressait également un chèque mensuel de mille cinq cents dollars à *F. J. Mackie,* demeurant à St. Paul ; un autre, légèrement moins élevé, à *Denise Delaney,* demeurant à Chicago ; et d'autres encore, de montants variables, à une dizaine de personnes, demeurant presque tous dans le Midwest. (Famille, ex-épouses, enfants ? *L'Enquêteur avait-il des enfants, des petits-enfants ?*) Un compte, au nom d'un certain *Hollis Whittaker* de White Plains, New York, sur lequel l'Enquêteur avait versé plus de trente-cinq mille dollars entre 2005 et 2011, avait été clos en 2011 ; sur son relevé bancaire manuscrit, au crayon rouge, l'Enquêteur avait écrit *F I N I** en travers du nom.

Dans plusieurs *colleges* et universités – université du Minnesota, Wake Forest College, Ithaca College, Loyola College de Chicago, College of Arts and Sciences de Temple Park –, l'Enquêteur avait créé des bourses pour étudiants dont les dotations allaient de cinq cent à neuf cent mille dollars. À l'université Cornell, il avait en outre créé une *bourse J. Swift de bioéthique et de journalisme d'investigation*, dotée de neuf cent mille dollars, destinée aux étudiants de troisième cycle et aux post-doc.

Ce qui signifiait, selon les calculs rapides de la Stagiaire, que l'Enquêteur avait donné plusieurs millions de dollars au cours des dix dernières années : ce que personne d'autre ne pouvait savoir puisque personne n'en avait tenu le compte et que, très vraisemblablement, l'Enquêteur n'aurait su citer les nombreuses bourses qu'il avait dotées.

Dans une chambre d'amis de l'hôtel particulier, sur une table Parsons blanche faisant la longueur de la pièce, des dossiers à soufflet pleins de lettres, tapées à la machine ou même manuscrites. Des centaines d'entre elles remontaient à la fin des années 1960. (Une note d'une stagiaire précédente, sur un post-it, indiquait *Trié et classé jusqu'à 1991. Incomplet.*)

Il y avait aussi des dossiers de courriers électroniques, plus récents. La plupart émanaient d'éditeurs, certains de lecteurs, quelques-uns d'amis et de connaissances, d'anciens collègues universitaires de l'Enquêteur, d'étudiants. Les salutations s'adressaient à *J. Swift, Cornelius Hinton* ou «*Andy*». (Cet «Andy» pouvait-il être le diminutif affectueux d'«Andrew

Edgar Mackie», disparu des dizaines d'années plus tôt ?)
La Stagiaire parcourut ces feuillets, guettant les formules
Affectueusement, Très affectueusement, À toi pour toujours.
Des cartes étaient mêlées aux lettres. Des reproduc-
tions d'une sauvage beauté, des tableaux de Matisse, Derain,
Rousseau... Celles dont les couleurs étaient le plus splendi-
dement éclatantes semblaient avoir été envoyées par la même
personne, dont le nom, griffonné, était peut-être *Isabel* ou *Inez*.
La dernière de ces cartes était datée du 22 février 2008 et
postée de Bruxelles.

La Stagiaire avait pour instruction de « mettre de l'ordre, éti-
queter, se débarrasser des livres et des épreuves en double, etc. ».
Le bail de l'Enquêteur expirait dans moins d'un an, et – naturellement – il n'avait pas songé un instant à son prochain lieu
de résidence. (L'Enquêteur était d'une imprévoyance notoire
concernant son avenir domestique immédiat : son attention se
concentrait sur le projet en cours.)

Les stagiaires précédentes avaient trié, classé et étiqueté la
plupart des documents de l'Enquêteur. La Stagiaire découvrit dans des cartons soigneusement identifiés (années 1970-
1980 ; 1980-1990, etc.) les revues ayant publié des articles de
l'Enquêteur, *New York Review of Books, The Nation, The New
Yorker, Harper's* et *TLS* ; les épreuves et manuscrits corrigés des
différents *HONTE!* ; les interviews accordées par l'Enquêteur
sous son nom de *J. Swift* ; des liasses de recensions, certaines
élogieuses et d'autres pas. Dans un dossier marqué ÉTÉ 1981/
ASPEN, elle trouva des photos d'un mariage en plein air, où
l'Enquêteur, âgé d'une petite quarantaine, n'était apparemment pas le marié mais – peut-être – le garçon d'honneur. Vêtu
d'un costume teint par nouage et coupé dans un tissu excentrique genre toile à sac, il était chaussé de sandales et avait les
cheveux nattés à la rasta ; sa barbe n'était pas taillée court, mais

abondante, noire et bouclée. Il ressemblait moins à *lui-même* qu'à une copie américaine bien portante du Che Guevara.

Les photos du mariage étaient prises au petit bonheur, sans souci de mise au point. Sur une pente de montagne, à l'arrière-plan, des fleurs sauvages aux couleurs éclatantes évoquant un tableau fauve. La Stagiaire se dit en souriant : *Ils sont tous défoncés. Ils sont si heureux! Que sont-ils devenus aujourd'hui, trente ans plus tard?*

Il y avait la mariée – robe de lambeaux de soie blanche, longs cheveux blonds soyeux, pieds nus. Et il y avait le marié : un jeune homme d'une trentaine d'années au visage bronzé, les cheveux en queue-de-cheval, rasé de près et également pieds nus.

Comme l'Enquêteur était séduisant en cet été 1981! En ces temps lointains où il était encore jeune. Où il s'amusait, entouré d'amis dont on le sentait proche.

La Stagiaire n'était pas encore née en 1981. Elle éprouva un pincement de jalousie en voyant, sur plusieurs photos, l'Enquêteur au côté d'une jeune femme qui, sans être une beauté, avait du charme : nez retroussé, cheveux châtains ondulés, longue jupe en dentelle. Tous les deux riaient avec décontraction. On sentait – on voyait – qu'il y avait une complicité sexuelle entre eux, un rayonnement physique.

La Stagiaire alla à la fenêtre examiner les photos de plus près. Elle se dit *Je n'ai jamais eu de vie. À quoi cela ressemblerait-il d'avoir une vie?*

Ce n'était pas de l'amertume, juste de la curiosité. Une curiosité presque scientifique.

Elle se dit aussi *Mais il a renoncé à cette vie… aux sentiments. Il a évolué, il a abandonné ces gens. Voilà ce qui nous réunit.*

*

Le nouveau projet s'intitulait provisoirement *HONTE!
CHÂTIMENTS CRUELS ET HABITUELS : meurtres d'État aux
États-Unis.*

Bien que méticuleux dans ses recherches, l'Enquêteur ne se
souciait pas de donner à sa prose une subtilité jamesienne : son
but était d'étonner, de choquer, de consterner, de provoquer
l'écœurement, de *convaincre* et d'*émouvoir.*

Il avait amassé des informations sur les condamnations à
mort depuis les succès très médiatisés du Projet Innocence au
début du xxie siècle : plus de deux cent soixante condamnés,
dont beaucoup attendaient dans les couloirs de la mort, avaient
été innocentés grâce à des tests ADN. Les dossiers de son ordinateur contenaient des centaines de pages de documents, dont
de longs articles de revues juridiques, écrits par des spécialistes
tels que Barry Scheck, Austin Sarat et Leigh Buchanan Bienen.
Il était déprimant – ou plutôt terrifiant – d'imaginer le nombre
de personnes, noires en majorité, qui avaient sans doute été
condamnées à mort alors qu'elles n'étaient pas coupables des
crimes qu'on leur reprochait; d'imaginer le nombre de ceux
qui se trouvaient à l'heure actuelle dans les couloirs de la mort,
et qui auraient pu être libérés si le Projet Innocence avait eu
accès à leur dossier.

L'Enquêteur se qualifiait de «sceptique» : «depuis l'âge de
vingt ans, un cynique sur le modèle de Swift et de Voltaire».
Il était néanmoins stupéfait et indigné que, dans un nombre
consternant d'États, rien ou presque n'eût été fait pour réduire
les condamnations à la peine de mort, en dépit des possibilités
de disculpation par tests ADN. «Même la Cour suprême des
États-Unis semble se moquer qu'un innocent soit exécuté, une
fois qu'il a été déclaré "coupable"!»

L'Enquêteur détestait particulièrement les juges «de droite»
de la cour. Ses *bêtes noires** étaient Scalia et Thomas. Il aurait

adoré écrire un *HONTE!* sur la vie (secrète, cachée) des juges de la Cour suprême, mais ces citoyens américains avaient si peu de comptes à rendre à quiconque qu'il était quasiment impossible à « J. Swift » d'imaginer les dénoncer.

« Ah ! si seulement je pouvais vivre éternellement ! Si je ne levais jamais le pied. Si je pouvais remonter le temps, m'inscrire en faculté de droit, m'arranger pour me faire embaucher comme stagiaire de Scalia ou de Thomas ! Tant de nos maux actuels proviennent de la cour, et de la Maison-Blanche, du Pentagone, comme d'un plafond suintant de pourriture… »,

La Stagiaire était flattée que l'Enquêteur lui parle aussi librement. Il ne craignait pas qu'elle eût été engagée par ses ennemis pour l'espionner.

Elle l'entendait souvent parler au téléphone à de vieux amis, des collègues et des camarades de ses organisations activistes : elle entendait son ton indigné, son rire âpre.

Elle avait un frisson de fierté. Elle était la *stagiaire* de l'Enquêteur.

Bien que personne ne la connaisse pour le moment, un jour peut-être, lorsque le nouveau *HONTE!* serait achevé, le nom de « Sabbath McSwain » serait associé au sien.

Elle se disait naïvement *Nous aboutirons peut-être à quelque chose. Ce que nous dénonçons au monde… changera le monde.*

La première visite d'un couloir de la mort avait été fixée : le 11 mars 2012 à 10 heures, au centre pénitentiaire de haute sécurité d'Orion. Orion était une bourgade des plaines de la Floride centrale, au nord-ouest du lac Okeechobee, à environ deux heures et demie de route de Temple Park.

« L'affaire est réglée, McSwain ? Bien joué ! »

L'Enquêteur ne manquait jamais d'exprimer un étonnement ravi quand la Stagiaire accomplissait une tâche dont il avait lui-même du mal à s'acquitter : demandes téléphoniques simples, réservations, présentation d'une ordonnance à la pharmacie du quartier, réclamation d'une facture déjà réglée. Accomplir des tâches aussi ordinaires *contrariait* l'Enquêteur, comme jouer la *Valse* de Chopin aurait contrarié un musicien prodige.

La Stagiaire avait longtemps été « timide » – c'est-à-dire peu sociable, encline à une taciturnité extrême – mais, dans son rôle d'assistante du Dr Cornelius Hinton, elle avait vite pris une assurance, une sorte d'arrogance cordiale, convenant à sa position. Sa voix habituelle était hésitante, éraillée et quasi inaudible, mais au téléphone elle devenait claire et directe ; *professeur Cornelius Hinton, Institut de recherche avancée de l'université d'État de Floride à Temple Park :* elle débitait ces mots pompeux et intimidants comme si elle les prononçait depuis toujours.

Par un contact de l'Enquêteur à la faculté de droit de Gainesville, elle était parvenue à obtenir deux places dans la visite guidée d'Orion, réservée à des professeurs, éducateurs et psychologues, hommes politiques, travailleurs sociaux, ecclésiastiques, exerçant dans le domaine de la justice pénale. Théoriquement, on vérifiait les antécédents de tous les visiteurs des établissements pénitentiaires de Floride ; en pratique, ces vérifications étaient sommaires et aléatoires. Un professeur de la faculté de droit s'étant porté garant du Dr Hinton, ni lui ni sa jeune assistante n'éveilleraient vraisemblablement les soupçons des autorités d'Orion.

Le matin du 11 mars 2012, la Stagiaire retrouva de bonne heure l'Enquêteur dans son bureau de l'université. Il était prévu qu'elle les conduise à la prison dans le SUV Acura loué pour l'occasion. Pendant le trajet – sur l'US 27, le long du canal New River – l'Enquêteur étudia les documents qu'il avait téléchargés sur internet, téléphona de son portable et revit avec la Stagiaire la stratégie qui serait la leur pendant la visite : « J'enregistrerai quand je pourrai. Ce qui semblera en valoir la peine. Ce que dira le guide, par exemple, si c'est un surveillant. Des anecdotes sur le couloir de la mort. Les propos "officieux" qu'il ne tiendrait jamais dans une interview. Et dans la chambre d'exécution, si on nous y conduit… il faudra que nous fassions tous les deux des photos, si c'est possible. Mais ne vous inquiétez pas : je ne vous demande pas de prendre de risques, cette première fois. Nous nous comporterons comme s'il n'y avait aucun lien entre nous. La visite a été organisée par l'intermédiaire du bureau du directeur, il est donc peu probable que le guide sache que "Sabbath McSwain" est l'assistante de "Cornelius Hinton". Je vous ferai savoir par signe si je souhaite que vous fassiez quelque chose de particulier, ne cherchez pas à prendre des initiatives… Conduisez-vous naturellement. Fondez-vous dans le groupe. Vous avez l'air d'une étudiante… vous n'attirerez pas l'attention. Je prendrai autant de photos que je le peux. Mais nous devons tous les deux faire preuve de *modération.* »

La Stagiaire eut un sourire anxieux.

Elle n'avait aucune intention d'attirer l'attention sur elle.

Elle souhaitait ardemment rester invisible aussi longtemps que possible.

Dès la bretelle de sortie d'Orion, tous les panneaux indiquaient la prison.

Dès la bretelle de sortie d'Orion, on apercevait l'enceinte de la prison, délimitée par un grillage électrifié de quatre mètres cinquante, couronné de rouleaux de barbelés acérés. On voyait, à intervalles réguliers le long de ce grillage, des miradors de surveillance. Et de l'autre côté, tout juste visibles, évoquant une forteresse, les hideux bâtiments de la prison. « J'ai été "incarcéré" un certain nombre de fois, dit l'Enquêteur d'un ton pensif, mais je n'ai encore jamais été "emprisonné". Il paraît que, psychologiquement, la différence est énorme. Rendez-vous compte : être condamné à *passer sa vie entière derrière des barreaux. Être condamné à mort.* »

La Stagiaire décela de l'excitation et de l'appréhension dans la voix de son employeur. Elle ne voulait pas se dire *Lui aussi est anxieux... mais il ne le montrera pas.*

Pendant les deux heures et demie du trajet, elle avait pensé *Si quelque chose arrivait – un accident – nous y couperions. Le danger le plus grand nous serait épargné.*

Mais la Stagiaire était une conductrice prudente. Une conductrice méticuleuse. La Stagiaire était une conductrice obsessivement prudente, méticuleuse et *respectueuse des lois* en dépit de son désir (secret) de saboter le plan de la matinée, d'éviter à l'Enquêteur et à elle-même d'entrer dans la prison de haute sécurité et d'affronter ce qui les y attendait.

À 9 h 45, l'établissement pénitentiaire baignait dans une lumière blafarde, caractéristique de la Floride centrale en fin d'hiver : pas de soleil visible, des nuages épais, et cependant une lumière sans ombre, omniprésente. La Stagiaire se rappelait – vaguement, comme on se rappellerait un film de son enfance, jamais entièrement ou consciemment – des fins d'hiver très différentes sous un autre climat, plus septentrional.

Dans les montagnes surtout, la neige était partout à la mi-mars – en congères, en tapis, en ruisseaux, tantôt granuleuse et grise, tantôt fraîche et éblouissante de blancheur.

Ici, en Floride, il ne neigeait jamais. Jamais cet émerveillement tombé du ciel : *la neige.*

À 9 h 45, la journée était déjà bien entamée à la prison. Pour les surveillants et pour les autres employés de l'établissement, elle commençait vraisemblablement à l'aube.

Le parking des employés était presque plein, et celui des visiteurs, situé deux cents bons mètres plus loin, l'était au tiers.

Avant de gagner l'entrée de la prison, l'Enquêteur et la Stagiaire durent enfermer leurs objets personnels dans le coffre ou la boîte à gants du SUV : portefeuilles, cartes de crédit, argent, équipements électroniques, y compris téléphones, ordinateurs, tablettes. Il leur était interdit d'introduire dans la prison des objets «illicites» tels que cigarettes ou médicaments.

Tout instrument ou arme, et tout ce qui pouvait être transformé en arme, les brosses à dents, par exemple, les clés, les chaînes en or, les bijoux trop visibles. Ils étaient autorisés à garder leur montre et à avoir avec eux un unique stylo et un unique petit carnet – pas d'enregistreur ni d'appareil photo, bien entendu. Il leur était interdit de porter du bleu de quelque nuance que ce fût parce que c'était la principale couleur de l'uniforme des prisonniers, de même qu'il leur était interdit de porter des jeans parce que la toile de jean était le principal tissu de ces uniformes. Il leur était interdit de porter de l'orange, les salopettes orange identifiant une certaine catégorie de prisonniers, non encore triés et intégrés à la population générale. Et le marron ou le marron beige leur étaient interdits parce que c'était la couleur des uniformes des surveillants.

Les visiteurs avaient interdiction de porter shorts, chemises ou pulls sans manches, chaussures à bout ouvert. Les femmes en particulier ne devaient pas avoir de tenues «provocantes», quelle que soit la température. (Certains bureaux administratifs étaient climatisés à Orion, mais l'ensemble de l'établissement étouffait et macérait dans la chaleur d'avril à octobre, voire au-delà : si vous pensiez ne pouvoir supporter des températures dépassant les 30 degrés, il n'était pas recommandé de visiter Orion pendant cette période.) En ce jour froid, la Stagiaire portait un pantalon de velours sombre, et l'Enquêteur, une tenue étonnamment élégante, flanelle gris perle à fines rayures, chemise blanche et cravate de soie, qu'elle lui voyait pour la première fois.

Il avait même taillé sa barbe blanche, taillé ses ongles.

Naturellement, les visiteurs avaient interdiction de parler – de «faire signe» – aux détenus. Ils ne devaient s'écarter du groupe sous aucun prétexte. Ils ne devaient pas tenter de faire passer des messages aux détenus – ou aux surveillants. Si leur guide leur présentait un «classé» – un détenu autorisé à travailler – ils pouvaient lui parler, mais uniquement à cette condition; et ils ne devaient en aucun cas lui poser des questions personnelles.

«Cela ressemblera à ces visites guidées de "fermes industrielles" ou d'abattoirs que j'ai déjà eu l'occasion de faire et qui peuvent être assez éprouvantes. Notre but consiste essentiellement à absorber le plus d'informations possible, à prendre des photos quand nous le pouvons et à ressortir vivants.» L'Enquêteur rit, comme s'il avait fait une remarque spirituelle.

Il lui demanda de partir devant et de rattraper les cinq ou six visiteurs qui montaient des marches de pierre grossières pour rejoindre la route au-dessus. Lui-même resta quelques minutes de plus près du SUV avant de la suivre. Quand il rejoignit les quatorze visiteurs réunis devant l'entrée de la prison, il était 9 h 58. Il ne lui adressa pas un regard.

Bien que prévue à 10 heures précises, la visite ne commença qu'à 10 h 38, quand le guide – le lieutenant – arriva, de l'intérieur de l'établissement. Vêtu de l'uniforme marron terne des surveillants de la prison d'Orion, c'était un homme de haute taille, solide d'apparence, et d'un âge indéterminé, à ceci près qu'il n'était manifestement pas jeune; ses épaules, bien que musclées, étaient un peu voûtées, et sa poitrine semblait légèrement concave, comme s'il avait été récemment malade et qu'il n'eût pas encore retrouvé sa force et son poids antérieurs. Ses joues ne semblaient pas rasées, ou en tout cas pas de près. Des accès imprévisibles de gaieté plissaient de rides le coin de ses yeux. Il vérifia les papiers d'identité des visiteurs et les leur rendit sans commentaire, disant seulement, le ton mi-flatteur, mi-railleur, aux étudiantes en «sociologie criminelle» et à leur professeur (femme) de l'université de Floride à Eustis : «Si ça se trouve, c'est vous qui allez m'apprendre des choses.»

Immédiatement derrière l'entrée se dressait un portique de sécurité, vers lequel le lieutenant poussa son groupe comme un chien de berger un troupeau de moutons. Ils montrèrent de nouveau leurs cartes d'identité plastifiées, cette fois à un surveillant renfrogné qui les regarda d'un air soupçonneux, comme s'il n'avait jamais vu de visiteurs. Après leur avoir tamponné le poignet d'une encre invisible, il les avertit que, s'ils s'en débarrassaient en se lavant, l'établissement tout entier serait bouclé : «Plus personne n'entrera, et plus personne ne *sortira*.»

D'autres surveillants passaient le contrôle avec eux. L'usage voulait que les gens de l'extérieur leur donnent la préséance, dit le lieutenant.

La Stagiaire s'avança sans hésitation. Son cœur battait avec calme. Dans ce genre de moment, il est bon de se dire *Je ne suis pas vraiment censée être en vie : tout cela est posthume. Je tiendrai bon.*

«Avancez, s'il vous plaît. Par ici. *Ne vous éloignez pas de moi.*»

Ils étaient maintenant dans la prison, ou plutôt dans une cour intérieure misérable, où de mauvaises herbes poussaient entre les pavés. Elle était fermée à droite par un bâtiment décrépi, dont l'un des murs s'ornait d'un arc-en-ciel, très vraisemblablement peint par des détenus. La Stagiaire jeta un coup d'œil aux autres visiteurs : les étudiants, dont deux seulement n'étaient pas de sexe féminin ; la professeur ; quelques hommes entre deux âges, tous de race blanche… et, dans son élégant costume à fines rayures, l'Enquêteur, qui avait déjà commencé à prendre des notes dans son petit calepin.

Sa grosse montre Sony dernier cri, qui donnait dates, marées, levers et couchers du soleil, était bien visible à son poignet, réglée pour prendre des photos miniatures instantanées.

La montre Sony de la Stagiaire, cadeau de son employeur, n'était pas aussi visible, et elle s'imaginait mal s'en servir. L'Enquêteur l'avait longuement entraînée à prendre des photos… mais en lui disant de ne pas le faire dans la prison si cela l'angoissait : c'était en effet une infraction pouvant l'exposer à une arrestation.

Lui n'avait aucune intention de se faire prendre ni arrêter. *Lui* se vantait de ne jamais avoir été démasqué depuis le début de ses enquêtes clandestines à la fin des années 1970.

Le lieutenant leur racontait l'histoire de l'établissement pénitentiaire de haute sécurité d'Orion, fondé en 1907 sur un terrain de huit hectares. Dans les décennies qui avaient suivi, la prison avait été agrandie et, en 1939, on avait construit l'actuel couloir de la mort, prévu à l'époque pour trente-cinq prisonniers. En 1982, d'autres établissements de haute sécurité avaient été bâtis en Floride en raison de l'«augmentation constante» de la population carcérale – «due principalement à la drogue et au trafic de drogue dans la région de Miami». Il y avait trois autres couloirs de la mort dans l'État de Floride : la prison d'État de Floride, dite prison Starke ; l'établissement pénitentiaire de l'Union à Raiford, et l'annexe de Lowell, où se trouvaient les femmes condamnées à mort.

Grâce à ses recherches, la Stagiaire connaissait déjà la plupart de ces informations. La voix du lieutenant, alerte et cordiale, lui tapait sur les nerfs. Elle remarqua la façon dont ses yeux gris pierre couraient sans trêve d'un visiteur à l'autre. Il n'avait nul besoin de s'écouter parler : il avait prononcé ce discours bien des fois et savait s'interrompre quand il attendait des sourires ou des rires nerveux. Mais apparemment le lieutenant ne pouvait s'empêcher de compter les membres du groupe... c'était plus fort que lui.

La Stagiaire aussi se surprenait parfois à compter : gens, chiffres, objets. Qui sait pourquoi ?

Une façon de fixer l'infini. D'arrêter le temps avant qu'il ne s'enfuie.

Un penchant à la M. C. Escher, peut-être. Une compulsion. Elle avait terriblement envie de dessiner... quelque chose. Ses doigts se crispaient, comme ceux de l'Enquêteur, impatients de recueillir, de noter. Dans cet endroit interdit, en particulier. Où ils se mouvaient comme des spectres, *sous un déguisement.*

«Sabbath McSwain» avait exposé, avec deux autres jeunes artistes, au centre des Femmes sans frontières de Temple Park. Après une longue interruption – où lui avait fait défaut le désir de créer, pour ne rien dire de l'énergie et de l'espoir nécessaires à cet effort – la Stagiaire avait passé plusieurs semaines exaltantes à dessiner à la plume, non plus des sujets visionnaires à la Escher, mais des gens qu'elle avait observés de près et intimement : des clients de la librairie en faillite, des visages qui l'avaient touchée, où elle reconnaissait une solitude comparable à la sienne, et cette *attente* étrange.

Son penchant pour l'abstrait s'était éteint. À présent, c'était surtout les visages qui l'intéressaient : bizarres, laids, inconscients d'eux-mêmes, uniques. Des millions de gens, sans distinction particulière dans leur immense majorité, et néanmoins uniques. Voilà quel était le mystère !

L'Enquêteur ne voulait pas d'une assistante *créative.* La Stagiaire lui dissimulerait cette impulsion, ne lui confierait jamais qu'elle avait exposé au centre des Femmes sans frontières. (Peut-être avait-il vu l'exposition, d'ailleurs, mais il n'avait certainement pas retenu le nom associé à vingt-cinq portraits d'une extrême simplicité, dessinés à la plume.) La Stagiaire sourit en entendant l'une des jeunes femmes du groupe murmurer à sa voisine que l'Enquêteur – «cet homme… celui qui a les cheveux blancs» – devait être «un juge à la retraite» : une remarque qui amuserait certainement son employeur quand elle la lui rapporterait.

«Des questions, les amis? Sinon, suivez-moi!»

Le lieutenant avait fini son discours d'introduction. Il conduisait maintenant ses quinze visiteurs dans la chapelle stuquée.

«Voici notre lieu de culte "non confessionnel", les amis. Nous sommes très fiers de notre chapelle.»

L'intérieur était spartiate, bancs en bois de pin, plafond bas, des cierges crépitants contre un mur et, sur une estrade, une croix très simple, en forme de T et non de crucifix. Il y avait également une chaire, entourée de lys cala artificiels, derrière laquelle un Noir à la peau claire d'environ trente-cinq ans, portant l'uniforme bleu des prisonniers, attendait le groupe avec nervosité. Il avait un visage enfantin, un regard plein d'ardeur. Le lieutenant le présenta : «Juan Carlos, un longue peine» – c'est-à-dire un détenu condamné à une peine indéterminée – «de trente ans à la perpétuité» – qui pourrait, dans un avenir indéterminé, bénéficier d'une libération conditionnelle.

Le regard fixé sur les bancs, les yeux brillants, Juan Carlos parla vite, avec des inflexions de gospel. Il raconta que, adolescent, il avait fait le «mauvais choix» en entrant dans un gang de Miami, un gang de dealers – «J'ai fichu ma vie à la poubelle, comme une ordure» – et depuis, il «essayait de la récupérer grâce à l'aide de Notre Seigneur Jésus-Christ».

Il avait quinze ans quand il avait été admis dans le gang. Il avait joué du couteau et, plus tard, participé à un «meurtre»... bien que n'ayant tué personne lui-même, il avait été présent lors de l'exécution de deux hommes et était donc coupable : «meurtre en réunion».

Et il avait aussi volé sa propre mère, et il l'avait frappée au visage – elle était morte, tabassée par un junkie, et il comprenait que c'était *sa faute*.

Tous les jours, dit-il, il priait pour les hommes qu'il avait vus mourir, se vider de leur sang dans la rue. Pour les familles des garçons. Tous les jours, il priait pour sa mère. Et pour lui-même, pour son âme. Tous les jours depuis vingt-deux ans et huit mois que ces hommes étaient morts.

C'était lors de ses dix-sept ans, le jour du nouvel an de l'année qui avait suivi, que Jésus était entré dans son âme comme une «comète aveuglante».

La Stagiaire fut émue par les paroles de Juan Carlos. Elle aurait aimé se boucher les oreilles pour ne pas en entendre davantage.

Fichu ma vie à la poubelle.

Une ordure.

Le discours de la chapelle s'achevait. Dans l'allée, le lieutenant demanda aux visiteurs s'ils avaient des questions à poser à Juan Carlos.

Au début personne ne parla. Puis la professeur leva la main pour demander à quel gang était «affilié» Juan Carlos, mais le lieutenant l'interrompit : «Je regrette, madame! Cela ne peut être révélé.»

D'autres posèrent des questions sur la libération conditionnelle. Juan Carlos répondit qu'il était passé deux fois devant la commission, et qu'on la lui avait refusée deux fois, mais qu'il ne renoncerait pas... il renouvellerait sa demande, l'année suivante.

«Tous les jours je prie Dieu pour Le remercier de ne pas avoir été condamné à mort. Car cela aurait pu arriver… et au lieu d'être ici, en train de vous parler, je serais dans le couloir de la mort, aujourd'hui. Amen!»

L'Enquêteur leva la main pour poser une question. Toutes les têtes se tournèrent vers lui : ce gentleman aux cheveux blancs, coûteusement vêtu, que l'on donnait pour un juge à la retraite. Mais sa question n'eut rien de sensationnel. Il demanda seulement si Juan Carlos suivait des cours en prison? Des cours d'enseignement secondaire, d'enseignement technique?

Juan Carlos secoua négativement la tête. Il n'y avait pas de cours pour les détenus d'Orion à l'heure actuelle.

«Donc vous n'avez pas de diplôme secondaire, manifestement. Si vous êtes libéré… que ferez-vous, dehors?»

Juan Carlos sourit à l'Enquêteur. Juan Carlos dit qu'il avait travaillé à l'atelier des «plaques d'immatriculation», il avait de l'expérience de côté-là.

«Lecture? Écriture? Mathématiques?»

Juan Carlos aurait tenté de répondre si le lieutenant n'avait coupé, avec irritation : «Merci, monsieur, pour votre question. C'est une très bonne question, nous y réfléchirons. Mais maintenant… il faut y aller.»

Un surveillant en uniforme brun emmena Juan Carlos. Le lieutenant fit sortir son groupe de la chapelle en colonne par deux. Dans la cour pavée, le ciel avait toujours le même éclat laiteux. On aurait dit un mince film de caoutchouc opaque.

La Stagiaire se protégea les yeux de la main. Les paroles du détenu l'avaient émue, elle avait éprouvé le désir de dessiner son visage, sa longue silhouette maigre. Sur la jambe droite de son pantalon, alignées à la verticale, les lettres blanches PRISON-NIER semblaient affaiblir tout ce qu'il disait, comme s'il avait été un clown qui parlait pour amuser ses geôliers.

La Stagiaire ne voulait pas regarder sa montre, ne voulait pas constater le peu de temps qui s'était écoulé dans la chapelle. Elle comprenait déjà que le temps passait avec une infinie lenteur à l'intérieur des murs de la prison.

Le lieutenant poussa ses visiteurs vers un monument trapu en granit grisâtre, gravé de deux colonnes de noms : «Les surveillants qui sont morts dans l'exercice de leurs fonctions, ici, à Orion. De 1907 à 2010.»

À côté du monument, un drapeau américain perpétuellement en berne.

Beaucoup de questions furent posées sur ces morts. Le lieutenant dit qu'il avait lui-même vu, de ses propres yeux, des collègues attaqués, battus et même tués par des prisonniers «déchaînés» – il avait manqué de peu être pris en otage lors d'une mutinerie, dans les années 1980.

Le lieutenant leur fit le récit des «dix minutes les plus violentes» de l'histoire d'Orion : une tentative d'évasion en 1969. Un avocat des Black Panthers avait introduit clandestinement dans la prison un revolver automatique, que son client avait glissé sous ses vêtements et, quand on l'avait reconduit dans sa cellule, il s'était brusquement mis à tirer au hasard, tuant plusieurs surveillants et détenus avant que les gardiens des miradors interviennent et l'abattent.

«Dix minutes et dix morts. Voilà avec quoi nous vivons à chaque heure du jour dans cet établissement... ce qui peut nous arriver n'importe quand.»

L'un des visiteurs demanda ce qui était arrivé à l'avocat. S'il avait été arrêté.

«Non, il n'a pas été arrêté. Il a fui le pays... pour Cuba. À ma connaissance, il y est toujours.»

Le lieutenant parlait avec amertume, avec véhémence. La Stagiaire savait que l'Enquêteur aurait aimé l'interroger davantage : comment l'«avocat des Black Panthers» avait-il franchi le portique de sécurité? Comment avait-il pu fuir le pays aussi facilement? L'histoire devait être plus complexe que le lieutenant ne la racontait.

Mais l'Enquêteur garda le silence. Éveiller l'hostilité et, surtout, les soupçons dans les milieux où il s'infiltrait pour ses enquêtes n'était pas sa stratégie.

L'un des bâtiments plus récents abritait l'infirmerie, mais le lieutenant ne comptait pas y conduire son groupe.

«Ce n'est pas l'endroit le plus sûr. Ça ne sent pas bon. Des tas de microbes, des gens malades. Des "infections". En novembre dernier on a eu la grippe porcine, et puis des zonas, la varicelle... la moitié de l'établissement a été mise en quarantaine. Beaucoup de surveillants y sont passés, dont moi. Malade comme un chien, j'ai dû perdre dix kilos. Mais le pire qu'on puisse attraper ici, c'est la tuberculose... une nouvelle souche, et pas de médicaments pour la combattre.»

Les visiteurs demandèrent combien il y avait de «médecins» de garde à Orion.

Les visiteurs demandèrent si les prisonniers «gravement malades» étaient transférés dans des hôpitaux.

Le lieutenant répondit à ces questions par l'éclair de rasoir d'un sourire narquois. Le lieutenant dit que c'était «tout ce qu'on pouvait attendre de normal» qu'un homme meure à l'infirmerie, quand c'était un vieillard, un longue peine.

«Quand on commet un crime, on fait son temps. Si on vous expédie à Orion, ça n'a rien d'inimaginable de penser que vous allez peut-être mourir à Orion.»

Quelqu'un émit une objection : tous les prisonniers devaient «bénéficier de soins et de traitements», mais l'un de visiteurs plus âgés, qui s'était tu jusqu'alors, quoique hochant la tête d'un air sombre à toutes les remarques du lieutenant, intervint en déclarant qu'il était «absurde» d'attendre que les détenus soient mieux soignés dans une prison de haute sécurité qu'ils ne l'auraient été, au-dehors.

«Les contribuables sont fatigués de chouchouter ces gens-là. Un citoyen américain sur cent est ou sera incarcéré, et un homme sur dix ou moins – dans la communauté afro-américaine – est ou sera incarcéré. Cela se vérifie ici, à Orion, dans la "cour". On ne peut pas faire porter au système carcéral la responsabilité de ce qui résulte de la dégradation de la famille, des valeurs familiales…»

L'orateur avait de grosses joues rouges, et le ton moralisateur et exaspéré du surintendant scolaire d'un quartier difficile, ou peut-être du ministre d'une secte protestante aux franges de la bourgeoisie respectable. Avec un petit rire, le lieutenant approuva l'homme aux bajoues, comme pour faire la nique à ses visiteurs plus progressistes – la professeur d'université et ses étudiants? Le gentleman qui gribouillait dans son petit calepin?

«Vous avez parfaitement raison, monsieur. On ne peut pas tenir le système carcéral pour responsable de la population qui s'y entasse.»

Il les précédait sur une allée de gros gravier qui blessait les pieds de la Stagiaire, même à travers ses brodequins. Au fond d'un bâtiment, ils regardèrent des détenus travailler le métal – «atelier de plaques minéralogiques» – et le bois – «atelier de meubles». Les détenus avaient tous les âges, et certains étaient étonnamment vieux – des «longues peines» de cinquante, soixante ans – barbus, chauves, munis de cannes; parmi les plus jeunes, dont la majorité avait la peau sombre, quelques-uns étaient «infirmes» – cannes, déambulateurs et même fauteuils roulants. La Stagiaire cessa d'écouter le lieutenant, distraite par ces hommes, qui ignoraient (ou feignaient d'ignorer) les inconnus qui les dévisageaient grossièrement.

Son cœur battait vite. Elle espérait qu'ils ne se retourneraient pas, qu'ils ne la regarderaient pas, *elle*.

C'étaient des criminels, des «détenus». Elle supposait néanmoins qu'il s'agissait sans doute d'anciens combattants... «blessés au combat».

La professeur, qui était près d'elle, lui jeta un regard inquiet.

«Pardonnez-moi? Vous ne vous... sentez pas bien?»

La Stagiaire respirait de manière étrange. Elle avait les jambes flageolantes.

Comme si le sang, toute sensation, se retiraient de son cerveau.

«Oui. Non. Merci. Tout va... bien.»

La Stagiaire fit un effort pour écouter le lieutenant, qui interrogeait ses collègues chargés des ateliers de plaques minéralogiques et de meubles. Des questions-réponses manifestement souvent répétées, mais qui n'étaient cependant pas inintéressantes.

Les visiteurs se répandirent en compliments, tels des parents ou des grands-parents admirant l'œuvre d'enfants handicapés mentaux.

«Du très bon travail! Vraiment... excellent.

– Voilà des meubles que j'achèterais bien moi-même. Je m'imagine très bien acheter...

– ... cette table, c'est de l'érable? Elle a l'air drôlement solide...

– ... pour la chambre de notre fils, je verrais bien une commode comme celle-ci. Bien solide et...

– Si lisse et brillant. C'est laqué? Pas la moindre aspérité...»

On leur apprit que la plupart des meubles des administrations de l'État de Floride venaient des ateliers des prisons, qui fournissaient aussi de nombreux établissements scolaires et universitaires.

« La prison est une "chance d'apprentissage", vous voyez. Ça ne consiste pas seulement à suivre des cours pour savoir lire ou écrire... c'est aussi apprendre un métier.»

Le lieutenant semblait s'adresser à l'Enquêteur, qui examinait les meubles avec une attention affable.

« Ceux de nos détenus qui sont libérés en conditionnelle sont aussitôt engagés par des fabricants de meubles... aucun problème sur le marché du travail.»

Le lieutenant fit ensuite gravir une montée à son groupe. Très vite, certains des visiteurs furent hors d'haleine. Au coin d'un haut bâtiment austère, ils tournèrent brusquement à gauche, puis descendirent : devant eux, un espace à ciel ouvert, mi-pavés, mi-herbe pelée : la «Cour».

Les visiteurs écarquillèrent les yeux. Des centaines de détenus – des *centaines*, était-ce possible ? – occupaient la Cour, surveillés par un nombre de gardiens qui – au premier regard – paraissait dérisoire.

Mais bien entendu il y avait les surveillants des miradors, postés à intervalles réguliers le long de la clôture électrifiée.

Le lieutenant expliqua que des gangs de détenus – Afro-Américains, Portoricains, Dominicains, Cubains, «Blancs» et, plus récemment, «Chinois» – s'étaient approprié des parties définies de la Cour, qui étaient interdites à tous les autres gangs. « Dedans, c'est la couleur de votre peau qui compte. Plus que quoi que ce soit d'autre. Ça, ça ne change jamais.»

Ils furent surpris par le nombre de détenus âgés – au moins aussi vieux que l'Enquêteur. Plusieurs avaient de longues barbes blanches clairsemées et marchaient sur la piste, appuyés sur leur canne, tandis que d'autres, plus jeunes, les dépassaient en courant. Ailleurs, des détenus jouaient au basket autour de paniers sans filet, soulevaient des haltères, faisaient de la gymnastique ;

d'autres marchaient de long en large. Les «races», les couleurs de peau, vous sautaient aux yeux. Comme le lieutenant l'avait dit, les hommes se regroupaient par couleur de peau, c'était une constatation déprimante, mais incontestable. La Stagiaire aurait aimé défier l'Enquêteur : *Votre idéal de daltonisme racial, qu'en faites-vous, maintenant?*

Car l'Enquêteur était beaucoup plus idéaliste que la Stagiaire. L'Enquêteur mettait sa foi dans l'avenir – dans «un» avenir où l'injustice sociale serait enfin éradiquée, comme l'on pourrait souhaiter éradiquer, en Floride par exemple, une plante ou un animal invasif anéantissant les espèces indigènes.

Silencieux à présent, le groupe traversa la Cour en suivant aveuglément le lieutenant. Tous les détenus ne les avaient pas remarqués, mais ceux qui l'avaient fait les dévisageaient, certains ouvertement, d'autres à la dérobée, à la façon des enfants. Dans la Cour, sur le sol pelé, l'ombre des nuages passait, rapide et fugitive comme celle d'oiseaux prédateurs.

«Par ici, les amis. Ne les dévisagez pas, ce n'est pas poli, on ne vous l'a pas expliqué? "Pas de contact visuel", "pas de fraternisation avec les détenus"... c'est bien compris?»

Marchant d'un bon pas, le lieutenant les précéda le long d'une autre allée de gros gravier, protégée de l'espace ouvert de la Cour par une clôture grillagée de trois mètres de haut. Non loin de là se dressaient des urinoirs ouverts – un spectacle qui étonna la Stagiaire, ainsi que d'autres membres (de sexe féminin) du groupe. Le lieutenant dit, d'un ton grondeur : «Des urinoirs ouverts... on ne regarde pas. C'est la règle : *on ne regarde pas.* Les détenus savent avoir des yeux pour ne pas voir, mais il faut rappeler les bonnes manières aux visiteurs. *Ne regardez pas.* Quelqu'un qui utilise un urinoir, il est invisible. Ce que je ne fais pas, mon âne ne le refait pas.»

Que voulait dire le lieutenant? Était-ce une plaisanterie, une réprimande? Une menace? La Stagiaire détourna aussitôt le regard des urinoirs.

«Quoi qu'il en soit, pressez le pas, les amis. Inutile de traîner par ici.»

Mais la Stagiaire vit : les yeux des détenus se tournant vers eux de très loin. Ils avaient remarqué la présence de femmes. Elle se demanda dans quelle catégorie ils la rangeaient. *Moche moche moche. Celle-là.* Jubilant à l'idée que la *laideur* est un bouclier. Que la *laideur* n'attire pas le désir.

«Les détenus qui sont autorisés à sortir comme ça, pour prendre de l'exercice, c'est trop précieux pour qu'ils s'exposent à en être privés. Les criminels dangereux, vous ne les verrez quasiment pas : ils sont à l'isolement, ou dans un quartier spécial, ou dans le couloir de la mort. Le droit de promenade, ça se mérite par une bonne conduite. Il y a des gangs dans la Cour, mais pas les plus durs. Tant que personne ne cherche à empiéter sur le territoire de l'autre, ça se passe bien. Ne vous en faites pas s'ils nous regardent… ça n'ira pas plus loin. La prison ne négocie pas en cas de prise d'otage : ils le savent. Un surveillant comme moi n'a pas d'arme à feu. Vous remarquerez que je n'en porte pas. Donc on ne peut pas me prendre mon arme. Et si quelqu'un essayait de contourner cette clôture, les surveillants des miradors le repéreraient tout de suite. Une demi-seconde, pas plus, et il crie dans un porte-voix : À TERRE! TOUT LE MONDE À TERRE! Et s'il le fait, vous obéissez. Vous n'essayez pas de savoir ce qui se passe, si c'est grave ou quoi que ce soit, quand vous entendez cet ordre-là, vous vous jetez à plat ventre et si vous ne le faites pas, les amis, si vous restez debout, vous êtes bons pour une balle dans le corps. Voilà pourquoi nous disons aux visiteurs de ne rien porter qui ressemble à du bleu, pour qu'on ne vous confonde pas avec un détenu en cas d'urgence. Les types des miradors vous abattent, c'est leur prérogative. Et… "sans sommation". Quelqu'un du dehors peut se faire tuer par ignorance. Si une mutinerie se déclenche sans avertissement. Mais bon, il y a peu de risques que ça arrive, ils nous regardent juste sans bouger, ils sont trop malins pour tenter quelque chose, vu qu'il fait plein jour. Et puis, comme je disais, les pires d'entre eux ne sont pas dans la Cour – ceux-là, quand ils sortent de leur cellule une heure tous les deux jours, ils s'estiment heureux – et encore, pas dans la "Cour" – une douche – et basta. Il y en a certains – des vraies bêtes – fous furieux – ils vous trancheraient la gorge avec les dents s'ils pouvaient, alors vous ne les voyez pas, on épargne ça aux visiteurs. Donc, ne vous inquiétez, mesdames! Aucun groupe n'a jamais été menacé à Orion. Pas d'otages! Pas avec moi. Et j'accompagne des groupes… oh! ça fait bien vingt ans. Ce n'est pas mon principal travail ici, pas du tout, mais tout le monde à Orion n'est pas fait pour ça, ou n'a pas le talent pour, alors le directeur compte sur moi, et je ne vais pas le laisser tomber. Des questions?»

L'Enquêteur demanda au lieutenant laquelle de ses nombreuses tâches à Orion il appréciait le plus.

«Le couloir de la mort. C'est ce que je préfère.

– Et pourquoi cela, lieutenant?

– Ma foi… Personne ne m'a jamais posé cette question. Et la réponse, c'est… le couloir de la mort parce que les détenus ont pris le pli, plus ou moins. Pas comme les nouveaux qu'on n'a pas encore triés et qui n'ont pas encore réalisé qu'ils sont *dedans*: un type de vingt ans, par exemple, bouclé à vie, qui commence juste à comprendre, il est tellement furieux et désespéré qu'il tuerait n'importe qui, y compris lui-même – c'est pour ça que les nouveaux se pendent, les premiers temps il faut vraiment les surveiller. Ils ne sont pas un sur cent à être "sains d'esprit", comme on dit, quand ils arrivent ici. Mais un type du couloir de la mort, c'est différent. Il peut être "fou" aussi, mais c'est une folie plus tranquille. Il essaie de comprendre son dossier, écrit des lettres aux avocats, aux juges, aux journaux, à la télé... il a le cerveau dérangé, mais pas violent. Et il y a en juste assez dont la peine est commuée, ou ça se dit juste assez, pour que le condamné moyen puisse avoir de l'espoir. Il y en a qui sont là depuis douze, quinze... dix-huit ans. Leurs avocats ne cessent de faire appel et les "anti-peine de mort" se pointent systématiquement pour manifester quand il y a une exécution. Un vrai carnaval, avec les caméras de la télé. Et maintenant, en plus, il y a internet. Ce vieux type, Pop Krunk, qui a été exécuté le mois dernier, il était dans le couloir de la mort depuis 1987. Il se déplaçait avec une canne, et puis finalement en fauteuil roulant... ses jambes l'avaient lâché. Il avait une barbe blanche, comme un vieux père Noël maboul, et c'était vraiment inté-ressant de parler avec lui. Ils deviennent de vrais sages dans le Couloir. On vieillit plus ou moins ensemble. Ils sont plus réflé-chis, en majorité. Ils n'ont pas à partager leur cellule comme les autres – maintenant, c'est trois par cellule pour presque tout le monde, au lieu de deux normalement. Du coup ils sont entassés là-dedans comme des animaux et quand ils tombent malades, cette fièvre porcine, par exemple... c'est pas beau à voir ! Même s'ils ne se tuent pas, ils peuvent se contaminer les uns les autres, et salement. Tandis que le Couloir, c'est un peu l'élite. Et leurs cellules sont plus grandes, un mètre huit sur deux mètres huit, et deux mètres quatre-vingt-dix de hauteur. Je n'y avais jamais pensé... avant que vous me posiez la question, monsieur... par-don, professeur. Ma réponse, c'est le Couloir. »

La Stagiaire, qui écoutait avec intensité, ne jeta pas un regard à l'Enquêteur.

Elle admirait les méthodes de son employeur : il amenait les gens à en dire beaucoup plus qu'ils ne croyaient en dire, à se confier à lui comme à un ami. Il était un artiste du langage comme d'autres l'étaient de la musique : il «jouait» des compositions pour faire naître l'émotion chez autrui, et la série des *HONTE!* n'avait pas d'autre but. Lui-même était un homme émotif… mais c'était une indignation intellectuelle qu'il souhaitait éveiller chez ses lecteurs, la conscience de la violation terrible d'un contrat moral les liant à d'autres êtres, différents d'eux-mêmes. (Et, dans le cas des animaux, à une espèce différente de la leur.) Il choisissait d'écrire brutalement et sans détour – sans «calcul». Quand il le pouvait, il laissait parler les autres à sa place : le lieutenant, par exemple, dont il enregistrait les paroles à son insu.

«Par ici, les amis! Je vous conseille de retenir votre respiration le plus longtemps possible.»

Le lieutenant les faisait maintenant entrer dans une immense pièce évoquant un hangar d'avions, meublée de longues tables et de chaises : un réfectoire. Contiguë à cette pièce, il y en avait une seconde, immense elle aussi et pareillement meublée. Bien que toutes deux fussent vides, il n'était pas difficile d'imaginer les détenus serrés autour des tables, le bourdonnement de voix masculines, le vacarme des assiettes et des plateaux. Les odeurs se mêlaient : ordures, pourriture, rance, gaz, excrétions. Relents aigres de nourriture et relents aigres d'urine. La Stagiaire sentit son cœur se soulever.

«Les détenus prennent leurs repas à tour de rôle. Quartier A, Quartier B, Quartier C, Quartier D… ils arrivent tous par ici comme du bétail par un couloir de contention.»

Les murs des deux pièces étaient couverts d'une peinture murale extrêmement détaillée, bizarre et hallucinatoire, exécutée par un artiste amateur doué d'un sens primitif de la perspective, du corps et du visage humains. Des têtes énormes, sur des torses nains, des bras grêles et des jambes raccourcies. Des visages terreux et vacants comme ceux des morts. Fallait-il y voir un aperçu de l'enfer ou le miroir des salles de réfectoire ? À trois mètres de hauteur environ, tout autour de la salle, des passerelles permettaient la surveillance des détenus. Bien en vue sur ces passerelles, des écriteaux : TIRS SANS SOMMATION.

Avec un sérieux évident, le lieutenant faisait l'éloge de l'«artiste prisonnier», qui avait été libéré en conditionnelle en 1981 mais était mort peu après dans une maison d'arrêt de Tampa après avoir été appréhendé pour vagabondage dans un village de squatters, sous l'Interstate 75. La Stagiaire aurait voulu fermer les yeux, la vue de ces visages et de ces têtes déformées, de ces yeux morts, lui était insupportable.

Le lieutenant faisait l'éloge de l'artiste défunt, à moins qu'il ne se moquât des propos tenus par d'autres sur son compte : «On compare DeVuonna à "Michel-Ange" – l'artiste italien – en raison de l'utilisation qu'il a faite des murs et d'une partie du plafond. Il y avait un fonds spécial pour la "préservation de l'œuvre de De Vuonna"… »

La Stagiaire ferma les yeux un court instant. Quel délice, mais quel danger ! Elle redoutait de s'endormir debout.

Le lieutenant semblait maintenant gourmander ses visiteurs, qu'il pressait d'entrer plus avant dans la salle : «Nous ne repartons pas tout de suite, les amis ! Détendez-vous.» Les jeunes étudiantes en sociologie s'assirent à l'une des longues tables, la Stagiaire, l'Enquêteur et les autres à une table voisine, un auditoire captif que le lieutenant continua à régaler d'anecdotes récentes sur les réfectoires. Les femmes du groupe s'étaient tues. Les hommes, en sueur, avaient retiré leur veste. Seul le gentleman aux cheveux blancs gardait un air plein de curiosité et ne montrait aucun signe de malaise.

Le lieutenant désignait à son auditoire une boîte d'objets : des armes de fabrication artisanale découvertes dans le réfectoire au cours du mois écoulé. Il y avait là une brosse à dents au manche aussi aiguisé qu'un pic à glace, une lame de rasoir rouillée fixée sur un manche en carton, un crochet de métal fabriqué avec de gros trombones, une pointe de fer en partie enveloppée de ruban adhésif qui semblait idéale pour crever un œil. « Nous les gardons là-dedans comme dans un musée. Le truc le plus bizarre que vous puissiez imaginer, si ça peut faire une arme, nos détenus d'Orion y ont déjà pensé. »

On percevait presque une note de fierté dans sa voix.

Une porte s'ouvrit brusquement au fond du réfectoire. Deux robustes surveillants entrèrent, poussant devant eux des détenus en uniforme bleu. Surpris et déroutés, les visiteurs les dévisagèrent, et les prisonniers les dévisagèrent en retour. Leurs yeux étaient durs, vitreux et morts comme ceux de la peinture murale, mais mobiles. Trois des hommes avaient la peau sombre, le quatrième était un Hispanique de vingt-cinq, trente ans, aux cheveux ramassés en une natte minuscule, qui se déplaçait sur des béquilles, les mâchoires crispées par une petite grimace résolue.

La Stagiaire détourna aussitôt la tête, craignant de croiser son regard.

Blessé. Un ancien combattant.

Une guerre récente : Irak ? Afghanistan ?

Un sentiment de culpabilité nauséeux l'envahit. Une culpabilité si profonde qu'elle lui retournait l'estomac.

Elle ne suivit pas des yeux le jeune homme qui était de son âge, de sa génération. Elle sentait la fureur dans ses épaules musclées, et dans ses bras, ses avant-bras et ses mains refermées sur les béquilles qui lui permettaient de se déplacer avec une sorte de rapidité furtive, beaucoup plus vite qu'on ne l'attendait d'un infirme.

Ou, plus exactement, d'un blessé de guerre.

La Stagiaire eut le sentiment qu'aucun membre du groupe ne souhaitait «voir» le détenu blessé, ni même les autres. Le lieutenant héla ses collègues, qui lui répondirent par un salut protocolaire, le visage de marbre : « *Lieutenant!* »

Aucune explication ne fut donnée sur la provenance des surveillants et des détenus ni sur leur destination. La Stagiaire se dit, comme le faisaient sûrement les autres visiteurs, qu'il devait être facile à des détenus de fausser compagnie à leurs gardiens, si peu nombreux en comparaison...

Sans doute ces prisonniers-là travaillaient-ils dans les cuisines et les y conduisait-on pour préparer l'énorme repas à venir.

«La plupart des gens se demandent comment nous faisons pour nourrir deux mille six cent soixante-huit détenus – population générale et QHS – trois fois par jour. Eh bien... ce n'est pas simple! D'abord, une cloche sonne, on les conduit de leur quartier au réfectoire et on les aligne le long des murs – là et là – et puis ils font la queue, prennent leur plateau et leur repas, reviennent ici dans le réfectoire et *s'assoient*. Et à leur place attitrée, hein! S'ils s'assoient à une autre table, ils risquent des représailles... se faire trancher la gorge, par exemple. Le premier qui déconne – pardon, mesdames –, on le déshabille et on le met au mitard. Vingt minutes chrono – une cloche sonne – on les ramène dans leurs cellules. Comme du bétail dans un couloir de contention : ils vont dans une seule direction, et un par un. Et la nourriture est plutôt bonne, en plus : les détenus sont affamés, il n'y a qu'à les voir manger.»

Bien que les immenses réfectoires fussent vides, il n'était pas difficile d'imaginer les détenus serrés autour des tables, d'entendre leurs voix murmurer et s'enfler, les assiettes et les couverts s'entrechoquer. Il n'était pas difficile d'imaginer l'intensification des odeurs – nourriture, chair mal lavée, gaz intestinaux. Il n'était pas difficile de sentir le désespoir des prisonniers, et le danger de ce désespoir.

Quelque part dans le bâtiment, peut-être dans les cuisines, au fond desquelles avaient disparu les détenus et les surveillants, on entendit des éclats de voix, le claquement d'une porte, un remuement de couvercles. La Stagiaire était mal à l'aise, remplie d'appréhension ; avec un frisson de panique, elle imaginait les détenus faisant irruption dans la salle, leurs voix sonores, retentissantes. Le lieutenant, cependant, poursuivait son laïus exaspérant, une sorte de harangue… apportant une précision quelconque sur la « nourriture de masse ».

« Les amis ! Il me faut deux volontaires. »

Le lieutenant claqua des doigts. À ce signal, un aide-cuisinier, un jeune détenu noir souriant, coiffé d'un filet, tee-shirt bleu à manches longues, pantalon bleu avec PRISONNIER en blanc sur la jambe droite, apparut, chargé d'un plateau d'« échantillons » : quelque chose de pané – des croquettes de poulet ? –, une petite tranche de viande grisâtre et grasse, de la purée et de la sauce ; un burrito, des frites ; du « fromage américain » fondu, un beignet glacé.

« Vous devez tous avoir faim, plaisanta le lieutenant. Et nous ne sommes pas près de déjeuner. Alors… des volontaires ? »

Le plateau était apparu si rapidement qu'il était évident que cela faisait partie de la visite. Le lieutenant et le jeune Noir aux cheveux crépus aplatis par un filet échangèrent un regard complice.

« *Yo*, Harman ! Toi préparer quelque chose de bon aujourd'hui ?

– Oui, massa lieut'nant, vous content. »

Malgré l'insoutenable parodie du lieutenant, Harman entra aussitôt dans le jeu, sans paraître s'en offenser.

Aucun des visiteurs ne se portait candidat. La Stagiaire espérait que l'Enquêteur n'allait pas couler un regard vers elle, lui adresser un signe.

Enfin, deux des jeunes visiteurs – tous deux étudiants en sociologie – une fille à la longue queue-de-cheval, un jeune homme coiffé d'une casquette de base-ball des Marlins – s'avancèrent, avec un sourire d'appréhension.

«Bien, bien! Merci! Juste quelques bouchées! Je pense que vous serez impressionnés par la qualité.»

Le lieutenant – railleur ou sincère – les fit asseoir devant le plateau. Gauchement, lentement, les volontaires se mirent à manger.

La fille prit les croquettes avec les doigts, le jeune homme piqua un morceau de «bifteck». Purée et sauce, frites, burrito... Bravement, ils mâchèrent et avalèrent. «Pas mauvais, hein? Vos compliments au chef?» demanda le lieutenant en riant.

Comme un père attentionné, il se penchait vers les volontaires, veillant à ce qu'ils goûtent à tout. Il sembla à la Stagiaire que la jeune étudiante blêmissait et que les mâchoires de l'étudiant mastiquaient avec une sombre ténacité.

Elle en savait assez sur ce que devaient être les cuisines dans ce genre d'établissement pour frémir à l'idée d'avaler quoi que ce fût. L'Enquêteur devait savoir, lui aussi, bien entendu. Elle n'osait regarder dans sa direction. Un grouillement invisible de bactéries toxiques, un bouillon de culture...

Quelle farce, ces avertissements apposés dans les toilettes des restaurants : *Les employés sont priés de se laver soigneusement les mains avant de reprendre leur travail.* Alors, dans cette prison de haute sécurité...

Le lieutenant répondait aux questions des visiteurs sur la préparation des repas à Orion : «Eh bien, comme vous vous en doutez, quatre-vingt-treize pour cent des services de la prison sont effectués par les détenus. Impossible de s'offrir le luxe de l'"incarcération", sinon.»

Les volontaires mangeaient plus lentement. Mâchaient et avalaient plus lentement. Avec un clin d'œil amusé, le lieutenant dit : «Pas mauvais, hein? Vos compliments à Harman, ici présent... *le grand chef.*»

Le jeune Noir au filet rit dans un éclair de dents blanches. La jeune fille eut un faible sourire. Le jeune homme s'essuya la bouche du revers de la main.

«Si vous avez faim, vous mangez. Si vous ne mangez pas, c'est que vous n'avez pas faim. C'est la loi de la nature.»

Le lieutenant offrit aux autres visiteurs les restes de l'échantillon. Comme personne n'en voulait, il prit une croquette de poulet, la tourna entre ses doigts mais, avec un petit rire mystérieux, décida finalement de ne pas l'avaler.

«Harman, tu deviens un vrai pro, quand tu sortiras d'ici, tu feras ton chemin à South Beach. Crois-moi sur parole, fiston.»

Ils quittèrent enfin le réfectoire. Dehors, la Stagiaire inspira une grande bouffée d'air frais.

Si seulement elle avait pu quitter le groupe, regagner l'entrée! Elle l'aurait fait en rampant tant elle était épuisée.

Mais l'Enquêteur serait terriblement déçu.

Contrarié, écœuré par Sabbath McSwain.

À quelques mètres d'elle, indifférent à sa présence, il griffonnait des notes dans son petit calepin. L'épisode du réfectoire n'avait pas affecté l'Enquêteur. Ou il l'avait aussitôt chassé de son esprit.

Le lieutenant entraîna alors son groupe au petit trot.

Quartier C, un bâtiment fortifié dont l'accès était protégé par un nouveau poste de contrôle. Le code (invisible) imprimé à l'encre sur les poignets des visiteurs fut passé à la lampe à ultraviolets. Le permis de conduire plastifié au nom de *Sabbath*

McSwain fut examiné avec attention, quoique sans raison particulière. La professeur de sociologie demanda au lieutenant pourquoi ils étaient soumis à un contrôle supplémentaire, alors qu'ils en avaient déjà subi deux, et le lieutenant répliqua, sans l'affabilité qu'il dispensait à son petit groupe depuis quatre-vingt-dix bonnes minutes : «C'est *comme ça*, madame. Si ça ne vous plaît pas, je peux vous faire reconduire à l'entrée par un surveillant séance tenante.»

Son interlocutrice rougit sous la rebuffade. Fini pour elle, le badinage flirteur avec le lieutenant!

C'était un lieu où régnait la folie, la Stagiaire commençait à s'en rendre compte. On ne la percevait pas pleinement parce qu'on ne voyait que la surface, le bord et le contour des choses. On voyait des *visages,* pas ce qu'il y avait *au-dessous.*

La moindre atteinte à la perception de lui-même qu'avait l'autre – à sa fierté, son intégrité – à son *pouvoir* – et l'opposition était immédiate, le surgissement de la folie.

Néanmoins, la Stagiaire n'était pas vraiment préparée au Quartier C. Après les détenus des ateliers de meubles et de plaques minéralogiques qui avaient semblé ignorer les visiteurs extérieurs et avoir entre eux des rapports amicaux, non agressifs. Après Harman, échangeant des blagues avec le lieutenant blanc.

Dès qu'on les fit entrer dans le bâtiment trapu abritant le Quartier C, la Stagiaire perçut la différence. Une puissante odeur de corps masculins. Une sensation de tension, visqueuse, vibrante, dont l'air semblait imprégné.

De son ton faussement affable, le lieutenant présenta le groupe aux surveillants du quartier, qui les regardèrent avec un mépris à peine dissimulé. Ils ne saluèrent pas davantage le lieutenant, qui, à côté d'eux, semblait soudain clownesque et ridicule. Un bourdonnement aigu emplissait l'air, évoquant un essaim de frelons furieux : la première galerie de cellules semblait aussi longue qu'un pâté de maisons et, au-dessus, il y en avait une seconde, à peine visible du rez-de-chaussée. Tandis que le lieutenant décrivait le Quartier C au groupe : « Le quartier des nouveaux venus, en gros, avant qu'on ait fait le tri et déterminé leurs gangs d'appartenance – la Stagiaire prit lentement conscience d'un spectacle glaçant : sur une passerelle circulaire, des surveillants étaient postés à intervalles réguliers, un fusil automatique au creux du bras ; le plus proche, un Noir à l'air sévère, était presque directement au-dessus du lieutenant et de son groupe de visiteurs, un pied sur un barreau, les mains refermées sur son fusil, comme s'il était prêt à tirer à tout moment.

Derrière lui, placé sur le mur de façon à être bien visible par les deux galeries de cellules, le sinistre panneau TIRS SANS SOMMATION.

La Stagiaire aurait voulu saisir l'Enquêteur par la manche pour s'assurer qu'il avait remarqué le surveillant au-dessus d'eux. Il aurait souhaité le photographier, elle en était certaine.

(Mais peut-être n'était-ce pas prudent. Si l'Enquêteur était surpris et arrêté pour avoir enfreint le règlement de la prison... que se passerait-il ?)

Avant de venir à Orion, tous deux avaient fait beaucoup de recherches sur l'établissement. La violence « entre détenus », « entre surveillants et détenus », les « accidents mortels » dont l'explication laissait à désirer, les « suicides suspects » y atteignaient un niveau élevé ; pas plus élevé cependant que dans des établissements pénitentiaires comparables, en Floride et ailleurs aux États-Unis.

Mais c'est seulement dans le Quartier C que la Stagiaire *éprouva*... un sentiment d'impuissance et de désarroi si immense qu'il ne pouvait être nommé...

Mal à l'aise et emprunté, le groupe se serrait dans un espace minuscule. Il n'y avait pas de place ici pour des gens en visite. On sentait que le lieutenant était à peine toléré, et les questions qu'il posait à ses collègues pour le bénéfice de son groupe ne recueillaient que des grommellements bourrus. Comme plusieurs des jeunes étudiantes en sociologie, la Stagiaire se retrouva à quelques mètres à peine de trois détenus en uniforme bleu qui, pour une raison quelconque, n'étaient pas dans leur cellule, mais dans l'allée, sans menottes ni entraves. Deux d'entre eux étaient des hispaniques, et le troisième, le plus grand, avait un visage de démon blanc sillonné de capillaires éclatés, une tête brutale et chauve, couverte de tatouages ; sur ses biceps saillants étaient tatoués des svastikas, un serpent vert, un petit cœur ensanglanté empalé sur une dague. Voir un tel personnage donnait envie de sourire : *est-ce vraiment réel?* Ces hommes dévisageaient la Stagiaire et, derrière elle, les étudiantes mal à l'aise, le visage aussi inexpressif que s'il avait été de cuir.

Que faisaient ces hommes hors de leur cellule? Personne ne jugea bon de l'expliquer. Le lieutenant ne semblait pas les voir.

Il les entraîna ensuite vers une coursive qui faisait toute la longueur de la première galerie de cellules. Il semblait avoir l'intention de leur faire faire le tour du quartier en file indienne, ce qui signifiait passer devant les cellules, à quelques centimètres des barreaux et des hommes entassés à l'intérieur.

« Un mot d'avertissement, les amis. Pas seulement pour les dames, mais aussi pour les messieurs. Serrez à gauche autant que vous le pouvez, côté rambarde... ne vous approchez pas trop près des cellules. Si l'un des détenus tentait de vous agripper au passage... lui faire lâcher prise pourrait ne pas être facile. Compris? »

Il eut un petit rire mauvais. La Stagiaire fut choquée : trouvait-il cela amusant? Une bonne blague? Faire faire le tour du

Quartier C à son groupe était-il une bonne idée ? Les jeunes étudiantes avaient l'air terrifiées. Leur professeur avait l'air terrifiée. Même les quelques hommes qui avaient affiché un calme raisonnable dans le réfectoire paraissaient inquiets.

Seul l'Enquêteur était impassible. Grand et digne, courtois, cheveux blancs vaporeux, une expression de très légère désapprobation sur le visage, le membre le plus âgé du groupe prit le lieutenant à part pour lui dire : « Vous ne pensez pas que c'est un peu risqué, lieutenant ? Provocant ? Que cela risque de surexciter les prisonniers ? Et de mettre vos visiteurs en danger ?

– Personne n'est "en danger"... c'est ridicule. Les hommes sont bouclés dans leurs cellules. Ils ne peuvent pas en sortir. Ne vous attardez pas à regarder à l'intérieur ni à leur faire la conversation. C'est l'un des clous de la visite. Tout le monde reconnaît ensuite qu'on ne "sent" pas vraiment ce qu'est une prison de haute sécurité sans ce "tour des cellules". »

Mais l'Enquêteur avait irrité le lieutenant, en semblant contester son autorité.

La Stagiaire avait compris pourquoi les trois détenus n'étaient pas dans leur cellule : on les emmenait dans une autre partie de la prison ; même s'ils semblaient des parodies du détenu de QHS, il était fort possible qu'on les conduisît à des auditions de libération conditionnelle, ou même qu'elle leur eût été accordée ou que leur peine arrivât à son terme – car ils n'avaient aucune sorte d'entraves. Voilà qui était un soulagement, non ? La Stagiaire n'avait jamais vu de près quelqu'un qui ressemble au nazi tatoué : un membre de la tristement célèbre Fraternité aryenne.

Lors de leurs recherches sur les couloirs de la mort, la Stagiaire s'était également intéressée aux détenus et aux crimes pour lesquels ils avaient été condamnés.

Elle s'était rendu compte, comme l'Enquêteur l'avait laissé entendre, que, si vous étiez opposé à la peine capitale, mieux valait ignorer les actes dont les condamnés avaient été reconnus coupables. Mieux valait ne pas tempérer sa clémence de trop d'informations.

En dépit de son anxiété, la Stagiaire eut assez de présence d'esprit pour se placer en tête de file. Elle était petite, agile, rapide : il lui fut facile de se faufiler entre des membres plus lents du groupe.

C'était son instinct de survie qui parlait, immédiat, primitif. Cela n'avait rien à voir avec la conscience, le devoir ou le « bien ». Elle savait ce qui les attendait et espérait échapper au pire.

Le lieutenant fermait la marche, il pousserait le groupe en avant. Mais la Stagiaire passerait la première, et vite ; elle se serrerait contre la rambarde, à gauche, et ne regarderait dans aucune cellule, si elle pouvait l'éviter ; elle ne souhaitait pas provoquer les détenus, ni surtout qu'ils comprennent qu'elle n'était pas un jeune homme menu, mais une jeune femme vêtue en garçon.

Plusieurs des étudiantes en sociologie demandaient au lieutenant si elles ne pouvaient pas rester où elles étaient, mais il leur répondit qu'il n'en était pas question.

« Vous vous êtes inscrites pour une visite complète ! Vous ne quitterez pas Orion sans avoir fait toute la visite, mesdemoiselles ! Allons-y. »

Un amusement cruel brillait dans ses yeux gris pierre. La Stagiaire se dit *Il nous déteste. Autant que les détenus le détestent.*

Ils se mirent en marche. La Stagiaire, en tête de file, parvint à dépasser la majeure partie des cellules avant que leurs occupants, entassés à l'intérieur, ne comprennent ce qui arrivait – le passage d'un groupe de visiteurs – et ne se mettent à pousser des hurlements excités et railleurs, notamment à l'intention des femmes.

La Stagiaire avançait d'un pas rapide. La Stagiaire se mordait les lèvres.

La Stagiaire pensait *Je ne suis pas une «femme»... pas comme les autres. Ces hommes ne s'intéressent pas à moi.* Elle avait pourtant l'impression qu'ils se précipitaient sur elle. Elle sentait l'air brassé par les bras qu'ils passaient à travers les barreaux, leurs doigts tendus pour l'agripper. Elle ne pouvait éviter d'entendre les obscénités que crachaient leurs bouches, à mesure qu'ils comprenaient que l'on faisait visiter leur quartier à un groupe, une pratique qui devait leur être connue et les mettre hors d'eux.

Tous les détenus ne se comportaient pas comme des animaux enragés. La Stagiaire s'en rendrait compte plus tard. Moins de la moitié, sans doute. Moins d'un tiers. Mais les autres, ceux qui restaient en arrière ou se contentaient de regarder défiler les visiteurs terrifiés, passaient inaperçus.

Des animaux sauvages. Que feraient-ils, s'ils pouvaient nous saisir?

Les femmes, notamment.

Mon Dieu, fais que je tienne le coup. Juste encore un peu!

C'était une leçon cruelle. Le lieutenant voulait qu'ils sachent : l'utilité des prisons, des barreaux. L'utilité de l'incarcération, de la punition.

Dresser des êtres humains contre des êtres humains. Pousser des êtres humains à un paroxysme de ressentiment, de fureur. De terreur.

Il y avait aussi une haine sexuelle. Il s'agissait de faire sentir aux femmes combien leur sécurité était précaire, combien elles étaient dépendantes d'autres hommes pour leur protection contre ces hommes-bêtes.

C'était une ruse grossière, cruelle et simpliste. Intellectuellement, la Stagiaire le comprenait. Mais elle était aussi profondément bouleversée, et ce moment ne s'effacerait pas de sitôt de sa mémoire.

(Où était l'Enquêteur ? se demandait-elle. Se faisait-il les mêmes réflexions ? Ou, étant un homme, était-il moins ébranlé, moins terrifié ? Sans doute s'était-il mis en queue du groupe, juste devant le lieutenant. C'était la position la plus exposée, car tous les détenus du quartier seraient alertés et aux aguets quand il passerait devant leurs cellules, prêts à se jeter contre les barreaux pour tenter de saisir le visiteur.)

(Elle apprendrait ensuite que, loin d'être effrayé et d'accélérer le pas, l'Enquêteur s'était au contraire attardé devant certaines cellules, où les détenus étaient moins frénétiques et moins furieux ; des hommes d'un certain âge, souvent, qui l'avaient salué cordialement, comme lui-même l'avait fait. *Bonjour ! Comment allez-vous ?* L'Enquêteur respirait le calme. Très vraisemblablement, il avait pris des photos du début à la fin. Dans le bruit et le remue-ménage, qui l'aurait remarqué ? Aucun des surveillants n'avait sans doute accordé un regard à ce gentleman aux cheveux blancs, alors que les détenus, déchaînés, fous furieux de désir sexuel et de rage, se jetaient contre les barreaux de leurs cellules, bras et mains tendus, comme s'ils voulaient saisir, agripper, secouer, étrangler, mettre en pièces.)

Pendant cette horrible marche forcée, un silence absolu régna parmi les visiteurs. Tous retenaient leur souffle, attendaient la fin de leur supplice.

Un supplice prolongé : le lieutenant les força à faire un tour complet du quartier jusqu'à revenir à leur point de départ. Une éternité, même si cela ne prit en réalité que quelques minutes.

La Stagiaire, les yeux baissés. La Stagiaire, respirant par la bouche. La Stagiaire, pensant au paradoxe de Zénon : l'infini au cœur du fini.

Car chaque pas n'est qu'une fraction de la distance totale. La distance totale est hors d'atteinte.

Dans le paradoxe de Zénon, on n'atteint jamais son but.

Dans le paradoxe de Zénon, on est dans un état d'*attente* perpétuelle.

«Eh bien, les amis! Maintenant vous savez *de l'intérieur* ce qu'est une prison de haute sécurité.»

Sous le soleil blanc de mars ils titubaient d'épuisement.

Même l'Enquêteur paraissait fatigué. Même le lieutenant, surpris dans un moment d'inattention.

«Le temps *à l'intérieur* ne correspond pas à celui du *dehors*. Quand un surveillant rentre dans sa famille à la fin d'une seule journée, ou d'une nuit... il a été absent un temps qu'elle ne peut mesurer.»

Le lieutenant eut un petit rire sombre.

Heureux de pouvoir respirer à nouveau, les visiteurs inspiraient à pleins poumons. La Stagiaire repoussa une vague de vertige en fermant les yeux et en se mordant les lèvres.

Elle était pourtant solide, résistante. L'Enquêteur serait impressionné par son assistante, qui n'avait pas cédé à la panique, contrairement à plusieurs des autres jeunes filles, qui avaient supplié le lieutenant d'être dispensées de cette marche.

Bien que grossièrement traités par leur guide, qui leur avait imposé non seulement une épreuve physique, mais une humiliation considérable, les membres du groupe ne semblaient pas lui en vouloir. La Stagiaire en prit note.

Maintenant qu'ils avaient quitté le redoutable Quartier C, ils chantaient les louanges des prisons, des punitions, des surveillants armés... une belle invention, méritant l'argent des contribuables, indispensable à toute société civilisée.

« Par ici, les amis, si vous avez repris votre souffle : couloir de la mort. »

Le lieutenant les entraîna d'un pas vif le long de l'une des allées de gravier. La chambre d'exécution, contiguë au couloir de la mort, était la dernière étape de la visite.

Encore une demi-heure, peut-être. Et puis la liberté !

Les étudiantes se serraient les unes contre les autres et riaient, étourdies, hébétées, bouleversées. L'une d'elles avait pleuré, une autre l'avait réconfortée, et une troisième disait *Oh! mon Dieu! C'était... c'était horrible.*

Un cauchemar...

... jamais je n'oublierai.

Mais à présent elles étaient sorties du Quartier C. Elles riaient et haletaient comme qui a été presque étranglé, libéré, presque étranglé de nouveau, libéré encore, et qui se réjouit alors du seul fait de respirer, d'être en vie.

Avec cynisme, la Stagiaire se dit que, grisées d'avoir surmonté cette épreuve ensemble, les jeunes filles garderaient de cette expérience le souvenir d'un frisson sexuel particulier.

Ils marchaient à la suite du lieutenant. En direction du dernier d'un groupe de bâtiments, une construction en parpaings d'une laideur particulière. Derrière s'étendait un terrain vague, borné par la haute clôture électrifiée, et par les miradors.

« Ne vous en faites pas, les amis... on ne visite pas le couloir de la mort. La chambre d'exécution, oui, mais pas le Couloir... vous n'aurez pas à affronter les plus *monstrueux.* » Le lieutenant marqua une pause, comme s'il choisissait ses mots avec soin, alors qu'il s'agissait sûrement d'un discours souvent récité à ce moment précis de la visite.

L'un des visiteurs demanda pourquoi le Couloir ne faisait pas partie de la visite.

«Parce que le directeur l'a interdit, voilà pourquoi. Parce qu'il est arrivé par le passé que des "ennemis de la peine de mort", des agitateurs, parviennent à se glisser dans une visite guidée et fassent du grabuge dans le quartier.» Le lieutenant secoua la tête d'un air écœuré.

«Comme je vous l'ai dit, un condamné qui est depuis un bout de temps dans le Couloir, il a pris le pli. Il a perdu son côté mauvais, si on peut dire. Il est juste plus vieux, plus malade. L'un de nos "condamnés" avait eu une occlusion du côlon, on a fini par s'en apercevoir, le pauvre type avait perdu une quarantaine de kilos, incapable de manger, les intestins ratatinés et cancéreux... il est toujours en vie, mais il n'a plus rien à voir avec l'homme qu'il était en 1987 au moment il a commis les actes qui l'ont amené à Orion. Et il y en a d'autres comme lui, adoucis par la vieillesse. Alors que des détenus du Quartier C la plupart sont des nouveaux et vraiment dangereux : ils vous trancheraient la gorge sans un regret s'ils pouvaient vous mettre la main dessus. Là-bas, c'est le règne du *mal* : la moitié ou presque des hommes aurait sa place dans le Couloir, vu ce qui leur a valu d'être envoyés à Orion.»

Le ton du lieutenant était songeur. Son expression s'était assombrie.

«Il y a des juges et des jurés "indulgents", voyez-vous... de plus en plus nombreux chaque année. Dehors, les gens ne se rendent pas compte de la façon dont le *mal* se développe dans les périodes d'"indulgence". Ils pensent que s'ils font le bien, cela leur sera rendu. Mais ça ne se passe pas comme ça, les amis. Cette visite d'Orion devrait au moins vous apprendre ça.»

L'homme rougeaud qui avait parlé avec véhémence au début de la visite avait été visiblement secoué par la visite du Quartier C. Il disait maintenant, d'un ton outré : «Ces réformistes à l'"âme sensible"… voilà le problème! Tout ce qu'ils trouvent à faire pour éliminer le crime, c'est d'augmenter les taxes! Celui qui ne veut pas être puni, il n'a qu'à s'abstenir de commettre des actes punissables.»

Les hommes du groupe approuvèrent dans un vague murmure.

La Stagiaire remarqua que les yeux gris pierre du lieutenant les passaient en revue, les comptaient machinalement. Car le lieutenant avait la charge de *quinze* personnes.

Ils avaient dépassé le bâtiment du couloir de la mort. Des parpaings, et de petites fenêtres à barreaux évoquant des yeux mi-clos. À l'écart du reste de la prison. Bien que cela fût peu probable, on imaginait les condamnés en train de regarder.

D'après ce qu'ils avaient vu dans les autres quartiers, ces «fenêtres» n'étaient en fait que des ouvertures dans les murs, donnant sur des galeries ou des couloirs. Aucune des cellules n'avait de fenêtre. Les murs du réfectoire étaient aveugles, les ateliers aussi. Le soleil brûlant de Floride qui, en été, faisait monter la température jusqu'à 48 degrés dans la prison, n'y pénétrait néanmoins jamais.

L'Enquêteur avait prévu d'interroger d'anciens prisonniers s'il le pouvait. Il avait appris que le syndicat des surveillants de prison était l'un des plus puissants du pays, et de l'État de Floride; les drogues et même les armes introduites dans les prisons l'étaient principalement par l'intermédiaire de surveillants, que leur puissant syndicat protégeait.

«Vous êtes privilégiés, les amis : cette partie de la prison, la chambre d'exécution, est interdite d'accès à presque tout le monde. Peu de gens viennent ici, en dehors des équipes d'exécution, des "condamnés", des témoins et de nos groupes de visiteurs. Vous serez peut-être étonnés d'apprendre que la plupart des surveillants n'y ont pas accès.»

Le lieutenant parlait avec fierté. La Stagiaire regardait un mur de pierre devant elle, une porte dans un mur de pierre. Une porte différente de celles qu'ils avaient vues jusque-là par son aspect antique. Un vent humide et froid soufflait du terrain vague, jonché de gravats, de débris de parpaings. La Stagiaire frissonna. Le lieutenant attendit que tout le monde fût rassemblé. En demi-cercle devant cette porte, qui semblait devoir conduire dans les entrailles de la terre.

D'un ton blagueur, le lieutenant parlait aux visiteurs de la "Friteuse"… « Que vous ne verrez pas aujourd'hui parce qu'elle n'est pas chez nous, mais à Raiburn. Les gens pensent que cette vieille Friteuse est à Orion, mais non… ils se trompent. Nous avons notre propre chaise électrique, mais elle n'est pas aussi célèbre et nous ne l'utilisons plus. Aujourd'hui le condamné a le choix entre l'injection létale et l'électrocution, et il choisit toujours l'injection, le pauvre type s'imagine partir plus facilement que sur la chaise. Mais en fait les deux peuvent poser des problèmes. On a dû retirer la Friteuse parce que la moitié du temps elle crachait des étincelles et des flammes, la tête du gars se mettait à fumer et, quand il était gras, ça grésillait, ça fondait comme un cochon à la broche, il y avait des témoins qui vomissaient et qui s'évanouissaient. Notre chaise électrique, la dernière fois qu'on s'en est servi, il y a de ça quelques années, après la première décharge, ça s'est mis à crépiter et des flammes sont sorties des électrodes sur les jambes du type – c'étaient les lanières qui avaient pris feu. Et de la fumée, des étincelles sous la cagoule, sur la tête. Un vrai feu, hein, avec des flammes de quinze centimètres qui montaient de la tête du type. "Erreur humaine", il paraît. Une fumée si épaisse dans la chambre que même l'équipe d'exécution a vomi. Du coup, ils ont appelé deux médecins – je pense que c'étaient des "médecins" – ou peut-être des assistants hospitaliers – les vrais médecins snobent les exécutions comme s'ils étaient trop bien pour ça. Donc ces deux-là arrivent et tâchent de voir si le cœur bat. Et l'avocat du condamné, un de ces avocats de l'Union pour les libertés civiles, un gamin... il avait l'estomac retourné, lui aussi. Il *suppliait* le directeur d'arrêter. Mais on n'arrête jamais une exécution... on continue. Donc l'équipe d'exécution remet le courant, et ça recommence, de nouveau des étincelles et de la fumée. Les médecins réexaminent le gars, et son cœur bat toujours, plus ou moins. Alors finalement, on envoie une troisième décharge. Quatorze minutes avaient passé. Le pauvre type était carbonisé et fumait comme un gros rôti, il a fallu un bon moment avant qu'on puisse s'approcher de lui, il paraît. Et tous les autres, même les parents de la victime qui avaient voulu être le plus près possible, on s'est précipités dehors dès que la porte a été ouverte.»

Le groupe ne soufflait mot. L'intention du lieutenant était-elle de... les amuser? Les informer? Son horrible monologue avait l'air bien rodé, tel un soliloque de Shakespeare dans le vide.

La Stagiaire dévisageait le lieutenant avec répulsion. Elle n'avait pas osé regarder l'Enquêteur qui, supposait-elle, avait enregistré et photographié le lieutenant.

Les visiteurs posèrent peu de questions. Même l'homme au visage rougeaud ne semblait pas avoir apprécié le récit du lieutenant. Il se força pourtant à dire, d'une voix hésitante : «Un homme n'est pas obligé de commettre un crime, de se faire "condamner". Certains d'entre nous croient au libre arbitre.

– Nous y croyons tous, monsieur! Nous ne sommes ni des animaux ni des machines. Nous sommes *faits à l'image de Dieu*», dit le lieutenant, avec emphase.

Puis son visage prit une expression rusée. «La seule fois où j'ai assisté à une électrocution, ici, à Orion, le condamné devait bien peser cent soixante-cinq kilos, à peine s'il tenait sur la chaise. Et tout ce qui pouvait aller de travers est allé de travers. Il n'a même pas perdu connaissance, il hurlait, la cagoule de travers sur la tête. L'équipe d'exécution, le directeur, tout le monde se demandait quoi faire… et puis on a vu du sang sortir de sa tête, tremper la cagoule, et ça a pris la forme d'une croix. Vous comprenez?… C'était le signe que Dieu approuvait l'exécution, malgré ces satanés pépins.»

La Stagiaire ne put s'empêcher de couler un regard vers l'Enquêteur. Du sang en forme de croix! Une justification de la peine capitale! Mais l'Enquêteur fronça les sourcils et ignora la Stagiaire.

«Qui peut ouvrir cette porte? Un volontaire?»

Le lieutenant les regardait, comme un adulte un groupe d'enfants captifs.

La Stagiaire aurait voulu s'enfuir quelque part et se cacher. Elle avait le cœur au bord des lèvres. Mais elle nota le signe que lui adressait l'Enquêteur, un geste imperceptible de la main. Elle s'avança donc bravement. «Moi, monsieur.»

Elle s'escrima sur la porte. Qui semblait enfoncée dans la terre et fermée à clé. Et le regard railleur du lieutenant, la façon dont il la houspillait.

«Elle n'est pas fermée, mon gars. Encore un effort.»

Une ultime poussée, et la porte ne céda pas d'un pouce. Le lieutenant prit alors la place de la Stagiaire et, théâtralement, tira la poignée… vers l'extérieur et vers le haut (c'était cela, le truc : soulever cette fichue porte avant de tirer dessus) et la porte s'ouvrit comme une bouche béante.

Le groupe entra à contrecœur, en traînant les pieds. Entra et descendit. Trois marches de pierre. Et déjà une odeur pire que celle du Quartier C, pire que celle du réfectoire, leur parvenait aux narines.

À regret les visiteurs descendirent dans la chambre d'exécution. À côté de la porte, le lieutenant les faisait avancer. La Stagiaire passa la dernière. Il lui fit un clin d'œil, comme pour indiquer que, s'il ne tenait pas le *petit gars* à l'œil, il s'éclipserait.

La chambre d'exécution leur réservait une surprise de taille : elle contenait une sorte de *bathysphère*.

Un octogone, peint en bleu turquoise. Avec des fenêtres en Plexiglas.

L'Enquêteur demanda ce qu'était cet engin. Cela ressemblait à une cloche à plongeur... une *bathysphère*.

Le lieutenant rit. Il avait fait entrer son groupe dans cet espace sans fenêtre, les engageant à s'avancer, à aller s'asseoir sur les chaises de devant. Les visiteurs étaient nerveux, aussi agités que des poules affolées. Après le traumatisme du Quartier C, certains étaient au bord de l'effondrement, le lieutenant devait évaluer ce qu'ils pouvaient encore supporter. «Oui, monsieur, dit-il à l'Enquêteur. C'est une "bathysphère". Achetée à un forain de Dayton Beach.»

La cloche à plongeur évoquait en effet la fête foraine. Elle avait huit côtés, comme un cercle déformé; comme un œil, d'un bleu turquoise parfait, extirpé de son orbite.

Bleu turquoise : la teinte des espoirs radieux de l'enfance.

Le mot «bathysphère» n'était apparemment pas familier à tous les visiteurs. Il leur fut expliqué : «C'était une cloche à plongeur, que la direction de la prison a achetée à un particulier. Il était préférable que la chambre d'exécution soit hermétique et insonorisée.»

L'un des visiteurs posa des questions sur les méthodes d'exécution. La cloche était-elle une chambre à gaz? Le lieutenant répondit que l'État avait employé la chaise électrique de 1923 à 1999, puis l'injection létale; le gaz, jamais.

Avant 1923, il y avait eu des pendaisons. Beaucoup de pendaisons.

L'homme véhément, dont le teint était maintenant marbré et brouillé plutôt qu'empourpré, dit, sans grande conviction : « Qu'est-ce que ça peut faire, vous savez ce que je dis ? Mourir est forcément une punition cruelle et inhabituelle.

– Vous avez raison, monsieur. Et certains de ces assassins, si vous saviez ce qu'ils avaient fait à leurs pauvres victimes innocentes, parfois à des enfants, vous seriez le premier à demander que ce soit "cruel et inhabituel"... Amen ! »

Le lieutenant avait parlé avec résolution. Le lieutenant alla fermer la porte... Ses captifs frémirent.

« C'est ici que la famille de la victime s'assoit, dit-il en leur faisant signe d'avancer. Sur ces chaises. » Il montrait une rangée de sièges étrangement minuscules, évoquant les meubles de la Grande Dépression photographiés par Paul Strand. Les chaises, collées les unes aux autres, étaient disposées en demi-cercle face à l'octogone bleu turquoise. Les fenêtres de Plexiglas de la sphère n'étaient pas grandes, mais verticales afin que, assis au premier rang, on puisse voir dans la chambre d'exécution, qui n'était qu'à quelques dizaines de centimètres. La Stagiaire eut un spasme nauséeux à l'idée de voir un autre être humain mis à mort, sanglé sur ce qui aurait pu être une table d'opération.

« Remarquez ces chaises-ci, qui sont celles des représentants de l'État, le directeur, le fonctionnaire porteur de l'ordre d'exécution, le District Attorney s'il le souhaite, un sénateur ou un gouverneur. Et là, derrière, les représentants de la presse, ce qui, dans le temps, aurait été contesté. »

L'un des visiteurs demanda si les médias étaient autorisés à diffuser les images d'une exécution. Enregistrement, vidéo ?

« Absolument pas ! Nous respectons la vie privée du condamné.

– Et puis, il vaut mieux qu'on ne voie pas la Friteuse rissoler et griller un homme comme un rôti, dit l'un des hommes, d'un ton soudain jovial. Ce que je veux dire, c'est que cela donnerait des armes aux opposants à la peine de mort.»

Le lieutenant passa une main presque caressante sur l'octogone bleu turquoise.

«Notre chaise électrique a été mise au rebut. Plus personne ne choisit de mourir ainsi, et qui le reprocherait? À présent, on ne jure plus que par l'"injection létale". Parfois il est pratique que deux condamnés partent ensemble – à une demi-heure d'intervalle à peu près. S'ils étaient complices, ils pourraient être exécutés en même temps. Et si vous avez l'intention de poser la question, oui, un couple de condamnés a été exécuté comme cela à Orion. Quelqu'un se rappelle "Bags et Briana", à la fin des années 1950? Non?»

Personne ne s'en souvenait. Ou ne souhaita le dire. Même l'Enquêteur, qui avait fait des recherches sur Orion et était assez âgé pour se souvenir des années 1950, garda le silence.

«Ils avaient kidnappé un petit garçon pour demander une rançon à ses riches parents de Boca Raton. Mais ils ont fait des choses terribles à cet enfant. Et ils l'ont tué, en dépit la rançon. Alors, on leur a fait des choses terribles.» Le lieutenant s'interrompit, s'essuya le front avec un mouchoir plié. «Naturellement chacun a essayé de faire porter le chapeau à l'autre. Bags a mis huit minutes pour mourir. C'est quasiment un record.»

La professeur, un peu remise du Quartier C, risqua une question. Est-ce que beaucoup de femmes étaient mortes dans les chambres d'exécution de Floride?

«"Beaucoup de femmes"? Ma foi non, madame… comparé à toutes celles qui l'auraient mérité mais qui ont eu de la chance, répondit le lieutenant, avec un sourire narquois.

– Et sont-elles nombreuses dans le couloir de la mort, à l'heure actuelle ?

– Nombreuses ? Quatre aux dernières informations. Leur couloir de la mort se trouve à la centrale de Lowell.

– Quelles sortes de crimes ont-elles commis ?

– Plutôt vilains, madame. Vous pouvez aller les voir, si ça vous intéresse. »

Son ton était railleur. Pour une raison ou une autre, le lieutenant *n'était pas sensible aux charmes* de la professeur de sociologie d'Eustis.

Que le plafond de la chambre d'exécution était bas ! Que ces murs sans fenêtre étaient oppressants ! Ils semblaient vouloir se rapprocher encore.

La Stagiaire chercha son employeur des yeux. Ses cheveux neigeux et sa chemise de coton blanc brillaient dans la pénombre, et la Stagiaire éprouva un désir presque irrépressible de se frayer un chemin jusqu'à lui, d'étreindre sa main dans les deux siennes, de le supplier. *Aidez-moi, je vous en prie. Je ne devrais pas être ici. Quelque chose va m'arriver dans cet endroit.*

Elle avait eu une prémonition quand l'Enquêteur lui avait demandé de l'accompagner. Elle avait su que c'était une erreur.

Là-bas, dans son ancienne vie perdue, elle avait commis de nombreuses erreurs.

Elle avait payé pour ces erreurs. (Était-ce si sûr ?) Mais malgré tout, on n'est jamais entièrement quitte d'une faute qui concerne autrui, et par conséquent la Stagiaire n'était pas entièrement quitte de ses erreurs ni de la honte qu'elle en éprouvait.

La seule façon d'effacer une erreur et une honte de cette importance, c'est de s'effacer soi-même... de « s'anéantir ».

Mais la Stagiaire ne voulait pas de cela.

La Stagiaire ne voulait pas *mourir*... car alors elle n'aurait plus aucune chance d'aider les autres, de porter assistance à des gens qui, comme l'Enquêteur (par exemple), semblaient avoir besoin d'elle, et qu'elle en était venue à chérir.

La Stagiaire voyait l'Enquêteur s'agiter à l'autre bout de la pièce. Que regardait-il ? Que notait-il dans son petit calepin ? Avait-il pris des photos avec son appareil miniature ? Elle imaginait avec un plaisir voluptueux, un plaisir totalement irrationnel, le moment où, de retour dans son bureau, l'Enquêteur allumerait son ordinateur et s'installerait avec elle pour regarder les photos miniatures prises à Orion. Pour l'instant, il griffonnait dans son carnet. Elle aurait aimé prendre sa main... la sienne était glacée.

C'était impensable. L'Enquêteur repousserait la petite main idiote de la Stagiaire comme il l'aurait fait d'un serpent. L'Enquêteur serait embarrassé, offensé. Il serait mortifié. Toutes relations entre eux, professionnelles ou autres, cesseraient sur-le-champ.

Le lieutenant distribuait des photocopies de... quoi donc ?

Des photos aux couleurs vives de « Derniers Repas ».

« La première chose à préciser, les amis, c'est que le "dernier repas" du condamné ne doit pas coûter plus de quarante dollars. Ainsi le veut la loi. »

Quarante dollars! Aux yeux de certains visiteurs, quarante dollars pour le dîner d'un criminel était une grosse somme.

« Et ils n'ont pas droit à l'alcool, sous quelque forme que ce soit. L'ordre d'exécution est délivré trente jours avant le jour J pour que le mort – pardon, le "condamné" – ait le temps de consulter sa famille sur l'organisation des visites, et de consulter son avocat s'il n'a pas épuisé tous ses recours. Et on lui laisse choisir le mode d'exécution et son dernier repas. »

Le groupe regarda les photocopies des photos de « Derniers Repas » que le lieutenant leur avait distribuées.

On y voyait des plateaux-repas en plastique aux couleurs crues. Sur l'un d'eux, uniquement des aliments frits : pommes de terre, oignons, ailes de poulet. Sur un autre, deux boîtes de Frosties. Un troisième contenait deux douzaines de hot-dogs avec accompagnement de moutarde et de raifort, et plusieurs boîtes de Coca.

Certains des visiteurs riaient avec nervosité. Était-ce censé être drôle? La Stagiaire jugeait choquant que le lieutenant cherche apparemment à les amuser.

«Oh... qui pourrait manger dans un moment pareil... moi, je ne pourrais pas.

– Mon Dieu, que c'est triste!

– Comment osez-vous! Ces pauvres malheureux...

– À leur place, moi je prendrais autre chose que des chips et du Dr Pepper...»

Un repas plus ambitieux se composait d'un sandwich au homard (de chez McDonald's) et de maïs grillé. Un autre d'un bifteck, de frites et d'une boîte de Mountain Dew.

L'un des plus curieux associait une assiette de beignets gras et deux grands verres de lait.

Un autre, un litre de glace au chocolat Baskin-Robbins et un unique grand verre de lait.

Un autre, un monceau de spécialités mexicaines – tacos, burritos, tamals, sauce verte épicée – et un grand verre de Gatorade.

Le lieutenant dit : «Ils commencent à manger mais ne finissent jamais. Ils semblent avoir faim au départ, puis ils changent d'avis.» Une expression rusée apparut sur son visage, comme s'il se demandait s'il devait raconter à ses visiteurs une histoire qu'il avait déjà racontée bien souvent. «Ce pauvre vieux Scroggs, il était tellement débile qu'il a dit au surveillant qu'il aimerait garder la moitié de sa tarte aux noix de pécan pour "après". Vingt-neuf ans quand il a épuisé ses possibilités d'appel, il avait avoué le meurtre d'une dizaine de filles à Fort Myers. Trop stupide pour essayer de mentir à la police, il répondait oui... à tout ce qu'ils disaient qu'il avait fait. Il pensait qu'après ça ils allaient le laisser partir.» Le lieutenant rit de bon cœur.

Il y eut un moment de silence. Personne ne riait. Personne ne *souriait*.

Le lieutenant ne s'en soucia pas. Comme un comique dont le mépris des spectateurs transcende le ressentiment et la peur qu'il peut avoir de leur pouvoir sur lui, il passa simplement à son numéro suivant.

«Maintenant, les amis : comment choisiriez-vous de mourir, si vous aviez le choix?»

Nouveau silence. Le lieutenant poursuivit :

«En Floride, à une époque, vous pouviez choisir entre la pendaison et l'électrocution. Maintenant, vous pouvez choisir entre l'injection létale et l'électrocution. Il y a aussi le "peloton d'exécution" dans certains États... l'Utah, je crois. Dans d'autres, il y a encore la chambre à gaz, mais peut-être pas la pendaison. Mais le plus pratique, c'est l'"injection létale", qui, franchement, n'est pas toujours une partie de plaisir. Vous choisiriez quoi, si on vous donnait le choix?»

La plupart des visiteurs choisirent l'injection létale... à contrecœur. Les autres gardèrent le silence.

Le lieutenant surprit la Stagiaire en se tournant vers elle pour lui demander d'un ton hautain ce qu'elle choisirait. Un peu comme un maître d'école interrogeant soudain un élève qu'il soupçonne de ne pas être attentif.

La Stagiaire dit qu'elle ne choisirait pas.

«Entre électrocution et injection létale? Vous ne choisiriez pas?

– Non.

– Dans certains États où il y avait chambre à gaz, électrocution, pendaison, peloton d'exécution, injection létale... vous ne choisiriez pas? Je suis sûr que si.»

Mais la Stagiaire était sûre du contraire. Elle *ne participerait pas* à sa propre mort.

«Et vous, monsieur? Que choisiriez-vous?»

Le lieutenant s'adressait à l'Enquêteur, le seul membre du groupe qui semblait avoir défié son autorité.

L'Enquêteur haussa les épaules. Lui non plus ne choisirait pas. «Je forcerais l'État à choisir. Je ne participerais pas à ma propre mort.

– Mais si! dit le lieutenant, exaspéré. Si cela pouvait vous assurer une mort plus facile... ou si vous le pensiez.»

Mais l'Enquêteur ne céda pas : «Non. Je ne participerais pas à ma propre mort parce que je n'accorderais pas à l'État ce pouvoir sur moi.

– Mais vous le lui accorderiez de toute façon! Ce que vous dites n'a aucun sens.»

Le lieutenant semblait offensé, véritablement irrité contre la Stagiaire et l'Enquêteur. Deux personnes très différentes, qui ne se connaissaient manifestement pas et qui avaient pourtant manifestement des affinités de caractère. On sentait que, si cela n'avait tenu qu'à lui, le lieutenant aurait condamné la moitié du groupe à mort rien que pour leur donner une leçon.

«J'imagine que vous trouvez la peine de mort "barbare", monsieur. C'est bien ça?

– L'ai-je dit? Je ne pense pas avoir rien déclaré de tel... le mot "barbare" n'a pas franchi mes lèvres.

– Mais vous le pensez, monsieur! N'est-ce pas? Vous êtes un genre de... juge progressiste de gauche... vous n'êtes pas un juge d'ici.

– Je ne suis pas *juge*, lieutenant. Pas même juge à la retraite.

– Bon, eh bien... un homme de loi, alors. Un professeur. Vous laisseriez les meurtriers libres ? Les violeurs, les tueurs en série... les assassins d'enfants ? »

Mais l'Enquêteur était trop malin pour se laisser entraîner dans une discussion passionnée avec le lieutenant à ce moment-là. La Stagiaire devinait qu'il était impatient de prendre des photos interdites de la chambre d'exécution bleu turquoise et qu'il ne répondrait plus au lieutenant.

«Bon, et maintenant... qui est volontaire pour y entrer ? Juste une minute, à titre de démonstration.»

Le lieutenant parlait de la cloche à plongeur. Il lorgnait ses captifs, qui fuyaient son regard.

Que c'était détestable ! Un cauchemar, et pas d'autre issue que de se plier aux caprices du lieutenant.

«Il nous faut un volontaire ? Qui ?»

Sans attendre que l'Enquêteur lui adressât un signe, la Stagiaire dit : «Moi, monsieur.»

Tous les autres la regardèrent. Elle lut de la reconnaissance dans leurs yeux.

Le lieutenant parut contrarié. «Vous ! Ma foi ... il faut vous reconnaître une chose : vous êtes un petit gars têtu. Mais d'autres ici pourraient nous tirer d'affaire...

– Je vais y aller, monsieur. Pour épargner les autres.»

Dans un état second, la Stagiaire s'approcha de l'octogone bleu turquoise. Un étau douloureux lui enserrait le crâne et elle avait la nausée au ventre. Au moins était-elle si menue qu'elle n'eut aucun mal à pénétrer dans la cloche, aucun mal à se redresser de toute sa taille une fois à l'intérieur. (Le plafond, qui semblait terriblement bas, s'élevait à deux mètres à son point le plus haut : un homme adulte pouvait y tenir debout à l'aise, du moins un certain temps.)

Le lieutenant la regardait d'un œil noir. Il était néanmoins content d'elle, car elle avait paru lui obéir.

Du seuil de l'octogone, il lui ordonna d'un ton bourru de monter sur la table et de s'y étendre sur le dos. La Stagiaire obéit. L'horrible plafond était si près de sa tête qu'elle ferma les yeux. La voix du lieutenant lui parvenait toujours, chargée d'une excitation contenue.

«Si c'était une vraie exécution, il y aurait toute l'équipe. Ils attacheraient ce petit gars, et il ne serait pas entré tout seul.»

Il regrettait manifestement que ce ne fût pas une véritable exécution ni même une véritable démonstration. Mais c'était tout ce que la visite pouvait offrir.

«Nous n'avons jamais eu de Friteuse, je vous l'ai dit… nous avons remisé notre chaise électrique. Avec l'injection létale, il n'y a pas grand-chose à *voir*.»

Il continua pourtant à décrire avec entrain les injections loupées auxquelles il avait assisté : «Quand vous avez les veines bousillées à force de vous shooter à l'héroïne, par exemple, on est obligé de vous piquer partout – bras, jambes, intérieur des cuisses, pieds, hanches, dessous de la mâchoire. Certains pauvres types ressemblent à de vraies pelotes d'épingles, et ils piaulent *Non non assez! Pardon mon Dieu je regrette.*» Le lieutenant marqua une pause pour ménager ses effets. «Et quelquefois les produits chimiques sont foireux, les solutions ne vont pas ou alors il n'y a pas les bonnes "proportions", comme ils disent… si bien que ce qu'on injecte dans les veines du condamné est brûlant – comme de l'acide – et qu'il hurle sous sa cagoule. Même avec un chiffon ou une éponge dans la bouche, il hurle et on l'entend. La mort n'est pas une "délivrance" ici… ce n'est pas ce qu'ils méritent. Alors ne vous apitoyez pas pour rien.»

L'auditoire du lieutenant frémit. Le lieutenant était un imprésario au pied d'un manège tournoyant de fête foraine :

montagnes russes, twist démoniaque. On ne pouvait échapper à ce manège cauchemardesque avant qu'il vous libère.

Les visiteurs posèrent des questions... que la Stagiaire ne put entendre. Le sang grondait à ses oreilles telle une rumeur de vagues lointaines.

Elle palpait les sangles de cuir. Par bonheur le lieutenant ne lui avait pas demandé de les placer en travers de ses bras et de ses jambes. Elle comprenait qu'une perfusion, injectant goutte à goutte des toxines dans une veine, serait insérée dans l'un de ses bras ou le dos de sa main.

À côté, le lieutenant parlait. Fanfaron et brutal, avec une surexcitation sous-jacente.

La Stagiaire commença à se souvenir de... quelque chose.

La Stagiaire commença à se souvenir... d'elle-même, recroquevillée... pas sur une table et pas sur le dos, mais sur le sol, rampant, le visage en sang, le nez et la bouche en sang, de la terre dans les yeux.

Je ne veux pas de toi va-t'en tu me dégoûtes.

« Ce qu'il y a, c'est que de nos jours un ordre d'exécution, ce n'est plus ce qu'on croit. Il y a tous ces appels – "ordonnances", "mémoires", "arguments" –, ça traîne pendant des années. Un homme – ou une femme! – qui se retrouve dans le couloir de la mort, je peux vous dire que ce n'est sûrement pas son "innocence" qui l'a amené là. Peut-être bien qu'il est "innocent" du crime pour lequel il sera exécuté, mais "innocent" tout court, sûrement pas. C'est une donnée statistique. »

Il y eut un silence. La Stagiaire ferma les yeux plus fort, s'efforçant de voir et d'entendre.

Elle avait très peur, maintenant. Une sensation pareille à la mort, un engourdissement dans les pieds, les jambes, montant plus haut... Un engourdissement des doigts, du visage. Sa langue, qu'il avait arrachée.

Pour qu'elle ne puisse pas parler. Ne puisse jamais parler. *... elle ne parle pas ? Peut-être qu'elle est sourde aussi. Son visage a l'air amoché. Je vais enlever ce sang. Celui qui a fait ça reviendra. Ils reviennent toujours.* « Notre dernière exécution date de février. Un mois et quelque. Il y en a une autre – ce "Richard Karpe" dont on a tant parlé – qui a été reportée deux ou trois fois. Personne ne trouve ça bien, bon Dieu ! Ni pour les parents de la victime, ni même pour le condamné qu'on manipule comme une fichue marionnette. Un condamné se met en paix avec lui-même, il est prêt à mourir. Vous pouvez leur poser la question, la plupart vous le diront. Quand ils en sont là, ils sont à fond dans la religion. "Qu'on en finisse", voilà ce qu'ils diraient. Ce dernier type qu'on a exécuté, Pop Krunk. Je dois reconnaître que je me suis pris d'affection pour Pop Krunk, et *lui aussi*. Il avait soixante-seize ans quand il est mort. Il était à Orion depuis 1987. Et avant ça, à Raiford. Il avait fait de la prison pour vol, coups et blessures aggravés. C'était un type à l'ancienne, cheveux longs, barbe longue... le genre qu'on rencontre dans les Everglades. Expédié dans le couloir de la mort pour avoir tabassé quelqu'un à mort pendant un cambriolage, et parce qu'il y avait d'autres mandats d'arrêt contre lui pour d'autres homicides probables à Tampa. Pop disait qu'on l'avait eu "par la ruse" – pour le faire avouer – et qu'il avait essayé de "se rétracter", mais que le juge avait bloqué ça vite fait. Tout de suite une équipe de jeunes avocats a cherché à faire annuler sa condamnation et à obtenir un nouveau procès... Dieu sait pourquoi ! On peut refaire tous les procès qu'on veut, jamais ça ne sera "sans l'ombre d'un doute", soit que l'avocat s'endorme en plein tribunal, soit qu'il se pointe malade ou ivre – ça se passe comme ça. Bref, le mois dernier, ils essaient d'avoir un nouveau sursis en cherchant à persuader le gouverneur de commuer la condamnation, Pop Krunk lui-même n'a jamais pleurniché qu'il avait peur de mourir ou qu'on le traitait injustement, en tout cas pas devant *moi*. Son dernier repas était bon : un Big Mac avec des frites, des rondelles d'oignon et un milk-shake au chocolat. Il m'a demandé si je voulais bien lui tenir compagnie et j'ai dit oui, mais malheureusement ce vieux Pop a d'abord mangé avec appétit, et puis ça s'est ralenti et il n'en était pas à la moitié qu'il a posé son Big Mac en disant que, merde, il n'avait plus faim.

« "Tu veux mon milk-shake ?" a-t-il demandé. Et il a bien fallu que j'accepte.

« Je vous avais dit que Pop Krunk était en chaise roulante ? Au début, c'étaient seulement des béquilles, il avait les jambes et les hanches pourries d'arthrite, et il ne faisait pas semblant, on voyait qu'il souffrait, le visage tout crispé de douleur, alors on lui a donné ce fauteuil roulant de l'infirmerie dans lequel il passait presque tout son temps. Quand l'ordre d'exécution arrive, le compte à rebours commence… il n'y a plus qu'un coup de téléphone du gouverneur qui puisse le suspendre. Mais cette fois-là, pas de coup de téléphone à attendre. Cette fois-là, plus de coups de veine pour Pop. Il le savait. Pareil que certains types de temps qu'il savait prévoir : les ouragans, par exemple. Parce que ses os lui faisaient encore plus mal. Donc il savait : pas de coup de fil de ce satané gouverneur. Quand l'aumônier et moi sommes venus le chercher, Pop ne ressemblait plus vraiment à lui-même. Ça donne à réfléchir de voir ça. On finit par s'attendre… on attend un certain comportement des gens qu'on connaît. Des gouttes de sueur ruisselaient sur son visage. Il avait fermé les yeux et la bouche de toutes ses forces en essayant de ne pas respirer. Pour s'asphyxier, s'étouffer, couper sa respiration. Mais c'est impossible, l'instinct est trop fort pour ça. Du coup, ce pauvre vieux a essayé de nous résister.

Dans son fauteuil roulant. Il haletait, il suait, il priait… On l'a roulé jusque dans cette chambre, ici, par cette petite rampe à côté des marches. Mais le fauteuil ne rentrait pas dans la cloche, alors il a fallu le mettre debout et le soutenir. J'étais l'un des surveillants chargés de l'accompagner. Jamais je n'avais vu ce pauvre vieux trembler comme ça. Je lui disais : "Tu vas y arriver, Pop! Bon Dieu, mon vieux, ça va bien se passer." Il y avait les parents des victimes, sur les chaises de devant, certains plus vieux que Pop lui-même. Bon Dieu! cela faisait un sacré bout de temps qu'ils attendaient ça. Et le directeur de la prison était là, le directeur de l'administration pénitentiaire, des journalistes. Pop était terrifié, il s'est accroché à la porte de la cloche à plongeur, et il a fallu lui faire lâcher prise. "Ne nous déçois pas, Pop, a dit l'aumônier. Pas maintenant. On attend mieux de toi, Pop. Les parents des victimes sont là, ils attendent justice. Il faut que tu leur donnes ce qu'ils méritent, Pop. " Et Pop s'est rendu compte que c'était juste. D'un seul coup il s'est redressé du mieux qu'il pouvait sur la chaise où on était en train de l'attacher. Tous les témoins ont été étonnés. Pop Krunk a dit, avec un grand sourire : "Hé! C'est un beau jour pour mourir."

«Ça nous a donné le signal. On a rabattu et attaché la cagoule noire.»

Il te fera du mal à nouveau. Il t'assassinera.

Tu ne peux pas retourner là-bas. Jamais.

… te protégerai. Je le jure.

La Stagiaire avait cessé d'écouter le lieutenant. La Stagiaire avait l'impression que son cœur avait ralenti jusqu'à s'arrêter et qu'on le réanimait maintenant sans qu'elle sache d'où viendrait la force qui lui rendrait vie.

Des hommes étaient morts sur cette table où elle gisait. Dans la cloche à plongeur bleu turquoise, des hommes avaient subi des morts hideuses. Ces hommes qui l'avaient précédée, ce vieillard – Pop Krunk – étaient morts ici. On avait enfoncé des aiguilles dans les bras maigres du vieillard pour injecter du poison, et il s'était affaissé, avait cessé de respirer, et les témoins n'avaient rien vu de plus, sinon que la tête coiffée d'une cagoule noire s'était affaissée, et que cette tête n'était plus celle d'un être vivant.

Par un effort désespéré la Stagiaire parvint à se redresser. Un air lourd pesait sur elle : elle se sentait faible. Elle gagna la porte en trébuchant, passa devant le lieutenant et les autres visiteurs étonnés, gagna la porte de la chambre d'exécution, qu'elle ouvrit d'une poussée, dans un insolent sursaut d'énergie.

Des voix retentirent derrière elle. Brusquement maintenant, la visite allait prendre fin.

La Stagiaire était sortie en titubant et elle était tombée. Mais la Stagiaire respirait normalement. La Stagiaire ne s'était pas évanouie. Ses genoux étaient marqués de vieilles cicatrices. Ces cicatrices ne s'étaient pas rouvertes. Car la Stagiaire portait un pantalon de velours pour protéger ses jambes. Le Stagiaire restait immobile à l'endroit où elle était tombée, un bout de terre pelée devant la chambre d'exécution à l'extrémité de la sinistre façade de parpaings du couloir de la mort. Elle rassemblait ses forces pour se relever. Le lieutenant la hélait d'un ton réprobateur. Le lieutenant la hélait d'un ton irrité. Et le lieutenant était inquiet, car une personne extérieure victime d'une chute, d'un accident, pendant sa visite guidée n'était pas une bonne chose. Ni pour le lieutenant ni pour Orion. Le lieutenant quitta la chambre d'exécution pour rejoindre la Stagiaire, qui cherchait maintenant à se relever. Son visage saignait-il ? Son nez ? La Stagiaire s'essuya le visage, contrariée et honteuse. Certains des visiteurs l'examinaient. Ils ne savaient pas vraiment ce qui s'était passé. Que s'était-il passé ? Dans la cloche à plongeur, la Stagiaire s'était docilement allongée sur la table comme le lui avait ordonné le lieutenant, mais ensuite, brusquement, elle avait sauté à bas de cette table et s'était enfuie. On voyait que le lieutenant n'avait pas l'habitude qu'on lui désobéisse. La Stagiaire avait été prise de panique et s'était sentie mal. C'était sans doute pour cela qu'elle était sortie. Et maintenant le gentleman aux cheveux blancs les écartait pour s'approcher d'elle.

Pour l'aider à se relever. Elle grelottait de froid, à genoux sur le sol.

Se disant soudain qu'il aurait sans doute voulu qu'elle prenne des photos à l'intérieur de la cloche à plongeur ! Bien entendu. La montre Sony dont elle avait été équipée. Était-ce dans ce but ?

Son cerveau fonctionnait par à-coups. Son cerveau avait été privé d'oxygène, des toxines dans le sang, et son cerveau s'était mis à mourir.

Mais c'était pour cela qu'il lui avait donné la montre, bien sûr. Pour cela qu'il avait voulu qu'elle l'accompagne dans ce terrible endroit. Et elle n'y avait pas pensé un seul instant. Elle avait pensé à d'autres choses, mais pas à ça.

Et elle n'y pensait pas non plus maintenant. Tout cela – y compris *lui* – était balayé par l'énormité de l'instant.

Elle dit : « C'est un beau jour pour mourir. »

10

La trahison

Temple Park, Floride, mars 2012

Elle ne pouvait se résoudre à le dire.

À prononcer les mots. Elle ne pouvait pas!

«... dois vous quitter. Je suis vraiment désolée.»

Il ne répondit pas. Il était peut-être abasourdi.

Il était peut-être *outré*. Elle ne pouvait affronter son regard!

Elle dit, en bégayant : «Je pense... il faut que je retourne là d'où... d'où je suis...»

Elle se sentait mal. Ce bourdonnement dans les oreilles, le bouillonnement du sang.

«... je suis partie. D'où j'ai "disparu".»

L'Enquêteur se détourna. Avec brusquerie, l'Enquêteur quitta la pièce.

Le bruit d'une porte refermée. Une autre, claquée avec violence. Elle pressa les mains contre ses oreilles.

Cela n'était encore jamais arrivé entre eux. L'Enquêteur et sa Stagiaire : leurs relations avaient toujours été entièrement professionnelles, impersonnelles.

Il n'avait pas remarqué qu'elle l'observait. (Si?)

Il n'avait pas remarqué qu'elle lui souriait, derrière son dos. (Si?)

Le regard bleu pâle de l'Enquêteur, posé sur elle. Un regard qui n'était pas tendre, qui n'était pas affectueux, et pourtant… quand il la regardait, avec son sourire interrogateur, avec son sourire amusé et séduit, elle éprouvait un frémissement d'espoir et d'attente; le frémissement de quelque chose qu'elle avait cru avoir étouffé depuis longtemps, par dégoût et par honte d'elle-même.

« McSwain! Venez ici, j'ai besoin de votre avis. »

Ou : « McSwain! Ici. »

Comme beaucoup de gens de sa génération, l'Enquêteur feignait d'être un analphabète informatique. (En fait, ce n'était pas vrai. Il était raisonnablement doué, du moins avec ceux des programmes qu'il connaissait. La méthode de la Stagiaire était aléatoire, empirique, une patience résultant de la nécessité absolue de ne pas sombrer dans l'hystérie. La Stagiaire était *calme* par principe.)

« McSwain! » – c'était parfois une supplication, un *cri du cœur**. Mais toujours avec une nuance de plaisanterie.

Il lui demandait d'ouvrir une bouteille. Une grande bouteille de son jus de fruit préféré, le jus de grenade. Pourquoi?

« Vos doigts sont plus forts que les miens, McSwain. Vous êtes jeune, vous avez de la *poigne.* »

Tout ce qui était écrit en petits caractères. Tout ce qui demandait l'emploi d'une télécommande, d'un « menu » : « Je n'ai jamais appris à me servir d'un "menu". Faites ça pour moi, McSwain. »

Mais maintenant. Plus d'humour ni de plaisanterie entre eux, maintenant.

Car elle s'efforçait de ne pas tomber en morceaux. Se mouvait avec une prudence, une précaution extrêmes. Dans la cloche à plongeur, peinte d'un étrange bleu turquoise, elle avait frôlé de peu l'anéantissement, la disparition.

La mort avait été précipitée, dans cet endroit. La mort n'était pas venue par hasard ou par un enchaînement d'événements « naturels » : la mort avait été ordonnée, la mort avait été *exécutée*.

Malade de culpabilité. Crevant de culpabilité.

Ce soir-là dans la maison toute en baies vitrées de l'Enquêteur sur le canal Rio Vista. Ce soir-là après leur visite épuisante à la prison d'Orion, d'où ils n'étaient rentrés qu'en fin d'après-midi.

L'Enquêteur avait dû conduire le SUV pendant presque tout le trajet. La Stagiaire s'était sentie trop faible, trop étourdie. Trop *vidée*.

C'était la première fois qu'elle s'effondrait ainsi, depuis au moins un an.

C'était la première fois, depuis qu'elle était la Stagiaire.

Des morceaux pareils à du verre brisé. Échappé de ses doigts, fracassé.

Vous hurlez, mais il est trop tard. Une fois *en morceaux*... trop tard.

Elle avait d'abord tenté de lui dire que ce n'était rien. Ce n'était rien, et elle allait bien, simplement, voilà... elle était écœurée comme il l'était par les révélations du lieutenant et par la visite – la visite de cette terrible prison! – et elle était angoissée, elle était...

Elle était terrifiée. Sa vie, telle une eau aspirée par une bonde, tournoyant follement, et aussitôt engloutie.

Il s'était arrêté dans un petit centre commercial de South Bay. Il l'avait envoyée chercher de l'alcool. C'était l'une des tâches habituelles de la Stagiaire : faire les courses. Pendant que l'Enquêteur, resté dans la voiture, consultait son petit calepin, prenait des notes.

Et puis il était entré dans le magasin à son tour.

Ce grand gentleman aux cheveux blancs qui ressemblait bel et bien à un juge de série télévisée à la retraite.

Et elle, la jeune femme qui ressemblait à un garçon, vêtements de garçon, cheveux rasés sur la nuque, pantalon de velours, chemise écossaise, brodequins. Errant avec son chariot dans les allées éclairées au néon sans bien savoir ce qu'elle y faisait.

Dans des glaces convexes pareilles à des yeux furieux braqués sur chaque allée de bouteilles scintillantes sa silhouette déformée avançait à pas furtifs et hésitants : elle aurait pu être (pour le propriétaire aux aguets, dévalisé, attaqué Dieu sait combien de fois ces dix dernières années) une junkie-prostituée au teint terreux ressemblant à un enfant de douze ans, suspecte. Dans les miroirs convexes, son visage déformé, méconnaissable.

Pourquoi était-elle ici, qu'avait-elle à y faire. Et où, au juste, était *ici*.

« McSwain. »

Elle se retourna, désorientée. Un nom lui vint à l'esprit : *Zeno.*

Elle essayait de tenir debout. Un effort qui accaparait toutes ses forces : tenir debout. Dans la chambre d'exécution, elle avait dû sortir en titubant, au grand air, ou dans ce qui l'avait frappée avec la force d'un air revigorant. Et pourtant elle était tombée, sur les genoux. Elle avait perdu ses jeunes forces, repris ses esprits pour se découvrir étendue sur le sol. Des voix résonnaient, elle avait violé le protocole de la visite en s'évanouissant.

Pas en vomissant. Elle n'avait pas été malade, comme elle l'avait redouté.

Dans le magasin vin-bière-alcool. Quelque part le long du North New River Canal, coulant vers Fort Lauderdale.

Elle avait les lèvres froides et insensibles. Le visage exsangue.

L'Enquêteur qui était un gentleman de soixante-dix ans n'était pas du genre à s'alarmer facilement. En public, il était assuré, froid, distant, maître de lui. En public, il était courtois. Il regardait pourtant la Stagiaire d'un air sombre.

Mais vous êtes ma jeune Stagiaire! Vous êtes plus jeune et en meilleure santé que moi et vous êtes censée me survivre, je vous ai engagée pour cette raison, pour prendre soin de moi. McSwain!

Elle était parvenue à choisir le whisky demandé par l'Enquêteur : une bouteille de Johnnie Walker Black.

Elle était parvenue à mettre dans le chariot un pack de ces boîtes d'eau de Seltz qu'il aimait, et que la Stagiaire buvait souvent lors de leurs repas impromptus.

L'Enquêteur lui prit le chariot. Le poussa vers la sortie, vers la caissière, qui les dévisageait maintenant ouvertement : ce couple mal assorti, ce devait être… quoi, au juste ?… un père ou un grand-père, un jeune garçon ou peut-être une fille ?

La caissière enregistra les articles, la rapidité de ses doigts, longs ongles vernis en plastique, était extraordinaire à observer.

« McSwain. Retournez à la voiture. Je me charge des paquets.

– Non. Je peux vous aider, monsieur.

– Je vous ai dit d'y aller ! »

Ces deux-là n'avaient pas l'accent de la Floride.

Si épuisée ! Derrière le volant, l'Enquêteur lui jetait de temps à autre un regard.

Jamais la Stagiaire n'avait été aussi… faible.

Inquiet, l'Enquêteur dit : Nous devrions peut-être vous emmener aux urgences.

Peut-être vous faut-il une injection de cortisone. Peut-être avez-vous fait une réaction allergique à la chambre d'exécution. Roulant sur la Route 27 en direction du sud et de Fort Lauderdale. Tous les panneaux, de gigantesques panneaux d'affichage, attiraient les voyageurs vers le sud, vers Fort Lauderdale et l'océan Atlantique. Des femmes allongées sur un sable blanc, portant de minuscules bikinis. Des femmes à la peau lumineuse et dorée.

Faiblement la Stagiaire refusa.

Ni urgences ni examen médical. La Stagiaire soutint qu'elle allait bien.

La Stagiaire craignait d'être examinée. La Stagiaire craignait d'être *démasquée*.

Elle était à peine consciente. Elle se réconfortait, prenait un plaisir presque voluptueux à la perspective… d'être assise près de l'Enquêteur devant son grand ordinateur, quand il ferait défiler sur l'écran les miniphotos qu'il avait prises à la dérobée à Orion. Tout en les regardant, en s'efforçant de les identifier, l'Enquêteur passerait ce qu'il avait enregistré, ou tenté d'enregistrer – car ces enregistrements volés n'étaient pas sans défaut – et la Stagiaire prendrait des notes, elle numéroterait, légenderait, imprimerait les photos et les classerait. Et cela avait quelque chose de réconfortant, la Stagiaire souhaitait à tout prix le croire.

Nous sommes des collaborateurs. Nous nous battons pour la justice sociale.

Dorénavant nous travaillerons ensemble.

Car il sait qu'il peut me faire confiance.

Ce soir-là à 23 h 40. Il semblait évident que la Stagiaire passerait la nuit dans la maison louée par l'Enquêteur, où elle pouvait disposer d'une chambre, d'un petit lit, d'une commode et d'une salle de bains privée.

Elle y avait déjà dormi de temps à autre.

Elle bégaya qu'elle devrait... le lendemain matin... il faudrait...

Elle n'avait plus le choix maintenant...

... elle devait rentrer chez elle.

(*Chez elle!* Des mots que l'Enquêteur ne l'avait jamais entendue prononcer. Pas plus qu'ils n'avaient fait partie du vocabulaire de l'Enquêteur.)

(Car ne lui avait-elle pas assuré, avec insistance, qu'elle n'avait pas de parents, pas de famille... ou qu'elle était brouillée avec ce qui lui restait de famille? Pas de *chez-moi*. Et aucun souvenir d'un *chez-moi*.)

Son employeur fut stupéfait. Abasourdi. C'était un homme qui n'avait pas l'habitude (on le voyait) d'être surpris; d'ordinaire (ce dont il était fier) c'était plutôt lui qui surprenait et déroutait les autres.

Était-elle malade? demanda-t-il.

De quel *chez elle* parlait-elle?

À n'en pas douter, Sabbath McSwain n'avait pas bonne mine. Les yeux hagards pour avoir trop vu.

Il disait : Aucune honte à être malade. Ou faible.

Nous sommes tous faibles par moments, McSwain.

Parlant avec tendresse. Ou s'y efforçant.

Il ne voulait pas de relations personnelles avec son assistante. L'appeler «Stagiaire» était une sorte de plaisanterie, elle le savait.

Il ne voulait pas de rapports affectifs, ni non plus – c'était évident, il n'en avait jamais été question – quelque rapport sexuel que ce fût.

Elle le savait. Elle aurait aimé ne pas le contrarier.

«Merde! dit-il. Je vous ai emmenée dans cette fichue prison, et cela vous a rendue malade.»

Elle espérait qu'il n'allait pas s'accuser. Elle aurait préféré qu'il l'accuse, *elle*.

Il avait ouvert la bouteille de Johnnie Walker. L'Enquêteur buvait rarement, et uniquement, avait remarqué la Stagiaire, quand il estimait avoir accompli une tâche difficile ou pénible, ou avoir échoué dans une tâche difficile ou pénible; quand il voulait «fêter» quelque chose (et il priait alors la Stagiaire de se joindre à lui). À présent remplissant son verre et le buvant, il n'arrivait toujours pas à croire ce que la Stagiaire lui disait, ni ce qu'elle tentait de lui dire.

«Quelque chose vous est arrivé dans la "chambre d'exécution". Dans la "cloche à plongeur". Bon sang, je n'aurais pas dû vous y envoyer.

– Vous ne l'avez pas fait, monsieur. Je me suis portée volontaire.

– Au diable "monsieur". Appelez-moi…»

L'Enquêteur s'interrompit. Car il n'avait aucun nom à offrir à son employée.

«… appelez-moi "connard". Pour vous avoir rendue malade.

– Mais vous n'y êtes pour rien. Je me suis portée volontaire.

– Oui, sur le signe que je vous ai adressé. Par deux fois.»

Ils se turent tous les deux. La Stagiaire craignait, si elle fermait les yeux, de perdre connaissance, de sombrer dans le néant.

Elle s'entendit dire, d'une voix hésitante : «C'est que… je vous aime. Je crois que je vous aime. Monsieur.»

L'Enquêteur rit. Une rougeur lui monta au visage, comme si la Stagiaire l'avait giflé.

«Mais vous avez cinquante ans de moins que moi, bon Dieu! Vous êtes une *gamine*.

– Je ne suis pas une "gamine". Je ne crois pas l'avoir jamais été. J'étais... je suis... une sorte de monstre. Mais j'ai la force de vous aimer parce que vous ne voulez pas de mon amour.»

L'Enquêteur rit de nouveau. Il n'arrivait pas à y croire.

Quelques doigts supplémentaires de précieux whisky. Il but et néanmoins... ne réussit pas davantage à y croire.

Un véhicule emballé, courant à la catastrophe, et personne pour saisir le volant.

Le silence entre eux. Mais un silence agité, pas le silence complice des huit mois précédents.

Quand elle avait pensé *Si cela pouvait continuer ainsi. Pas éternellement... il n'y a rien d'éternel.*

Observant l'Enquêteur (pour qui elle n'avait pas de nom, en fait : il était suprêmement *lui*) – dans le grand bureau de l'Institut, ou chez lui, devant son ordinateur, sifflotant entre ses dents, gai et absorbé dans son travail, écoutant les notes cristallines du jeune Mozart pareilles à des gouttes de pluie – et se disant en secret *Si cela pouvait continuer ainsi, c'est tout ce que je désire.*

Tout ce qu'elle avait espéré, c'était aider l'Enquêteur à composer le nouveau *HONTE!* Il avait prévu dix-huit mois de voyages et de recherches. La Stagiaire avait découvert avec étonnement que, en dépit de ses best-sellers, l'Enquêteur ne semblait pas vraiment savoir ce qu'il allait écrire avant de se mettre à l'écrire. Il appelait cela «tâtonner dans le noir». Néanmoins, pour avoir connu d'autres tâtonnements semblables, il était confiant dans l'achèvement de son projet, et certain qu'il serait à la hauteur des efforts fournis.

Selon lui, des récits de première main sur les exécutions en seraient les moments forts. En fait, il espérait obtenir (était-ce déraisonnable? Il avait des contacts dans les facultés de droit) la permission d'assister à une exécution dans l'un de ses États cibles : Floride, Texas, Louisiane, etc. S'il avait de la chance (mais il était terrible de tabler sur une chose pareille!), il assisterait à l'une des nombreuses «exécutions ratées» qui se produisent couramment et sont rarement signalées. De la sorte, dans *HONTE!* et dans les médias, il témoignerait de l'inhumanité de la peine de mort; il ferait peut-être du lobbying au Congrès. À n'en pas douter, les récits d'«exécutions ratées», rapportés dans la langue vernaculaire ordinaire d'Américains tels que le lieutenant d'Orion, seraient les moments forts de l'ouvrage.

Il était devenu dépendant de la Stagiaire ces huit derniers mois.

Non de sa *personne*, se serait-il hâté de préciser. Mais de son travail d'assistante.

Et maintenant, brutalement, de façon aussi incroyable qu'inadmissible, il semblait que leur association dût prendre fin.

Elle disait... ah, mais que disait-elle?

Il disait : Trahison.

Furieux contre elle, à présent. En l'espace d'un instant, son étonnement, son inquiétude, sa compassion, son embarras face à ses balbutiements... se muèrent en fureur.

«Vous m'aviez donné votre parole. Vous deviez m'aider à mener ce projet à bien. Je vous avais dit... dix-huit mois environ. Je vous ai formée, j'ai investi du temps, et maintenant vous me dites que vous devez partir... rentrer "chez vous"... ce qui signifie que vous m'avez menti pendant notre entretien. Vous m'avez menti et vous m'avez trahi.

– Je... j'essaierai de revenir. Je ne sais pas quand je...

– "Revenir"! Si vous partez maintenant, il n'est pas question que vous "reveniez".

– Mais je... j'aimerais vous revoir, docteur Hinton...»

(Mais « Hinton » n'était pas son nom. Son nom véritable, il ne l'avait pas confié à la Stagiaire.)

D'un ton pincé, il dit : « Vous n'avez nul besoin de "me revoir", McSwain.

— Mais quand… si… Après…

— Je ne peux pas attendre votre retour. De l'endroit que vous estimez être… "chez vous". Où est-ce, d'ailleurs ? Le nord du New York ? »

Le ton de l'Enquêteur était railleur, sa voix rauque. La Stagiaire ne l'avait jamais vu aussi agité.

« Je vous appellerai. J'essaierai de…

— Vous m'aviez donné votre parole. Vous m'avez trahi. Je ne pourrai plus jamais vous faire confiance, McSwain. »

La Stagiaire s'efforça de trouver une réponse. Elle était malade de honte, de dégoût d'elle-même.

La Stagiaire pensait elle aussi qu'elle avait trahi l'Enquêteur.

Trahison était le mot qui convenait.

Elle avait *trahi*. Lui et bien d'autres.

« Je vais chercher une autre assistante, passer des annonces. Je trouverai certainement une remplaçante. Je mettrai l'accent sur les "compétences en informatique", cette fois. Mais je ne m'adresserai plus à Chantelle Rios. »

L'Enquêteur parlait avec amertume. Il était évident qu'il était profondément blessé.

La Stagiaire aurait voulu s'accrocher à lui, mais n'osait pas. Elle savait que cet homme de cinquante ans son aîné la contemplerait avec écœurement, repousserait ses doigts comme on le ferait d'un serpent.

La Stagiaire eut de nouveau l'impression de se briser de l'intérieur. L'impression que sa personnalité se désintégrait. Elle s'était bricolé un moi, fait de fragments collés, scotchés, punaisés et agrafés ensemble, et ce moi avait réussi à tenir assez longtemps. Mais à présent, après l'asphyxie de la chambre d'exécution, après la peine de mort qu'elle comprenait être la sienne, elle tombait en morceaux.

En fait, elle quittait la maison de l'Enquêteur d'un pas trébuchant. Elle n'y passerait pas la nuit, naturellement. Elle ne reviendrait jamais. L'Enquêteur attendait son départ, l'Enquêteur claquerait la porte derrière elle et la verrouillerait.

Dans l'escalier la Stagiaire perdit l'équilibre. Sa tête aurait heurté la rambarde si elle n'avait réussi de justesse à stopper sa chute.

« Merde. Bordel de *merde.* »

Écœuré, l'Enquêteur lui fit remonter l'escalier. L'assit dans un fauteuil.

L'haleine de l'Enquêteur sentait le whisky.

Relents de rancœur. Fureur.

L'Enquêteur soutint la Stagiaire pour l'empêcher de s'affaisser, de s'affaler, de tomber.

L'Enquêteur tint la Stagiaire dans ses bras. La Stagiaire pleurait comme une idiote.

La Stagiaire disait qu'elle devait partir. Elle devait rentrer… *chez elle.*

Elle était partie depuis des années. Combien exactement, elle ne savait plus très bien.

Elle avait fait quelque chose de mal, *là-bas.* Elle avait fait une erreur.

Ou plutôt, il lui était arrivé quelque chose qui était une erreur. Et donc elle devait rentrer. Elle devrait implorer qu'on lui pardonne.

L'Enquêteur n'y comprenait pas grand-chose. L'Enquêteur écoutait, avec une expression douloureuse.

Cette journée du 11 mars 2012 avait commencé il y avait très longtemps. L'Enquêteur avait soixante-quinze ans et, comme il aimait s'en plaindre à la Stagiaire, il n'était plus aussi jeune qu'il l'avait été.

L'Enquêteur n'avait pas le choix, il devait réconforter la Stagiaire qui étreignait ses mains, embrassait ses mains. Comme une idiote, la Stagiaire, qui n'avait jamais trahi la moindre émotion pendant huit mois, pleurait maintenant à chaudes larmes, arrosait de larmes les mains de l'Enquêteur. Elle remplissait ses poumons d'oxygène comme si elle risquait d'étouffer, car si peu de l'oxygène qu'elle inspirait parvenait jusqu'à son cerveau. Il dit : Très bien… prenez ceci.

Du majeur de sa main droite il retira la bague d'argent en forme d'étoile. La Stagiaire n'avait jamais osé l'interroger sur cette bague, sur ce qu'elle commémorait peut-être. Et voilà que l'Enquêteur l'ôtait de son doigt pour la glisser au sien.

Naturellement, elle était beaucoup trop large pour le doigt mince de la Stagiaire.

L'Enquêteur la congédia. Car il était temps, elle devait partir.

L'Enquêteur dit : Vous avez mon numéro. Si vous avez besoin que je vienne, appelez-moi. Mais autrement, si vous avez besoin de moi, venez me trouver.

La Stagiaire s'en fut en semant des larmes sur son chemin. La Stagiaire s'en fut sans savoir si elle avait entendu ces mots, si elle les avait imaginés ou les imaginerait cette nuit-là, dans le sommeil épuisé et fébrile qui la ramènerait dans la réserve du Nautauga où elle avait erré, perdue et humiliée, au bord de l'anéantissement.

Elle s'en fut loin de la maison de l'Enquêteur sur le canal Rio Vista, faisant tourner inlassablement autour du majeur de sa main droite la belle bague d'argent en forme d'étoile.

11
Le sauvetage

Juillet 2005-octobre 2009

Il avait dit *Je ne veux pas de toi va-t'en tu me dégoûtes.*

Pendant longtemps ensuite incapable de parler. Muette comme si ses cordes vocales avaient été tranchées. Comme si on lui avait enfoncé des poignées de boue dans la bouche et dans la gorge. Écrasé le visage dans la boue. *Moche moche mocheté tu ne mérites pas de vivre.*

Morte quand il l'avait repoussée. Morte quand il l'avait rejetée comme un déchet. Rampant dans les broussailles à la façon d'un animal blessé. La honte de cette blessure, de cette humiliation physique. L'animal blessé n'a qu'un désir, se cacher, expirer. La mort, la dissolution doivent être solitaires.

Eux – les Mayfield – avaient eu un chien quand les filles étaient petites. Un beau setter aux taches couleur châtaigne, nommé Rob Roy. Il avait douze ans quand il s'était mis à disparaître mystérieusement, quelques heures seulement au début, puis plus longtemps et, finalement, toute la nuit; l'éclat de ses yeux bruns s'éteignait soudainement, son attention se détournait d'eux, comme attirée ailleurs. Ils l'avaient appelé, appelé… *Rob Roy Rob Roy! Bon chien, reviens!* Mais il n'était pas revenu, et ils avaient fini par le retrouver, les filles pleurant de chagrin, Zeno et Arlette le cœur brisé : le valeureux Rob Roy était allé mourir dans d'épaisses broussailles, au-delà du cimetière épiscopalien, probablement d'un cancer selon le diagnostic ultérieur d'un ami vétérinaire, et depuis ce jour il suffisait que Zeno dise doucement *Comme Rob Roy…* pour que les intimes de la famille sachent qu'il entendait par là *dignité, courage, abnégation, désir d'épargner les autres, noble cœur de chien.*

Voilà ce qui animait la jeune fille humiliée, et qu'elle n'aurait su nommer.

Une telle honte, une telle humiliation. Impossibles à nommer.

Rampant, se lacérant les mains et les genoux. Rochers, cailloux acérés sur la rive étroite. Dans une nuit de poix, sous un ciel souillé. Et il l'avait appelée, furieux, effrayé : *Cressida! Où es-tu? Reviens… Reviens, bon Dieu! Je regrette…*

Ou il l'avait peut-être appelée et elle n'avait pas entendu.

Ou il l'avait peut-être appelée, et ses mots, trop faibles, lui avaient été renvoyés au visage par les bourrasques brûlantes que soufflait un ciel de soufre.

Car lui aussi – *ancien combattant de la guerre d'Irak, blessé,* Purple Heart, *infirmités, troubles neuropsychologiques multiples* – était hébété, assommé. Il avait bu, bien qu'il eût pris des médicaments psychotropes, alors qu'il savait, aurait dû savoir, avait été prévenu que boire, même modérément, était contreindiqué avec ces médicaments, et conduire un véhicule encore davantage; il avait la langue pâteuse, son bon œil voyait trouble, il n'avait pas la force d'agir comme il l'aurait fait en temps normal : sortir de la jeep et poursuivre la fille humiliée, la fille au visage ensanglanté, la jeune sœur de sa fiancée.

La poursuivre et la ramener. La soulever de terre et la porter jusqu'à la jeep.

Au lieu de quoi, elle lui avait échappé. Il n'arrivait pas à voir dans quelle direction elle s'était enfuie après s'être jetée hors de la jeep.

Un pâle croissant de lune haut dans le ciel. Masqué par des nuages gros de pluie.

La rumeur de la Nautauga. Un courant écumeux, des rapides là où elle avait peu de fond.

Plus loin du bord, la rivière avait près de cinq mètres de profondeur. La dénivellation était brutale, dangereuse.

Des panneaux BAIGNADE INTERDITE effacés par le temps étaient plantés à intervalles réguliers.

Elle avait eu l'intention de se couler dans l'eau pour que la rivière emporte son corps, pour que personne ne sache qu'elle avait été repoussée, rejetée.

Arrête ça ! Lâche-moi ! Ce n'est pas sérieux... tu ne veux pas...

La repoussant aveuglément comme l'aurait fait un jeune garçon choqué – un jeune garçon pudibond – frère, cousin – qu'elle aurait osé toucher d'une façon qu'il jugeait *inconvenante, déplaisante.*

Il avait réagi d'instinct. C'était *mal.*

Bien qu'il eût bu pendant des heures et qu'il ne fût pas prude.

Brett Kincaid : un type à qui on ne se frotte pas.

C'était un gars sympa... avant. Mais maintenant, depuis que sa fiancée l'a plaqué et que les Mayfield l'ont traité comme de la merde parce qu'il est camé et pas beau à voir... maintenant c'est un type à qui on ne se frotte pas.

Malgré tout, Brett avait raccompagné la jeune sœur chez elle, c'était l'idée de départ. Ça, des témoins le confirmeraient. Mais ils n'étaient pas arrivés *chez elle*… ça, ça ne s'était pas fait.

Malgré tout, c'était l'idée de départ. Brett n'était pas soûl au point de ne pas savoir ce qu'il faisait ou qui était la fille : la cadette des Mayfield n'était pas le genre de fille qu'il aurait choisi de fréquenter, et sûrement pas le genre de fille dont il pouvait être sûr qu'elle savait ce que rapports sexuels voulaient dire. Il y avait les femmes, et il y avait les *filles* – maintenant qu'il n'était plus un gosse, les *filles* ne l'intéressaient plus tellement. Surtout après l'Irak. Les *filles*, il les fuyait vite, avec un sale sentiment d'appréhension.

Et peut-être (c'était le bruit qui courait, ce que laissaient entendre en ricanant les vieux copains de lycée de Brett), peut-être le caporal Kincaid était-il impuissant depuis la guerre. Peut-être que ce pauvre type n'avait plus en guise de pénis qu'un bout de chair racorni, tout juste capable de contenir un cathéter.

Il y avait eu un malentendu entre eux. C'était peut-être ça.

Elle – la fille – la sœur cadette – avait bu aussi. Une seule bière, et une témérité, une audace, une hilarité immédiates : *Brett. Regarde-moi pour une fois. Tu sais ce que nous sommes ? Des âmes sœurs. Maintenant que tu es défiguré comme moi.*

Il avait été choqué. Il avait été profondément blessé, insulté. Mais vu que la fille était seule, et qu'il en avait forcément la responsabilité puisqu'il connaissait sa famille, il s'était efforcé d'ignorer l'insulte. En se disant *Ce n'est qu'une gosse. Qu'est-ce qu'elle peut bien savoir !*

Il était évident que Cressida Mayfield n'avait pas l'habitude de boire. Et le vacarme du Roebuck Inn – voix fortes, rires, musique – la déconcertait.

Sur le parking, un bruit assourdissant de motos. Des Hell's Angels des Adirondacks.

Une fille solitaire au Roebuck, un samedi soir : une terrible bourde.

Stupide, imprudent. Et comment faire marche arrière, elle n'en avait aucune idée.

Et puis, pourquoi ne pas *tenter le coup*?

Elle était amoureuse du fiancé de sa sœur. Elle n'aurait pas dû avoir honte d'être amoureuse de lui.

Plus elle pensait à son amour pour Brett Kincaid, plus elle avait la certitude, en dépit des battements affolés de son cœur, que la seule chose *bien*, la seule chose *morale* à faire était de le dire à Brett.

Puisque sa sœur avait renoncé à lui (non?), on ne pouvait reprocher à Cressida de vouloir s'approprier son fiancé. Était-il si terrible, si anormal qu'elle, qui n'avait encore jamais eu d'amoureux, qui n'avait même jamais embrassé ni été embrassée avec passion, éprouve un sentiment aussi puissant pour Brett Kincaid ; qu'elle désire qu'il la regarde comme il regardait Juliet ; qu'elle désire le toucher, le caresser, les cicatrices en dents de scie sur son cou et sous son menton, ces bourrelets sinueux qu'elle avait entraperçus sur son dos. Qu'il boite, que l'un de ses yeux ne voie plus, qu'il grimace de douleur comme s'il était traversé de décharges électriques, mais parvienne cependant à rire – à essayer de rire ; qu'il refuse de se plaindre ou de dénigrer l'armée comme certains l'y poussaient ; qu'il soit celui qu'il avait toujours été, mais emprisonné dans le corps défiguré de l'*ancien combattant blessé*, et que l'on voie dans son regard l'horreur, la douleur et la résignation que lui inspirait son état… tout cela ne faisait qu'augmenter l'amour de Cressida.

Depuis des mois maintenant, une grande partie de sa vie, lui semblait-il, portée par un rêve. *À présent c'est mon tour.* *Pourquoi mon tour ne viendrait-il pas?*

Elle était convaincue qu'elle aimait Brett Kincaid plus que sa sœur ne l'avait aimé ou n'était capable de le faire.

Convaincue qu'il *devait le savoir!*

Ce soir-là chez Marcy Meyer. Ce soir-là elle avait manqué s'évanouir en se voyant à table avec les autres – avec les *femmes* – son amie de lycée Marcy, sa mère et sa grand-mère – le repas, les odeurs de cuisine, le papier peint familier, le papier-toilette rose parfumé dans la salle de bains contiguë à la salle à manger, et les questions bien intentionnées et maladroites des adultes *Comment cela se passe-t-il à St. Lawrence, Cressida? Tes professeurs te plaisent?*

Cette vie qu'elle vivait : une *moitié de vie.* À Canton, dans ses promenades solitaires du petit matin le long du Saint-Laurent, elle avait été heureuse à des moments imprévisibles : quand elle oubliait sa vie particulière ; les circonstances (arbitraires, accidentelles) qui l'emprisonnaient, comme un animal pris au piège.

Elle était déjà amoureuse de Brett, alors. Avant son retour chez elle à la fin du trimestre de printemps.

Avant de le revoir, si changé.

Lui-même et cependant… *changé.*

C'est si difficile à comprendre (elle s'imaginait développer cet argument devant un public), *quand on éprouve des sentiments très forts, qu'on croit très fort à quelque chose, que ce qu'on éprouve et ce qu'on croit n'est pas vrai.*

En « Histoire de la science », à St. Lawrence, leur professeur leur avait fait un cours sur l'*hypersélectionnisme.* C'était une théorie de l'évolution s'opposant à celle de Darwin sur le caractère aléatoire de la sélection naturelle.

Le rival de Darwin, Alfred Russel Wallace, n'avait pas cru entièrement à la *sélection naturelle* – c'était une idée trop radicale pour l'époque. Selon Wallace, le cerveau de l'*Homo sapiens* est « surconçu » et ne peut être le résultat d'accidents de hasard : *Une intelligence supérieure doit avoir guidé le développement de l'homme dans une direction définie.* Ces dernières années les milieux religieux conservateurs avaient ressuscité l'*hypersélectionnisme* sous la forme du *dessein intelligent.*

Cressida savait que les intellectuels et les scientifiques révéraient Darwin, et non Wallace ; que, selon toute probabilité, le hasard l'emportait dans la vie sur le « dessein ».

Néanmoins, son sentiment pour Brett Kincaid était si fort et si *particulier* qu'il lui semblait « surconçu ».

Ce secret, elle ne l'avait révélé à personne. Cressida Mayfield n'était évidemment pas du genre à se confier.

À l'intention de Marcy Meyer elle avait fabriqué une Cressida froide et rusée qui s'était désintéressée des garçons et se désintéressait maintenant des jeunes hommes ; une fille sarcastique qui se moquait (cruellement, outrageusement) des rares garçons qui avaient paru « l'aimer » au lycée. (Rien qui déclenche mieux le fou rire que les bégaiements de cet élève de son cours supérieur de maths – « un gros limaçon balourd » – qui l'avait invitée à un bal du lycée ; ou que les invitations à dîner, à des fêtes d'anniversaire ou à des soirées polochon de la part de filles encore moins populaires que Cressida et Marcy.) Jamais Cressida n'aurait avoué ses sentiments pour Brett à Marcy. Jamais elle n'aurait sangloté, le visage enfoui dans les mains *Oh ! mon Dieu ! je l'aime à mourir.*

(Cressida trouvait agréable l'adoration que Marcy avait pour *elle,* si muette, timide et humble qu'elle fût. Mais par voie de conséquence, même si elle ne la traitait pas avec mépris, elle ne pouvait la prendre tout à fait au sérieux. *Oh! Marcy, comme d'habitude!* disait-elle devant ses parents. *Faute de mieux, et j'imagine qu'il n'y aura pas mieux, j'irai chez Marcy ce soir.*)

Ravie ce jour-là, dans le méchant bout de charbon qui lui servait de cœur, de tromper Marcy. Qui s'attendait à ce que Cressida reste après dîner, après la vaisselle (à laquelle Cressida avait participé, bien sûr, comment aurait-elle pu faire autrement, même si la famille Meyer l'ennuyait à mourir) et qu'elle regarde un DVD avec elle. Mais Cressida avait dit qu'elle ne voulait pas veiller tard parce qu'elle comptait se lever de bonne heure le lendemain pour aller courir et travailler à une nouvelle série de dessins à la plume, et devant la déception qui s'était peinte sur le visage de son amie : «Je te passerai un coup de fil. On pourra peut-être se voir la semaine prochaine.»

Ravie à l'idée qu'elle allait au lac Wolf's Head. Elle, Cressida Mayfield !

Marcy avait insisté, elle voulait raccompagner Cressida, évidemment : «On est samedi. Des tas de gens traînent dans les rues… ces bandes de motards, tu sais… Je te raccompagne.

– Non, merci! Je veux marcher.

– Mais, Cressie…»

Va te faire voir! Je ne suis pas ta Cressie.

Irritée tout à coup, elle avait répété qu'elle voulait marcher.

Ce qui revenait à dire *Je veux être seule, j'ai assez supporté ta conversation ennuyeuse et banale pour aujourd'hui.*

Zeno l'avait accusée en plaisantant de faire pleurer ses amies. Il la plaisantait ainsi depuis le collège, apparemment sans mesurer ou sans admettre ce que ces plaisanteries impliquaient si elles étaient fondées.

Une fille qui a le béguin pour moi, je la piétine!

Ne pleurniche pas, ne me regarde pas avec des yeux de cocker, tu ne m'apitoieras pas.

Et ne m'appelle pas « Cressie », pas devant les autres.

Elle avait dit bonne nuit à Marcy et à sa famille. Les avait remerciées de « ce merveilleux repas… comme d'habitude » et s'était précipitée dehors telle une fusée.

Libre, enfin !

Pouvoir respirer, enfin !

Toute la soirée elle avait pensé au caporal Brett Kincaid. Toute la journée, toute la nuit précédente. Répétant les mots qu'elle prononcerait, et la voix qu'elle prendrait.

Répétant ce qu'elle dirait quand elle ferait du stop pour aller au lac Wolf's Head.

Car cela n'avait rien de vraiment inhabituel quand on n'avait pas de voiture ou personne pour vous accompagner.

C'était du moins ce que Cressida avait cru comprendre. Facile de trouver quelqu'un pour vous emmener, et pour vous ramener, un samedi soir d'été.

Dix-neuf ans. Cressida Mayfield n'avait jamais passé une seule soirée au lac Wolf's Head.

Elle avait longtemps jalousé les filles qu'on emmenait au bord des lacs faire un tour en bateau, boire un verre, danser dans les tavernes ou voir le feu d'artifice du 4-Juillet. À des kilomètres de là, à Carthage, on voyait le ciel fumer et s'illu-miner au-dessus du lac, le soir du 4-Juillet, et les détonations cinglaient comme des coups de fouet.

Mais, bien que jalousant les filles qui attiraient les garçons et les hommes, elle n'aurait pas souhaité être l'une d'elles. Cressida Mayfield était trop orgueilleuse et trop fière du nom des Mayfield pour souhaiter échanger sa place contre celle de quiconque.

L'*intelligente*. Et celle qu'elle en était venue à jalouser le plus était sa *jolie* sœur.

Pourtant Cressida n'aurait pas non plus souhaité échanger sa place contre celle de Juliet. Ce qu'elle voulait, c'était rester elle-même, tout en étant admirée, aimée et adorée comme l'était sa sœur.

Au Roebuck, elle l'avait aperçu. Dans la réalité, le caporal blessé n'était pas tel qu'on l'imaginait, mais quelqu'un d'autre, le visage grossier, agressif et intimidant.

Tous les mots qu'elle avait préparés – *Brett! Salut! Je peux me joindre à vous* – s'évanouirent.

Elle était effrayée. Elle était perdue. La taverne bruyante n'avait aucun charme. Des hommes vulgaires jouant des coudes, une odeur de sueur masculine : venir là avait été une erreur.

Mais il y avait Brett Kincaid. En aveugle elle se fraya un chemin jusqu'à lui à travers la foule qui, indifférente, ou peut-être hostile, s'écartait à peine pour la laisser passer.

Pas belle. Qui t'a demandé de venir ici. Qui se soucie de toi.

Voyant, ne voulant pas voir, l'expression étonnée, contrariée, réprobatrice, sur le visage du caporal.

Même sur ce visage couturé de cicatrices. Sur ce visage qui n'avait qu'un œil valide dans une orbite ruinée.

Et ses amis étaient là. Ses amis abominables.

On ne sait comment, elle se retrouva assise près de Brett. Peut-être parce qu'il avait eu pitié d'elle, ou qu'il se sentait une responsabilité… il l'avait tirée par le poignet, gêné, en disant assieds-toi là, Cressida. D'accord, Cressida.

Tu veux une bière, Cressida?

Les oreilles lui tintaient. Il était très difficile d'entendre dans ce vacarme.

Pour parler, il fallait hurler. Se pencher vers son compagnon et hurler à son oreille.

Elle ne s'était pas attendue à cela! Ce bruit, cette confusion…

Juliet, qui ne se plaignait jamais de son fiancé, s'était plainte de ses amis de lycée, qui «profitaient» de lui – qui «n'étaient pas dignes» de lui. Cressida les craignait, les détestait, était incapable de se rappeler leurs noms. Après l'avoir dévisagée avec étonnement, leurs sourires devinrent graveleux.

Tiens donc! La sœur de Juliet... Machin-Chose.

Un prénom bizarre... Cassie? Cressie?

Très vite elle avait avalé plusieurs gorgées d'une bière âpre, aigre, ignoble, et pourtant... que c'était délicieux, et excitant, dans ce bar en compagnie du caporal Brett Kincaid.

Et personne ne savait où elle était. Personne *chez elle.*

Mais le Roebuck était si bruyant qu'on ne s'entendait pas soi-même. Pour être entendu de l'autre, il fallait se pencher vers lui, élever la voix jusqu'à presque crier, la voix rauque.

Dans ses rêves, cela ne se passait pas ainsi. Dans ses rêves Brett Kincaid et Cressida Mayfield se retrouvaient dans un lieu solitaire et beau, et ils n'avaient pas besoin de se dire grand-chose.

Ils se comprenaient en silence.

Car c'était... une évidence. Ils étaient deux *âmes sœurs.*

Brett comprendrait. Brett avait toujours su. Juliet avait été une distraction, un détour. Mais maintenant.

Mais maintenant, Cressida entendait sa voix trébucher, plonger : «Brett? Je pourrais peut-être t'aider? Comme Juliet? Te conduire à l'hôpital... "la rééducation"? S'il te plaît? Je suis sérieuse. Je veux t'aider. Ou si tu avais besoin... je ne sais pas... d'une aide médicale... transfusion de sang, rein, greffe de moelle» – ces mots bizarres tombaient de sa bouche bien qu'elle n'eût jamais songé à les prononcer – «... ou si tu projettes d'aller à l'université – quelqu'un m'a parlé de Plattsburgh? – je pourrais t'y conduire, pour que tu voies le campus par exemple, ou pour t'inscrire – ce n'est pas tellement loin de St. Lawrence où je... je suis...» (Sur le visage défiguré de Brett, une expression si choquée, si ulcérée qu'elle avait eu envie de supplier *Pourquoi ne m'aides-tu pas? Pourquoi ne me souris-tu pas? Tu me connais... Cressida.*)

Plus tard, elle s'était dirigée – la démarche titubante, vacillante – vers les toilettes.

Elle avait vomi dans les toilettes. Ou peut-être... failli vomir. Aspergeant d'eau le devant du petit pull de coton à rayures blanches et à minuscules boutons de nacre qui avait un jour appartenu à Juliet.

Puis, plus tard. Souhaitant que ses amis – *Rod, Stumpf, Jimmy* – s'en aillent.

Disant à Brett que tout allait bien, pas de problème. Il n'avait pas à se soucier d'elle.

Et Brett lui dit qu'ils partaient. Qu'il la raccompagnait chez elle.

Dans le parking. Le vacarme assourdissant des motos.

Des voix d'hommes, braillements, éclats de rire grivois.

Disant à Brett qu'elle n'avait pas besoin de lui, merci. Alors qu'il la guidait vers la Jeep Wrangler.

Lui disant non. Rien à fiche de sa charité.

Ne sois pas ridicule, dit-il.

Elle rentrerait avec... quelqu'un d'autre. Trouverait quelqu'un d'autre pour la ramener à Carthage.

Non, dit-il. Pas question.

Ce n'était pas une dispute. Mais peut-être des témoins les virent-ils dans le parking du Roebuck, un peu après minuit.

Le caporal Brett Kincaid en tee-shirt noir, pantalon kaki, parlant avec animation à la fille cadette des Mayfield. L'aidant à monter dans la jeep. La fille avait paru résister un peu. Ses jambes flageolaient, elle avait perdu l'équilibre et dû se raccrocher au bras du caporal pour ne pas tomber.

La voix pâteuse, tentant de lui expliquer... quoi, exactement, elle aurait été incapable de le dire.

Je ne veux pas de toi va-t'en tu me dégoûtes.

Ces mots qu'il avait prononcés. Ces mots terribles qu'elle n'oublierait jamais.

Du napalm, penserait-elle. *Qui colle à la peau.*

Dans la Réserve. On ne sait comment.

Sur le chemin de terre au nord de la rivière. Très haut dans le ciel, une lune pâle au décours.

On ne sait comment, ils avaient abouti là. Il était évident que Brett les avait conduits là de sa propre volonté.

Des choses dont ils devaient parler, en tête à tête. Les fiançailles rompues, Juliet.

Et pourtant elle avait répété – plaidé – *ils étaient si semblables, deux âmes sœurs.* Et c'était si rare dans une vie, si précieux.

Il avait paru comprendre. Il avait paru écouter.

Et puis il s'était rétracté.

Non. C'est de la folie. Lâche-moi.

Il n'avait pas eu l'intention de lui faire mal. Sous le coup de la surprise et du dégoût il l'avait repoussée.

Et elle l'avait frappé, comme le ferait un enfant.

Frappant un adulte avec la certitude de ne pas être frappé en retour. Mais Brett l'avait repoussée d'une bourrade, avec colère, avec irritation... sa tête avait heurté le pare-brise, lui mettant le nez en sang.

Si rapide! Rapide et irrévocable.

Calme en apparence, puis perdant son sang-froid d'un seul coup. Car il n'allait pas bien... le caporal n'était pas dans son *état normal.*

Il savait, bon Dieu, il aurait dû se méfier! Mélanger alcool et médicaments!

Boire, prendre des psychotropes et conduire : cette Jeep Wrangler qu'il n'avait plus le droit de conduire.

Il le savait. Et il savait que la fille devait être protégée, rac-
compagnée chez elle… saine et sauve.

Les Mayfield avaient beau l'avoir chassé de leur famille, ils
étaient toujours sa famille. Car il n'en avait pas d'autre.

Sauf que ces sensations bizarres dans son cerveau le rendaient fou. Des visages hallucinatoires qui surgissaient et s'évanouissaient. Il fallait qu'il se défende (mais où était son fusil?)
sinon ils le tueraient.

Loyauté. Devoir. Respect.

Service. Honneur. Intégrité.

Courage personnel.

Elle était l'un d'eux, une forme menaçante. Ou alors… celle
qu'il avait gravement blessée, dont il avait mis le visage en sang.

Pourtant… *lui* n'avait rien fait.

Le caporal n'avait pas fait partie de la bande. Sauf s'ils avaient
menti pour le compromettre.

Par rancune et par haine.

C'était un mystère pour lui, cette fille… sa fureur contre lui.
Venimeuse, folle, lui griffant le visage de ses ongles.

Il avait été obligé de se protéger. Il l'avait empoignée par les
épaules et bousculée.

Mais maintenant elle s'était libérée. Elle s'était tortillée pour
lui échapper. Le petit pull en coton, une manche déchirée et un
petit bouton de nacre arraché.

Elle était tombée. Elle pleurait avec désespoir, lui hurlait au
visage. *Je te hais je te hais* comme un enfant qui ne sait pas ce
qu'il dit.

Croyait-elle qu'il allait lui faire du mal? La tuer? Ou
croyait-elle qu'il la détestait au point de souhaiter se débarrasser d'elle à tout jamais; voilà maintenant qu'elle s'était jetée
hors de la jeep, sur le sol rocailleux, et ses mains et ses genoux
saignaient.

Il l'appelait. Penché par la portière ouverte de la jeep, il l'appelait. Effrayé, repentant. Les idées confuses, s'imaginant que la fille s'était jetée de la jeep en marche pour se blesser et pour se venger de lui qui ne pouvait l'aimer comme elle souhaitait l'être.

Il criait : *Cressida! Reviens!*

Mais elle avait disparu. Il ne voyait que les broussailles, le scintillement de la rivière. Il tenta de la suivre. C'était son intention. Sa mauvaise jambe gauche aussi maniable qu'une jambe de bois, le crâne martelé par une migraine, impuissant, vidé du peu de force qu'il avait.

Tenaillé de douleur, de honte.

Dans son cerveau un trou de la taille d'une pièce de monnaie s'ouvrit. Et puis s'agrandit à la façon d'un puits fascinant à regarder parce qu'il était l'antithèse de *visible* : sans couleur, purement noir.

Il engloutit le caporal.

*

Elle vit : son corps entraîné par la rivière. Dépouillé de ses vêtements.

Un corps de femme nu et pâle comme une chair de poisson tournoyant dans le courant écumeux entre des rochers aux arêtes luisantes.

Jamais aimée. Jamais adorée.

Alors, tant mieux. Tant mieux si la rivière l'emportait comme un déchet.

Et donc étonnée de se réveiller, d'être réveillée. Pas dans le lit de la rivière mais dans un fossé, au bord d'une vieille route asphaltée sur laquelle elle s'était traînée.

Le vol strident des moustiques autour de son visage, tout au long de cette nuit. Des piqûres, des boursouflures sur tout son corps.

Ses membres étaient insensibles, sa bouche et son nez, couverts de sang. Son visage semblait avoir été écrasé contre le sol. Une femme de haute taille se penchait vers elle, l'air stupéfait. Qui t'a fait ça? Elle ne pouvait parler. Ses yeux étaient mi-clos. Elle était secouée de tremblements. Elle avait très froid. La femme la toucha avec hésitation.

La bouche enflée, grotesque. Le nez ensanglanté.

Elle ne peut pas parler? Hein?

Il faut peut-être l'emmener… où ça? Aux urgences?

Putains d'urgences, pas question!

On dirait qu'on l'a balancée. D'une voiture, peut-être…

Elle a le visage amoché. Attends que je nettoie ce sang.

On appelle le 911?

Putain de shérif, pas question! On ne la livre pas à l'ennemi!

Mais… si c'est grave… peut-être qu'il faut lui faire des radios… peut-être qu'elle a une fracture au crâne?

Un peu que je vais mettre cette fille entre les mains de l'ennemi! Ça me ferait mal.

… elle ne parle pas, on dirait? Peut-être aussi qu'elle est sourde.

Une bouteille d'eau en plastique appliquée contre sa bouche. Mais l'eau lui coula sur le menton, elle n'arrivait pas à avaler.

Essaie de boire, d'accord? Possible que tu sois *dé-shy-dra-tée*.

Elle avait donc essayé. Mais cette fois encore l'eau tiède coula presque entièrement sur son menton.

La voix vibrant d'une colère froide, la femme lui dit, alors qu'elle était recroquevillée sur elle-même dans les herbes mouillées: Celui qui t'a fait ça recommencera. Je les connais, ces salopards. Tu ne peux pas retourner d'où tu viens. Tu ne peux pas *porter plainte, témoigner* contre eux. J'en ai vu d'autres, des filles comme toi. Ce putain de shérif leur dit qu'il ne peut rien faire sans une putain d'*ordonnance* – tout le monde se contre-fout de ce qui t'arrive. Il te battra de nouveau, il te tuera. N'aie pas peur, petite… je te protégerai.

La femme de grande taille parlait avec véhémence. L'autre, que Cressida ne devait jamais voir, se rendit sans mot dire à l'avis de sa compagne qui, se penchant vers Cressida, la souleva dans ses bras en grognant sous l'effort.

Une odeur mentholée, astringente : dentifrice, chewing-gum.

C'est ainsi qu'elle fut sauvée.

Emmenée loin de la réserve du Nautauga, de Carthage et du comté de Beechum, mais il se passerait longtemps avant qu'une pensée aussi cohérente prenne forme dans son cerveau blessé *J'ai été sauvée, grâce à un miracle.*

Comme quelqu'un qui est étouffé, étranglé, dont le cerveau est presque asphyxié, à qui on enfonce dans la bouche ou dans les narines une paille lui permettant de respirer ; pas de miracle plus stupéfiant que celui-là : *respirer.*

Tout le reste était brouillé et incertain comme ces brouillards qui se lèvent à l'aube dans les avant-monts des Adiron-dacks.

Sauvée. Et n'y retourne jamais.

Elle avait été incapable de parler. Muette pendant très long-temps.

Sa tête avait souffert. Projetée contre quelque chose de dur et de résistant.

Et elle était trop malade. Malade de honte.

Car les mots les plus simples représentaient maintenant un effort aussi insurmontable que la traversée d'un grand fleuve noir.

Sur l'Interstate en direction du sud. Dans le pick-up Dodge 1999, peint violet foncé, «*oh-ber-jene...*», disait la femme de haute taille aux cheveux sable, une belle couleur, grave et spirituelle.

Elle ne parvenait à manger – à avaler – aucune nourriture solide. Quelque chose s'était serré et tordu dans son estomac. Tendrement la femme lui faisait boire des jus de fruits avec une paille. Du lait chocolaté, des smoothies aux bananes et à la fraise.

Je jure sur le Christ que je te rendrai la santé. Que je te ramènerai à la vie. Plus personne ne te fera de mal, petite.

Haley McSwain. Elle avait trente-deux ans. Elle avait été sergent dans la garde nationale de l'État de New York. Haley était originaire de Mountain Forge, dans le nord des Adirondacks. Elle avait été appelée à servir en Irak, mais n'avait pas combattu. Dans cet endroit terrible elle en était venue à haïr ses camarades (pas ses «sœurs» soldats, les hommes seulement). Elle avait été réformée pour invalidité. Un rhume, une bronchite chronique non traitée, puis une tuberculose virulente; à cause d'une erreur de diagnostic, des semaines avaient passé avant qu'elle voie un médecin. Ses supérieurs avaient été indifférents à ses souffrances. Elle avait été éduquée à ne pas se plaindre et à ne pas trahir ses faiblesses, mais elle s'était rendu compte que c'était une erreur, et parmi les siens et a fortiori parmi des inconnus. Malgré tout, l'armée ne l'avait pas aussi mal traitée que d'autres, qui étaient morts d'infections. L'une de ses amies était morte d'une fièvre galopante. Et on lui avait dit : c'est vous la fautive, vous auriez dû faire en sorte que cela ne vous arrive pas. Haley McSwain. Sa sœur Sabbath était morte à l'âge de dix-sept ans alors que Haley était en Irak. C'était la tragédie de sa vie. Leur beau-père était ivre, il avait heurté de plein fouet un autre véhicule sur l'autoroute à Keene.

Haley avait toujours sur elle des photos de Sabbath, son certificat de naissance et sa carte de Sécurité sociale, car elle était convaincue que de cette façon elle restait en vie et inoubliable ; elle était convaincue qu'un jour elle retrouverait sa sœur dans une autre personne. Jamais elle ne renoncerait à cet espoir.

Et ces papiers, elle les donnerait à la fille battue qu'elle avait trouvée au bord de la route, près de la réserve du Nautauga.

Et un dimanche matin de bonne heure, en plus, le moment où se produisent les miracles.

C'est une sorte de nouvelle vie pour Sabbath. Qu'elle revive d'une certaine façon, c'est tout ce que je demande.

La fille ressemblait à Sabbath. Haley en avait la conviction.

Comme Sabbath, elle avait de grands yeux d'un brun liquide. Comme elle, elle était menue et avait des cheveux sombres bouclés.

Sabbath avait été belle, de l'avis de Haley. Cette pauvre fille battue, avec sa bouche et son nez enflés, ses yeux meurtris, était loin d'être belle, mais Haley était certaine que son âme resplendirait d'un éclat neuf en renaissant à une nouvelle vie, loin de ses tourmenteurs.

Haley se rendait chez son amie Drina. La dernière fois qu'elle avait eu de ses nouvelles, elle habitait Miami.

Drina avait quitté Mountain Forge et son boulot de chauffeur chez Valley Oil, un boulot merdique sans avenir où par-dessus la marché elle s'était aperçu qu'elle touchait moins que les chauffeurs hommes.

Drina avait servi en Irak elle aussi. C'est là qu'elles avaient flashé l'une pour l'autre, mais elles s'étaient perdues de vue quand Haley avait été rapatriée.

Trois ou quatre ans que Haley était amoureuse de Drina et il n'y avait pas plus *patient* et *fidèle* qu'elle.

« Tu as vu ces photos de chiens, couchés sur la tombe de leurs maîtres ? Qui *ne renoncent jamais* à aimer ? Eh bien, je suis comme ça. Je peux patienter. Pour Drina, je peux attendre des années. On se parle par e-mails. Si elle ne me répond pas, ça ne fait rien, je continue à écrire. Elle finira par répondre. Elle est avec quelqu'un d'autre en ce moment, mais ça ne durera pas. C'est un feu de paille. Je le sais. Je suis confiante. Ces sentiments pour cette personne ne *dureront* pas comme les miens pour Drina. »

Haley McSwain n'était pas du genre à poser des questions. Elle n'était pas du genre à vouloir percer les mystères.

Il lui suffisait de savoir que sa chère Sabbath lui avait été rendue.

Quelle reconnaissance éprouvait Cressida ! *Cressida Mayfield* lui était devenue détestable, odieux. Son nouveau nom était bien plus beau.

Et cette rencontre semblait vraiment voulue par le destin. Car si elle était du mois d'avril, et Sabbath du mois d'août, toutes deux étaient nées en 1986.

Dans les longs bras de Haley. Enveloppée dans une couverture dans les bras de Haley, dormant profondément comme elle avait rarement dormi dans son ancienne vie où son cerveau délétère ne cessait de jacasser et de bringuebaler comme un wagon fou de montagnes russes qui déraille, culbute, vole en éclats et maintenant tout cela était terminé, elle en pleurait de joie.

Elle comprenait que la fille battue qui était devenue Sabbath ne manquerait à personne, que personne ne se soucierait d'elle, sauf pour craindre qu'elle ne prenne contact avec le shérif du comté de Beechum comme l'aurait fait n'importe quelle autre fille battue, mais pas elle. Car elle avait fui le *lieu maudit de sa destruction.*

Pas juste un soir mais tous les soirs de leur voyage jusqu'à Miami, Haley avait baigné la fille battue quand elle prenait une chambre de motel pour la nuit. (La plupart du temps, elles campaient dans le pick-up. Quand c'était dans un camping, il y avait de l'eau mais pas d'eau chaude.) Avec tendresse elle lavait le visage de la fille battue avec du savon et de l'eau, puis mettait de la Bacitracine et des pansements. Le sergent McSwain avait été affecté dans une unité médicale lors de ses deux missions en Irak, et elle avait beaucoup d'admiration pour les médecins et les infirmières, bien qu'elle ait détesté ses camarades soldats et ses supérieurs.

Vêtue d'une chemise écossaise d'homme et d'une salopette. Une casquette Valley Oil enfoncée sur ses cheveux sable coupés court. Des chaussures de sécurité aux pieds en dépit de la chaleur estivale parce qu'elle se défiait de toutes les autres – «Mettons que tu aies tout d'un coup à courir, question de vie ou de mort… évidemment tu vas foncer dans les bois, et dans ces bois il y a des éboulis, et tu peux te foutre la cheville en l'air si tu n'es pas bien chaussée. Alors mieux vaut être préparé. On apprend au moins ça dans cette putain d'armée.»

Roulant sur l'I-95 en direction du sud dans le Dodge bringuebalant couleur *aubergine* avec, peint à la main sur chaque portière, un papillon aux ailes arc-en-ciel et, à l'arrière, sous une bâche imperméable, des valises, des sacs marins, des sacs plastiques et des cartons contenant les *possessions terrestres* de Haley McSwain.

Drina n'était pas vraiment au courant de sa venue. Haley avait préféré garder le secret sur la date probable de son arrivée.

Haley McSwain écoutait de la musique country sur sa radio par satellite. Elle disait que Sabbath avait adoré Johnny Cash

– *Hurt, I Walk the Line, Ring of Fire* – la nouvelle Sabbath apprit à chérir ces chansons, elle aussi.

Haley et Sabbath chantant ensemble dans le pick-up.

Haley avait une voix de camionneuse, Sabbath était à peine audible. Mais quel plaisir de chanter!

Buvant une gorgée de bière à même la boîte qu'elle calait entre ses cuisses quand elle conduisait, Haley dit : « Tu sais quoi, chérie? L'humanité crée elle-même ses lois et sa morale. Il y a eu un Jésus-Christ, mais il était "humain"... tu comprends? Si tu vois un peu plus loin que les autres, tu sais comment faire bouger les lois et la morale. À une époque, les gens étaient prêts à mourir pour ce à quoi ils croyaient – Dieu ou leur pays... mais maintenant presque plus personne ne le ferait. »

Haley avait paru amèrement déçue par l'armée américaine, et voilà qu'elle semblait maintenant considérer que le problème aux États-Unis était que les gens se contrefichaient de leur pays et que personne ne voulait se sacrifier pour lui. « C'est toujours le même truc : aux États-Unis, personne n'est prêt à mourir pour ses convictions. »

Selon elle, Timothy McWeigh était allé trop loin mais... « Il avait l'idéal du soldat. C'était un patriote dans une fichue armée qui n'était pas encore formée. »

La compagne de Haley écoutait rouler sa voix rauque. Haley n'avait pas seulement les cheveux couleur sable et la peau granuleuse comme du sable fin, sa voix râpait comme le sable d'un papier abrasif.

Sabbath n'allait pas protester. Même si elle s'étonnait de voir son amie Haley défendre Timothy McWeigh, un *terroriste national* qui avait tué des adultes et des enfants innocents à Oklahoma City.

Haley dit avec excitation : « Je sais ce que tu penses, mon chou. Il a tué des innocents, d'accord – et il a parlé de "dommages collatéraux"... les gens ont eu du mal à avaler ça. Mais, dans l'armée américaine, c'est un principe de guerre. C'est une stratégie. Timothy McWeigh était un *patriote*. J'aurais été sa sœur, son frère ou un cousin, j'aurais cherché à l'aider dans sa mission... Je lui aurais conseillé de faire sacrément attention à ne pas tuer des innocents. Parce qu'il y a de foutus coupables, des gens qui sont traîtres à leur gouvernement. Il aurait pu choisir un autre bâtiment fédéral ou alors le même bâtiment, mais à un autre moment. Il ne voulait pas tuer qui que ce soit, je pense... c'était un avertissement.»

Haley s'interrompit. Elle était hors d'haleine.

«N'empêche que McWeigh était un bon soldat. Un bon soldat meurt pour ses convictions.»

À Jacksonville, l'air devint fournaise.

La climatisation du motel n'abaissait pas beaucoup la température. Une violente migraine assaillit la jeune compagne de Haley, lui serrant la tête dans un étau.

Elle était déjà *Sabbath McSwain* à ce moment-là. Mais ce fut à Jacksonville qu'elle se rappela *Cressida Mayfield* pour la dernière fois.

Haley avait manifestement raison. Qui vous aviez été ne comptait pas beaucoup. Seul comptait qui vous seriez.

Cette dernière occasion de parvenir à comprendre. En voyant une liasse de journaux tachés d'eau, les gros titres. Ou un bout de journal télévisé, les visages d'inconnus, des reportages sur la guerre d'Irak, sur la guerre d'Afghanistan, et comme c'était insignifiant, l'endroit d'où elle venait et qui elle avait été, et vite oublié.

Comme dans un rétroviseur. Ce qu'on y voit rapetisse rapidement.

Il y avait des filles dans les journaux télévisés : des filles perdues, des fugueuses. Des filles assassinées.

Presque toujours des filles blanches aux longs cheveux blonds. Mais parfois des filles, des femmes à la peau sombre.

Disparue. Vue pour la dernière fois.

Avez-vous vu.

Veuillez appeler…

Récompense!

Solidement plantée devant la télévision, une canette de bière à la main, Haley dit d'un air sombre : Ces pauvres filles n'ont pas fichu le camp à temps. *Elles* n'avaient personne pour les aider.

Dans le pick-up, Haley avait ses armes de protection : un démonte-pneu sous son siège, un couteau suisse dans la boîte à gants, un marteau, un tournevis.

Elle disait : Jusqu'à la semaine dernière j'avais un joli petit revolver, un Smith & Wesson calibre .38. Mais pas de permis, et encore moins pour le trimballer d'un État à l'autre.

Sans raison explicable, un policier de Floride arrêta le pick-up de Haley au sud de Jackson, le soir suivant. Vint se coller derrière le Dodge aux papillons arc-en-ciel, alors que d'autres véhicules les dépassaient pleins gaz, et actionna sa foutue petite sirène pareille à un rire railleur impossible à ignorer.

Qu'est-ce qui se passe, monsieur l'agent? demanda Haley, la gorge serrée, car son appréhension était visible, Haley McSwain avait appris à se défier des hommes en uniforme, quels qu'ils soient.

Contrôle de routine, madame. Il se pourrait que votre feu arrière droit soit cassé.

C'était étonnant et suspect. Car Haley soignait son pick-up et avait vérifié minutieusement son état avant ce long voyage vers le sud.

Permis de conduire? Papiers du véhicule? S'il vous plaît, madame.

Un sale petit sourire narquois, *s'il vous plaît, madame.*

Il inspecta l'intérieur de la boîte à gants à la lumière de sa longue torche, comme s'il s'y cachait forcément quelque chose de suspect, qu'il était arrivé juste à temps pour découvrir.

Tiens, tiens, qu'est-ce que je vois... Il sortit le couteau suisse. Que comptez-vous faire avec ça, madame?

Avoir un couteau n'est pas illégal, monsieur l'agent.

Et ça, qu'est-ce que c'est? Il montrait d'un air méprisant un récipient en plastique, les restes d'une salade de tofu au curry datant d'un ou deux jours.

J'espère que vous ne me harcelez pas parce que je suis une femme, monsieur l'agent, dit doucement Haley.

Et le policier dit, beaucoup moins doucement : Descendez de ce véhicule, madame. Toutes les deux, les mains sur la tête.

Haley et Sabbath descendirent du pick-up pour aller se placer, mains sur la tête, devant le pick-up, garé sur le bas-côté.

Quels sont vos liens de parenté? demanda le policier. Braquant grossièrement sa torche sur le visage de Haley McSwain, et sur celui de Sabbath McSwain.

C'est ma sœur, monsieur l'agent, dit Haley. Ma sœur cadette.

Les papiers d'identité de Sabbath McSwain furent présentés. Pas le certificat de naissance, mais une carte plastifiée du lycée de Mountain Forge périmée depuis juin 2003, montrant des cheveux bouclés, des yeux noirs et une peau pâle qui auraient pu être ceux de la jeune compagne de Haley dans une lumière douteuse.

Le policier de Floride montra plus de méfiance à l'égard des papiers de Haley McSwain, qu'il tint à inspecter une seconde fois : permis de conduire, cartes de crédit.

Tout ce bazar à l'arrière, qu'est-ce que c'est ? Vous déménagez en Floride ?

Non, monsieur.

Alors, c'est quoi tout ça ?

Mes affaires.

Tous ces cartons ?

Mes affaires : vêtements, CD.

Le policier promena sa torche quelques minutes sur les cartons en marmottant.

D'accord, les filles. Où vous courez, si vite ?

On n'allait pas *vite*, monsieur. Moins vite que d'autres, vous n'avez qu'à voir…

Sur l'Interstate, d'énormes camions passaient en trombe, des semi-remorques filant au moins à cent dix kilomètres à l'heure.

Vous dépassiez la vitesse autorisée, j'ai chronométré.

Et puis vous *slalomiez*. C'est pour ça que j'ai remarqué les feux arrière.

Rien de plus impossible à prouver que le *slalom* et rien de plus impossible à nier.

Haley respirait avec calme et lenteur si bien qu'on ne voyait pas la rage et l'indignation qui la secouaient.

Haley portait un tee-shirt d'homme aux manches coupées. Et les épaules de Haley étaient solidement musclées. Ses longues jambes étaient fourrées dans un vieux jean rapiécé, et ses pieds dans des brodequins taille 46.

Pourquoi nous retenez-vous, monsieur l'agent ? Nous n'avons commis aucune infraction ! On dirait bien que vous nous harcelez. J'ai été sergent dans la garde nationale du New York, monsieur. J'ai servi en Irak de février 2003 à juillet 2004.

On se fout de qui a été dans la garde nationale ou dans l'armée, coupa le policier, ce qui m'intéresse c'est *maintenant*.

Sabbath dit alors, très vite : Nous allons rendre visite à une amie chère à Miami, monsieur. Nous espérons y être demain si tout se passe bien.

Ouais ? Et c'est qui cette « amie » ?

Elle s'appelle Drina…

Une *amie*, hein ? Vous allez rendre visite à une *amie* ?

Et ainsi de suite. Le policier avait d'autres questions à leur poser, à la façon dont il aurait passé un peigne fin dans leurs cheveux en broussaille, mais Haley McSwain s'était un peu calmée.

Une bonne chose que Sabbath soit intervenue, dirait-elle ensuite.

C'était ce que sa sœur aurait fait à sa place. Haley en était certaine.

Le policier finit par les laisser partir. Quinze minutes à les harceler sur le bord de la route tandis que des véhicules filaient à cent dix à l'heure à côté d'eux. Okay, les filles, je vous laisse partir pour cette fois, dit-il d'un ton railleur. Mais faites réparer ce feu et respectez la limitation de vitesse, hein ? Et que je ne vous reprenne pas à *slalomer*.

Quand la voiture de patrouille se fut éloignée, coulant un regard vers Haley, Sabbath fut stupéfaite de voir que son amie avait le visage enfoui dans les mains ; et il lui sembla l'entendre murmurer tout bas *Oh putain de bon Dieu aie pitié.*

Et le lendemain s'arrêtant aux abords de Fort Pierce dans un 7-Eleven. Et Haley tendue et nerveuse parle encore de la façon dont la veille Sabbath leur a épargné une contravention, ou pire. Mais elle parle vite avec excitation si bien que Sabbath a le pressentiment que quelque chose va mal ou va aller mal très bientôt. Et dans le 7-Eleven un homme regarde Haley en ricanant, essaie de lui parler, la suit jusqu'au pick-up dans lequel

Sabbath attend. Et quand Haley ouvre la portière du pick-up, le type est sur ses talons et se penche à l'intérieur pour l'empêcher de refermer la portière ; et il les appelle *les filles* comme le policier de la veille ; et sans un mot Haley attrape le démonte-pneu sous le siège, le brandit et l'abat sur l'épaule du type, pas assez fort pour briser l'os mais quand il s'écroule en hurlant elle frappe de nouveau, sur le genou cette fois, un *crack!* retentissant et l'homme gît sur le sol comme une marionnette désarticulée et Haley a déjà claqué la portière, mis le contact et elle démarre en marche arrière, fait demi-tour et fonce hors du parking comme un pilote de stock-car.

Un rire guttural la secoue. Tu as vu la tête de cet enfoiré ?

Quelques secondes plus tard, elles sont de retour sur l'I-75. Direction WEST PALM BEACH, FORT LAUDERDALE, MIAMI.

*

Pendant dix-huit mois Sabbath McSwain vécut avec Haley McSwain et un nombre fluctuant d'amis (essentiellement de sexe féminin) dans des bungalows de location, des mobile-homes et des appartements de la région de Miami. Puis, après cela, quelques années à Hollywood, Fort Lauderdale, Miami (de nouveau) et North Miami Beach. Les femmes ne cessant de changer dans la vie de Haley, les lieux qu'elles habitaient et les emplois qu'elles occupaient changeaient eux aussi : à Miami, par exemple, Haley conduisit un véhicule de livraison FedEx, et Sabbath travailla dans une succession de fast-food ; à Hollywood, Haley fut vigile dans un centre commercial, et Sabbath travailla dans une pizzeria ; à Fort Lauderdale et à North Miami Beach, Haley fut chauffeur et expéditrice chez UPS, et Sabbath fit tous les petits boulots qu'elle trouvait – ses emplois étaient toujours temporaires, ils duraient le temps que Haley lui annonce un nouveau déménagement.

Tu commences à avoir la bougeotte, hein ? Moi aussi !

Conformément aux suppositions de Haley, son amie de l'armée, Drina Perrino, avait une liaison avec une autre personne. Mais contrairement à ses prévisions, Drina ne sembla pas disposée à reporter ses sentiments sur Haley McSwain, dans un premier temps.

L'autre personne s'appelait *Opa Han*.

Un nom que Sabbath devait entendre bien souvent au cours des ans, et cependant elle n'aperçut *Opa Han* qu'une seule fois, le jour où, tapies dans le Dodge sous une pluie fine, Haley et elle firent le guet devant le bungalow de North Miami Beach où Drina et Opa habitaient : une silhouette féminine qui n'avait rien de remarquable, excepté des cheveux d'un noir de jais et de larges épaules tombantes. *Opa Han, Drina Perrino.*

« Juste en amies », mais Haley et Drina se voyaient souvent et Sabbath, *ma petite sœur, qui habite avec moi pour quelque temps,* était fréquemment en leur compagnie. Après tout ce que lui avait dit Haley de cette femme *belle, rayonnante, sublime,* Drina Perrino fut une surprise pour Sabbath, car en réalité Drina était colérique et grincheuse, avec des sourcils épilés, une petite bouche maussade couleur betterave, des piercings et des clous scintillants dans les oreilles, la narine gauche et le sourcil droit ; boulotte et trapue, elle avait des jambes et des bras épais, des hanches et des seins imposants, et un visage rond enfantin ; « pas une once de graisse » (s'émerveillait Haley) mais une chair élastique de poupée en caoutchouc. Drina portait des tenues extravagantes qui soulignaient ses formes ; ses cheveux étaient tour à tour teints et décolorés – châtain-roux, blond platine. Elle rougissait ses joues pour se donner un teint éclatant et fiévreux ; elle fardait ses « yeux égyptiens » (selon Haley) d'un rimmel couleur d'encre et d'ombre à paupières verte ; elle portait des cascades de bijoux clinquants et des talons hauts. Drina avait quelques années de plus que Haley McSwain, mais paraissait plus jeune que son amie, dont le visage ardent, grenu et quelconque se marquait de rides («à force de me faire du souci pour tu-sais-qui», plaisantait-elle) ; bien qu'on ne s'en doutât pas en la voyant, Drina avait été soldat de première classe dans l'armée américaine. Dans une vie précédente, à Hazard, en Virginie, elle avait été mariée et divorcée ; de même que Haley McSwain attendait patiemment que Drina se lasse d'Opa Han, il était insinué (Haley elle-même plaisantait sur le sujet, qui n'avait rien de drôle, selon Sabbath) que l'ex-mari de Drina, resté à Hazard, nourrissait également l'espoir qu'elle lui revienne.

Drina faisait glamour, comparée à la simplicité de Haley. Elle avait une formation d'esthéticienne haut de gamme, spécialisée en «cosmétologie» et en «électrolyse», mais ne travaillait que par épisodes à Miami et South Beach. Apparemment (Haley le supposait, mais était trop fière pour poser la question), Opa Han, une radiologue de quarante ans, exerçant à l'hôpital du comté de Miami-Dade, l'entretenait une bonne partie du temps.

Je pourrais faire ça aussi bien qu'elle, disait Haley. Ou mieux.

Si Drina me donnait ma chance, je le lui prouverais.

Sabbath craignait que Haley ne fasse quelque chose de téméraire ou de dangereux pour impressionner Drina Perrino. Pour retenir l'attention d'une femme comme elle, on ne pouvait se contenter d'être *soi*.

Un soir, Haley arriva avec une grosse urne pleine de roses rouges, destinée à Drina.

Elle ne dit rien, mais Sabbath eut la nette impression qu'urne et fleurs venaient d'un cimetière ou, plus périlleux encore, d'un salon funéraire.

Si surexcitée qu'elle sauta aussitôt dans son pick-up et affronta une demi-heure d'embouteillages pour se rendre chez Drina, et néanmoins Drina ne se précipita pas pour lui ouvrir sa porte, et la dévisagea en clignant les yeux quasiment comme si elle ne l'avait jamais vue ; elle finit par prendre l'urne et les roses avec un vague merci, lui frôlant la joue de ses lèvres betterave mais sans l'inviter à entrer. (Opa Han était là, bien entendu. Elles avaient vu sa petite Coccinelle rouge garée le long du trottoir.)

Drina fête son anniversaire la semaine prochaine, expliqua Haley. Je voulais être la première à lui faire un cadeau.

Sabbath n'aimait pas Drina parce qu'elle traitait mal Haley. Mais, comme les autres, Sabbath éprouvait un petit frisson d'excitation à l'idée de voir Drina. Drina était une sorte de *ferment.*

Il y avait déjà qu'on ne savait jamais de quelle humeur elle serait. La première fois que Sabbath et elle s'étaient vues, alors que Haley souhaitait désespérément qu'elles se plaisent, Drina avait été hautaine et sarcastique comme si elle était jalouse de la «sœur» de Haley ; mais il arrivait aussi qu'elle se comporte avec Sabbath comme si elle était bel et bien la petite sœur de Haley et donc «de la famille».

On était toujours sur le fil du rasoir avec elle, parce qu'elle était toujours en train de vous juger.

C'était peut-être son œil d'esthéticienne… ne se satisfaisant pas de ce qui *est* mais cherchant toujours comment le *modifier,* l'*améliorer.*

Sabbath surprenait des conversations chuchotées, le ton impatienté de Drina *Pourquoi est-ce qu'elle est toujours avec toi ? Pourquoi s'accroche-t-elle comme ça ? Elle n'a personne d'autre que sa grande sœur ?* Et Haley répondait *Sabbath est toute ma famille, maintenant. Tout ce qui a survécu.*

Il y avait d'autres femmes dans la vie de Haley, même si Drina était *la* femme de sa vie : Lisha, Luce, Jen-Jen, Zanne, «M»… occupaient une place moins tumultueuse dans ses affections, ce qui ne l'empêchait pas de se sentir obligée de leur prêter de l'argent ou de les inviter à habiter chez elle ; moins fréquemment, en cas de difficultés avec son propriétaire, Haley était invitée chez l'une d'entre elles. (Et bien entendu, Sabbath emménageait avec elle. Haley la «protégeait», comme elle l'avait promis.) Au début Sabbath ne faisait aucun effort pour se rappeler leurs noms, bien que les femmes elles-mêmes fussent nettement distinctes ; peu à peu, elle en arrivait à les connaître, et réciproquement – *Sabbath McSwain. La jeune sœur de Haley qui a eu un genre d'accident – ou de maladie – des troubles mentaux qui ne se voient pas.*

(Sabbath se demandait si c'était vrai. Elle savait – elle soup-çonnait – n'être *pas tout à fait normale* aux yeux des autres. Très longtemps auparavant on l'avait jugée [peut-être] «autiste» ou quelque part dans le «spectre autistique». Sans être timide elle répugnait à regarder le visage des autres, à croiser leurs regards. Sans avoir de problème d'audition, elle *n'entendait pas*, ce qui est une manière d'*indifférence*.)

Excepté quand Haley partait un jour ou deux – ou davan-tage – une semaine, dix jours – subjuguée par quelqu'un de nouveau qui pourrait/ne pourrait pas être présenté ensuite à Sabbath –, elles étaient toujours ensemble. Sabbath serait éter-nellement reconnaissante à cette femme qui l'avait sauvée, soi-gnée, rendue à la vie.

C'était une question de nourriture. De *nurturing*.

Haley étant résolue à faire reprendre à Sabbath un «poids un peu plus normal», c'était elle qui s'occupait des repas et veillait à ce que sa jeune compagne mange tout ce qui lui était servi.

Protéines, féculents, matières grasses, calcium. Les légumes les plus intransigeants, chou frisé et blettes.

Et au moins un bol de glace par jour. Si l'estomac de Sabbath se rebellait contre la haute teneur en sucre des glaces ou peut-être contre des souvenirs d'enfance associés aux *glaces*, Haley disait avec sévérité que c'était un *médicament.*

Haley adorait les glaces. Elle avait au moins une dizaine de parfums préférés. Elles en mangeaient donc toutes les deux, avant d'aller au lit.

Des lits séparés. Elles dormaient, avaient dormi et dormiraient toujours dans des lits séparés – sauf les nuits où Sabbath ne trouvait pas le sommeil, secouée de cauchemars, le cerveau lancé dans une course folle et suicidaire tel un véhicule contre un mur de béton. Haley l'enveloppait alors dans une couverture et l'enlaçait de ses longs bras musclés en murmurant *Hé, n'aie pas peur. Ça va s'arranger. Ils sont loin maintenant, ils ne te feront plus de mal. Plus jamais. D'accord ?*

Pendant les mois où elles vécurent ensemble ou partagèrent un toit commun avec d'autres, Haley recueillit quantité d'«animaux perdus» : des chats, des chiens et même un couple de perroquets gris d'Afrique presque chauves, abandonnés sur un trottoir à côté d'un tas d'ordures. Dépenaillés et boiteux, yeux enflés et fermés, cicatrices, plaies suintantes, eczéma, accès de tremblements. C'était pour Haley McSwain, la Bonne Samaritaine, tout le monde la plaisantait sur le sujet, mais Haley prenait ces responsabilités au sérieux. Pour elle, il n'y avait pas de hasards ni de coïncidences dans la vie, qu'elle rencontre un être perdu ou abandonné sur son chemin avait donc un sens, car il avait été mis en mouvement à un moment prédéterminé précisément pour croiser le chemin de Haley McSwain. Jésus-Christ était un être humain, mais un être humain qui s'était dressé sur la pointe des pieds pour aller un plus haut. Le moins qu'on puisse faire.

Haley ne se fiait pas au pèse-personne ordinaire qu'elle possédait : par conséquent, tous les quinze jours, elle emmenait Sabbath au Centre de lutte contre le cancer de Miami pour la faire peser et examiner par l'une de ses amies, qui y était «technicienne» : cette amie, une jeune Philippine nommée Luce, prenait la température et la tension de Sabbath, et lui donnait des antibiotiques si elle paraissait avoir une infection – car Sabbath était sujette à des maux de gorge et à des troubles respiratoires. Luce espérait reprendre des études pour devenir infirmière diplômée et, en attendant, avait plaisir à rendre service à sa chère amie Haley, connue pour sa générosité, sa bonté et son âme chrétienne.

Dans la cafétéria du Centre, Luce et Haley, aux petits soins pour Sabbath, la pressaient de manger. Car Sabbath manquait souvent d'appétit. Quoiqu'elle sourie, s'efforce de sourire pour faire plaisir à ses amies. Mais avec distraction, comme si ce qui restait de son cerveau éprouvé était *ailleurs*.

Ta sœur a eu un genre de… traumatisme ? C'est ça ?

Nous le pensons. Un salopard qu'elle a fréquenté, une erreur, comme ça arrive aux jeunes filles… il l'a salement tabassée. Elle fait de l'amnésie, je crois.

On sait s'il l'a… violée ? Ou… on ne le sait pas ?

Probable, oui.

Mais elle ne s'en souvient pas.

Elle ne s'en souvient pas.

C'est peut-être une chance, hein ?

C'est ce que nous pensons.

Elle a l'air d'une gentille fille. Un peu comme toi… en plus jeune.

Non, pas moi en plus jeune. Non. Sabbath est Sabbath… elle est elle-même.

Le rire de Haley était un réconfort, quand on avait oublié que pouvait être un rire.

Tout au réconfort de ce qui *est*, elle avait cessé de penser à ce qui *avait été* et à ce qui *était à venir.*

Elle n'avait pas songé un seul instant (ce qui lui paraîtrait rétrospectivement très étrange) à ce qui lui arriverait, à ce qu'il adviendrait d'elle et Haley McSwain, quand le *feu de paille* Opa Han s'éteindrait et que Drina *retomberait profondément amoureuse* de Haley.

Et voici que, brusquement, cela arriva. Tout ce que Haley avait prédit avec assurance des années plus tôt.

Un jour, Haley lui dit avec solennité que Drina et Opa Han *avaient des problèmes.*

Un autre jour elle lui dit, avec la même solennité, que Drina et Opan Han *se séparaient.*

C'était une période, une période compliquée, où Sabbath ne savait pas vraiment ce qui se passait dans la vie de son amie. Où il aurait sans doute été évident pour quelqu'un d'autre, plus perspicace, que Haley McSwain s'éloignait d'elle, s'attachait plus solidement ailleurs.

Oubliait de la cajoler pour qu'elle mange, par exemple.

Oubliait d'acheter leur glace commune préférée : vanille et coulis de myrtille.

Ne rentrait pas le soir, laissant Sabbath dormir, ou veiller, toute seule.

C'était un moment où Drina avait des problèmes de santé. Un moment difficile dans la vie de Drina, mais où Haley McSwain était présente et dévouée comme d'autres ne l'étaient pas.

À l'insu de Sabbath, Haley avait emmené Drina chez un médecin, puis dans une clinique pour des examens aux noms sinistres : coloscopie, biopsie. Il s'en était suivi que Drina avait dû être opérée d'urgence dans le Centre même où Haley emmenait Sabbath.

Il s'ensuivit que Haley fut absente plusieurs jours – et plusieurs nuits ; et quand elle revit Sabbath, elle portait le même pantalon et le même tee-shirt, ses cheveux couleur sable étaient emmêlés, elle avait les yeux injectés de sang et le teint grisâtre, mais elle souriait et sa voix virevoltait comme une plume dans la brise.

Car apparemment l'opération d'urgence dont Sabbath n'avait rien su jusque-là était «une grande réussite, espèrent-ils». Et apparemment Drina adorait maintenant Haley, et lui était si reconnaissante qu'elles vivraient désormais ensemble pour affronter l'épreuve du traitement postchirurgical de Drina, qui comporterait radio et chimiothérapie.

Sabbath avait entendu, mais elle ne parvenait pas à comprendre.

Où habiterait Haley ? Pas avec *elle*?

D'un ton maintenant chargé de regret, Haley disait que Drina souhaitait être *la seule personne* de sa vie. Drina ne supportait pas de partager Haley même avec sa petite sœur : «Elle ne fonctionne pas comme ça, tu comprends. Elle n'a pas la fibre familiale. Elle n'a jamais appris à *partager*. Soit elle est amoureuse, soit elle ne l'est pas ; et quand elle l'est, elle veut avoir l'autre toute à elle à chaque instant.»

Haley avait un sourire ébloui. Haley secouait la tête, incapable de croire à son bonheur.

Bravement alors, Sabbath dit qu'elle était contente pour elle... pour Haley. Elle dit qu'elle était contente aussi pour Drina, et qu'elle espérait qu'elle se rétablirait complètement.

(Pensant bassement *Elle peut encore mourir! Et alors Haley me reviendrait.*)

(Et puis, pensant avec terreur *Si quelque chose m'arrive! Il n'y aura pas de place pour moi dans le cœur de Haley.*)

À cette époque-là, l'automne 2009, Haley et Sabbath habitaient à Fort Lauderdale, où Haley avait un emploi de vigile dans l'un des hôtels au luxe de pacotille qui bordaient la plage, tandis que Sabbath travaillait dans un service de photocopies et suivait des cours du soir en économie au *community college* de Broward. Et elles partageaient une maison sur le mode communautaire avec plusieurs autres femmes, ayant de vingt et un à soixante et un ans, dont l'une était assistante en langues et une autre administratrice adjointe à Broward. Haley et Sabbath avaient deux chambres au sommet de la maison : l'une encombrée des vêtements et possessions de Haley, et dominée par un grand lit déglingué en laiton, et la deuxième, plus petite, meublée spartiatement d'un petit lit, d'une commode d'enfant en bois de pin noueux, de piles ordonnées de livres, de bloc-notes et de papiers avec, scotchés aux murs, des portraits au charbon de jeunes filles et de femmes (Haley et les autres occupantes de la maison), habiles et minimalistes.

Sabbath avait entendu Haley dire à leurs colocataires que c'était une découverte pour elle, et qu'elle était impressionnée et fière : *sa petite sœur avait des talents d'artiste...* et personne dans la famille ne s'en était jamais douté!

Sabbath affronta bravement la perte de son amie – quoique Haley affirmât qu'elle la verrait aussi souvent que possible, qu'elle lui écrirait et lui téléphonerait comme si «presque rien» n'était arrivé.

Haley promit aussi de lui envoyer de l'argent quand elle le pourrait – peut-être pas aussi souvent qu'elle l'aurait souhaité.

Drina était sourcilleuse aussi sur ce genre de *partage-là*.

Sans compter qu'il lui serait impossible de travailler pendant Dieu sait combien de temps : des semaines, des mois? Elle n'aurait donc pas plus de revenus qu'elle n'avait d'assurance maladie.

Haley paierait ce qu'elle pourrait des dépenses médicales de Drina. Et ce qu'elle ne pourrait pas, elle le *mendierait*, l'*emprunterait* ou le *volerait*.

Sabbath resta muette. Un tremblement intérieur s'était déclenché au plus profond d'elle-même.

Bon! Haley se frotta les mains. Ce bonheur ébloui sur son visage.

Sabbath réussit à dire qu'elle était très heureuse pour elle.

Haley dit : Oh! merde, Sabbath, moi aussi je suis heureuse pour moi. Pour le moment.

Haley serra Sabbath dans ses longs bras musclés. Un long moment elles restèrent enlacées, n'osant s'écarter, ouvrir les yeux, respirer.

Elle quitta la maison où Haley et elle avaient habité : disparut sans autre au revoir à ses colocataires qu'une feuille de papier pliée contenant ces quelques mots *Je m'en vais. Merci et au revoir. Cordialement, Sabbath McSwain* et cinq ou six billets de vingt dollars soigneusement lissés qui, d'après ses calculs, représentaient un peu plus que sa part de loyer pour le restant du mois.

Ces femmes avaient été les amies de Haley, pas les siennes. Elle ne pouvait croire leur manquer comme Haley leur manquerait.

Sabbath n'emporta que ce qu'elle était capable de transporter. Ce qu'elle dut laisser, elle l'effaça de sa mémoire comme on lessive un mur : vite, grossièrement, avec efficacité.

Elle s'installa à Temple Park. Elle n'y connaissait personne. Dans un quartier de Fort Lauderdale proche de l'Océan, Haley habitait avec Drina dans un nouveau logement qu'elles avaient loué ensemble.

Sabbath recevait des e-mails de Haley tous les jours ou presque.

J'espère que tu vas bien ! Ça marche plutôt bien de notre côté. Viens dîner un de ces jours, peut-être. Ou alors on pourrait se retrouver quelque part.

Mais ces rencontres étaient rares. Sabbath n'avait pas de voiture, et la distance était considérable pour Haley après ses longues journées de travail – car elle compléta bientôt son emploi à plein temps à l'hôtel d'un poste de vigile à mi-temps dans un centre commercial.

Dans une maison victorienne vermoulue, près du campus de l'université de Floride, Sabbath loua une pièce unique. La majorité des autres locataires étaient des étudiants – des étudiants de troisième cycle d'origine étrangère. Elle passait parmi eux tel un fantôme. Que sa peau fût *blanche* et qu'elle fût probablement de nationalité *américaine* ne la rendait pas plus visible à leurs yeux, au contraire.

Un nombre infini de pas discrets dans un espace de temps fini.

C'était le paradoxe de Zeno, reformulé : l'infini au sein de la finitude. Naturellement, votre cerveau volait en éclats.

Pourtant, elle persévéra. Bien que Haley l'eût abandonnée, elle persévéra. Bien qu'elle eût été rejetée par d'autres, non aimée, méprisée, méprisable, elle persévéra et même, par hasard, fit de nouvelles connaissances : par hasard, elle habitait juste en face d'une résidence universitaire, l'International House, où elle pouvait prendre des repas «exotiques» bon marché à une longue table commune, à laquelle il n'était pas vraiment inhabituel de prendre place seul, un livre ou un carnet à croquis pour toute compagnie. Elle fit la connaissance d'un groupe de femmes de l'association Femmes sans frontières, dont l'une, Chantelle Rios, deviendrait l'une de ses plus proches amies.

«T'es toujours *seule*, dis donc. Comment ça se fait ?

– Je crois, répondit Sabbath, avec un rire embarrassé, que je n'en sais rien.

– Eh bien, moi, je sais.

– Ah bon ? C'est vrai ?

– C'est la tête que tu fais. Tu ressembles à une espèce de vilain lézard… à un iguane, tiens. Un sale machin horrible qui dit *Laissez-moi tranquille. Venez pas m'emmerder.* »

Sabbath rit avec embarras. Mais cela ne l'étonnait pas vraiment qu'on puisse interpréter son expression de cette façon.

Chantelle Rios était une post-doc en psychologie clinique, âgée d'une trentaine d'années. Elle nattait ses cheveux noirs lustrés et, quand elle n'était pas dans le département de psycho, portait des couleurs vives ; au sein de l'association Femmes sans frontières, et pour faire sourire Sabbath McSwain, bien qu'elle fût titulaire d'un diplôme supérieur de l'université de Floride à Gainesville, elle adoptait le style sexy d'un rappeur latino.

Comme Haley McSwain, Chantelle Rios avait quelqu'un dans sa vie (que Sabbath ne devait jamais rencontrer). Mais, comme Haley, elle semblait vouloir prendre Sabbath McSwain sous son aile.

« Tu n'as pas de famille ? Pas du tout ? C'est possible, ça ? »

Oui. C'était possible.

« Tous les gens que tu connais sont… morts ? Tu nous jouerais pas du pipeau, p'tite sœur… ? »

Sabbath ne répondit rien. Elle ne savait que dire, comment se défendre.

Car à ce moment-là il lui semblait bel et bien que *là-bas* avait disparu.

Sa mémoire était comme lessivée au jet, il n'y restait que des fragments de scènes « familières » : une chambre qui avait été un jour la sienne, et une fenêtre de cette chambre une vue sur un bout de rue dont elle ne se souvenait pas qu'elle s'appelait *Cumberland Avenue.* Si elle fermait les yeux bien fort, elle arrivait à voir une maison : une grande maison aux nombreux escaliers (trop nombreux pour qu'il ne s'agisse pas d'un rêve ou d'un dessin de M. C. Escher) et des petites silhouettes pressées qui montaient et descendaient les marches, indifférentes les unes aux autres : le pied de l'un partageant la même marche que celui de son homologue inversé. (Si vous retourniez le dessin, il se révélait ingénieusement identique ; à l'endroit ou à l'envers, le dessin de la maison aux nombreux escaliers n'était qu'un seul dessin.)

Aucune idée de ce que cela signifiait. De la raison pour laquelle cette image l'obsédait.

Et cette envie de se cacher le visage de honte...

«Tu sais quoi, Sabbath ? J'aimerais t'avoir dans notre laboratoire. Nous faisons appel à des volontaires, mais nous pouvons payer quelques dollars de l'heure. Nous travaillons sur l'"amnésie induite"... drôlement intéressant.»

Sabbath secoua silencieusement la tête : *non*.

Car il était impossible de parler. D'essayer d'expliquer.

Cela revenait à ânonner dans une langue étrangère dont on connaît quelques mots, mais pas la façon de les relier.

Il y a des contes de fées dans lesquels l'une des sœurs est bonne et belle... l'une des sœurs est bénie. Et l'autre sœur est damnée.

Je suis cette sœur-là. La sœur damnée. Et cependant je suis encore en vie... une erreur qui n'a pas encore été réparée.

12

La coupable

Mars 2012

Il lui avait dit *Vous m'avez trahie.*

Ces mots résonnaient à ses oreilles. Dans son cerveau. *Trahi.*
Vous avez trahi.

Tel un soleil âpre révélant après une tempête une plage jonchée de débris, les cadavres desséchés de créatures naguère vivantes. Un soleil aveuglant et terrible.

Car elle commençait à voir la dévastation de son existence... qu'elle avait elle-même précipitée.

Car peut-être avait-elle commis une erreur en fuyant. En effaçant sa vie *là-bas.*

Elle s'était autorisée à croire ce que sa sauveuse voulait qu'elle crût : que celui ou ceux qui lui avaient fait du mal recommenceraient.

Qu'aucun des êtres de son passé ne la regretterait. Qu'ils ne l'aimaient pas et ne la rechercheraient pas.

Avait-elle été malade ? Pendant si longtemps ?

Elle faisait tourner autour de son doigt la bague d'argent en forme d'étoile, interminablement.

Elle téléphona. Essaya de téléphoner.

Ce vieux numéro appris par cœur il y avait si longtemps : le sien.

Mais après un déclic, un message enregistré se mettait en route : *Le numéro que vous demandez n'est plus attribué.*

Elle fut saisie de terreur : les Mayfield n'habitaient plus la maison de Cumberland Avenue.

L'un de ses parents était-il mort ? Zeno, sûrement.

Et sa mère avait alors quitté la maison. Et Juliet... depuis le temps, elle avait quitté la maison, bien sûr.

Juliet devait avoir... vingt-neuf ans.

Que c'était étrange de penser que la maison de Cumberland Avenue avait eu tout au long de ses années une existence dont elle ne savait rien.

Son père Zeno, sa mère Arlette. Sa sœur Juliet.

D'une façon dont elle ne savait rien, ils lui avaient survécu.

Six ans, huit mois.

Et *lui*... Brett Kincaid.

À peine si elle avait pensé à eux jusqu'alors. Elle était devenue Sabbath McSwain et toute son énergie s'était épuisée à soutenir cette imposture, comme un unijambiste pourvu d'une unique béquille doit mettre tous ses efforts, non pas à se déplacer avec aisance, avec grâce, ni même sans douleur, mais simplement à faire que ses mouvements rappellent lointainement la « marche ».

Sabbath McSwain ne comptait guère dans le vaste monde, mais avait une importance inestimable pour Haley McSwain. Il nous est nécessaire d'être farouchement aimé par une personne pour exister : pour Sabbath, Haley avait été cette personne.

Et ainsi, elle avait perdu la capacité de se rappeler le visage des Mayfield. Et le visage du caporal.

Une partie de son cerveau semblait avoir cessé de fonctionner. Sa mémoire était devenue une sorte de membre paralysé, attaché au corps, mais étrangère, inutile.

Depuis la chambre d'exécution d'Orion, elle commençait à voir les choses différemment. Elle commençait à se demander si sa conduite n'avait pas été une forme de vengeance primitive, pour punir les siens de ne pas l'avoir pas aimée.

Sa famille, et Brett Kincaid.

Comment, sinon, aurait-elle pu les effacer de sa mémoire !

Elle aurait aimé expliquer cela à l'Enquêteur. Elle aurait aimé lui demander son avis : Que devait-elle faire, à présent ? Il saurait. Il aurait une réponse toute prête.

Mais comment pouvait-elle avouer, à lui ou à quiconque, n'avoir jamais tenté d'entrer en contact avec sa famille pendant ces six ans ?

N'avoir jamais téléphoné, ou essayé de téléphoner.

Elle n'avait jamais cherché d'informations sur internet, n'avait jamais tapé sur un ordinateur *Zeno Mayfield. Arlette Mayfield. Juliet Mayfield. Caporal Brett Kincaid.*

Et moins encore *Cressida Catherine Mayfield.*

L'Enquêteur avait prononcé le mot juste : *traître.*

Elle lui avait fait du tort ! Jamais il ne lui pardonnerait, jamais plus il ne lui ferait confiance.

Elle faisait tourner la bague autour de son doigt, interminablement.

« Sabbath McSwain. »

Ces documents précieux – certificat de naissance, carte de Sécurité sociale, carte plastifiée du lycée de Mountain Forge, permis de conduire de Floride.

Envoyés dans une enveloppe à la nouvelle adresse de Haley McSwain.

Très chère Haley,
Je te dis au revoir. Je ne te reverrai pas.
Je prierai pour toi et pour Drina… pour qu'elle guérisse et que vous soyez heureuses ensemble comme tu le mérites.
Je sais que tu ne me chercheras pas, et c'est bien ainsi. Je rentre chez moi… il est temps.
Je n'aurais pas dû partir comme je l'ai fait. C'est ce que je pense maintenant.
Je me trompe peut-être. Je vais retourner là-bas pour le savoir.
Je te dois la vie. Je te suis immensément reconnaissante.
Sincèrement et avec affection.
Ta sœur qui était Sabbath

Elle enroula une ficelle à l'intérieur de la bague en argent que lui avait donnée l'Enquêteur pour qu'elle ait moins de jeu à son doigt.

Elle tremblait qu'elle ne glisse de son doigt et ne disparaisse.

Elle avait fui. Comme un chien battu et terrifié. Comme un chien elle n'avait pensé qu'à se cacher et à lécher ses blessures. Sa honte qui était une sorte de blessure. Il ne lui était pas venu à l'esprit, pas un seul instant, que d'autres avaient également pu souffrir.

« Mais ils ne m'aimaient pas. Si ? »

Il était juste qu'ils aient été punis. S'ils l'avaient crue morte toutes ces années.

Elle n'avait pas été belle à leurs yeux. Elle n'avait pas été aimée.

L'intelligente. Elle souriait – un horrible sourire figé : elle espérait qu'ils avaient souffert !

Puis, un moment plus tard, l'écœurement, le dégoût la submergeaient : *Traître ! Tu as trahi ceux qui t'aimaient.*

« Allô ? C'est… Juliet ?

– Oui. C'est Juliet. Qui êtes-vous ? »

Le ton était à la fois amical et méfiant. Elle n'aurait peut-être pas reconnu la voix si elle n'avait pas su que c'était Juliet. Elle pressa le petit téléphone contre son oreille, incapable, l'espace d'un instant, de prononcer un mot.

« Allô ? Qui est à l'appareil ?

– Juliet, c'est Cressida. »

Silence. Un silence qu'on devinait abasourdi.

« Que voulez-vous dire… "Cressida" ?

– Cressida. Ta sœur. »

Elle s'y prenait mal. L'annonce était trop brutale, et son ton, trop hésitant, trop coupable. Juliet répondit, sèchement :

« Ma sœur n'est pas en vie. Ce n'est pas… ce n'est pas drôle… »

Et la ligne fut coupée.

Pas en vie. Étrange que Juliet n'eût pas dit *Ma sœur est morte.* Cressida refit le numéro. Cette fois, personne ne décrocha.

Obtenir le numéro de portable de Juliet n'avait pas été facile. Les lignes téléphoniques à l'ancienne disparaissaient, il n'y avait plus d'annuaire national.

Elle l'avait obtenu de la mère d'une amie de Juliet, qui habitait Caledonia Street, à Carthage. Mme Hempel s'était empressée de chercher le numéro de Juliet Mayfield dans un vieux carnet d'adresses. Elle n'avait pas reconnu la voix de Cressida.

Cressida lui avait dit être une ancienne camarade de lycée de Juliet et l'avoir perdue de vue. Mme Hempel n'avait pas tiqué sur le nom qu'elle lui avait donné... celui d'une fille qui fréquentait effectivement le lycée de Carthage à l'époque. Cette matrice de noms perdus. Une immense toile d'araignée d'associations longtemps oubliées, qu'un caprice désespéré faisait maintenant renaître.

Elle avait dit : « Merci pour le numéro de Juliet, madame », et Mme Hempel dit : « Pas de quoi ! Mais Juliet n'habite plus à Carthage, vous savez. » Et elle avait dit : « Ah bon ? Où habite-t-elle maintenant ? » et Mme Hempel dit : « Eh bien... à Albany, je crois. Son mari a quelque chose à voir avec... il a un poste dans l'administration locale, je crois », et elle avait dit : « Ah. Juliet est mariée. Je... je ne savais pas », et Mme Hempel dit, baissant la voix comme si elle craignait d'être entendue : « Eh bien, après cette terrible histoire, vous savez... » et Cressida écouta en silence, étreignant le téléphone, osant à peine respirer : « Juliet a fait une sorte de dépression. Parce que c'est son fiancé qui avait tué sa sœur. Tout le monde pensait qu'il l'avait noyée dans la Nautauga... mais on n'a jamais retrouvé le corps. Et Juliet a quitté Carthage et n'y est jamais revenue, mais Carly la voit de temps en temps à Albany et elles restent en contact par e-mails et par téléphone. Je crois que Juliet va bien, maintenant... elle doit avoir un enfant, ou peut-être deux... d'après ce que m'a dit Carly. »

Toutes ces informations, fournies à une inconnue. Cressida remercia Mme Hempel et prit congé.

Tué sa sœur.

Noyée dans la Nautauga.

Jamais retrouvé le corps.

Qu'on la crût morte à Carthage n'aurait pas dû l'étonner. Disparue depuis de si longues années, présumée morte.

Et peut-être était-ce mieux ainsi ? C'était ce qu'elle avait pensé, avec la partie de son esprit où *là-bas* comptait toujours. Mieux valait avoir disparu. Afin de ne plus être un poids pour personne.

Mais il y avait le caporal, qui était avec elle au moment de sa disparition. Et il y avait la famille de Cressida Mayfield, dont elle comprenait maintenant qu'elle avait dû continuer à pleurer sa perte, son corps jamais retrouvé.

Zeno avait parlé d'un philosophe grec de l'Antiquité qui enseignait qu'il *vaut mieux ne jamais naître.*

Comme ils avaient ri ! Rob Roy avait aboyé avec ravissement, se frottant contre leurs jambes, fouettant l'air de sa longue queue de setter et mettant en péril verres et bouteilles.

Elle avait demandé qui avait dit cela et, prenant sa tête de papa perplexe, Zeno avait répondu que c'était (peut-être) Sophocle et (peut-être) Socrate. Et que c'était (certainement) Schopenhauer... des siècles plus tard.

Mieux vaut ne jamais naître.

Mais comment alors le saurait-on ?

Ils avaient jugé ce philosophe idiot... un *vieux ronchon,* forcément.

Une soirée typique chez les Mayfield de Cumberland Avenue. Quand les filles étaient petites, c'est-à-dire quand Zeno participait encore activement à la vie politique locale et était peut-être même maire de Carthage. Ils avaient souvent eu du monde à la maison, invités, voisins, amis du parti démocrate de Zeno, amies d'Arlette... serrés autour de la longue table de la salle à manger, avec sa belle nappe en lin irlandais.

Chandeliers et bougies de couleurs vives. Reflets dansants des flammes sur les vitres sombres.

Tout le monde était convenu que ce vieux philosophe grincheux n'avait jamais (A) été amoureux (B) tenu un bébé dans ses bras (C) respiré l'odeur de l'herbe fraîchement tondue (D) goûté au champagne (E) gagné une élection.

Dans l'atmosphère de gaieté du moment, tout le monde avait ri. Les amis de Zeno avaient bu à sa santé… et ce n'était pas le premier toast de la soirée. Alors peut-être était-ce le jour où l'on avait fêté l'élection de Zeno à la mairie de Carthage. Et Rob Roy trottait dans la pièce, léchant les doigts qui caressaient sa belle tête lustrée. Et Cressida qui était une enfant à l'époque n'avait pas ri avec les autres parce que la peur de *ne jamais naître* lui avait transpercé le cœur, malgré son jeune âge.

Une quatrième, une cinquième fois, elle composa le numéro de Juliet.

Puis elle laissa un message, en contrôlant ses paroles.

Juliet, c'est moi… Cressida…

J'appelle de Floride…

Je vais aller à la maison… revenir à la maison… à condition qu'on veuille de moi…

Je vais bien. Je ne suis pas malade ni… blessée. Je n'ai pas été incarcérée ni hospitalisée…

J'ai un travail ici à Temple Park. Ou plutôt, j'en avais un…

Je vis seule. Je suis seule, mais je suis… je ne suis pas…

Je ne suis pas *malade*.

Sa voix se brisa. Elle se mit à sangloter. Elle ne pouvait retenir les larmes qui jaillissaient de ses yeux, brûlantes, cuisantes, aveuglantes.

Je pensais que je ne vous manquerais pas beaucoup.

Je pensais que vous ne m'aimiez pas beaucoup…

J'avais très peur, je crois. J'ai peur maintenant.

Je me demande si vous pourrez me pardonner…

Elle sanglotait à présent. Elle n'arrivait plus à respirer.

Le portable qui lui avait été donné par l'Enquêteur lui échappa des doigts, tomba sur le sol et se brisa en une dizaine de morceaux de plastique.

Son voyage vers le Nord ne serait pas facile, en bus.

Ce voyage, elle ne le voulait pas facile ni rapide : elle aurait besoin de toutes les journées qu'elle passerait à bord du bus pour se préparer à Carthage.

(Elle aurait pu prendre l'avion ou le train. Il aurait fallu pour cela qu'elle voyage sous le nom de *Sabbath McSwain*.)

(Ses propres papiers d'identité, ceux de Cressida Mayfield, étaient perdus depuis longtemps.)

La climatisation, fin mars, quand le bus quitta Fort Lauderdale. Dans le fond du bus, elle se pelotonna sur son siège, espérant rester seule, évitant le regard des autres passagers qui s'avançaient dans l'allée. Ses quelques bagages étaient dans le porte-bagages au-dessus, des livres, des carnets et des papiers sur le siège à côté d'elle.

On était le 16 mars : cinq jours après la visite d'Orion.

Cinq jours après que, dans la chambre d'exécution, elle eut compris qu'elle devait retourner à Carthage.

Elle n'avait pas essayé de trouver les numéros de téléphone de ses parents. Elle aurait pu téléphoner à la sœur de sa mère, Katie Hewett, à supposer qu'elle habitât toujours à Carthage et eût une ligne fixe ; mais elle ne put se résoudre à appeler sa tante, qui aurait immédiatement reconnu sa voix.

La perspective de revoir sa famille lui inspirait une appréhension presque insupportable : peur, honte, mais aussi attente, espoir.

Pardonnez-moi. Je croyais que vous ne...

... j'étais sûre que vous ne...

… m'aimiez pas.

Elle oubliait que Zeno avait pu mourir. Cette terrible pensée lui traversait souvent l'esprit mais semblait s'évanouir presque aussitôt.

Elle ne pensait pas qu'Arlette pouvait être morte.

(Oh! mais si, elle était morte! Terrifiée, elle se rappela les mammographies faussement positives qui avaient affolé sa mère, des kystes au sein qui s'étaient révélés «bénins». Et, un jour, Arlette avait été opérée d'une tumeur, «bénigne» mais de bonne taille, dans le gros intestin. Et Cressida avait pratiquement claqué la porte de sa chambre au nez de Juliet, angoissée, qui voulait parler de maman, alors que Cressida ne le voulait pas. *Va-t'en, laisse-moi tranquille! Je ne veux pas en parler, d'accord!*)

Juliet était donc mariée! Et elle avait un ou deux enfants.

La *jolie* s'en était sortie. Elle avait quitté Carthage, elle aussi : ce paysage jonché de débris.

Elle a fait une sorte de dépression. Son fiancé… a tué sa sœur.

Noyée dans la Nautauga mais on n'a jamais retrouvé le corps.

C'était la vengeance d'une sœur (laide) sur une sœur (belle). Et pourtant Cressida n'y avait jamais pensé de cette façon.

Comme qui, après avoir tourné autour d'un lieu dévasté, en découvre les blessures ouvertes, terre ravagée et labourée, arbres brisés et racines dénudées, sous un angle différent, elle commençait à se rendre compte qu'une catastrophe ne touche pas un seul individu, une seule «victime».

Elle n'avait pas beaucoup pensé au caporal. La façon dont il l'avait repoussée, le dégoût qu'il avait manifesté équivalaient à un meurtre.

Un meurtre, et point final.

Celle qu'elle avait été à ses yeux : disparue, anéantie.

Elle n'avait pas pensé que lui – le caporal, Brett Kincaid – aurait peut-être des comptes à rendre sur sa disparition, après cet incident.

Que l'on croirait peut-être qu'il l'avait assassinée pour de bon.

Et si le caporal l'avait assassinée, elle, la sœur cadette de son ex-fiancée, il avait dû être puni pour ce meurtre ?

Il fallait qu'elle eût été très malade, malade mentalement, pendant ces années où elle avait été *Sabbath McSwain*, pour ne pas penser à cela.

Pour ne pas y penser, et pour ne pas s'en soucier.

Drina leur avait raconté une histoire abominable et pourtant comique à sa façon, qu'elle tenait de son amoureuse d'alors, Opa Han : une femme de soixante ans était arrivée au service de radiologie de l'hôpital du Miami-Dade avec un ventre si distendu, si énorme, qu'elle devait marcher avec une canne ; elle était dans cet état depuis au moins un an, donnant pour vague explication qu'elle «était peut-être enceinte» et que par conséquent «cela sortirait tout seul» ; sa famille l'avait finalement convaincue de voir un médecin, lequel avait diagnostiqué un fibrome à opérer le plus rapidement possible.

Elles avaient ri de cette histoire en secouant la tête. Mais cela n'avait rien de drôle, c'était plutôt horrible.

Que nous ne «sachions» pas ce qui est évident pour les autres.

Que nous ne «voyions» pas ce que nous avons devant les yeux.

Ou que les yeux «voient», mais que le cerveau n'interprète pas.

Si elle avait pensé à Brett Kincaid, c'était pour lui reconnaître tous les pouvoirs – pouvoir de rejeter, pouvoir d'une force physique supérieure, pouvoir (masculin) d'anéantir (les femmes). Elle n'aurait pu penser à lui autrement qu'à travers le filtre de sa *douleur*.

« Est-il en vie ? Est-il… en prison ? »

Son vieil ordinateur portable ne marchait plus. Elle n'avait pas accès à internet. Dans ce bus étonnamment confortable, moderne et agressivement climatisé, il y avait des prises électriques à chaque siège, et elle aurait pu tenter de chercher le nom de *Brett Kincaid* pour voir ce que cela donnait.

Tu sais qu'il a dû être puni.

Sa vie brisée… après ce soir-là.

Je sais mais ne sais pas. Ne voulais pas savoir.

« *Morts pour moi… tous autant qu'ils sont.* »

Se réveillant d'un sommeil migraineux dans le bus au moment où il entrait dans l'État de Georgie.

Si frigorifiée par la climatisation impitoyable qu'elle s'était enveloppée de tous les vêtements qu'elle avait emportés, recroquevillée sur son siège, grelottante, seule.

*

Connaître le Bien, c'est vouloir le Bien.

Être dans l'ignorance du Bien, c'est ne pas être pleinement humain.

En classe de troisième elle avait lu Platon. Le lourd volume universitaire de son père, taché d'humidité, *Œuvres complètes de Platon, La République, Les Lois, Le Banquet*.

Fascinant pour la fille de quatorze ans qu'elle était de découvrir les soulignages et les annotations consciencieuses de son père dans ce livre, comme dans d'autres ouvrages marqués *Mayfield Z.* à l'intérieur de la couverture.

À côté d'un passage du *Ménon* figurait cette question, à l'encre rouge : *Socrate sérieux ?* Dans ce dialogue, Socrate et un jeune homme nommé Ménon s'interrogent sur la vertu et sur la possibilité de vouloir sciemment le mal ; le *Ménon* utilise les connaissances supposées de géométrie élémentaire d'un jeune esclave, qui n'a pourtant jamais reçu d'éducation, pour prouver que « retrouver spontanément » des connaissances est réminiscence.

La leçon du Ménon est que nous savons déjà ce qu'est le Bien. Toute interrogation et tout apprentissage ne sont que réminiscences.

Aux repas, quand Zeno était à la maison, et d'humeur à argumenter, quand il n'était pas préoccupé par les affrontements politiques et professionnels du jour, Cressida adorait engager avec lui des conversations animées qui, de façon plus incidente que délibérée, ou pas consciemment délibérée, excluaient Arlette et Juliet, lesquelles déclaraient ne pas aimer les *disputes.*

Et, notamment, *les disputes à table.*

« Vous qualifiez de "dispute" toute conversation à peu près intelligente et sérieuse, protestait Cressida. Pas étonnant que la vie de "famille" soit aussi *ennuyeuse.* »

À quatorze ans, Cressida était très jeune. Elle ne paraissait pas seulement plus jeune que son âge, elle était à bien des égards enfantine et immature.

Étant donné son intelligence et sa vivacité d'esprit, son père disait qu'elle « faisait claquer son fouet ».

« Méfie-toi de ton fouet, ma chérie. Les coups pourraient t'en revenir au visage, tu sais. »

Cressida savait. À l'école, elle avait peu d'amies. Avec dédain, elle aurait affirmé ne pas en vouloir.

Certains de ses professeurs semblaient l'aimer. Mais avec prudence, en restant sur leurs gardes.

Car aucun professeur ne savait s'il ne lui prendrait pas la lubie de s'attaquer à eux. Dans la salle de classe, devant un public, elle pouvait avoir la langue acérée, sarcastique. Nombre de professeurs bienveillants avaient été blessés par Cressida, après avoir espéré amadouer le caractère imprévisible de la jeune fille.

«Papa! Si "connaître le Bien, c'est vouloir le Bien", lança Cressida à son père au début d'un repas – pourquoi y a-t-il autant de mal dans le monde? Et de stupidité?»

Zeno se frotta vigoureusement le visage. On voyait que Zeno se fabriquait son visage de papa, un visage essentiellement bienveillant, amusé, quoique sans complaisance, à la place de son visage Zeno Mayfield, son identité publique à Carthage.

«Tu as lu... Platon? Socrate? Ça ressemble à du Socrate.

– Oui. Mais pourquoi Socrate est-il tellement important?

– Parce que... avant lui, des philosophes avaient pensé bien des choses que lui-même pensait, mais pas de façon aussi approfondie ni systématique; et pas avec le même engagement personnel. Socrate a choisi de mourir plutôt que de renoncer à ses convictions ou même de s'exiler. Il a vécu et est mort pour la philosophie.»

Zeno parlait avec enthousiasme. Socrate avait eu une longue vie, une vie publique sur l'*agora*; il avait contesté les vérités conventionnelles de son temps; il avait été impétueux, franc, imprudent, téméraire. Il avait joué le rôle de l'*eiron*, celui qui sait seulement qu'il ne sait rien, et en sait ainsi davantage que tout Athènes.

Cressida comprenait à la façon dont parlait son père, à la façon dont son intonation, d'ordinaire sardonique, vibrait d'une tendresse contenue, que Zeno Mayfield tenait Socrate en haute estime. Elle objecta, d'un ton sec : «Si c'était quelqu'un d'aussi extraordinaire, pourquoi a-t-il été arrêté et condamné à mort?» et Zeno dit, avec un clin d'œil à la tablée : «Ainsi en va-t-il de nous tous! Plus on est extraordinaire, plus on vous méprise. Où est ma ciguë?» Et il empoigna son verre de bière mousseuse pour faire rire son petit public.

«Socrate n'a même pas écrit les *Dialogues*. C'est Platon qui l'a fait. Si ça se trouve, il a tout inventé, y compris Socrate.»

Et ainsi, tandis que leurs plats refroidissaient, Zeno fit un cours sur Socrate, l'«héritage de Socrate»: la situation politique de l'époque, l'«âge d'or» de la Grèce antique, juste après la victoire d'Athènes et de Sparte sur leur ennemi commun, les Perses, et avant le lent, terrible et irrévocable déclin d'Athènes pendant la guerre du Péloponnèse, qui l'opposerait à son ancienne alliée, Sparte. «Imaginez notre tragédie du Vietnam à la puissance *n*. Voilà ce qu'a été la guerre du Péloponnèse. Athènes a perdu militairement, mais aussi moralement… une défaite totale. Et dans ces circonstances, un esprit indépendant tel que Socrate, un homme qui croyait en un "Bien" – en un "Dieu" – singulier et invisible, était perçu comme un rebelle.»

Il était passionnant pour Cressida d'entendre son père parler de la sorte.

Elle l'avait entendu parler en public: c'était un homme politique et un orateur très doué, qui avait le sens de l'humour, un air de modestie (légèrement feint), voire de réserve. Mais ces remarques qu'il faisait au moment des repas, dans l'intimité de leur maison, n'étaient destinées qu'à *elle*.

Arlette et Juliet étaient là, bien sûr. Elles écoutaient, et toutes deux posaient parfois des questions. Mais papa s'adressait à Cressida, car c'était l'intelligence de Cressida qui ressemblait le plus à la sienne et qui le séduisait le plus.

«La terrible ironie de la chose est que, en fait, Athènes a dû son "âge d'or"» à des victoires militaires. C'est sur le fumier de la guerre, de la conquête de cités-États, de l'exploitation des peuples vaincus, qu'ont fleuri la philosophie, l'art et la culture. La quasi-démocratie athénienne était réservée à une élite. Et au faîte de sa splendeur, la civilisation athénienne était déjà sur le déclin, car son chef, Périclès, comme nos présidents américains belliqueux, poussait sans cesse à de nouvelles conquêtes, avec des résultats désastreux. Il y a un rapport entre la mort de Socrate et la mort d'Athènes, comme il y en a toujours entre le chef spirituel exemplaire d'une époque et l'époque elle-même.»

Cette remarque frappa Cressida.

«Pourquoi Socrate n'est-il pas parti en exil? J'ai détesté que... qu'il se contente de rester en prison et de boire la ciguë.»

Cressida avait lu le *Phédon*, avec les nombreuses annotations et exclamations de Zeno.

«L'exil équivalait à la mort pour les Athéniens, dit Zeno. Ils n'y voyaient pas une sorte d'évasion champêtre, comme nous le ferions aujourd'hui.

– J'ai *détesté* qu'il meure, insista Cressida. Je crois que je l'ai détesté, *lui*, d'être aussi têtu.»

Étonnée alors que sa famille se mette à rire, spontanément : Zeno, Arlette, Juliet.

Mais pourquoi, pourquoi était-ce drôle? Était-ce elle qui était drôle?

Têtue?

Cressida ne comprenait pas. Et elle ne rit pas.

Elle s'était dit qu'elle ferait tous les jours quelque chose de Bien.

Délibérément, en toute conscience... sans en parler à personne, elle incarnerait le Bien.

Pas à la façon chrétienne de Juliet. Elle, Cressida, prendrait exemple sur l'enseignement des Grecs de l'Antiquité.

Très vite, une occasion se présenta : on cherchait des volontaires pour donner des cours particuliers de mathématiques à des collégiens des quartiers défavorisés en difficulté scolaire.

Seuls les meilleurs élèves de troisième du collège de Church Street étaient invités à se porter candidats. Cressida trouva séduisant d'être distinguée pour un projet prestigieux.

Surmontant sa timidité, elle alla s'inscrire auprès de son professeur principal, qui la regarda, lui sembla-t-il, avec un certain étonnement. «Tiens, Cressida! Très bien.»

Il était si rare que Cressida se porte volontaire pour quoi que ce fût.

Plus rare encore qu'elle consentît à faire partie d'une *équipe*.

Un bus scolaire vint la prendre un vendredi après-midi avec dix autres volontaires, et la conduisit au collège Booker T. Washington, un établissement d'aspect miteux du quartier de South River Street, dans le centre de Carthage. Le chef de leur équipe était un élève de terminale nommé Mitch Kazteb, qui leur avait distribué des photocopies de la leçon de cette première journée en leur disant «d'aider simplement les élèves du mieux qu'ils le pouvaient», étant donné qu'ils étaient «analphabètes en mathématiques», et que la moindre petite amélioration serait «super».

Dans le car, Cressida fit le trajet à côté d'une fille de son cours d'algèbre, nommée Rhonda. Tendues et surexcitées, elles se soutiendraient mutuellement au collège Booker T. Washington. Rhonda n'était pas une amie proche de Cressida mais elle était sympathique, l'une des filles les plus sympathiques de sa classe de troisième, que ne rebutaient pas la mine renfrognée et farouche ni les remarques sarcastiques de Cressida Mayfield.

Tous les membres de l'équipe de maths reçurent un badge portant une frimousse souriante jaune vif et l'inscription : ÉQUIPE DE SOUTIEN EN MATHS.

À sa grande surprise, Cressida prit presque immédiatement plaisir à «donner des cours».

Elle éprouva de la sympathie pour ses jeunes élèves : âgés de dix à douze ans, majoritairement des filles, ils espéraient si manifestement son aide ! Même les garçons étaient sombres et apparemment sérieux.

Les problèmes de maths n'étaient en fait que de l'arithmétique élémentaire. Additionner de longues colonnes de chiffres, soustraire, multiplier, diviser : avec patience, l'équipe du collège de Church Street expliquait la marche à suivre, utilisant des feuilles de papier jaune et des calculettes de poche pour « re-vérifier » les réponses. Très vite, Cressida fit de petites bandes dessinées pour « illustrer » les problèmes : un crayon à la main, ses doigts volaient, à son étonnement autant qu'à celui de ses élèves.

Il ne lui était pas venu à l'esprit que les « fractions » devenaient faciles à comprendre si on dessinait une citrouille, par exemple, et qu'on la divise en morceaux. Les fractions les plus simples, en tout cas.

Assises aux deux extrémités de la table, les élèves entre elles, Cressida et Rhonda travaillaient en bonne entente. C'était une surprise pour toutes les deux que donner des cours puisse être *amusant*.

Neuf élèves, tous noirs, six filles et trois garçons. Les garçons étaient plus agités, mais riaient plus facilement des petites plaisanteries enjouées de Cressida. Tous paraissaient sérieux… pleins d'espoir. Cressida était touchée de leur réaction quand on leur disait, à la fin d'un problème, que leur réponse était « exacte ».

Elle les trouvait fascinants. Ils étaient juste assez jeunes pour être plus petits qu'elle et indéniablement enfantins. (Encore que le plus grand des garçons, Kellard [?], eût sa taille.) Leur peau avait des couleurs si *variées*. Toutes les nuances du noir : noir fumée, noir cacao, noir crémeux, noir aubergine, noir-noir. Leurs cheveux, leurs yeux, leurs traits... fascinants pour Cressida, qui avait toujours eu une sorte de répugnance instinctive pour ses pareils, évitant tout contact visuel avec eux, comme si elle craignait une invasion.

Ces quatre-vingt-dix minutes de cours presque ininterrompues furent une révélation pour Cressida : travailler avec d'autres, dans un tel cadre, pouvait donc être aussi facile, aussi agréable ? *Enseigner,* un mode de vie ?

Zeno avait toujours dit regretter de ne pas s'être dirigé vers l'enseignement plutôt que vers le droit.

Mais, bien entendu, poursuivait-il, le droit vous donnait la possibilité d'influer sur la politique. Arrivé à l'âge adulte après la grande décennie révolutionnaire du XXe siècle américain – les années 1960 – Zeno comprenait que, si on voulait mener des réformes, il fallait recourir à l'action directe ; la vie d'un enseignant est indirecte.

L'équipe de maths parut néanmoins à Cressida une rencontre avec le Bien. Elle avait aimé travailler avec Rhonda, une fille silencieuse et facile à vivre, bonne en maths, mais pas tout à fait aussi bonne ni aussi rapide que Cressida, de sorte que cela la valorisait à ses propres yeux ; elle avait trouvé agréables l'admiration manifeste de ses jeunes élèves et leur désir d'apprendre. Et même les autres élèves de l'Équipe – des camarades de classe de Church Street dont, en temps ordinaire, les bavardages et les rires l'auraient ennuyée lui avaient paru sympathiques.

Et Mitch Kazteb, plus que sympathique.

« Alors, mon chou, comment ça s'est passé cet après-midi ? Tes "cours" de maths ? »

Cressida dit à Zeno que cela lui avait beaucoup plu.

Au dîner, elle arbora son badge à frimousse jaune vif. C'était une plaisanterie... mais pas uniquement.

Pendant qu'elle racontait sa journée au collège Booker T. Washington, elle surprit le regard qu'échangeaient ses parents, l'un de ces regards énigmatiques que les parents échangent dans ces moments-là, en présence de leurs enfants, et cela la fit sourire : elle savait qu'elle était la fille qui passait pour avoir des difficultés « relationnelles ».

Elle supposait qu'ils s'étaient fait du souci à son sujet, étonnés qu'elle se propose pour le genre de programme auquel Juliet participait régulièrement, et que Zeno, en sa qualité de maire, s'efforçait systématiquement de promouvoir sous la rubrique *actions de proximité*.

La séance du vendredi suivant se passa bien, elle aussi. Deux des volontaires de Church Street étaient cependant absents, et ne reviendraient sans doute pas ; et les garçons les plus âgés du programme, dont ceux qui étaient à la table de Cressida et de Rhonda, semblaient plus prompts à s'agiter après s'être concentrés sur quelques problèmes, plus aisément découragés que les filles. Grâce à ses dessins ingénieux et à son humour léger, Cressida eut toutefois le sentiment de se les concilier, et elle les félicitait quand ils faisaient quelque chose (n'importe quoi, en fait) « correctement ».

Il était un peu décevant pour les « professeurs » que la majorité de leurs élèves n'aient apparemment pas retenu leurs modestes apprentissages de la semaine précédente. Selon Mitch Kazteb, il fallait s'y attendre : « Mais l'équipe de maths persévère, elle aide tous ceux qui en manifestent le désir, et n'importe quel progrès est un bon point. D'accord ? »

Cressida lui signala que la frimousse jaune vif de son badge était à l'envers.

Elle fut de nouveau étonnée par sa décontraction pendant le cours et par ses bons rapports avec les autres « professeurs », notamment avec Rhonda ; elle s'était prise d'une grande affection pour quelques-uns des élèves, qui la fascinaient : leurs grands yeux vifs, marron foncé comme les siens ; la façon dont ils souriaient d'abord avec timidité, puis riaient, comme si la permission de rire devait leur être accordée par leurs professeurs. Et elle avait retenu leurs prénoms, dépaysants pour elle :

Opal, Shirlena, Vander, Marletta, Junius, Satin, Vesta, Ronette, Kellard.

Quelle différence avec les rapports qu'elle avait avec ses camarades du collège de Church Street – avec tous ses camarades depuis la maternelle, en fait. Enfant, Cressida Mayfield avait appris à feindre l'indifférence parmi ses pairs ; s'ils ne la voyaient pas, elle non plus.

De nouveau, le vendredi soir, Cressida parla avec chaleur de sa séance de mathématiques. Cette fois il y avait des invités chez eux, de vieux amis de ses parents qui l'assaillirent de questions ; c'était un couple qui avait connu Zeno et Arlette avant la naissance de leurs filles et qui ne s'était pas toujours senti à l'aise en compagnie de Cressida. Manifestement, ce jour-là, l'*intelligente* impressionna les Massey !

Puis vint le troisième – et dernier – vendredi.

La lune de miel prit fin brutalement quand, en entrant dans la salle de classe avec les autres professeurs, Cressida vit l'un de ses élèves donner un coup de coude à un autre, surprit le regard furtif mais railleur qu'ils jetaient dans sa direction et entendit… distinctement : *T'as la pas belle ?*

Elle écoutait Rhonda à ce moment-là, mais entendit la remarque, qui l'aurait figée sur place, telle une flèche reçue en plein cœur, si les circonstances du moment ne l'avaient soutenue et portée : car elle était trop fière, naturellement, pour montrer qu'elle avait entendu cette insulte enfantine ou qu'elle en avait été blessée.

Les deux garçons s'étaient aussitôt détournés, Kellard avait baissé la tête avec un petit rire (coupable?) et s'était glissé à sa place. Il saluerait les deux jeunes Blanches avec un visage candide, comme si rien ne s'était passé.

Le cœur de Cressida battait de honte et d'humiliation. Elle était à peu près certaine que Rhonda n'avait rien entendu, mais soupçonnait avec une angoisse nauséeuse que Mitch Kazteb, lui, avait entendu.

(Il ne lui avait pas jeté un regard depuis qu'ils étaient entrés dans la pièce. Il était gêné pour elle, évidemment. C'en était irrévocablement fini de leurs petits échanges pleins de gaieté et de verve.)

Ainsi commença la troisième et dernière séance au collège Booker T. Washington. Bravement, malgré sa rancœur, Cressida parvint à tenir son rôle jusqu'au bout.

Elle regarda à peine Kellard et les autres. Car il lui semblait maintenant évident que tous la détestaient. Une voix venimeuse lui martelait le crâne.

Hou hou hou! On te déteste. Tu es moche comme un pou.

La pauvre Rhonda dut remarquer que son amie était beaucoup moins présente que les semaines précédentes. Cressida Mayfield, qui avait la réputation d'être lunatique et imprévisible, ne participait qu'à peine, et sans enthousiasme; elle laissa à Rhonda le soin de parler; elle qui avait amusé les élèves avec ses bandes dessinées ne fit pas une plaisanterie ni un seul dessin ce jour-là.

Les élèves aussi sentirent que quelque chose n'allait pas. Assis un peu à l'écart des autres, Kellard s'agitait sur son siège et se rongeait les ongles d'un air sombre, voyant bien que Cressida l'ignorait et ne lui faisait pas un seul compliment.

Dans le bus du retour, Rhonda lui demanda si quelque chose n'allait pas, et elle répondit d'un signe de tête négatif.

Rhonda remarqua avec désapprobation que deux ou trois autres volontaires leur avaient fait faux bond cette semaine-là. Elle semblait sur le point d'exprimer l'espoir que Cressida n'en ferait pas autant, mais le silence de Cressida, qui regardait d'un air sombre par la fenêtre, affalée sur son siège, l'en dissuada.

C'était injuste! Cressida savait que Kellard avait eu de l'affection pour elle, comme elle en avait pour lui. Et pourtant, il n'avait pu s'empêcher de dire ce qu'il avait dit – et maintenant elle le méprisait et était incapable de le regarder.

Les autres élèves aussi... elle savait qu'ils étaient innocents, bien sûr. Les petites filles notamment, qu'elle avait trouvées si adorables. Mais maintenant... c'était fini. Pour rien au monde elle ne serait retournée au collège Booker T. Washington.

Ce soir-là, au dîner, Cressida fut maussade. Avec une certaine hésitation ses parents lui demandèrent comment s'était passé l'après-midi, et elle répondit avec un grand sourire indifférent : «Très bien, mais je n'y retournerai pas la semaine prochaine.

– Ah bon? Mais pourquoi?

– Parce que c'est du temps perdu. Ils "n'apprennent" rien, en fait... ils retiennent par cœur. Et puis ils oublient.

– Mais... tu avais l'air de trouver cela si intéressant...»

Cressida haussa les épaules. Pour elle, le sujet était clos.

«Tu disais que tu aimerais peut-être devenir professeur...»

Et Juliet dit : «Mais, Cressie! Tu disais que Rhonda et toi vous amusiez beaucoup. Tu devrais peut-être faire un dernier essai?»

Cressida secoua la tête. Non, plus d'illusions!

Elle avait jeté son badge souriant à la poubelle.

La pas belle. Peu à peu elle en viendrait à croire qu'il avait dit *laide.*

Se disant que ce n'était pas plus mal d'avoir appris à temps de quelle cruauté et de quelle bêtise étaient capables les jeunes élèves. Avant d'avoir pu commettre une erreur idiote et idéaliste. Et découvrant aussi à quel point elle était elle-même superficielle, facilement blessée, vaincue. À l'image d'un dessin de M. C. Escher tout en surfaces, ingénieux et éblouissant, sans profondeur ni cœur.

Dans le bus roulant vers le Nord. La dernière fois qu'elle avait regardé par la fenêtre le paysage était rural, vallonné. Ils avaient quitté la Floride – et la Georgie – et étaient maintenant dans la Caroline du Sud, ou peut-être déjà dans celle du Nord.

Paralysée d'appréhension, elle était emportée vers le Nord.

Pensant *Ils m'ont peut-être réellement oubliée. J'avais peut-être raison depuis le début.*

Et se disant *Peut-être le bus va-t-il se renverser. Peut-être...* « *dans un véhicule en feu sur l'I-95* ».

Elle avait dormi pelotonnée sur elle-même. Personne n'avait cherché à s'asseoir sur le siège voisin.

L'Enquêteur lui manquait terriblement ! Même son écœurement, sa déception lui manquaient.

Mais il avait eu raison : elle avait trahi sa confiance, elle ne pouvait plus lui être d'aucune utilité. Et elle avait cinquante ans de moins que lui, ce qui rendait ridicule toute relation autre que professionnelle.

Malgré tout, elle n'avait pas perdu la bague. Inlassablement, elle la faisait tourner autour de son doigt.

S'ils veulent bien me pardonner, je pourrai retourner près de lui. S'il veut de moi.

Il lui semblait dormir dans les mêmes vêtements depuis une éternité. Un vilain rêve l'avait ramenée dans le collège Booker

T. Washington… bien qu'elle eût erré dans un bâtiment laby-rinthique sans ressemblance avec la réalité.

Les enfants noirs se cachaient. Ils se moquaient d'elle, puis se jetaient sur elle. *Hou hou, tu es moche! Pourquoi tu ne meurs pas?*

Elle s'était mal conduite, là aussi. Elle l'avait su même sur le moment.

Mitch Kazteb avait tenté de la convaincre. Ils étaient tous découragés, certains des élèves étaient vraiment de sales gosses, bien sûr, et lui aussi avait été insulté… plus d'une fois. Mais on persévérait, on s'obstinait et ça finissait par aller, ou même mieux que ça.

Il avait téléphoné à Cressida quand elle n'était pas revenue avec le reste de l'équipe de maths.

Un garçon, téléphoner à Cressida Mayfield! Un élève de ter-minale qui lui parlait comme si elle lui plaisait, ou que quelque chose lui plût chez elle.

Elle avait éprouvé de l'attirance pour lui… mais seulement au début. Seulement quand tout allait bien.

Des sentiments aussi ténus que des toiles d'araignée. Rien de durable. De son côté à elle, en tout cas.

Et Rhonda avait appelé et dit qu'elle lui manquait. Elle l'avait supplié de revenir, de faire encore une tentative.

Cressida avait été profondément émue de ces coups de télé-phone. Comment aurait-elle pu leur avouer *qu'elle ne pouvait courir ce risque, qu'elle était trop facilement blessée.*

Au souvenir de ces erreurs d'adolescence, elle s'était mise à tousser dans l'air glacial du bus. D'autres passagers s'étaient plaints au chauffeur de ces courants d'air, beaucoup trop froids, depuis qu'ils avaient quitté la Floride.

Elle avait la gorge irritée et à vif. La peau hypersensible, comme si elle était en train de tomber malade.

Effrayée à l'idée d'être malade dans un endroit aussi public, si loin de tout ce qui pouvait ressembler à un foyer.

Elle était l'*intelligente*.

Elle le savait bon Dieu : l'*intelligente*.

Claquant la porte de la maison de Cumberland Avenue derrière elle.

Si personne ne le voyait ou ne l'entendait partir, aucune importance.

Si elle ne revenait jamais, aucune importance.

En elle un mécanisme d'horloge, tic-tac-tic-tac... tendu à se rompre.

« Je vous déteste tous. Si seulement vous pouviez tous... »

Mais elle ne pouvait prononcer le mot *mourir*.

Car bien entendu elle ne le pensait pas...

Pourquoi cette colère, ce cœur battant avec violence. Pourquoi ce sang martelant son crâne. Pourquoi ce désir, si puissant chez elle, comme chez les autres filles de son âge, le désir d'être touchée, d'être embrassée, d'être aimée, de *disparaître* ?

Aussi loin que remontaient les souvenirs de Cressida, être regardée, jaugée par les autres, l'avait mise mal à l'aise. Mais depuis quelque temps, ce sentiment devenait plus intense encore.

Depuis l'incident avec son professeur de géométrie, M. Rickard, qui lui avait dit des choses stupides, cruelles, impardonnables, quand elle s'était confiée à lui et lui avait montré ses dessins – « Lui, je le déteste. Lui, je voudrais qu'il soit *mort*. »

Peur/répulsion... face au regard des autres.

Généralement c'étaient les inconnus qui lui donnaient envie de se recroqueviller, de se faire toute petite, de *disparaître*.

Mais souvent aussi, les gens qui connaissaient son nom – ou, pire encore, qui savaient qu'elle était la fille cadette des Mayfield : l'*****.

Parfois, sa propre famille.

Claquant la porte derrière elle pour ne pas *hurler.*

En short kaki, tee-shirt à manches longues, baskets. Des vêtements amples de garçon qui dissimulaient sa silhouette (de garçon). Et ses cheveux mal lavés, repoussés n'importe comment derrière les oreilles.

Elle était en colère. Mais, surtout, elle avait honte.

Ce qu'elle avait fait pour blesser Juliet ! Elle avait honte.

C'était un samedi d'avril. Une semaine environ après le quinzième anniversaire de Cressida.

Enfermée dans la maison pour travailler son piano. Sans plaisir, obstinément, installée devant le piano de la salle de séjour, dans un coin de la pièce que la lumière naturelle éclairait si rarement qu'il fallait allumer une lampe même à midi, ce qui était une contrariété de plus. L'après-midi précédent, elle avait eu son cours de piano hebdomadaire, décevant pour elle comme pour M. Goellner, son professeur (elle le savait) ; elle était résolue à jouer cette sonate de Beethoven avec une fluidité, une rapidité et une perfection qui étonneraient M. Goellner le vendredi suivant, et réfuteraient l'opinion (probable) qu'il avait de son talent musical. Mais en dépit de sa concentration féroce, et de son obstination à jouer, rejouer et jouer encore ces arpèges étincelants, elle continuait à faire des erreurs : mauvaises notes, mauvais rythme… C'était balourd, maladroit, écœurant, car il s'agissait de la *Sonate n° 23* – la magnifique *Appassionata*. Il était blessant pour l'orgueil de Cressida d'admettre qu'elle ne la jouerait jamais que comme une médiocre pianiste de Carthage, même si chaque fois qu'elle se colletait avec elle – et que Zeno et

Arlette étaient dans les parages – ses efforts étaient salués par des applaudissements frénétiques.

« *Fantastique*, Cressie ! »

Ses parents croyaient bien faire, naturellement. Ses parents faisaient mine de *l'aimer.*

Mais elle savait : leur amour pour elle était une sorte de pitié, l'amour qu'inspirerait un enfant handicapé, ou mourant de leucémie.

Elle partit en claquant la porte. Inutile de dire à quiconque où elle allait.

Elle se rappelait vaguement avoir promis de faire quelque chose avec sa mère, ou avec sa mère et Juliet… dans le courant de l'après-midi.

Personne ne la vit prendre à vélo la longue allée qui menait à la rue. Comme chaque fois qu'elle enfourchait son vélo, elle savoura le plaisir de filer comme le vent presque sans effort.

Elle avait les jambes puissantes et bien musclées. C'était son torse, ses épaules, le haut de son corps qui étaient maigres et sans force ; ses clavicules qui saillaient sous une peau couleur de petit-lait.

Dans Cumberland Avenue elle prit la direction de l'église épiscopalienne et de son beau cimetière, au bout du pâté de maisons.

Le cimetière était l'un des *refuges* de Cressida. Depuis toute petite, elle éprouvait le besoin d'échapper à sa famille et de se cacher.

Dans le cimetière, elle rendait toujours visite aux vieilles tombes familiales. Elle connaissait par cœur les noms « historiques » gravés sur les pierres, si anciens et si usés que lettres et dates étaient à peine lisibles.

Il y avait des *Mayfield* dans la partie la plus ancienne du cimetière, qui datait des années 1790. Mais Zeno était convaincu que ce n'étaient pas ses ancêtres, car son arrière-grand-père Zenobah Mayfield, venu du nord de l'Angleterre, n'avait émigré, tout jeune, que dans les années 1890 ; sans compter que, à sa connaissance, aucun Mayfield n'avait jamais fréquenté l'église épiscopalienne.

Le cerveau surchauffé de Cressida s'apaisa un peu dans le cimetière. Car c'était un endroit paisible, un endroit secret.

Elle ne dessinait plus beaucoup ces derniers temps. Depuis que cet imbécile de Rickard l'avait insultée.

C'est impressionnant, mais… pourquoi refaire ce qu'Escher a si bien fait ?

Son erreur avait été de faire confiance à son professeur de géométrie. Parce qu'il paraissait avoir de la sympathie pour elle, la complimentait souvent en classe et lui souriait ; et parce qu'il riait des remarques ironiques qu'elle murmurait du coin des lèvres.

Parce qu'il était l'un des rares professeurs qu'elle eût jamais eus qui aient semblé capables de l'apprécier.

À présent, c'était fini. À présent, elle le détestait.

Et elle détestait la géométrie. Elle ne rendrait plus un seul devoir de tout le reste du trimestre, elle manquerait les cours. Affalée sur son siège, elle regarderait par la fenêtre, indifférente à M. Rickard qui tapotait le tableau de sa craie, posant des questions auxquels les meilleurs élèves s'empressaient de répondre, mais pas Cressida Mayfield… plus jamais.

Le cimetière lui fit une curieuse impression : la mort était si générale, si peu exceptionnelle… la mort était partout.

Et pourtant, dans la vie réelle la mort était terrible, indescriptible. Rien ne comptait davantage que les morts individuelles, uniques.

Elle se surprit à contempler un spectacle affreux : un gros insecte vert, une sauterelle, se débattant dans une gigantesque toile d'araignée, où étaient pris d'autres cadavres d'insectes. Quelle horreur! C'était le genre d'image «biologique» que vous épargnait l'art cérébral et paradoxal de M. C. Escher.

De dégoût, Cressida ramassa un bâton et détruisit la toile d'araignée. Si la sauterelle finit écrasée contre une tombe, toujours prisonnière des restes de la toile, ou libérée, elle ne se soucia pas de le savoir.

La mère de sa mère, qui avait tenu à ce que ses petites-filles l'appellent *Grand-mère Helene**, était morte juste avant Noël. Cressida avait fait des cauchemars après sa mort et ne pouvait voir une femme âgée aux cheveux blancs sans un serrement de cœur. Malgré tout, elle n'avait pas su aimer *Grand-mère Helene** comme Juliet l'avait aimée, et elle s'en voulait terriblement; à l'enterrement, elle avait été incapable de pleurer comme Juliet et Arlette, mais s'était rongé les poings, contrariée de devoir être là où elle était. Mais *Grand-mère Helene** n'avait pas été enterrée dans le cimetière épiscopalien.

Cressida ne supportait pas de penser aux circonstances de la mort de sa grand-mère. Elle ne supportait pas de penser à la mort (future) de ses parents: Zeno, Arlette. Son cerveau se bloquait comme un broyeur de déchets où tombe une cuiller. (Quand en rechignant Cressida aidait à débarrasser après les repas, il arrivait souvent que des cuillers, des couteaux et des fourchettes terminent entre les pales tournoyantes du broyeur et les esquintent.)

Elle se disait *C'est si loin que ça n'arrivera jamais. Ne sois pas ridicule!*

Elle était sur une allée de gravier dans la partie ancienne du cimetière. La partie plus récente l'attirait moins, bien qu'elle fût plus en hauteur, sous de hauts marronniers.

Plus récente signifiait qu'on risquait d'y voir un nom que l'on reconnaîtrait.

Elle s'aperçut alors qu'un cortège funèbre se trouvait dans cette partie récente.

Des inconnus, apparemment, à son grand soulagement.

Elle suivit l'allée d'un pas hésitant. Elle ne voulait pas faire volte-face pour éviter le cortège, mais pas non plus attirer l'attention.

Avec son short, son tee-shirt trop grand, elle se sentait mal à l'aise. Il y avait néanmoins le plaisir de se croire inconnue, anonyme.

Un jour, elle s'en irait faire son chemin dans le monde : anonyme.

Mais, comme pour la railler, voilà que l'une des femmes du cortège regarda ostensiblement dans sa direction et la salua de la tête.

Leva une main gantée avec une ébauche de sourire.

Cressida la connaissait, bien entendu : Mme Carlsen.

Ginny Carlsen, la femme de Patrick Carlsen, un associé de Zeno Mayfield.

Les Mayfield et les Carlsen se fréquentaient. Quoique les Carlsen fussent plus âgés que les Mayfield. C'était très probablement l'un de leurs parents dont on mettait le cercueil en terre.

Se faisant l'effet d'un animal pris au piège, incapable un instant de respirer, Cressida vit plusieurs autres personnes tourner la tête vers elle, la saluer d'un geste de la main.

Qui est-ce ? La fille des Mayfield. La cadette…

Très vite, elle quitta le cimetière, poussant rudement son vélo sur les allées de gravier. Bien que le ciel se chargeât de nuages de pluie, elle ne rentra pas chez elle, mais descendit Cumberland Avenue par une série de collines. Une grande partie de ce quartier n'était pas encore bâtie, des parcelles vacantes et des bois s'intercalaient entre de grandes propriétés. Cressida connaissait le nom de la plupart des familles qui habitaient ces maisons, mais son cerveau tournait à vide. Elle éprouvait un curieux sentiment de vertige, d'angoisse, comme si elle avait échappé de justesse à… quelque chose.

Plusieurs des collines étaient d'origine glaciaire et abruptes. Elle dut les descendre à pied, son vélo à la main. Une voix d'ortie dans la tête : *Arlette! J'ai vu ta fille l'autre jour… nous étions au cimetière. Quelle gamine étrange, seule et sans amis un samedi après-midi.*

Il y avait une phobie – l'*autophobie* – qui se caractérisait par la terreur d'être seul. Et il y avait l'*isolophobie*, la terreur de la solitude, ce qui revenait au même.

Elle avait découvert des phobies bien curieuses : *spectrophobie* (terreur de se voir dans un miroir), *ornithophobie* (terreur des oiseaux). Et aussi la *zoophobie* (terreur des animaux) et l'*anthropophobie* (terreur des gens).

Des phobies plus courantes, dans lesquelles la majorité des gens pouvaient se reconnaître, étaient la *claustrophobie*, l'*agoraphobie*, l'*acrophobie* (terreur des sommets).

Son cœur battait vite, comme les ailes d'un oiseau emprisonné. C'était une sorte de claustrophobie mêlée d'anthropophobie : sa crainte que les autres ne la prennent au piège de leurs regards, ne s'arrogent des droits sur sa personne.

Zeno avait plaisanté récemment sur cette phobie courante et pourtant «extrêmement bizarre», la *triskaidekaphobie* ou terreur du chiffre treize.

Zeno aimait se vanter de n'avoir pas plus de superstition que de bienfaiteur «surnaturel», mais la plupart des gens, y compris Cressida elle-même dans ses moments de faiblesse, avaient peur de quelque chose.

La peur de l'inconnu : comment la nommait-on ?

Pire encore : la peur du *connu.*

Cressida rit, c'était tellement absurde.

Elle avait les idées embrouillées et entortillées comme ces fils de tapis aspirés par les roues tournoyantes de l'aspirateur. *Oh! Cressida! Tu as encore détraqué l'aspirateur?* Elle était exemptée d'une tâche ménagère après l'autre. Ce n'était pas sa faute... vraiment! Jusqu'à ce qu'Arlette finisse par lui trouver des tâches qui n'exigeaient pas beaucoup de concentration et lui permettaient de rêvasser sans résultats désastreux : sortir les serviettes du sèche-linge, par exemple, les plier et aller les ranger dans le placard du premier.

Cressida remonta sur son vélo, bien que la pente fût encore raide. Elle n'avait pas pris son casque : ses parents la gronderaient s'ils savaient.

Casse-cou. Depuis toute petite, elle se cognait fréquemment aux objets, collectionnait les bleus et les coupures aux jambes. Il lui traversa l'esprit qu'elle cherchait à se punir de sa mauvaise conduite à l'égard de Juliet et de son amie, Carly Hempel. *Honte! Honte à toi, Cressida Mayfield.*

Ta punition : une cervelle en marmelade.

Une meilleure solution encore serait de disparaître purement et simplement.

Car si elle disparaissait, si elle ne rentrait jamais de sa promenade à vélo, qui s'en soucierait?

Elle les avait souvent entendus – sa famille – parler et rire ensemble, la voix assourdie. Quand elle montait brusquement dans sa chambre pour être seule – avec ses livres, son «art» – sachant que sa grossièreté déroutait ses parents et sa sœur; mais sachant aussi que, très vite, au bout de quelques minutes, elle cesserait de leur manquer et qu'ils l'oublieraient, Zeno, Arlette, Juliet, heureux et détendus ensemble.

Ils s'étaient habitués au comportement de Cressida au sein de la famille. Parents et amis comprenaient. On se montrait indulgent envers Cressida. On ne s'attendait pas qu'elle réponde à un salut par un sourire ni qu'elle vous regarde dans les yeux ; on ne s'attendait pas qu'elle se lève d'un bond, avec les autres, pour s'offrir à préparer un plat, à déplacer tables et bancs de pique-nique dans le jardin de derrière, à mettre ou à débarrasser la table.

On ne s'attendait même pas qu'elle reste assise le temps de finir – d'essayer de finir – un repas ; encore moins qu'elle s'attarde ensuite à table, comme les autres, non par obligation, mais parce que leur compagnie mutuelle leur était un plaisir et non une souffrance.

Un besoin désespéré de s'enfuir, d'être seule. Et une fois seule, des pensées qui fondaient sur elle comme des frelons enragés.

Elle fila follement dans la descente, en direction de Carthage. Les narines agressées par une odeur de déchets chimiques, de pourriture organique et de caoutchouc brûlé venant de ce vieux quartier de la ville, au bord de la Nautauga, qui avait été autrefois une zone de petites usines, de manufactures et d'entrepôts, maintenant à demi déserté. Il n'y restait plus que quelques commerces éparpillés qui semblaient au bord ou au-delà de la faillite : stations d'essence, fast-foods, tavernes, prêteurs sur gage, ICI ENCAISSEZ VOS CHÈQUES SANS DÉLAI.

Cela lui ressemblait bien, diraient-ils, d'avoir dévalé cette route, ces pentes abruptes, sans réfléchir, tête baissée, pour aboutir *là*.

C'était une erreur, peut-être : elle ne réussirait pas à remonter ces collines à vélo et devrait marcher une bonne partie du chemin.

Mais elle ne téléphonerait pas chez elle pour demander à quelqu'un – ce serait sa mère, naturellement – de prendre le break pour venir à sa rescousse.

Tant pis s'ils la cherchaient... si elle manquait quelque chose en n'étant pas à la maison.

Cressida, chérie, où étais-tu donc passée ? Nous nous faisions du souci !

Tu m'avais dit que tu partais te promener à vélo ? As-tu seulement dit au revoir ?

Nous t'avons cherchée dans ta chambre, chérie... nous t'avons téléphoné... j'ai même appelé Marcy Meyer en me disant que peut-être...

Dans Waterman Street il y avait de la circulation : camions, camionnettes de livraison, véhicules mangés de rouille qui se préoccupaient nettement moins du confort d'une cycliste solitaire qu'on ne le faisait dans les collines résidentielles du nord de Carthage. Pourtant Cressida aimait bien l'endroit, ce léger sentiment de risque, de peur quand, frôlée par les voitures, son vélo tressauta sur des rails de voies ferrées, si soudainement qu'elle manqua lâcher le guidon. (Elle n'était pas la seule cycliste dans Waterman Street : un peu plus loin, il y avait un groupe de garçons, des adolescents dégingandés, qui ne l'avaient pas remarquée. L'un d'eux était peut-être Kellard.)

(Cressida n'oublierait pas facilement Kellard. C'était idiot à dire, mais il lui avait brisé le cœur.)

(Elle savait, bien sûr : c'était trois fois rien ! Totalement insignifiant, oubliable. Mais elle n'oublierait pas.)

L'odeur chimique devenait plus forte à mesure qu'elle progressait dans Waterman Street. Elle dépassait, sur sa droite, une gare de triage désaffectée et, dans cette gare qui s'étendait sur cinq cents mètres le long de la rivière, il y avait des wagons abandonnés, un tas de ferraille, des amas sinistres de gravier ou de poudre grisâtre : une odeur d'azote ? Et quelque chose qui rappelait le soufre.

Elle dépassa Fisher Avenue – le collège Booker T. Washington était à une ou deux rues de là – puis, au 200, Waterman Street, la façade de brique beige de la Home Front Alliance, un organisme caritatif qui distribuait des repas, et tenait un « magasin » où des gens démunis, sans domicile, des familles entières (des « clients », disaient prudemment Zeno) étaient invités à faire leurs courses une fois par mois comme dans un supermarché et à remplir un nombre déterminé de Caddies : un par adulte, plus un par « famille ». Zeno Mayfield avait contribué à la création de cet organisme quand il était maire de Carthage et membre du conseil municipal ; il s'occupait encore de son administration, faisait du lobbying et organisait des soirées pour obtenir des fonds. Naturellement, les Mayfield s'étaient investis dans de nombreux programmes de la Home Front Alliance ; Arlette et Juliet, notamment, aidaient toujours à la distribution de repas et au magasin – avec quelle fréquence, Cressida ne le savait pas précisément, car ces choses-là l'intéressaient peu.

Au début, pourtant, elle s'était laissé persuader d'accompagner sa famille à la Home Front… pour une sorte de campagne caritative réunissant bénévoles, animateurs de quartier, membres d'institutions religieuses et « clients ». À un buffet, elle avait servi à la louche, dans des assiettes en carton, des pâtes couvertes d'une croûte fondue de mozzarella ; elle avait même aidé, malheureuse et mourant d'ennui, au gigantesque nettoyage qui avait suivi. (En remarquant que Zeno, maître de cérémonie de la soirée, évitait la cuisine comme la peste.) Elle s'était ensuite esquivée pour attendre ses parents dans la voiture, soulagée par l'arrivée de nombreux bénévoles, essentiellement des femmes blanches, cultivées et fortunées que ses parents connaissaient.

Cressida avait plaisanté l'activisme social de ses parents en paraphrasant une remarque de W. H. Auden : « Nous sommes ici sur terre pour aider les autres. Mais pourquoi ces autres sont là, personne ne le sait. »

Néanmoins, malgré son manque d'intérêt pour la Home Front, et la déception douloureuse du programme de soutien en mathématiques, Cressida espérait toujours faire le Bien. Elle y penserait comme à une haute montagne à escalader. Mais une montagne lointaine, située ailleurs que dans le sud des Adirondacks.

Devant le bâtiment, une longue queue attendait à l'entrée de la soupe populaire. Des hommes surtout, probablement SDF. Cressida passa très vite.

Éprouvait-elle de la honte ou... un sentiment de défi ? De la culpabilité ou du mépris ?

Je ne me soucie pas plus de vous que vous de moi.

Pourquoi le devrais-je ?

Je suis la moche.

Ce qu'elle avait fait au pull en cachemire de Juliet, ce beau cardigan couleur bruyère que *Grand-mère Helene** lui avait offert pour son anniversaire, deux ans auparavant... ça, elle en avait honte.

Avec des ciseaux à ongles, elle avait coupé quelques fils cruciaux, à l'intérieur. Avec un frisson d'allégresse, car qui s'en douterait ?

Parfois aussi Cressida effaçait les messages téléphoniques de Juliet, ceux qu'enregistrait le répondeur familial.

Parfois encore elle s'appropriait des affaires de Juliet – le nouveau petit portable scintillant que lui avaient offert leurs parents, par exemple – et elle les jetait.

Oh ! zut ! Je perds toutes mes – fichues – affaires, j'en pleurerais.

Et Cressida, la sœur cadette, dit d'un ton moqueur, avec son petit sourire perfide *Pauvre Julie ! Tu as peut-être attrapé le cerveau ratatiné de grand-mère.*

(Une remarque vraiment méchante, que Juliet désamorça par un petit rire interloqué.)

(Qui aurait choqué sa mère, si elle l'avait entendue.)

Si souvent malade de rancœur, de jalousie et d'envie à l'égard de sa jolie sœur que tout le monde adorait, *et que Cressida elle-même adorait*, qu'elle se glissait en catimini dans la chambre de Juliet pour s'asseoir devant son ordinateur. Juliet l'éteignait rarement si bien qu'il n'était pas difficile d'accéder à sa messagerie et de supprimer des e-mails, y compris ceux qui venaient d'arriver ; Cressida lisait la correspondance de sa sœur avec ses nombreuses amies et avec son petit ami Elliot Keller – mais aussi avec d'autres garçons, ce qu'Elliot ne devait pas savoir – et supprimait les messages à sa guise, avec une satisfaction puérile. Pourquoi sa sœur avait-elle autant d'amis, même superficiels et idiots, alors que Cressida n'en avait pas ? C'était injuste. Elle détestait particulièrement les messages qui se terminaient par *Bises*, car elle ne recevait que de rares e-mails d'une ou deux camarades de classe, et jamais avec ce mot-là.

Quelquefois, Cressida employait ses talents informatiques, limités mais fatals, pour mettre la pagaille dans les fichiers de Juliet.

Et c'était elle que la pauvre Juliet venait supplier de l'aider : *Oh! Cressie! Je suis tellement stupide… j'ai dû faire quelque chose de travers… cliquer sur je ne sais pas quoi… tu ne vas pas me croire, mais tout mon « bureau » a disparu!*

Et Cressida la prenait en pitié. *D'accord, je suis l'« intelligente », il paraît. Je vais essayer.*

Elle était arrivée au croisement de Waterman et Ventor Street, un quartier d'entrepôts désaffectés en bord de rivière, quand elle s'aperçut qu'une camionnette de livraison la serrait de beaucoup trop près ; elle avait beau rouler tout contre le trottoir, le conducteur semblait se rapprocher toujours davantage pour l'effrayer; il avait manifestement ralenti l'allure pour rester à sa hauteur. Car quand le feu passa au vert, au lieu de démarrer en trombe, la camionnette resta légèrement derrière elle.

Était-ce une radio jouant à plein volume que Cressida entendait? Ou... la voix du conducteur, une voix basse faussement caressante, des mots qu'elle ne distinguait pas?

Des mots qu'elle ne souhaitait pas distinguer.

Elle avait si peur qu'elle donna un coup de guidon et manqua être déséquilibrée quand le vélo grimpa sur un trottoir et fila sur le béton fissuré d'une station-service abandonnée. Le sol était jonché d'éclats de verre, de bouts de ferraille et de détritus, de mauvaises herbes robustes sortaient des fissures tels des doigts sinistres. Le conducteur de la camionnette avait freiné, et il cria à Cressida, distinctement cette fois : «Hé, petite pétasse... où tu cours si vite petite salope tu sais quoi?... quelqu'un va défoncer ton joli petit cul.»

En roulant dans Waterman, Cressida avait vaguement pensé qu'elle attirerait l'attention d'hommes – et de garçons – et qu'ils «s'intéresseraient» peut-être à elle; alors que dans Cumberland Avenue ou autour du lycée de Convent Street elle n'éveillait l'«intérêt» de personne. Et maintenant... au temps pour elle et son fantasme!

Peut-être était-ce une plaisanterie. Ou peut-être une menace.

Cela n'avait rien de flatteur, en tout cas : c'était une insulte, obscène et détestable.

Le conducteur voyait bien que Cressida était jeune. Il voyait bien qu'elle était terrifiée. De plus en plus tendue et maladroite, elle s'efforça de l'ignorer, mais la camionnette grimpa hardiment sur le trottoir, s'engagea dans la station, slalomant entre les ordures. Elle eut la vague vision d'un visage égrillard, un homme plutôt jeune, mal rasé, le front bas et le sourire moqueur et… prise de panique, perdit l'équilibre, bascula en avant et tomba.

Sanglotante et tremblante sur le ciment taché de graisse. Elle savait qu'elle s'était blessée au genou, espérait qu'elle n'avait rien de foulé ou de cassé. Sa tête avait heurté quelque chose de dur. Sous elle, le guidon du vélo lui entrait dans les côtes. Elle entendit une voix d'homme – un autre homme? Un second véhicule s'était arrêté dans Waterman Street, un jeune homme en jaillit et s'élança vers elle tandis que, au même instant, la camionnette décrivait un demi-cercle et prenait la fuite.

Le jeune homme invectiva le conducteur en brandissant le poing.

«J'ai tout vu! dit-il à Cressida. Le salopard.»

Ce jeune homme lui était inconnu. Elle remarqua confusément des cheveux châtain clair, un regard direct, une expression de profond écœurement, adouci de sollicitude pour Cressida, qu'il aida à se remettre debout. Puis il releva le vélo, vérifia l'état des roues en les faisant tourner et corrigea l'alignement de la roue arrière.

«Ça va?» Il lui coula un regard de côté.

Cressida frotta son genou maculé et couvert de sang. Ses oreilles bourdonnaient, ses yeux étaient pleins de larmes. Elle s'efforça de rire, de dire que oui, elle allait bien.

Dans la rue, le moteur de la voiture de l'inconnu tournait au ralenti. Il s'était précipité à son secours sans prendre le temps de couper le contact.

«Qu'est-ce qu'il voulait? Vous renverser, ou juste vous faire peur? Ce connard. J'aurais dû noter son numéro.»

Cressida était trop embarrassée pour répondre. Elle souriait bêtement, tentait de rire. Mais était-ce drôle?

Ses paumes de main étaient égratignées, elles aussi, striées de minuscules filets de sang. Et elle avait l'impression d'avoir les côtes fêlées.

« Vous savez, je crois que ma mère travaille pour votre père… c'est bien Zeno Mayfield, hein ? Le maire ? Ma mère travaille à la municipalité. Votre père est un type super. »

Cressida se redressa avec précaution, grimaçant de douleur. Elle était incapable d'affronter le regard du jeune homme, qui lui souriait.

Vingt-deux ou vingt-trois ans, sans doute. Mais elle n'avait aucune idée de qui il était.

Timidement elle murmura que oui, Zeno Mayfield était bien son père.

« Ma mère, c'est Ethel Kincaid. Dites bonjour à votre père de ma part… Brett. »

Brett Kincaid sortit de sa poche un mouchoir qu'il déplia pour vérifier qu'il était propre ; ce mouchoir, il le tendit à Cressida pour qu'elle étanche le sang qui coulait de son genou.

Le long de son mollet gauche et dans sa chaussette, jusqu'à son pied dans la basket crasseuse. Si semblable au sang des règles que le visage de Cressida flamba.

« Je devrais peut-être vous raccompagner chez vous ? Mettre le vélo dans le coffre ? Vous n'avez pas l'air en état de faire du vélo. »

Mais Cressida assura qu'elle allait tout à fait bien.

Brett Kincaid n'insista pas. Mais il examina de nouveau le vélo, empoignant le guidon et le faisant avancer et reculer pour s'assurer que les roues tournaient maintenant correctement et que les freins n'étaient pas endommagés.

Puis, d'un ton sceptique, il dit : « N'empêche que je ferais peut-être mieux de vous raccompagner. Ouais, je crois que c'est mieux. »

Cressida protesta faiblement. Son cœur battait ridiculement vite. Elle vit que Brett Kincaid la contemplait d'un air inquiet, comme s'il était son frère et non un inconnu.

« Ça ne me dérange pas. Je rentre chez moi de toute façon. Où habitez-vous ? Du côté de Cumberland ? »

Il porta le vélo jusqu'à sa voiture et le déposa avec soin dans le coffre, abaissant le hayon sans le fermer ; silencieuse, Cressida le suivit en boitant et prit place côté passager (elle ne conserverait qu'un vague souvenir de la voiture de Brett Kincaid, car elle s'y connaissait peu en voitures et était incapable de les distinguer, d'établir leur âge ou leurs particularités), et Brett la raccompagna, refaisant presque exactement en sens inverse son parcours à vélo dans les collines du nord de Carthage, comme s'il savait plus ou moins où elle habitait. Devant la grande maison de style colonial de Cumberland Drive, jusqu'à laquelle Cressida l'avait guidé, Brett se gara et dit d'un ton neutre, sans la moindre trace d'envie ni d'ironie : « Une bien belle maison que vous avez là. Ce quartier est super. J'ai rencontré votre père quelquefois… il se souviendrait peut-être de moi… les matchs du J-C-C ? Il est venu quelquefois à Solstice Park. »

J-C-C. Cressida n'avait pas la moindre idée de ce que c'était. *Jeune Chambre de commerce ?* Zeno s'intéressait depuis toujours aux « sports de quartier ». Dans certains cas il s'agissait d'actions de proximité pour les enfants de familles pauvres, mais peut-être pas toujours.

Les joues de Cressida flambaient encore. Elle marmonna un vague *Merci !*

Elle noterait qu'il n'avait pas tourné dans l'allée, mais s'était garé dans la rue, et pas tout à fait devant la maison des Mayfield, de sorte que si par hasard quelqu'un avait regardé par les fenêtres il n'aurait pas vu la voiture, ni Brett sortir le vélo du coffre et le rendre à Cressida.

Elle noterait qu'il ne lui avait pas demandé son nom.

Pour ne pas l'embarrasser davantage, ou parce qu'il n'y avait pas pensé.

Et Cressida n'avait pas croisé son regard. Ne lui avait pas rendu son sourire.

La phobie de regarder l'autre. Car alors l'autre vous regardera.

Elle roula rapidement son vélo jusqu'au garage. Elle boitait légèrement, des élancements de douleur dans le genou.

Mais son cœur battait toujours d'excitation.

La joie de – elle ne savait pas trop – d'être *en vie*, peut-être.

Et si elle ne revoyait jamais Brett Kincaid, si à leur prochaine rencontre il ne se souvenait pas d'elle, cela ne modifierait en rien l'intensité de ce moment de sa vie.

Quelques années plus tard, quand Juliet présenta le caporal Brett Kincaid à sa famille, Cressida eut l'impression (à moins que ce ne fût un effet de son imagination) qu'il se souvenait d'elle.

Il lui sourit, lui serra la main, gaiement.

Un sourire entendu, un sourire intime, qui lui assurait cependant qu'il ne la mettrait jamais dans l'embarras en évoquant leur souvenir commun.

Nous partageons un secret tous les deux. Pour toujours.

*

Ils quittaient maintenant la Virginie pour le Maryland et, bientôt, le New Jersey ; tout de suite après, ce serait New York, où Cressida débarquerait dans une gare routière bruyante et prendrait un autre Greyhound qui la conduirait à Albany par l'I-87.

Portant les mêmes vêtements depuis son départ, les cheveux sales. Il était possible de se laver, à défaut de prendre un bain, pendant un trajet en bus de plusieurs jours, mais il fallait profiter pour cela des arrêts dans les aires de repos, et Cressida n'en avait pas eu l'énergie.

La climatisation du bus avait finalement été réglée, mais trop tard : Cressida était tombée malade. Elle avait la gorge douloureuse, la peau irritée par le moindre contact avec ses vêtements, elle toussait lamentablement, crachant de vilaines glaires verdâtres dans ses mouchoirs en papier et, quand ils furent épuisés, dans des longueurs de papier-toilette. Avec un serrement de cœur, Cressida se rappela Haley McSwain se penchant sur elle, le front plissé, lui demandant si elle allait bien parce qu'elle l'avait entendue tousser. Ou effleurant le front de Cressida de ses gros doigts frais et lui demandant si elle n'avait pas de la fièvre… son front était « moite ».

Au centre anticancéreux, l'amie de Haley, Luce, avait examiné « Sabbath », la jeune sœur dont Haley s'occupait aussi bien qu'une mère inquiète. Maintenant qu'elle était si seule, dans ce Greyhound qui filait à travers un paysage de plus en plus nu et hivernal, elle se rappelait avec saisissement que, pendant sept ans, elle avait été « aimée », « protégée » ; dans son ignorance, elle avait même trouvé tout naturel que la petite technicienne philippine, pour qui elle était une parfaite inconnue, eût veillé sur sa santé à la demande de Haley, allant jusqu'à lui fournir des antibiotiques, des médicaments gratuits qui, dans une pharmacie, auraient coûté des centaines de dollars et n'étaient de toute manière délivrés que sur ordonnance.

Dieu, que Haley lui manquait !

L'Enquêteur lui manquait encore davantage.

Et ses parents, et Julie. Et Brett Kincaid… tel qu'il était à vingt ans, avant ces blessures qui l'avaient rendu monstrueux et détourné d'eux.

N'empêche que je ferais peut-être mieux de vous raccompagner.
Ouais, je crois que c'est mieux.

*

Ne se disant jamais *Je l'aime.* Car ni l'émotion ni son expression n'étaient dans les capacités de Cressida.

Se disant plutôt *Avec lui au monde quelque part, je peux être heureuse.*

Il ne lui avait pas paru très étonnant que Juliet amène Brett Kincaid chez eux. Que Brett *entre dans la famille Mayfield...* c'était une bonne chose!

Brett et elle seraient ainsi apparentés. L'idée d'avoir enfin un frère la ravissait.

Elle en avait assez de sa seule compagnie et de celle de sa sœur. Elle trouvait cela si rasoir qu'elle avait demandé un jour à ses parents stupéfaits pourquoi ils n'avaient fait que des *filles.*

«Dans la plupart des pays, tout le monde veut des fils. En Chine, par exemple, et maintenant en Inde, où le nombre de filles "vivantes à la naissance" est en chute libre. Mais vous, vous n'avez fait que de filles. Pourquoi?»

Poser une telle question à ses parents était absurde. Et pourtant Cressida la posait en toute innocence, car elle voulait véritablement savoir.

«Eh bien... c'est quelque chose d'assez intime, tu sais? dit gauchement Arlette. Je ne sais pas vraiment comment répondre.

– Tu veux savoir pourquoi nous n'avons fait "que des filles", Cressida, ou pourquoi nous n'avons pas fait d'autres enfants?» demanda Zeno.

Cressida n'était pas sûre de percevoir la nuance. Zeno lui lançait ce genre de question comme il l'avait bombardée de balles de ping-pong à l'époque où ils jouaient à ce jeu dans la salle du sous-sol; quand elle avait commencé à renvoyer les petites balles et à gagner une partie de temps à autre, Zeno avait montré moins d'empressement à jouer.

«Nous n'avons pas eu d'autres enfants parce que nous nous sommes rendu compte que nous étions très heureux comme ça. Que c'était *parfait* comme ça.» Avec le petit sourire narquois qui annonçait une plaisanterie, il ajouta : «Si nous avions eu un autre bébé, cela aurait pu être une fille. Et le suivant, une autre fille encore. Cela arrive. Rien ne garantit que l'enfant suivant sera un garçon. Et qui a besoin d'un fils? J'ai échappé à un petit Œdipe m'épiant dans l'ombre. Mes deux filles chéries exaucent toutes mes prières.»

Parfois, pourtant, elle se sentait seule. Et parfois, amère.

Brett Kincaid avait beau être au monde, quelque part – «en mission» en Irak… –, quel réconfort cela lui apportait-il?

À l'université de St. Lawrence elle avait été très malheureuse. Bien plus que dans sa famille et au lycée de Carthage où elle connaissait tout le monde, ou se consolait en croyant connaître tout le monde : leur profondeur (superficielle), leurs particularités (sans surprise).

Dans une condamnation sauvage de leur médiocrité, elle les avait représentés sous la forme de silhouettes rabougries montant des marches à l'infini. Ses dessins étaient sa vengeance tout autant qu'une consolation. Car elle pouvait regarder ces œuvres d'art curieuses – d'un œil froid et objectif – et voir qu'elles étaient saisissantes, dérangeantes et «profondes» comme peu de choses l'étaient dans sa vie.

Mais cela, c'était au lycée, à Carthage. À présent, elle était à l'université, dans la petite ville de Canton. Une université qu'elle n'avait pas choisie, mais dont ses notes irrégulières l'avaient obligée à se contenter.

Elle regrettait presque la conduite impulsive qui avait été si souvent la sienne au lycée. Vite blessée et furieuse contre un professeur – M. Rickard n'était qu'un exemple parmi d'autres –, elle omettait de rendre des devoirs importants, n'étudiait pas pour son examen final, sabotait ses propres efforts. Il lui était souvent arrivé de perdre un A de moyenne de cette façon, si bien qu'au lieu de finir major de sa promotion de 2004, elle était parvenue à avoir son bac avec des notes inférieures à celles de sa sœur Juliet, en 2000.

L'intelligente était-elle vraiment si *intelligente* que cela, en fin de compte ?

Naturellement Cressida n'avait pas été admise dans les universités prestigieuses qu'elle avait choisies – Cornell, Syracuse, Middlebury, Wesleyan. Ni même dans celles de la catégorie immédiatement inférieure. Elle s'était déconsidérée, couverte de honte. Ses prétentions de supériorité avaient été confondues. Elle percevait obscurément qu'en se punissant elle punissait ses parents et tous ceux qui avaient prédit sa réussite universitaire… car ces prédictions faciles la hérissaient !

Cressida est tellement… originale. Elle est différente de tous les enfants que nous avons pu connaître. Si seulement elle était moins imprévisible… plus coopérative, dans son propre intérêt.

Ses parents lui serinaient depuis sa classe de seconde, depuis l'incident avec M. Rickard, qu'elle sabotait son avenir avec ce comportement impulsif… mais naturellement Cressida ne les avait pas écoutés.

Comme de passer les pointes acérées de ciseaux à ongles sur sa peau. Sur les veines bleutées si tentantes de son poignet. Ou d'approcher les doigts de la flamme du brûleur sur la cuisinière. *Douleur ? Qu'est-ce que la douleur ? Une ombre dans le cerveau, qu'il convient de vaincre.*

Même les professeurs qui admiraient Cressida Mayfield n'avaient pu faire autrement que de nuancer leurs lettres de recommandation. Ils ne pouvaient, en conscience, user des termes élogieux dont ils décrivaient leurs meilleurs élèves.

Tu es ton pire ennemi, Cressida. Pourquoi?

Mais Zeno avait eu une nouvelle idée : si Cressida avait des résultats brillants pendant sa première année à St. Lawrence, elle pourrait changer d'université l'année suivante. « "Il y a un deuxième acte dans la vie d'un Américain"… quand on sait saisir l'occasion. »

Toujours ces pressions! Cressida avait parfois l'impression d'un étau (invisible) lui comprimant le crâne, déformant son cerveau.

À St. Lawrence, elle aurait dû briller. Elle n'avait aucune raison de ne pas le faire, elle le savait. Et, au début, elle travailla en bonne étudiante appliquée : le genre d'étudiante que les professeurs récompensent par des notes élevées ; puis le démon de l'autosabotage refit surface, son envie de désobéir, de résister. Comme une sale gosse, elle ne supportait pas qu'on lui impose quoi que ce soit : le nœud du problème était là. Un sujet qu'elle aurait approfondi d'elle-même avec enthousiasme lui devenait ennuyeux quand on le lui *imposait*. Telle une laisse autour du cou.

Et c'était étrange, déstabilisant, d'être loin de Carthage, où tout le monde savait qu'elle était la fille cadette des Mayfield ; elle ne s'était pas vraiment rendu compte jusqu'alors que la réputation de son père la définissait et la protégeait à la manière dont une eau très salée soutient le moins doué des nageurs, sans qu'il s'en aperçoive. En dépit de son mépris pour la « réputation » politique de son père, pour son « statut » social, elle les avait toujours tenus pour acquis. Mais maintenant, elle était à Canton, qui, sans être très éloigné de Carthage, l'était cependant assez pour que personne n'y connût les Mayfield. Maintenant, elle n'habitait plus la maison de ses parents, qui l'avait longtemps protégée et emprisonnée ; si elle sautait des repas, sautait des cours, si elle sortait insuffisamment vêtue par un temps glacial et qu'elle ne prenne pas la peine de retourner à sa résidence s'habiller plus raisonnablement, il n'y avait personne pour s'en préoccuper ou même seulement le remarquer.

Personne pour lui lancer d'un ton réprobateur *Cressie chérie ! Tu vas mettre tes boots aujourd'hui, évidemment ?*

Ou *Viens t'asseoir ici, Cressie. Tu ne pars pas d'ici avant d'avoir pris ton petit-déjeuner.*

Il lui était pénible de se faire à l'idée que Brett Kincaid s'était enrôlé dans l'armée : ce jeune homme qui avait été si gentil avec elle, et qui lui avait fait une si forte impression ; après la déclaration de guerre, en mars 2003, le soldat de première classe Kincaid avait été parmi les premiers à être expédiés en Irak, dans une région du nom de Salah ad Din… qu'elle avait essayé de situer sur une carte. Brett Kincaid, son ami (secret) !

Le fiancé de sa sœur, aimé de tous les Mayfield, Zeno compris, même si son père semblait toujours nerveux et mal à l'aise, incapable de trouver le ton juste pour parler à Brett : aussi séduisant en grand uniforme qu'un héros sur une frise antique. Cressida se rappellerait toujours le jour de son départ : la façon dont il lui avait serré les mains, ce sourire qu'il avait eu pour tous ceux qui étaient venus l'accompagner à l'aéroport et qu'on ne devait jamais lui revoir. Brett avait dit que son père avait « servi » dans la guerre du Golfe, et bien qu'il n'eût pas vu (le sergent) Graham Kincaid depuis des années, il semblait croire que son père saurait qu'il s'était engagé et en serait fier.

Cressida avait été déçue qu'il ait une conduite aussi… *ordinaire.* Depuis les attentats terroristes du 11-Septembre, les discours de propagande des hommes politiques avaient envahi les médias : «armes de destruction massive» dissimulées en Irak, atroce dictature de Saddam Hussein, qui semblait se moquer de ses ennemis américains, les mettre au défi de lui déclarer la guerre. À la télévision, Cressida avait vu le président George W. Bush déclarer à son auditoire américain que l'ennemi terroriste qui s'en était pris aux Twin Towers le 11 septembre 2001 faisait partie d'une immense armée de fondamentalistes musulmans résolus à détruire *notre mode de vie américain*; fixant la caméra comme s'il s'adressait à un public débile et crédule, il avait déclaré, sans rire : «Ils veulent venir chez vous, vous tuer, vous et votre famille.»

Une pause. Puis, lentement, le regard fixé sur son immense auditoire invisible, le président avait répété les mêmes mots.

«Ce type est sérieux? Il nous prend pour qui? Une bande de demeurés?» s'était écrié Zeno, fou de rage.

Mais il était vite devenu évident que le belliqueux gouvernement républicain, conservateur et chrétien, n'était pas le seul à mener campagne pour la guerre; c'était aussi le cas d'hommes politiques modérés, voire progressistes, du parti démocrate. Très vite, Zeno avait prédit que la «fièvre patriotique ne mène que dans une seule direction : la guerre».

Cressida en était si angoissée qu'elle respirait avec difficulté.

Ce qu'elle éprouvait n'était pas du mépris pour les feux de propagande politique attisés de toutes parts, mais de la peur... devant les conséquences indéterminables de cette nouvelle invasion militaire.

Et leurs vies, leurs vies de «civils», semblaient si insignifiantes, à présent. Et plus encore sa vie d'étudiante à l'université de St. Lawrence, dans la petite ville de Canton. *Pourquoi suis-je venue ici! Quelle erreur!*

Elle se dit alors que les guerres étaient monstrueuses et qu'elles faisaient des monstres de ceux qui les livraient.

La guerre d'Irak, la guerre d'Afghanistan.

Avec le temps, les civils aussi deviendraient monstrueux, car telle est la nature de la guerre.

Avant même le retour de Brett Kincaid, défiguré et brisé, Cressida avait eu cette conviction.

Pendant sa première année à l'université, elle avait passé beaucoup de son temps seule. Marchant le long du grand fleuve impétueux : le Saint-Laurent. Seule avec ses livres, seule avec son travail. Et non loin d'elle, comme l'eau d'une cascade, le bourdonnement de voix, de rires.

Elle s'était profondément investie dans l'un de ses cours : « Romantiques et révolutionnaires ». C'était bien dans le caractère de Cressida de se concentrer sur un seul sujet d'études en négligeant les autres, comme de concentrer son admiration sur un professeur au détriment des autres : le professeur Eddinger, en l'occurrence, qui parlait d'une voix rapide, arpentait l'estrade tel un rapace s'apprêtant à fondre sur sa proie. C'était un petit homme menu ayant à peu près l'âge de son père. Son visage était ravagé, laid, mais d'une *laideur si intense* que Cressida en était captivée.

Et captivée aussi par la lecture passionnée qu'il leur faisait de *Défense des droits de la femme* de Mary Wollstonecraft et du *Prélude* de William Wordsworth ; des *Chants d'innocence et d'expérience* de William Blake, qui frappèrent durablement son imagination. Cressida n'avait encore jamais lu *Frankenstein ou le Prométhée moderne* de Mary Shelley, et elle décida de faire son essai du trimestre sur cette curieuse parabole en prose, dont le ton et la substance étaient si différents des mille manifestations de « Frankenstein » dans l'imagination populaire.

Très vite, *Frankenstein* s'insinua dans ses rêves. Incapable de se satisfaire d'un essai conventionnel d'environ vingt-cinq pages, Cressida se sentit obligée de le présenter sous une forme expérimentale : un collage de textes de Mary Shelley et d'autres penseurs « révolutionnaires » (Friedrich Nietzsche, Oscar Wilde, Sigmund Freud, Franz Kafka), des illustrations du Dr Frankenstein et de son monstre (dont des dessins originaux faits par elle-même) et un argument « déconstruit » sur *Frankenstein* (par Cressida Mayfield). Plus elle travaillait sur ce projet, plus elle se sentait poussée à y travailler davantage ; de la même façon que M. C. Escher l'avait obsédée au lycée, le *projet Frankenstein* l'obséda pendant le trimestre de printemps de sa première année d'université. Comme à son habitude, elle négligea ses autres cours ; elle faisait si peu attention à ses camarades de résidence qu'il lui arrivait souvent de ne pas se rappeler leurs noms ou leurs visages. *Suis-je impolie ?... Pardon, vraiment !* Mais Cressida ne regrettait rien et ne s'excusait jamais.

Les semaines passèrent. Le 1er mai, date limite de remise des essais du trimestre, passa. Cressida avait vaguement conscience de la date, mais sans doute ne croyait-elle pas y être tenue parce que, à la différence des autres étudiants du professeur Eddinger, elle ne préparait pas un simple essai universitaire, mais l'interprétation ultime de *Frankenstein* sous toutes ses formes.

Chaque fois qu'elle pensait avoir terminé, cependant, elle découvrait un nouveau thème à explorer. Puis il lui parut indispensable que les divers textes, y compris son propre « argument », fussent présentés dans les polices idoines et, dans certains cas, écrits à la main (par elle-même, en imitant la graphie des écrivains d'origine) ; il lui parut nécessaire que le projet tout entier fût présenté sur de grandes pages doubles, et la couverture, reliée à la main ; car à l'ère de l'ordinateur, quelle meilleure façon d'évoquer le monstre (singulier, condamné) de

Mary Shelley qu'un projet unique ne pouvant être reproduit ? De façon brillante, du moins à son avis, Cressida présenta l'argument de l'essai de «Cressida Mayfield» dans la police de caractères caractéristique d'une machine à écrire afin de ne pas employer des polices d'ordinateur. Et puis elle découvrit *L'Île du Dr Moreau* de H. G. Wells, et se sentit obligée de le prendre en compte dans son projet, le Dr Moreau étant une forme avilie du Dr Frankenstein ; elle se sentit obligée d'inclure une bande dessinée délibérément grossière pour donner plus de relief à sa thèse, à savoir que l'humanité est destinée à créer des monstres qui, une fois créés, se retournent contre leur créateur.

Et, très tard un soir, il lui vint l'idée d'inclure un dialogue sur la «croisade contre la terreur» menée par le gouvernement fédéral entre un jeune soldat de l'armée américaine et un homme plus âgé, ancien combattant de la Deuxième Guerre mondiale. (À savoir, respectivement, Brett Kincaid et Zeno Mayfield, bien que le père de Cressida n'eût jamais servi dans l'armée.) Les filles de sa résidence manifestaient de la curiosité pour son projet, où figuraient des dessins originaux et saisissants, mais... «Est-ce que ce n'est pas trop long ? Est-ce que tu ne travailles pas trop ? Il n'y a pas une date limite pour le rendre ?»

Cressida haussait les épaules. Date limite ?

C'était si étriqué, si *scolaire*, de se préoccuper d'une date limite. Quand le professeur Eddinger verrait son projet, il ferait une exception pour elle, elle en était certaine.

Le premier brouillon faisait cinquante-deux pages (épaisses, doubles) ; le quatrième et dernier en faisait soixante-seize. Pas un essai, mais un livre hors gabarit de trente-cinq centimètres sur quinze, avec une belle couverture dans laquelle était inséré un dessin original (de Cressida Mayfield) du monstre de Frankenstein, une créature étrangement humaine en uniforme militaire.

459

Finalement, vers la fin du trimestre de printemps, Cressida apporta dans le bureau du professeur un grand carton contenant le *projet Frankenstein*, qu'elle laissa à une secrétaire (désapprobatrice) contre la promesse qu'elle le déposerait sur le bureau du professeur. Cressida se dit *Il me convoquera! Il me demandera de venir le voir.*

Elle en était certaine. Elle avait remarqué, au cours du trimestre, qu'Eddinger regardait souvent dans sa direction, même quand elle ne levait pas la main pour répondre à l'une de ses questions provocatrices. *Il a conscience de ma présence. Il me connaît.* Cressida n'avait pas manqué un seul cours de «Romantiques et révolutionnaires» et n'avait jamais eu une note inférieure à A.

Elle ne fut donc pas étonnée de recevoir d'Eddinger un e-mail, bref mais amical, lui demandant de venir le voir.

Elle ne fut pas étonnée, en entrant dans son bureau, de voir qu'il avait étalé le *projet Frankenstein* sur une table et qu'il était manifestement admiratif.

Debout près de lui, elle remarqua que c'était un petit homme nerveux et mince, à peine plus grand qu'elle, et que ses jambes semblaient celles d'un nain, bien qu'il n'eût absolument rien de difforme. Il portait une chemise à carreaux à manches courtes, sans cravate, un pantalon d'un tissu ordinaire et, curieusement, des sandales et des chaussettes noires que Cressida ne lui avait encore jamais vues. Il avait les cheveux clairsemés, couleur de beurre grisâtre, son visage était finement ridé comme quelque chose d'oublié au soleil. Et ses yeux, étonnamment brillants, étaient rivés sur elle.

«Mademoiselle Mayfield! C'est un travail extraordinaire. Je n'ai jamais rien reçu d'approchant en trente-six ans d'enseignement, ici, à St. Lawrence, précédemment à Williams.»

Cressida était pétrifiée de timidité. Elle avait beau avoir imaginé de telles paroles, elle était incapable de répondre.

«Décoder *Frankenstein* comme un phénomène culturel et "biologique" est une approche merveilleusement originale. Et je vous rejoins tout à fait sur nos guerres actuelles – la "croisade contre la terreur". Est-il possible que ce ne soit que… votre première année d'université?»

Cressida fit oui de la tête.

«C'est stupéfiant, audacieux. Cela a dû vous demander des semaines de travail. Je suis particulièrement impressionné par ces extraordinaires dessins au trait qui représentent le "monstre" en jeune soldat devenant "stratège militaire" : la métamorphose est totalement convaincante. En fait, je suis flattée, mademoiselle, vous m'avez remis davantage que nous n'en attendions d'un mémoire d'excellence dans cette université, alors qu'on ne vous demandait qu'un essai trimestriel ne comptant que pour environ quarante pour cent dans votre note de cours.»

Était-elle censée parler? Elle n'avait aucune idée de ce qu'elle aurait pu dire.

«Le problème, mademoiselle, auquel vous avez dû penser, est que votre "essai" a douze jours de retard. Même si je vous avais accordé un délai supplémentaire, je ne serais pas allé au-delà du week-end… disons donc que vous avez neuf jours de retard.»

Cressida n'avait aucune excuse à présenter.

Elle s'était habillée à la va-vite pour courir à son rendez-vous avec le professeur : veste en denim, jean. Ses cheveux entouraient son petit visage pâle d'un gribouillis échevelé. Elle avait vaguement pensé que la journée serait froide et brumeuse, mais à présent, à près de midi, le soleil était éclatant et chaud. Elle ne savait que dire au professeur Eddinger, qui lui parlait d'un ton si raisonnable, et empreint de regret.

« Voyez-vous, mademoiselle, au sens le plus élémentaire, il n'est pas "juste" de faire une exception pour un étudiant, quand d'autres se démènent pour rendre leur travail à temps. » Abasourdie, Cressida n'osait affronter les yeux brillants et vifs du professeur, souhaitant penser qu'il la regardait avec bienveillance plutôt qu'il ne la jaugeait.

« Le fait qu'aucun étudiant du cours n'aurait pu accomplir la même chose dans le même laps de temps n'est pas pertinent, vous comprenez. J'avais donné un délai. Et vous avez choisi de ne pas en tenir compte. »

Ne pas en tenir compte. Cressida s'efforça de comprendre.

« Pouvez-vous m'expliquer ce retard ? La longueur et l'excellence de votre travail mis à part, j'entends. »

Cressida tenta de réfléchir. Ses pensées voletaient comme des papillons affolés. L'envie lui vint, presque irrépressible, de reprendre le *projet Frankenstein* au professeur Eddinger et de s'enfuir... mais pour aller où ?

Le fleuve. Le fleuve. Va te jeter dans le fleuve.

« J'espère que vous ne cherchiez pas à me "tester" ? À voir si j'accepterais votre essai en retard, en dépit de la date butoir ? »

L'esprit vide, Cressida secoua la tête.

La submergeant, vague après vague, la conviction que son professeur ne lui trouvait rien d'extraordinaire, en fin de compte.

Il ne connaissait pas son père, Zeno. C'était peut-être ça !

Au fleuve ! Tu es si ridicule, si laide.

Les laids ne devraient pas être autorisés à vivre.

Cressida ne semblant pas disposée à répondre, le professeur Eddinger reprit, d'un ton irrité, cette fois : « Il est indubitable que votre travail est bon, mademoiselle. Très bon, même. Brillant. Je suis plus qu'enchanté par ce "projet", malgré ma réticence initiale à l'examiner, étant donné votre retard, que vous n'avez même pas cherché à justifier… par des raisons médicales, par exemple.» Eddinger s'interrompit, comme pour donner à Cressida l'occasion de plaider… quoi? (Dyslexie, autisme? Schizophrénie, désordre bipolaire, paranoïa? Stupidité?) «Contrairement à certains étudiants doués que j'ai eus par le passé, vous ne travaillez pas vite et sans soin… ou, si vous travaillez vite, vous révisez avec un soin exceptionnel. Et vous développez. C'est la marque de l'"artiste créatif" : revoir, développer. Mais un trimestre universitaire est bien court pour ce genre de perfectionnisme. Et "Romantiques et révolutionnaires" est un cours de premier cycle. Je ne vous reproche pas le temps consacré à ce projet, mais seulement votre refus de vous soumettre aux mêmes contraintes que les autres. Il va de soi que ce travail mériterait un A+ s'il devait être noté.» Sur une feuille de papier, Eddinger traça un A+ au marqueur rouge, comme s'il s'adressait maintenant à une élève de maternelle. «Telle serait la "note", s'il y en avait une. Mais vous avez neuf jours de retard, j'ai clairement indiqué mes conditions, et je ne peux ni ne veux faire d'exception pour quiconque. C'est étriqué, mademoiselle, je vous l'accorde … mais c'est nécessaire, car cela peut parfois être une vertu. Parce que le projet a été rendu en retard, il doit être pénalisé – pas le projet en lui-même, qui mérite un A+, mais son retard – et il sera noté d'un D.» D'un grand geste irrité, Eddinger griffonna un D.

Son intention était-elle de suggérer que les notes étaient infantiles, étriquées? Assommée, Cressida ne comprenait pas.

En vérité, elle avait oublié qu'elle serait *notée*. Pendant les longues heures où elle avait été absorbée par son projet, et notamment par ses nombreux dessins au trait – dont elle n'avait gardé qu'une infime partie –, elle avait oublié qu'elle *remettrait* ce travail à un professeur pour évaluation et appréciation.

«Je… je ne sais pas ce que je… Je ne… je crois que…»

Elle bégayait comme une demeurée mentale. Des mots épais et malcommodes, pareils à des boules de pâte mal cuite, la bouche soudain si sèche qu'elle ne pouvait déglutir.

«À moins que vous puissiez invoquer une incapacité quelconque, insista Eddinger. Un problème de santé, une excuse médicale...»

Cressida secoua la tête : *non.*

Avec véhémence, elle secoua la tête : *non.*

Une vague de dégoût la submergea.

Car cette situation avait quelque chose de *familier,* elle n'était ni nouvelle ni originale. *Déjà-vu,* c'était le terme... et toujours accompagné d'une sensation de dégoût, de nausée.

Au lycée aussi Cressida Mayfield avait étonné, choqué, déconcerté, déçu et contrarié ses professeurs; elle avait entendu leur ton de regret, teinté d'irritation, de frustration; elle avait entendu ses parents : *Oh Cressida! Oh chérie... encore?*

Et Zeno, avec autant d'écœurement que de consternation. *Bon Dieu, Cressie! Pas ça, pas encore!*

En aveugle Cressida fit volte-face et se précipita hors du bureau du professeur. Elle l'entendit l'appeler mais ne s'arrêta pas.

Cours cours cours tu es si stupide, si laide. Le fleuve, vite, avant qu'il soit trop tard et qu'ils t'en empêchent.

*

Le fleuve, au sud de Canton.

Sur la rive, marchant d'un pas rapide. Loin de la petite ville, et de l'université qu'elle en était venue à mépriser.

Car c'était une condamnation à mort, sans le moindre doute.

Si le courage ne lui manquait pas

Mieux vaut ne jamais naître. C'est la sagesse la plus ancienne.

Aussi loin que ses jambes la porteraient. Bien qu'épuisée par les longues nuits sans sommeil passées à travailler au *projet Frankenstein*, elle était possédée d'une étrange énergie, rayonnante, vibrante, et elle murmurait, marmonnait, comme dans une langue nouvellement découverte et connue d'elle seule.

Dieu, qu'elle détestait l'université et tous ceux qui y demeuraient! Des êtres difformes montant et descendant des marches dont beaucoup étaient à l'envers et personne ne le remarquait car les âmes damnées de l'enfer n'ont pas d'yeux pour voir leur sort absurde.

(L'université qui la méprisait.)

(L'université qui l'avait rejetée.)

(Mais Cressida ne pouvait l'accepter! Quelle explication donner à ses parents?)

(Dans la totalité du monde biologique, le *monde humain* est le seul où les parents souffrent de la honte de leurs rejetons. Ce n'est possible dans aucune autre espèce que celle des *Homo sapiens*.)

Mieux valait mourir, mettre fin à sa vie. Épargner à ce pauvre Zeno de dire une fois encore, avec un entrain forcé *Malgré tout, Cressie, tu peux encore essayer… peut-être obtenir ton admission à Cornell en seconde année…*

Et Arlette voudrait la prendre dans ses bras pour la consoler. Et Cressida qui n'avait que dégoût pour elle-même *ne voulait pas être consolée.*

Aussi loin que ses jambes (maintenant flageolantes) la porteraient. Murmurant, marmonnant et riant toute seule. Le professeur ne l'aimait pas. On croit toujours que ceux que l'on adore vous adoreront. Ce n'est possible nulle part ailleurs que chez les *Homo sapiens*… ces illusions! Le professeur avait semblé suggérer à son élève la plus brillante d'*invoquer une incapacité*... à moins qu'il ne l'eût crue folle?

« Le fait est que je suis la personne la plus saine d'esprit que je connaisse. »

Elle rit tristement. Ce fait-là était déprimant.

Se précipitant hors du bureau du professeur comme un petit rat pris au piège parvenant à trouver une issue. La tête du professeur... son regard. Il avait eu peur d'elle!

Bon sang, elle regrettait maintenant de n'avoir pas repris le *projet Frankenstein*, mais elle aurait dû contourner le professeur pour s'approcher de la table, au risque de le frôler, et il aurait peut-être eu un mouvement de recul ou peut-être tenté de la retenir et...

Mieux valait oublier. Effacer de son esprit.

Tremblant à l'idée de s'approcher aussi près de lui. De s'exposer à un contact.

Déjà, leurs regards s'étaient croisés. Et ça, elle n'était pas près de l'oublier.

Parce que le projet a été rendu en retard, il doit être pénalisé. Mieux vaut mourir. Mieux vaudrait ne jamais être née.

Elle avait négligé ses autres cours pour se consacrer à ce travail, et Eddinger l'avait quand même rejetée. Et dans quelques jours, viendraient des examens qu'elle n'avait pas préparés. Et un examen pour le cours d'Eddinger qu'il était impensable qu'elle passe.

Impensable qu'elle le revoie jamais.

Il l'avait rejetée!

Et maintenant elle le détestait.

Elle méritait d'être annihilée, anéantie. Effacée.

C'était tellement minable.

Et quelle mort impeccable ce serait, de se jeter dans ce fleuve rapide, tellement plus large et plus profond que la Nautauga du comté de Beechum. De disparaître, emportée par le courant. Personne ne saurait où.

Personne ne la chercherait. Pas avant des heures.

Mais la rive était envahie de broussailles, encombrée de débris. Des épines griffaient ses vêtements, ses mains.

Le Saint-Laurent était sorti de son lit quelques semaines auparavant. Sur ses affluents, de petits ponts avaient été emportés. Et elle tenait absolument à trouver un pont, car il fallait qu'elle se jette d'un pont pour être certaine de se noyer.

Le plus proche était derrière elle, dans Canton. Mais des flots de véhicules y circulaient continuellement.

Sur la rive, un peu plus loin, Brett Kincaid la regardait.

Non, Cressida, ce serait une erreur.

Si honteuse qu'elle aurait enfoui son visage dans ses mains pour que Brett Kincaid ne le voie pas.

Je suis ton ami secret, Cressida. Si tu te faisais du mal, tu m'en ferais à moi aussi.

Était-ce vrai ? Cressida voulait le croire.

Maintenant qu'elle était à plus de trois kilomètres de Canton, dans la campagne, elle commençait à se sentir mieux.

Soulagée, moins épuisée.

C'était ainsi, elle voulait « mourir » – elle voulait « disparaître » –, mais elle ne voulait pas *être morte*.

Morte était un noir mat, fade et plat. *Morte* était une ruche vide.

Morte, elle ne reverrait jamais Brett Kincaid.

Il serait son frère, son beau-frère… son *ami secret*.

Elle ne reverrait jamais ses parents, ni Juliet… qu'elle aimait.

« S'ils m'aiment, j'imagine que je les aime. »

Elle n'avait pas d'existence propre. Depuis toute petite, c'était sa conviction. Elle était une surface réfléchissante, réfléchissant la perception que les autres avaient d'elle, et leur amour pour elle.

Son cœur battait si bizarrement qu'elle n'arrivait pas à reprendre haleine.

Cela lui arrivait parfois quand elle était très excitée, anxieuse. Quand elle était très heureuse.

Son étroite cage thoracique se soulevait, s'abaissait et palpitait au rythme des battements accélérés de son cœur.

Sans se préoccuper de savoir si on l'observait, Cressida s'allongea sur la rive herbeuse, semée de plantes épineuses. L'endroit n'était pas très confortable, mais quand son cœur battait vite, elle avait appris à se coucher sur le dos, à lever les bras au-dessus de la tête et à inspirer/expirer lentement ; souvent, alors, son cœur reprenait peu à peu un rythme normal. Elle n'avait jamais parlé à personne de cette infirmité, si c'en était une.

Palpitations. Le cœur qui s'emballait pour suivre la course de ses pensées.

Elle était à plusieurs kilomètres de Canton. Une lassitude agréable engourdissait ses jambes. Sous le soleil de mai, étendue sur le dos dans l'herbe spongieuse, elle s'assoupit. Elle rêva de chez elle : de la balancelle grinçante de la maison de Cumberland Avenue, où elle se retrouva soudain, enveloppée dans la vieille couverture de camping à carreaux rouges de papa, celle que maman cherchait régulièrement à jeter et que papa récupérait régulièrement dans la poubelle. Un souvenir qui la fit sourire : cette vieille couverture râpeuse dans laquelle on était si bien les soirs de fraîcheur ! Et cependant elle était au soleil – un soleil qui tapait sur ses paupières. *Cressida ? Cressida.* À cinq mètres d'elle le jeune soldat la regardait avec inquiétude. Lui seul connaissait le fond de son cœur, lui seul se souciait d'elle. Il s'appuyait sur des béquilles… ce qui était nouveau.

Elle ne voyait qu'à peine son visage, cruellement marqué de cicatrices.

«Mademoiselle?» Une voix masculine, à l'intonation plus agacée qu'inquiète, la tira de son sommeil torpide ; un homme, un jeune soldat en treillis, souhaitait s'asseoir sur le siège à côté d'elle : pouvait-elle pousser ses affaires? «Merci!»

À New York dans l'immense gare routière de Port Authority Cressida prit un bus pour Watertown dans l'ouest du New York. Elle vit là de nombreux soldats en treillis, parmi lesquels de jeunes femmes, réunis par petits groupes dans la salle d'attente caverneuse ou attendant de monter dans un bus. À ce moment-là elle était très malade.

Le crâne taraudé par la migraine. La moindre pensée, un tesson de verre acéré et blessant.

La peau brûlante et sensible au toucher, comme écorchée, et elle était hébétée, épuisée par des allers-retours incessants aux toilettes, les intestins vidés par une diarrhée brûlante. Elle ne pouvait rien avaler sans être secouée de haut-le-cœur. Pas même de l'eau.

Je rentre à la maison. Pourvu que quelqu'un me reconnaisse. Me pardonne.

TROISIÈME PARTIE

Le retour

13

Le long mur

Avril 2012

Suivant le long mur en voiture.

Un mur haut de dix-huit mètres, sans fin (visible).

Il s'est dressé si soudainement tout près de toi… que tu n'as pu en voir le début et n'en vois pas la fin.

Le mur est d'une substance finie : béton. Mais sa circonférence est infinie.

Tu es à l'extérieur du mur, tu le longes en voiture. À l'intérieur, le mur encercle.

Bien que le mur (extérieur) soit mesurable, le mur (intérieur) n'est pas mesurable.

Couleur de vieux ossements souillés. Le long mur.

De loin tu l'avais vu mais sans le reconnaître parce que tu n'avais encore jamais rien vu de comparable à ce long mur de dix-huit mètres de haut en bordure d'autoroute.

À l'intérieur, dissimulé aux yeux des civils, le Centre pénitentiaire de Clinton à Dannemora, État de New York.

Jusqu'à ce que soudain le long mur se dresse à côté de ton véhicule, si haut que tu ne peux voir sa hauteur ni les miradors se succédant à son sommet.

Le long mur, qui se dresse quelques mètres à droite de ton véhicule. Le long mur qui occupe presque tout le pare-brise, bouchant la vue.

Combien de kilomètres sur la route 375 ! Combien d'heures à travers ce paysage de collines glaciaires des Adirondacks, à l'extrémité la plus septentrionale et la plus froide de l'État de New York.

Le long mur, couleur de vieux ossements. En lisière de la petite ville de Dannemora.

À droite de la Route 375, le long mur s'étirant à l'infini.

À gauche de la Route 375, les lugubres devantures des magasins de Dannemora.

Le long mur percé d'une ouverture (défendue par une grille) que tu seras autorisée à franchir. Le long mur à l'intérieur duquel, quelque part, il t'attend.

Tu entres dans la petite ville lugubre de Dannemora qui est à l'extérieur du long mur telles les rives bordant le sinistre Styx. Tu entres et traverses Dannemora qui est déserte à cette heure matinale, mais… le long mur continue.

14

L'église du Bon Larron

Mars 2012

Il était un *trustee*. Quelqu'un à qui on faisait *confiance*.

Dans le service psychiatrique et à l'hospice voisin, il était *orderly*, car son rôle était d'assurer et de maintenir l'*ordre*.

Bien qu'il ne fût pas catholique (baptisé), il était l'assistant le plus proche et le plus apprécié du père Kranach pour tout ce qui concernait l'entretien de l'église du Bon Larron, et lors des séances de soutien auxquelles l'aumônier participait ; il était aussi rédacteur en chef du journal de la prison qui paraissait un lundi sur deux.

Il avait été caporal dans l'armée américaine. Blessé pendant la guerre d'Irak et, on ne sait comment, ce fait était connu et lui valait le respect des détenus comme des surveillants.

Réformé depuis longtemps. Renvoyé chez lui blessé, brisé et moins qu'un homme mais fortifié par la prière et réhabilité à ses propres yeux, à la façon dont un homme enfoncé jusqu'à la taille dans des sables mouvants pourrait s'arracher à une mort imminente par l'action frénétique de ses mains, de ses mains et de ses bras, se hisser le long d'une corde pour sauver sa vie, le caporal était parvenu dans une certaine mesure à reconstruire sa dignité d'homme et son âme en ruine.

Des prières à d'autres que Jésus-Christ, à saint Dismas par exemple, le Bon Larron, qu'il avait appris à prier comme on parlerait à un membre de sa famille, à un frère perdu.

Des deux malfaiteurs crucifiés avec Jésus sur le mont du Calvaire, c'était saint Dismas qui était le «Bon Larron» de la légende. Car c'était lui qui, quand l'autre voleur avait raillé Jésus en disant *Si tu es le roi des Juifs, sauve-toi et nous avec toi*, l'avait rabroué durement : *N'as-tu donc aucune crainte de Dieu, toi qui subis la même peine? Pour nous, c'est justice, car nous recevons ce qu'ont mérité nos actes; mais celui-ci n'a rien fait de mal.* Et il dit à Jésus : *Souviens-toi de moi quand tu entreras dans ton royaume.*

Et dans son agonie Jésus lui répondit : *Je te le dis en vérité, aujourd'hui tu seras avec moi dans le paradis.*

Le caporal avait lu bien souvent ces mots dans la bible que lui avait donnée le prêtre catholique, le père Kranach. Bien souvent il lisait l'Évangile de Luc, qui était l'un des plus courts du Nouveau Testament, avec autant d'émerveillement que d'horreur et de répulsion.

Car Jésus était la proie du désespoir. Il ne faisait pas de doute que Jésus désespérait comme un homme l'aurait fait à sa place.

Il était alors environ la sixième heure du jour; et toute la terre fut couverte de ténèbres jusqu'à la neuvième heure. Le soleil fut obscurci, et le voile du temple se déchira par le milieu. Alors Jésus, jetant un grand cri, dit : Mon Père! je remets mon âme entre vos mains. Et en prononçant ces mots, il rendit l'esprit.

Tenant la bible bizarrement inclinée devant son visage. Devant son unique «bon» œil. Les pages, presque transparentes, imprimées en petits caractères, tournées vers la pâle lumière fluorescente de la cellule qu'il partageait avec un autre détenu.

Rendre l'esprit. Ces mots le frappèrent.

Rendre l'esprit. Il l'avait souhaité, mais Dieu ne lui avait pas enlevé sa vie, sa vie damnée, et plus que damnée : sans plus de valeur que des ordures, ces excréments desséchés s'écaillant sur un mur voisin qu'on n'avait pas passé au jet depuis des années.

Dans son ancienne vie, dans son ancienne religion protestante, le caporal ne connaissait pas le Bon Larron car il savait peu de chose des saints et de leur influence sur l'humanité. Et même dans cette nouvelle vie radicalement changée (qu'il ne souhaitait pas considérer comme un *au-delà*), il avait du mal à croire à l'autorité de l'Église catholique romaine et aux rituels et prières de cette Église, bien que son meilleur ami fût le père Fred Kranach qui l'avait soutenu à l'heure de l'épreuve, lisant sur le jeune visage en ruine du caporal l'innocence et la pureté de son cœur et le remords de tout le mal qu'il avait fait à d'autres.

C'est le père Kranach qui expliqua au caporal que l'Église n'avait pas canonisé le Bon Larron, mais qu'une croyance répandue voulait que Jésus l'eût lui-même canonisé pendant son agonie sur la croix.

On ne trouvait pas non plus le nom de «Dismas» dans les Écritures, mais seulement dans la légende.

Ce qui voulait dire que saint Dismas était en dehors de l'Église. Un hors-la-loi et un paria, mais néanmoins béni de Dieu.

C'est pour cela que personne ne prie saint Dismas qui ne soit un hors-la-loi et un paria, dit le père Kranach.

Le caporal dit : Mais votre église porte son nom, mon père : l'église du Bon Larron! – car cela lui paraissait très étrange, et merveilleux. Et le père Kranach dit : Telle est la sagesse de l'Église. Saint Dismas est un saint voyou reconnu comme le seul chemin vers Dieu pour des hommes tels que les détenus les plus désespérés de Clinton, ceux qui ont commis des actes indicibles et impardonnables et qui sont aussi loin de Dieu que les habitants d'une grotte le sont de la lumière du soleil. Ces hommes qui auraient honte d'approcher Jésus, en raison du mal qui habite leur cœur, peuvent néanmoins approcher saint Dismas grâce à ce qu'ils savent de lui par la légende.

Mais ce n'est pas un vrai saint... chez les catholiques? La question semblait tourmenter le caporal. Qu'il soit un «vrai» saint ou non n'a pas d'importance, Brett, répondit le père Kranach. Ce qui compte, c'est que des hommes qui seraient perdus autrement viennent à Dieu à travers lui et trouvent Jésus à travers lui. Cette *sainteté*-là suffit bien.

Vous a-t-on contraint à avouer? lui avait-on demandé bien souvent, et chaque fois il avait répondu que non.

De son propre gré il avait avoué les terribles crimes qu'il avait commis, y compris ceux dont il n'avait qu'un souvenir brumeux, aussi difficiles à rappeler à la mémoire que de tenter d'entendre une petite voix ténue dans le grondement démentiel d'engins de chantier.

Il y a quelque chose de cassé dans mon cerveau, leur avait dit le caporal. Répondant d'une voix rauque et lente à leurs questions sept heures durant, sa silhouette de fantôme gris et ses paroles hésitantes, enregistrées en vidéo tout au long de la nuit. Il espérait un acte de clémence, une mort par peloton d'exécution comme il sied à un soldat, debout au garde-à-vous avec un semblant de dignité en dépit de la cagoule noire dont on le coifferait.

Informé alors que ce type d'exécution ne se pratiquait qu'au Nevada.

Pour lui, ce serait le couloir de la mort de Dannemora, lui dirent-ils. Car les exécutions de prisonniers étaient rares dans l'État de New York ces dernières années.

Et il en avait été stupéfait. Et accablé.

Car il avait plaidé coupable. Sur tous les chefs d'accusation, tous ceux portés contre lui, il avait plaidé coupable, car rien n'était plus fort chez le caporal que le désir d'expiation, et d'anéantissement.

Une telle mort serait instantanée et il ne pouvait que croire que son âme serait anéantie, elle aussi.

Rendre l'esprit : il avait souhaité cette libération !

En dépit de ses intentions, cependant, il se fit que le caporal ne fut pas autorisé à plaider *coupable* d'homicide avec préméditation.

Où était le corps de la jeune fille ? Tel était le problème. Sans cadavre, le caporal pouvait-il être accusé de *meurtre* ? Car ses aveux n'avaient pas plus de valeur juridique intrinsèque que n'en auraient eu ses dénégations, faute de témoins oculaires et de preuves « substantielles ».

Voilà ce que plaida l'avocat du caporal.

Le procureur le contredit cependant avec véhémence.

Le procureur soutint qu'il y avait des précédents. Que des verdicts de culpabilité avaient souvent été rendus à l'encontre d'accusés sans qu'on eût retrouvé le corps des victimes, qu'ils avaient caché ou détruit ; et dans cette affaire-ci, il y avait les aveux de l'accusé, corroborés par plusieurs témoins qui l'avaient vu en compagnie de la jeune fille disparue plus tôt dans la soirée, et des preuves suffisantes pour envisager un procès.

Il les avait conduits à Sandhill Point dans la réserve du Nautauga. Impatient de leur révéler le corps brisé de la fille. Il leur avait parlé de la tombe superficielle dans laquelle ils l'avaient couchée – dans laquelle il l'avait couchée – la recouvrant ensuite de terre et de feuilles avec leurs mains – la crosse de leurs fusils – et puis il avait eu l'impression qu'il se trompait car il n'y avait pas eu de tombe dans ce sol rocailleux, il avait porté son corps encore tiède, inerte et lourd pour quelqu'un d'aussi menu, il l'avait porté à la rivière pour qu'il disparaisse entraîné par la Nautauga vers le lac Ontario, des kilomètres en aval. Épuisé alors, vacillant et malade, terriblement malade, obligé de s'appuyer sur le bras d'un shérif adjoint, les poignets menottés devant lui à hauteur de taille et malgré cela il avait du mal à garder l'équilibre. Et le dégoût qu'il lisait sur leurs visages lui était insupportable. Et pire encore, l'irritation, l'impatience, comme dans un match les regards moqueurs et à peine dissimulés échangés entre les joueurs rapides et doués se moquant des moins rapides et moins doués. Et il avait pensé *Je ne suis plus un homme. Je suis quelque chose de moins qu'un homme.* Certains des adjoints avaient vu jouer Brett Kincaid comme *quarterback* dans l'équipe première du lycée de Carthage deux années de rang, dont celle du championnat du district des Adirondacks, il n'y avait pas si longtemps. Voir maintenant Brett Kincaid dans cet état et entendre ses paroles confuses était très dur pour ces hommes qui avaient également connu Graham Kincaid.

Trop faible ensuite pour tenir debout, il avait été emmené aux urgences de l'hôpital de Carthage où on l'avait perfusé pour « déshydratation aiguë » et gardé jusqu'au matin avant de le transférer dans la prison de Carthage encore mal assuré sur ses jambes et de le placer à l'isolement et sous protection antisuicide *pour son bien* croyait-on.

Sous protection antisuicide permanente jusqu'à ce qu'il finisse par perdre tout espoir… temporairement.

Et puis dans le tribunal du comté de Beechum où il avait été conduit menottes aux poignets. La grande salle du rez-dechaussée était étrangement pleine, l'atmosphère, tendue et agitée. Car les esprits étaient échauffés : une forte prévention contre le caporal qui avait tué la fille de dix-neuf ans et jeté son corps dans la rivière et une forte prévention en faveur du caporal, un blessé de guerre qui avait peut-être avoué un crime qu'il n'avait pas commis pour protéger certains de ses amis, et qui souffrait de « troubles neurologiques ».

Après des mois de délibération, il n'y aurait pas de procès. Un fait qui décevait les habitants de Carthage.

Pas de procès et pas de jury. Car l'accusé ne protestait pas de son innocence.

Le juge Nathan Brede présidait. À près de soixante ans, Brede, un ancien procureur, était le juge le plus élevé en grade du comté de Beechum.

Impénétrable et impassible, Brede contemplait du haut de sa table le jeune homme couvert de cicatrices et à demi aveugle.

Et que plaidez-vous, monsieur Kincaid ?

Monsieur le président, mon client plaide coupable du chef d'accusation d'homicide volontaire et de celui d'élimination illicite d'un corps.

Est-ce ce que vous plaidez, monsieur Kincaid ?

C'est ce que plaide mon client, monsieur le président.

Comprenez-vous les termes de ce plaidoyer, monsieur Kincaid ? En comprenez-vous les conséquences ?

Dans le tribunal le silence se fit et, semblant revenir avec effort d'un lieu lointain, le caporal leva les yeux vers le regard calme et investigateur du juge.

D'une voix presque inaudible, le caporal murmura *Oui monsieur le président.*

Vous plaidez coupable du chef d'accusation d'homicide volontaire et de celui d'élimination illicite d'un corps ?

Oui monsieur le président.

Oui ? Avez-vous dit oui, monsieur Kincaid ?

Oui monsieur le président.

Pourtant ce n'était pas aussi clair dans son esprit. Une seule chose l'était : le mot *coupable.*

Et la sentence prononcée par le juge : *quinze à vingt ans.*
Quinze à vingt ans! Il attendait une condamnation à mort.
Abasourdi et muet, il attendait, menottes aux poignets...
mais le juge avait levé la séance d'un coup de marteau.
Si brutalement, c'était fini.
Si brutalement, le sort du caporal avait été décidé.
Il ne devait pas mourir mais... vivre?
Sans un regard en arrière le juge avait quitté la salle du tribunal. Si Nathan Brede avait été un ancien associé, ou même une
relation amicale de Zeno Mayfield, il n'avait pas jeté un seul
coup d'œil au père de la victime, assis au deuxième rang; son
attention n'avait pas non plus été attirée par l'étrange brame de
la mère de l'accusé, Ethel Kincaid, qui n'aurait pu réagir avec
plus d'excès si son fils avait été condamné à mort.

À l'avant de la salle, le caporal demeurait hébété, pétrifié, car
il avait cru avoir avoué le meurtre, des meurtres... les policiers
ne lui avait-il pas prédit qu'il passerait le reste de sa vie dans un
couloir de la mort? Et cependant le chef d'accusation semblait
avoir été réduit à un *homicide volontaire.*

Comme si le caporal n'avait pas été suffisamment sain d'esprit et de corps pour commettre un véritable meurtre.

Et voilà que son avocat lui confiait à mi-voix, d'un ton
presque jubilant qui l'écœura, qu'il pourrait bénéficier d'une
libération conditionnelle dans sept ans tout juste.

Bonne conduite! Libre dans sept ans, mon vieux.

Le caporal eut un mouvement de recul. Ce n'était pas son
premier avocat, celui qui s'était porté volontaire pour le représenter, mais un autre, plus jeune.

*Ils savaient qu'ils n'avaient aucune chance de gagner. Pas sans
le corps. Ils savaient qu'ils l'avaient dans le baba. Sept ans, mon
vieux! Sacré veinard!*

Néanmoins le caporal avait été condamné. Le caporal quitterait le tribunal avec les menottes.

Aux poignets et aux chevilles. Comme un animal sauvage on l'avait enchaîné pour l'amener dans le tribunal, le faire asseoir à une table sous le haut bureau du juge où toute la salle pouvait l'observer, avec pitié ou avec dégoût.

Car en détention le caporal avait eu un comportement imprévisible. Les surveillants l'avaient estimé dangereux pour lui-même et pour les autres.

Car de soudaines fureurs enflammaient le caporal, à des moments imprévisibles. Pas plus qu'il ne maîtrisait les spasmes qui contractaient le haut de son corps ou les accès de douleur paralysante dans ses jambes, il ne maîtrisait ces accès de colère qui s'évanouissaient au bout de quelques minutes ou quelques secondes, le rendant effrayant aux yeux de ceux qui en étaient témoins.

Au premier rang, sa mère Ethel Kincaid continuait à pleurer. À se lamenter bruyamment et amèrement comme un acteur de série télévisée, lâchant éhontément la bride à ses émotions sans autre résultat que de mettre les gens mal à l'aise et de leur inspirer le désir irrépressible de la fuir. Car il semblait évident à Mme Kincaid que les ennemis de son fils avaient fait campagne contre lui et avaient gagné ; et dans l'état physique où était son fils, quinze à vingt ans de prison à Dannemora équivalaient à une condamnation à mort : il ne serait jamais libéré vivant.

Des huissiers retinrent Mme Kincaid, qui voulait courir étreindre son fils. Et le caporal lui-même se recula, ne pouvant se résoudre à l'affronter.

Il quitta le tribunal entre deux huissiers qui le tenaient chacun par un bras, au-dessus du coude. La démarche empêtrée et lourde, sortant par une porte du fond réservée aux employés du tribunal et aux représentants de l'ordre tandis que Mme Kincaid criait : *Assassins! Assassins! Mon pauvre fils soldat!* – puis un couloir et une autre porte derrière laquelle attendait un fourgon aux vitres munies de barreaux qui le transporta aussitôt au centre pénitentiaire de Clinton, où il devait purger sa peine indéterminée de *quinze à vingt ans.*

À Dannemora, près de la frontière canadienne : la « Petite Sibérie ».

À l'isolement une grande partie de la première année.

Car le directeur de l'établissement, K. O. Heike, estima qu'étant donné le crime du caporal, étant donné le battage médiatique autour de l'affaire, certains détenus en déduiraient que Brett Kincaid avait violé et assassiné une enfant, et que sa vie serait en danger parmi eux.

Mais quel soulagement alors, dans cet *autre monde.*

Maintenant qu'il était *passé de l'autre côté.* Maintenant qu'il était emprisonné comme un animal, et entouré d'animaux. Et aux yeux des surveillants, il n'y avait pas d'ambiguïté, il n'était pas le caporal, mais seulement un jeune détenu blanc, B. Kincaid, présentant des *infirmités médicales* et étiqueté *dangereux* au moment de son transfert.

Les conditions de son incarcération faisaient tellement partie de son identité officielle qu'il aurait pu avoir *quinze à vingt ans* tatoué sur le front.

Homicide, volontaire. Quinze à vingt ans.

Dès qu'un homme était incarcéré à Dannemora, il pensait au temps qu'il devait encore «faire» avant d'être libéré. Au temps qui lui restait avant de pouvoir déposer une demande de libération conditionnelle.

Sauf quand il était condamné à la perpétuité incompressible. Sauf quand il était condamné à mort.

Souvent le caporal oubliait et se disait : *Suis-je dans le couloir de la mort ?*

Car même dans ses moments de lucidité, il ne croyait pas réellement être libéré un jour du quartier d'isolement, des bornes de quelques murs, plafonds, planchers et barreaux décolorés, et moins encore de Dannemora (dont il n'avait qu'une idée des plus vague, n'en ayant vu que le mur de béton étonnamment long, couleur de vieux ossements, quand il avait été amené dans l'établissement pour purger sa peine comme prescrit par la loi) ; il ne croyait pas réellement que le temps continuait à passer à la façon d'un fleuve l'entraînant dans son cours, comme dans son ancienne vie ; c'était plutôt une substance visqueuse se mouvant avec lenteur et c'était contre ce mouvement, contre le courant et non porté par lui, qu'il devait lutter pour tâcher de rester à la surface et ne pas se noyer.

Cet effort, épuisant... la plupart du temps, il devait y consacrer toutes ses forces.

Mis à part une équipe changeante d'avocats bénévoles, pour la plupart frais émoulus des facultés de droit du nord de l'État – Albany, Cornell, Buffalo – il recevait peu de visites.

Peu de coups de téléphone.

Et quelquefois, quand quelqu'un l'appelait, B. Kincaid refusait de lui parler.

Sa gorge se contractait, comme si on y avait enfoncé un poing.

L'*affaire Kincaid*, comme on disait, avait soulevé une controverse dans les milieux juridiques de l'État. Mais cette controverse ne concernait pas le caporal, car pour lui ce qu'était devenue sa vie n'était pas une *affaire*.

Dieu ne voyait pas un homme comme une *affaire*. Car une *affaire* est destinée à être *résolue*... et un homme ne peut être *résolu*.

Il savait néanmoins, car il avait reçu des lettres sur le sujet de nombreuses personnes, que dans le comté de Beechum, où l'on avait cherché la *jeune disparue* pendant des mois, certains s'indignaient encore que la condamnation eût été aussi «légère» et que Brett Kincaid pût bénéficier d'une libération conditionnelle aussi rapidement; et que d'autres s'indignaient encore qu'il eût été incarcéré, et dans la tristement célèbre prison de Dannemora, car leur conviction était que l'ancien combattant blessé de la guerre d'Irak n'était pas responsable de la disparition de Cressida Mayfield; ou que, s'il l'était, il n'était pas responsable de ses actes et aurait dû être envoyé, s'il fallait l'envoyer quelque part, dans un hôpital psychiatrique où il aurait été soigné.

Des fonds de soutien avaient été créés pour «rendre justice» à Brett Kincaid. Qui étaient les gens qui lançaient des appels de fonds sur internet, quels liens ils avaient entre eux ou avec le caporal ou avec les avocats bénévoles officiellement chargés de son affaire, le caporal n'en avait pas la moindre idée. Le père Kranach se préoccupait de ce qu'aucun de ces inconnus ne fût comptable de l'argent qui lui était envoyé pour Brett Kincaid, mais l'intéressé ne semblait guère s'en soucier.

«Je suis dans le couloir de la mort, où que je sois, disait-il au prêtre. Et là où je suis, j'ai ma place.»

De cascades d'obus éclairants – phosphore blanc – tombant sur l'ennemi.

Grondement assourdissant d'hélicoptères d'assaut, il se réveilla replié sur lui-même, geignant dans son sommeil, l'intérieur de la bouche et des poumons tapissés de sable.

Il avait perdu ses deux jambes. Et cependant la douleur demeurait.

Ses mains, ses bras jusqu'aux coudes. Arrachés, et l'os d'un blanc éclatant visible sous un sang d'un rouge aussi vif que le faux sang ridicule d'un film d'horreur pour enfants.

Alors qu'il hurlait il avait entendu son nom, l'un de ses amis hurlant son nom il l'entendait à présent mais ne pouvait voir où.

Putain de merde ils méritaient un peu de bon temps, disaient les gars. Quand on survivait et qu'on n'avait pas fini en marme-lade ou avec un éclat d'obus dans le bide ou la tête, on méritait un peu de bon temps, tirer les civils comme des rats fous de terreur, couper un doigt, une oreille, une petite bite, des bouts de sein ; se faire des bourses avec des peaux d'Irakiens cousues ensemble pour y mettre son tabac ou ses médocs.

Une vieille coutume guerrière, disait Muksie. Des bourses faites avec la peau du visage de ses ennemis et des scalps à se mettre sur la tête, mais probable qu'il fallait les traiter − façon «taxidermie» − pour que ça ne pourrisse ni ne pue sur votre crâne.

Les gens qui téléphonaient à Brett Kincaid au centre péni-tentiaire de Clinton étaient rares. Des femmes uniquement, et de Carthage.

Parmi elles, la plus tenace était la mère de Brett, Ethel Kincaid. Car Ethel avait trouvé une astuce pour téléphoner aux frais du contribuable à son fils incarcéré par le biais d'un fonds d'«urgence» des services familiaux du comté.

De même qu'avec astuce et avec une sorte de sens de l'hu-mour subversif, elle avait trouvé le moyen d'entretenir l'intérêt des journaux et de la télévision de Carthage pour l'affaire de son fils en annonçant de «nouveaux indices», de «nouveaux témoins», des «preuves disculpantes» à intervalles réguliers : elle téléphonait à des personnalités médiatiques locales telles qu'Evvie Estes de WCTG-TV et Hal Roche du *Carthage Post-Journal* et quand ils ne répondaient pas à ses messages les abordait dans la rue, les suivait jusque chez eux, avec la certitude que personne à Carthage n'oserait vraisemblablement appeler la police pour arrêter la mère éplorée d'un héros de la guerre d'Irak, injustement persécuté, injustement condamné et incarcéré.

Depuis la fin de l'été 2005, quasiment tous les avocats du comté de Beechum, retraités et vieillards compris, avaient été sollicités par Ethel Kincaid, priés d'intercéder pour la libération de son fils, et ils avaient appris à éviter la mère éplorée.

Même les gens convaincus de l'injustice de la condamnation du caporal et prêts à alimenter financièrement le « fonds de soutien » avaient appris à éviter la mère éplorée.

Plus d'une fois Ethel Kincaid avait abordé séparément les parents de Cressida Mayfield dans des lieux publics : Arlette, à l'entrée du centre d'accueil pour femmes battues de la banlieue de Mount Olive où elle était bénévole depuis la disparition de sa fille, en lui demandant de « révéler publiquement » où se trouvait sa fille ; Zeno, dans un restaurant de Carthage où il déjeunait avec des amis, en l'accusant d'être un « ennemi de la lutte des classes » dont la fille s'était « enfuie » et vivait quelque part, « complice criminelle » d'un complot contre son fils innocent.

Au printemps 2008, lors d'une représentation de la *Médée* d'Euripide à l'université de cycle court de Carthage, les spectateurs stupéfaits crurent que la pièce se poursuivait « en costume moderne » quand, au moment où les lumières se rallumaient, une femme entre deux âges au visage ravagé de jeune fille se dressa dans l'allée en déclamant d'une voix forte qu'*elle* était une « vraie mère aimante, et non une mère monstrueuse et folle comme Médée »… mais que d'*elle* « tout le monde se contrefichait ».

Il fallut quelques minutes aux spectateurs – à une partie d'entre eux, du moins – pour comprendre que cette femme maigre et survoltée dont les yeux étincelaient comme les boules d'acier d'un flipper était en réalité Ethel Kincaid, la mère du caporal qui avait avoué le meurtre de Cressida Mayfield à l'automne 2005.

La plus astucieuse des manœuvres d'Ethel Kincaid fut d'introduire une action en indemnisation à l'encontre de l'État en tant que victime du 11-Septembre.

Sacrément dommage qu'elle n'y eût pensé que neuf ans après le 11-Septembre – quatre ans après le début de l'incarcération de Brett – parce qu'elle avait du mal à obtenir qu'on la prenne au sérieux quand elle soutenait que, elle, Ethel Kincaid, était – indirectement – une victime de l'attaque terroriste, étant donné que son fils unique Brett avait été envoyé en Irak combattre Al-Qaïda – c'est-à-dire, les terroristes islamistes – et que dans ce terrible pays il avait été blessé au combat et renvoyé chez lui « invalide » et « déficient », ce qui lui avait valu d'être « incarcéré » dans une prison de haute sécurité à des centaines de kilomètres de Carthage, un coin perdu, quasiment au Canada. Rien de tout cela n'était sa faute, les vies ravagées des parents des victimes du World Trade Center ou des détournements d'avion n'étaient pas leur faute, mais le résultat de l'attaque terroriste dont le gouvernement américain n'avait pas su protéger ses citoyens. Ethel avait écrit à la Maison-Blanche, ainsi qu'à des hommes politiques de la région, et aucun d'eux ne lui avait répondu ; à présent elle faisait le siège des services familiaux du comté de Beechum avec la conviction qu'elle méritait une revalorisation de ses allocations, sans devoir pour cela prouver son « indigence », et au moins les moyens de posséder une voiture.

Étant donné l'état de ses nerfs depuis juillet 2005, Ethel avait quitté son poste d'employée de bureau. Elle n'avait pas encore cherché du travail, sachant que l'on était prévenu contre elle à Carthage.

Elle touchait toutefois des allocations chômage, mais tellement ridicules que c'était le «seuil de la misère».

Très loin de là, à Dannemora, Brett avait connaissance de ces épisodes remarquables grâce aux coups de téléphone triomphants d'Ethel.

Il se raidissait pour l'écouter. Et quelquefois, quand la voix de sa mère tintait comme du verre à ses oreilles, il n'écoutait pas.

«Tu ne devineras jamais ce que ta cinglée de mère a fait cette semaine!» s'exclamait Ethel dès qu'elle avait Brett en ligne.

Brett ne réagissant pas comme un fils normal l'aurait fait, elle ajoutait : «Il faut bien que quelqu'un s'occupe de ton affaire, bon sang! Et ce quelqu'un ne peut être que ta mère puisque tous les autres s'en foutent.»

Ethel mourait d'envie de rendre visite à Brett, mais ne pouvait faire ce long trajet en bus, ce terrible été 2005 lui avait ruiné la santé : un voyage en bus l'aurait tuée. Une émission d'une chaîne câblée lui proposait de raconter la version de l'histoire du point de vue de son fils si elle acceptait d'être conduite en «limousine» à Dannemora et accompagnée jusqu'à l'entrée de la prison par l'équipe de télévision, puis d'être interviewée *franchement et simplement* par l'animateur sur sa visite à son fils unique, et Ethel considérait de telles propositions avec sérieux – et mélancolie –, mais Brett s'y opposait catégoriquement.

«Le monde doit connaître ta version de l'histoire, Brett. Pour que tu bénéficies d'un nouveau procès ou que le gouverneur commue ta peine.»

Et face au silence de Brett, elle ajoutait, d'un ton blessé : «Tout le monde te croit *coupable*, Brett. Tes ennemis ne t'ont pas laissé une chance, certains de ceux que tu croyais tes amis se sont retournés contre toi. Tu dois faire quelque chose.»

Paraissant revenir avec effort de très loin, le caporal ne réussissait qu'à murmurer, avec indifférence, si bas que sa mère entendait à peine : «Pourquoi?»

Une autre femme qui appelait de Carthage était Arlette Mayfield.

La mère de Juliet! Mme Mayfield! Ne pouvant supporter l'idée d'entendre sa voix, le caporal refusait de répondre.

Par lâcheté, par honte. Il lui était impossible de répondre.

Et par conséquent Arlette écrivit à Brett au Centre pénitentiaire de Clinton. Il dut faire un effort sur lui-même pour ouvrir la lettre, car son premier mouvement aurait été de s'en débarrasser aussitôt.

Cher Brett,

Je regrette que tu ne veuilles pas me parler. Mais je réessaierai… bien sûr.

J'aimerais tant entendre ta voix, Brett. J'aimerais voir ton visage. Je pense à toi si souvent… je prie pour toi. Je crois qu'il y a entre nous un lien très profond, même si ma fille Juliet et toi n'étiez pas mariés, il me semblait parfois (pardonne-moi, c'est étrange à dire, je sais) que tu étais mon gendre. *Et de la famille des Mayfield.*

Il y a tant de choses dont nous devons parler avant qu'il ne soit trop tard.

Nous étions dans la salle du tribunal au moment de ta condamnation et c'est là que j'ai eu ce sentiment très fort que tu étais de ma famille. Même si je n'ai pas été capable de l'accepter sur le moment. J'avais le cœur brisé, je crois : j'avais perdu Cressida, et c'était te perdre aussi.

Je ne te poserai pas de questions sur Cressida, Brett. Tant de gens t'ont demandé Pourquoi? Pourquoi avoir fait ça?, *mais je ne te poserai pas cette question. Si je venais te voir, tout ce que je demanderais, c'est que nous passions un moment ensemble dans le silence, et nous découvririons ce que Dieu attend de nous. (En ce qui me concerne je sais que c'est le pardon, mais il se peut qu'il y ait davantage.)*

Personne ne sait que je t'écris, Brett. Ni ma chère Juliet, ni Zeno, qui ne comprendrait pas, car il a vécu durement ces années, sans foi en Dieu pour le guider. Mon mari est un homme public comme on dit : il n'est pas très à l'aise avec son âme.

Et même Juliet, qui est croyante, comme tu sais, est passée par des moments difficiles, de sorte que je ne veux rien lui dire, du moins pour le moment.

Tu habites mes prières, Brett. Nous avons tellement plus à partager !

Au nom de Jésus
Arlette Mayfield

Cette lettre était datée du 9 juillet 2008. Le jour du troisième anniversaire de ce soir-*là*.

Mme Mayfield écrivit à plusieurs reprises à Brett ; il ne répondait pas mais conservait ses lettres, soigneusement pliées, dans la bible que lui avait donnée le père Kranach ; puis sur une impulsion, il n'aurait su expliquer pour quelle raison, il répondit à sa lettre du 11 novembre 2008, écrivant sur une feuille de carnet ligné, avec un bout de crayon : *Chère madame Mayfeld, mrci. J'ai lu vos lettres souvent et mais je ne pense pas que c'est une bonne idée maintenant. Cordialment, Brett Kincaid.*

Hurlant. Comme un animal déchiqueté par des hyènes.
Hurlant, hurlant ! Mais c'était pire encore quand les hurlements cessaient.

Au début de son incarcération, il s'était dit (en l'espérant et le redoutant à la fois) que… peut-être… Juliet l'appellerait ou lui écrirait. Car, de façon stupéfiante, énormément de gens restaient en contact téléphonique avec les prisonniers de l'établissement, principalement des femmes, sans doute des épouses, des mères, des petites amies, des sœurs ; pas un détenu, si déplaisant, si agressif ou si indigne qu'il fût, qui n'eût au moins une femme mystérieusement prête à lui rester attachée.

En fait, le caporal aussi avait reçu des lettres de femmes de Carthage et d'ailleurs, dont certaines de jeunes femmes qu'il avait connues au lycée ou même au collège… mais il n'avait répondu à aucune, ni même lu jusqu'au bout la plupart d'entre elles. Et, de plus en plus souvent à présent, si le nom de l'expéditeur lui était inconnu, il jetait aussitôt la lettre, car il n'avait aucune envie d'entrer dans les spéculations fantaisistes d'autrui sur sa personne.

Car les femmes fascinées par les prisonniers, et notamment par les prisonniers reconnus coupables du meurtre d'une autre femme, inspiraient du dégoût au caporal.

Vous ne me connaissez pas, Brett Kincaid. Mais je pense vous connaître.

Bonjour ! J'ai rêvé que vous me demandiez de vous écrire, Brett Kincaid. Voilà pourquoi…

Ces lettres sur papier pastel dégageaient un parfum écœurant. On était censé imaginer que leur auteur les avait pressées contre un sein poudré de talc.

Mais Juliet Mayfield n'avait pas écrit. Et Brett ne s'y était pas réellement attendu.

Après ce qu'il avait fait ! Non seulement la vie de Cressida, mais aussi celle de Juliet avaient été détruites, il le comprenait à présent.

Malgré tout, dans ses moments de faiblesse il imaginait que Juliet pourrait avoir envie de lui parler. Ne serait-ce que pour lui déclarer qu'elle ne le reverrait jamais et ne lui avait pas pardonné.

Ils avaient été si proches à une époque.

Il l'avait aimée si intensément. Si profondément.

Étrange d'y penser maintenant, comme un homme aux membres gangrenés s'efforcerait de se rappeler à quoi ressemblait sa vie… du temps de sa santé.

Il l'avait chassée, pour finir. Craignant de lui faire du mal. La solution la plus sage.

En rêve elle lui apparaissait, mais dans des rêves confus où il n'était pas toujours évident qu'elle fût Juliet Mayfield.

Les traits flous, comme dans un film en train de se désintégrer. Ses hurlements terribles. Impossible qu'elle ait pu reprendre son souffle entre de tels hurlements.

Avant de repartir en Irak pour sa seconde mission, il avait eu une prémonition.

Sa première mission, non, parce qu'il était aveugle : il croyait être un soldat américain accomplissant une œuvre de justice. Il croyait que Dieu le protégerait – tout le monde dans sa section le croyait dur comme fer.

Mais la deuxième fois, il avait su. Il avait donné à Juliet l'enveloppe cachetée *Ne l'ouvre que si tu ne me revois pas.*

Juliet lui avait jeté un regard effrayé. Car elle aussi considérait comme une évidence qu'il reviendrait exactement tel qu'il l'avait quittée ; par la grâce du Dieu chrétien ou par la force de frappe supérieure de l'armée des États-Unis, les soldats américains étaient protégés.

Il avait écrit cette lettre dans un état de profonde émotion. À présent, cependant, quelques années plus tard, il était incapable de se rappeler ce qu'il avait écrit.

Sans doute Juliet l'avait-elle ouverte et lue. Et, après l'aveu du meurtre de sa sœur, jetée aux ordures.

Incapable de se rappeler un seul des nombreux – des centaines ? – d'e-mails qu'il avait envoyés d'Irak à Juliet et à d'autres. Ni les photos. Une succession vertigineuse d'e-mails, tous immédiats, urgents, haletants, tapés en hâte dans les courtes minutes de relative intimité arrachées à l'oubli bourdonnant de la vie militaire.

Ils avaient été fiers de lui. Pendant un temps, sacrément fiers. Il avait souhaité penser que son père, le sergent Graham Kincaid, avait été fier, lui aussi.

Même si le vieux Kincaid avait dit que la guerre du Golfe, c'était de la merde, tout ce qui concernait la guerre, l'armée américaine, et que le « patriotisme », c'était bon pour les jobards.

Il n'avait pas été tendre non plus pour les autres, ceux qui étaient restés *au pays* et qui se croyaient le droit de poser leurs foutues questions…

Malgré tout, Brett voulait penser que son père serait fier de lui… si seulement il *savait*.

Avant ses blessures, du moins. Le caporal Brett Kincaid, grand et droit dans son uniforme de parade, avait si belle allure qu'on ne pouvait s'empêcher de sourire.

Ça faisait du bien d'être fier du jeune caporal qui avait été un gentil garçon, un gars bien et un superbe sportif au lycée, avant le 11-Septembre et l'armée américaine.

La *Purple Heart* : c'était la décoration que tout le monde connaissait.

La médaille de la campagne d'Irak, une décoration merdique qu'on donnait à tout le monde, tous ceux qui allaient làbas et qui ne merdaient pas à fond en se faisant tuer ou boucler par la police militaire.

Le *Combat Infantry Badge*, c'était autre chose. Bravoure sous le feu de l'ennemi, courage et mérite militaires. Pas mal pour le caporal avec sa moitié de cerveau bousillée.

Les plus hautes décorations étaient la *Silver Star* et la *Medal of Honor*, qu'il n'avait pas eues, naturellement, ni personne qu'il connaissait ou connaîtrait jamais. Il avait expliqué pourquoi, mais en centrant son article consacré au caporal Brett Kincaid sur l'«élément humain», à savoir son «retour au foyer», sa «rééducation» et son «prochain mariage» (Juliet et lui étaient fiancés à l'époque) –, la journaliste étourdie avait inventé en dernière ligne de son papier une *Médaille d'or de la vaillance*.

Juliet s'était efforcée de le calmer. Il était dégoûté, hors de lui.

Comme si tout ça, c'était de la rigolade, une putain de rigolade, avait-il dit avec fureur, et Juliet l'avait regardé comme si elle ne l'avait jamais vu et il avait ajouté comme on jetterait une allumette dans quelque chose qui fume déjà : Une connasse qui se fout de ma gueule, elle a intérêt à passer au large.

S'embrasant comme une allumette jetée dans un bidon d'essence.

La première fois que quelqu'un le voyait se mettre en rage – son compagnon de cellule, les autres détenus, les surveillants qui s'étaient pris de confiance et d'amitié pour lui –, il n'en croyait pas ses yeux.

Kincaid ? Lui ?

Ouais, il a pété un câble. Et pas qu'un peu !

Ses dix-huit premiers mois à Dannemora s'étaient bien passés. Il était aussi normal qu'il le serait jamais, «invalide» et «déficient» et soumis à un traitement médicamenteux comme les détenus porteurs du VIH à qui le ministère de la Santé imposait un traitement. (Le nombre de ces détenus, certains visiblement malades, décharnés et mourants, le caporal le découvrirait quand il deviendrait aide-soignant à l'infirmerie dans sa deuxième année de prison.) Au début, il avait été à l'isolement et sous protection antisuicide avec éclairage fluorescent vingt-quatre heures sur vingt-quatre, ce qui l'avait contraint à apprendre à dormir le visage enfoui dans les mains comme un genre d'animal nocturne blessé. Les prisonniers à l'isolement et tenus à l'écart les uns des autres étaient en majorité des criminels aliénés, assassins maniaques sexuels et assassins d'enfants maniaques sexuels et dans cette population Brett Kincaid était le plus jeune et le plus «coopératif». Entrer dans ce lieu qui était une manifestation évidente et visible de l'enfer, où sa punition était assurée, l'avait apaisé, le libérant de l'obligation de se punir lui-même.

Il se rendrait vite compte que la prison était le lieu de la folie. Pareil à un immense nuage toxique un malaise pesait sur les vieux bâtiments dégradés du Centre pénitentiaire de Clinton, encerclés par le long mur de béton haut de dix-huit mètres, et c'était un malaise que tous respiraient sans exception.

Il apprendrait par le père Kranach que Dannemora avait été un asile d'aliénés au XIXe siècle, le plus grand de tout l'État de New York.

Combien de gens étaient morts là, enterrés dans un cimetière oublié, quelque part à l'extérieur des murs de la prison?

Le plus souvent il ne parlait pas. Il ne parlait pas à haute voix. Même si un tonnerre continuel de pensées roulait dans son crâne. Ces pensées pourrissantes, il pouvait les affronter à l'intérieur, mais pas à l'extérieur où elles auraient pué et attiré l'attention. Il ne voulait pas attirer l'attention. Il était capable de garder une totale immobilité, sur le qui-vive, comme s'il avait les deux jambes bousillées; comme s'il n'était qu'un torse, un homme tronc, un corps... un *cadavre*. Le pire c'était les moments de panique où il devait compter ses doigts et ses orteils (en retirant chaussures, chaussettes) pour s'assurer que ces blagueurs de Shaver ou de Muksie ne s'étaient pas servis des ciseaux de premier secours pour se faire un trophée de quelques-uns de ses doigts ou de ses orteils ; ou d'un lobe d'oreille, ou de ses bite et couilles.

Il prenait ses médicaments comme prescrit. Eux aussi étaient prescrits par le ministère de la Santé de l'État de New York, une obligation que les administrateurs de la prison étaient tenus de respecter.

Prescrits pour douleur chronique, spasmes musculaires, « emballement de la pensée », essoufflement, diarrhée/consti-pation... c'étaient des médicaments puissants, classés dans ce qu'on appelait les *psychotropes*.

Il y avait d'autres détenus « invalides » et « déficients » comme lui : une armée de blessés ambulatoires.

Il avait la sympathie et la confiance des surveillants. Un jeune Blanc, ancien combattant de la guerre d'Irak, taciturne et maussade mais « coopératif ».

De loin en loin le caporal était emmené chez un médecin.

Un toubib relevait ses « signes vitaux » : tension, battements de cœur, poids, taille. Braquait sur ses yeux une lumière vive aveuglante, inspectait l'intérieur de sa bouche.

Sa mère aurait protesté avec virulence qu'il ne recevait pas les soins, *neurologie, scanner et rééducation*, que son état nécessitait. Sa mère aurait poursuivi en justice le ministère de l'Administration pénitentiaire de l'État de New York et le Centre pénitentiaire de Clinton à Dannemora pour le traitement discriminatoire subi par son fils, un blessé de guerre.

Quel besoin avait-il de *rééducation* puisqu'il pouvait faire de la gymnastique dans sa cellule ? Et dans la cour. Au bout de dix-huit mois, il avait cessé d'être à l'isolement, on l'avait transféré dans une autre partie de la prison où il pouvait passer plusieurs heures hors de sa cellule, et il allait bien.

Comment ça va, petit?

Bien.

Tu prends tes médicaments, petit?

Oui monsieur.

T'es sûr que tu les prends?

Oui monsieur.

Tu ne les jettes pas dans les toilettes?

Non monsieur.

Tu ne les vends pas, hein?

Non monsieur.

S'embrasant, telle une allumette lâchée dans un bidon d'essence.

C'était Muksie, massif comme un lutteur, plus vieux et plus gros, son crâne d'œuf incliné sur le côté, et dans le vacarme assourdissant du réfectoire il brandit ce qui avait l'air d'une arme taillée dans une brosse à dents s'attaquant à un jeune détenu. Aussitôt Kincaid fut sur lui, rapide et silencieux comme un pitbull et comme un pitbull s'acharnant à coups de poing sur le détenu au crâne d'œuf jusqu'à ce que tous deux roulent sur le sol et que des surveillants se ruent sur eux en hurlant pour les séparer.

Cris perçants, glapissements de femmes qu'on assassine. Des chaises furent renversées, des assiettes et des plateaux jetés par terre. Des bagarres éclatèrent entre les détenus dans l'immense salle comme une série de petites explosions se fondant en un seul grondement assourdissant.

La sonnerie stridente de l'alarme fut la dernière chose que le caporal entendit.

Entraîné loin du soldat Muksie, qu'il aurait assassiné si on ne l'avait pas arrêté.

Frappé par les matraques des surveillants, il perdit connaissance.

Ce n'était pas de la légitime défense mais une attaque agressive pour protéger un autre détenu, voilà ce que déclareraient des témoins, mais Kincaid n'en avait pas moins violé le règlement de la prison. Le simple fait de désobéir aux ordres des surveillants était une violation du règlement. Leur résister, essayer de les repousser, les frapper : violations du règlement. Sur le dossier jusque-là sans tache de Brett Kincaid furent notés : *agression, refus d'obéir aux ordres, incitation à l'émeute.*

L'homme qu'il avait pris pour le soldat Muksie fut hospitalisé à l'infirmerie de la prison. Le jeune détenu agressé par Muksie en avait été quitte pour quelques coupures et ecchymoses.

Kincaid écopa d'une «punition administrative» de huit semaines de cellule disciplinaire.

La voix rocailleuse du directeur Heike, éraillée et voilée par l'indignation, fut diffusée par haut-parleurs à tous les détenus, bouclés pour vingt-quatre heures.

Tolérance zéro pour les infractions au règlement pénitentiaire de Clinton. Tolérance zéro pour les bagarres, les menaces et les intimidations, la détention d'armes, l'insubordination et le refus d'obéissance aux ordres.

Condamné à l'isolement disciplinaire. Des créatures chevalines martelaient son sommeil de leurs sabots et ces lourds sabots acérés frôlaient sa tête qu'il ne pouvait tourner, tant il était épuisé.

Au mitard il était le torse, le tronc. Inutile maintenant de lutter et donc il y renonça.

On ne lui donnait plus ses médicaments. Ils ne lui manquaient que vaguement, à la façon d'un petit doigt pourri qui se détache et dont vous n'avez plus à vous soucier parce qu'il n'est plus le vôtre.

Huit semaines de mitard. *Un châtiment cruel et inhabituel* aurait protesté Zeno Mayfield s'il avait été du côté de Brett Kincaid et non son ennemi.

Au mitard on n'a pas faim. On maigrit continuellement : Brett Kincaid perdit cinq kilos. Il prenait ses médicaments si on les lui apportait, mais oubliait la plupart d'entre eux étant donné qu'on ne les lui apportait pas. *Tu fais un régime, vieux? Ou comment ça s'appelle... une chimiothérapie? T'es vraiment malade, vieux? Merde!*

Une fois par jour autorisé à faire une heure d'exercice dans une partie séparée de la cour, un jour sur deux à prendre une douche (tiède) si bien que des microbes grouillaient sur sa peau, invisibles à l'œil nu. Le caporal se soumettait cependant à sa punition sans résistance, mais sans remords non plus, car il ne voyait pas quelle faute il avait commise. Secourir le détenu agressé, un inconnu, un gosse qui ne semblait pas avoir vingt ans, avait été instinctif, irrésistible.

Il dit, au père Kranach qui venait lui rendre visite, inquiet et soucieux *Merde je recommencerais.*

Dès qu'il put après le mitard il alla à l'église du Bon Larron s'agenouiller et prier.

Comme un affamé à un banquet.

Ce ne fut pas Dieu et ce ne fut pas Jésus, mais saint Dismas, qu'il pria.

Viens-moi en aide, j'ai péché. Vouloir sauver son âme ne semblait pas une requête insensée dans la pénombre de l'église du Bon Larron où il était agenouillé, dissimulant son visage tourmenté.

Entre dans mon âme, et elle sera guérie.

Il était sincère. Il souhaitait désespérément être *bon*.

Et cependant, une seconde fois, quinze mois plus tard, il prit flamme.

Cette fois dans le service psychiatrique où B. Kincaid était aide-soignant sous la supervision d'un surveillant noir à la peau claire, nommé Foyle (car la prison manquait d'hommes tels que Brett Kincaid, qui était manifestement intelligent, responsable, raisonnable), il attaqua un surveillant qui tourmentait un détenu (un gros homme mollasson, terreux, avec des yeux d'albinos et des cils blancs) en lui poussant sa matraque dans le ventre, et Kincaid lui dit d'arrêter, Kincaid lui dit sèchement d'arrêter, mais le surveillant se contenta de rire et Kincaid marcha sur lui et cette fois sans rien dire lui arracha sa matraque et la lui abattit sur le crâne.

Si vite ! *Crac*, le caporal entendit l'os se fracturer.

Cette fois le directeur intervint directement. Le caporal avait attaqué un surveillant et serait accusé d'un crime : *coups et blessures aggravés.*

Une plainte officielle serait déposée par le District Attorney du comté de Clinton. On ne se contenterait pas d'une punition administrative, de mois d'isolement disciplinaire : ce serait sept à dix ans de réclusion supplémentaire.

Il s'en fichait, bon Dieu ! Il s'en *foutait.*

Il renonça à son droit à un avocat comme il renoncerait à son droit constitutionnel à un procès. Sans repentir parce qu'il ne voyait pas ce qu'il aurait pu faire d'autre.

Le salopard qui l'avait frappé, qui avait tenté de mettre fin à la bagarre, et ses potes surveillants dealaient dans la prison. Le caporal le savait.

De la drogue, il y en avait partout. Elle ne pouvait entrer que par l'intermédiaire des surveillants, mais leur syndicat était si puissant, leurs contacts avec des passeurs du sud de l'État si institutionnalisés que Brett ne voyait pas comment la situation pourrait changer.

(Le surveillant qu'il avait agressé avait été renvoyé de l'établissement pour abus de force, trafic de drogue. Mais cela n'allégea pas la condamnation du caporal.)

Moche de penser qu'on n'était que la somme de ses neurones. Pas étonnant que des gens deviennent fous furieux, des bêtes enragées ne cherchant qu'à mordre et à déchirer de leurs dents : une joie sauvage là-dedans.

Au moins, comme ça, il n'aurait pas à affronter une commission de libération conditionnelle avant longtemps.

Des remords ? De quoi ?

Sa peine était si longue, à présent, qu'il ne pouvait imaginer sa fin. S'il la faisait en entier, sans conditionnelle. Et peut-être accumulerait-il d'autres punitions administratives pour reculer sa libération, encore et encore.

Vingt-sept ans quand il avait été incarcéré et donc maintenant (mais quel mois, quelle année était-on ?) il en avait trente et un ou trente-deux.

La fille qu'il avait assassinée resterait à jamais jeune. Mais l'autre, celle qu'il avait tant aimée et presque épousée, resterait jeune, elle aussi, une belle jeune femme, car il ne la reverrait jamais.

Elle était morte pour lui, elle aussi.

Tous les Mayfield... morts.

À moins que ce soit eux les vivants, et lui le mort ?

La signification (secrète) de la *Purple Heart*.

(À sa grande honte, cependant, Brett avait convoité cette décoration. Rêvant de servir à l'étranger, d'impressionner son père ivrogne absent et sa fiancée adorablement naïve, d'épater tout Carthage dans son uniforme de parade façon Tom Cruise, il avait considéré la *Purple Heart* comme la médaille qui lui serait le plus vraisemblablement accordée ; et dans ce cas, l'astuce consisterait à être blessé, mais à ne pas *mourir*.)

Au bout de dix jours au mitard, son cerveau fonctionnait au ralenti comme l'antique mixeur de sa mère, dont les lames tournaient à peine et qui, au lieu de *liquéfier*, cliquetait, vibrait et donnait de la bande.

Dix jours de plus, et un gruau aqueux suintait de son anus en feu, et l'eau (tiède, écœurante) qu'il parvenait à avaler, il la vomissait aussitôt, écumeuse, couleur d'urine.

Le père Kranach vint le voir pendant qu'il délirait. Le père Kranach intercéda auprès du directeur pour que Kincaid soit hospitalisé à l'infirmerie, mais le directeur ne voulut rien entendre. *Il ne sera ni le premier ni le dernier à causer sa propre perte.*

Se réveillant une semaine plus tard et où était-il, au bout du compte? Attaché avec des sangles à un lit de métal dans une infirmerie puant les excréments, les vomissures et un désinfectant agressif.

Des mouches collées aux fenêtres. Sortant de fissures calfatées et de fissures en zigzag au plafond.

Ce qu'il avait pris dans son rêve pour un vieux dirigeable (Première Guerre mondiale?) flottant au-dessus de sa tête était en fait une poche de perfusion reliée à une aiguille plantée au creux de son bras droit.

Et cette sensation de pincement dans son pénis n'était pas un fil de fer incandescent remontant jusqu'à son ventre, mais un cathéter vidangeant des liquides toxiques dans une poche sous le lit.

Un médecin lui disait *Vous étiez plutôt mal en point, mon vieux : 39°5 de température, une sale infection et vos médicaments sont à eux seuls assez puissants pour vous tuer. Si vous ne vous rappelez pas la semaine écoulée, ce n'est pas plus mal.*

Impossible de garantir votre sécurité, caporal. Prenez vos précautions.

Dans l'église du Bon Larron il priait.

Priait agenouillé. Priait le cœur cognant, cognant… Dans la niche de l'église la statue étonnante de saint Dismas crucifié. Un corps masculin parfait, dénudé, exception faite d'un linge autour des reins, et quel réalisme dans le torse, les cuisses et les mollets, dans la tête et le visage déformé par une souffrance qui se muait en quelque chose d'autre : une paix, une sorte de joie.

Il était fasciné par ce corps parfait : pas infirme, pas «déficient», parfait, et pourtant raidi par la mort.

Il se disait *Le corps est crucifié sur la croix du monde. On ne peut échapper à la crucifixion, pas plus qu'on ne peut échapper au corps.*

Le corps masculin ne lui avait jamais semblé beau, encore moins parfait. Et cependant, à présent, en contemplant la statue du Bon Larron, ses épaules musclées et ses bras reposant sur les barres horizontales d'une épaisse planche de bois, il éprouvait une pitié, un chagrin si intenses… qu'il sentait que quelque chose se brisait en lui, non pour lui mais pour un autre, étranger à tout ce que lui, Brett Kincaid, pouvait connaître.

Pendant les services religieux auxquels il avait assisté en prison, il était beaucoup question de Jésus dans votre cœur et d'accepter Jésus comme votre sauveur, mais le père Kranach ne parlait pas de Jésus, il parlait de saint Dismas.

Le saint patron des voleurs, des parias.

Il intercédera pour toi. Si tu le lui demandes.

L'église du Bon Larron était devenue son refuge, sa consolation. Encore plus depuis son long séjour au mitard, où son âme lui avait fait l'effet d'une coulée de boue.

L'église du Bon Larron n'était pas une chapelle ni même une petite église, mais un édifice de bonne taille qui pouvait contenir jusqu'à deux cents personnes. Construite à l'intérieur du mur de béton de dix-huit mètres qui se refermait sur lui-même comme un serpent se mordant la queue, elle était bâtie de pierres que l'on aurait dites taillées à coups de pic dans une montagne voisine.

L'église du Bon Larron avait été construite par des détenus de Dannemora entre la fin des années 1930 et le début des années 1940, avec des matériaux provenant de maisons abandonnées, de granges et de bâtiments de la région. Il y avait également eu des dons. Le chêne rouge des Appalaches qui avait servi à faire les bancs passait pour être un présent du célèbre Lucky Luciano, un ancien détenu de Dannemora.

De nombreuses sculptures, des vitraux ornés de visages de saints étaient l'œuvre de détenus.

Dans les églises protestantes, du moins dans celles qu'il avait fréquentées, Brett Kincaid n'avait jamais ressenti cette *intériorité*.

Son âme n'avait jamais été émue. La racine profonde de son être, impossible à nommer.

Dans les églises de son passé, y compris celle qu'il avait fréquentée avec Juliet, l'accent était mis sur l'*extérieur*. Visages souriants des fidèles, chant d'hymnes familiers et prières à l'unisson. Dans l'église du Bon Larron, il comprit l'immobilité et le secret du dieu insaisissable.

Car c'était l'*intériorité* de Dieu à laquelle il aspirait et non à la communion avec autrui.

Dans cette *intériorité* il comprit que son corps mutilé était à sa façon un corps parfait. De même que son âme mutilée était parfaite à sa façon. Car tel était le sort que Dieu avait stipulé pour le caporal Kincaid. Aucun autre ne lui aurait permis de continuer à vivre.

Il avait essayé de parler de cela au père Kranach dans le petit bureau qu'il avait au fond de l'église. Par l'unique fenêtre horizontale, un peu affaissée, on voyait une large bande des jardins travaillés par les détenus derrière leur quartier – on ne voyait pas, du bureau du père Kranach, le mur de béton sans fin, haut de dix-huit mètres.

Le père Kranach était devenu son ami. Son unique ami.

Le prêtre était d'un âge indéfinissable : ni jeune ni vieux, ni même entre deux âges. Petit, large d'épaules, les membres grêles, et la manie de se lisser nerveusement les cheveux : des cheveux plats, couleur paille, coiffés en travers de son crâne.

Il vous saluait toujours d'une poignée de main énergique. *Comment ça va, Brett?*

Et il était sincère, il voulait sincèrement le savoir.

Sept jours sur sept le prêtre catholique Fred Kranach était de permanence à la prison. À la différence de l'aumônier protestant qui ne venait que pour assurer les services et ses séances de soutien psychologique, et, à en juger d'après ses sourires crispés, à contrecœur.

Voilà pourquoi un prêtre catholique est célibataire. Une femme et des enfants distraient un homme et le détournent de sa vocation.

Voilà pourquoi un prêtre catholique, quand c'est un bon prêtre, *est* une incarnation de Jésus-Christ : le seul à être pour tous, à être mort pour tous, et à faire sa demeure dans le cœur de tous pourvu qu'on lui adresse un signe.

Le caporal n'avait jamais connu de prêtre catholique. Il n'était jamais entré dans une église catholique, bien qu'il y eût au bas de Potsdam Street la vieille église austère en briques rouges de Sainte-Marie, la plus ancienne église catholique du comté de Beechum, devant laquelle Brett était souvent passé à vélo.

Étrange que le père Kranach ne semble pas se soucier que Brett Kincaid ne soit pas catholique.

Le père Kranach ne lui posait pas de questions sur ce qu'il avait vécu en Irak et ne faisait pas allusion à ses infirmités. Il ne faisait allusion qu'indirectement au fait que Brett avait «servi» très jeune. Il parlait avec plus de véhémence de la guerre – des guerres – contre la terreur : cette *croisade* qui n'aurait jamais de fin.

Comme vouloir éradiquer le mal. Mais le mal n'aura jamais de fin.

En prison, Brett Kincaid regardait rarement un détenu dans les yeux. Il était plus sage de ne pas le faire. Pourtant, levant les yeux vers le prêtre presque timidement, plein d'espoir, il voyait que le père lui souriait, le *voyait*.

Heureux de connaître un secret. Comme quelqu'un qui est mort et revient aider les autres.

Il avait cru que c'était une malédiction, son corps en ruine. Mais il comprenait maintenant que Dieu avait permis à ce corps en ruine de tenir et de durer.

Dans d'autres guerres plus anciennes, livrées par des soldats américains, de telles blessures auraient entraîné sa mort.

Trouvant dans l'église du Bon Larron, non le bonheur, mais la cessation de la douleur, de la souffrance.

De la culpabilité.

C'était temporaire et non permanent. Mais cela lui redonnait courage.

Car le père Kranach lui avait expliqué, à sa requête, les principes de la confession catholique.

Le père Kranach lui apprit un acte de contrition abrégé *Ô mon Dieu je regrette mes péchés de tout mon cœur. Entre dans mon âme, et mon âme sera guérie.*

*

Dans sa quatrième année d'incarcération, elle vint le voir.

À de nombreuses reprises elle lui avait demandé la permission de lui rendre visite et, chaque fois, il refusait. Souvent même, il ne répondait pas à ses lettres.

Mais bien entendu Arlette Mayfield ne renonça pas. C'était une chrétienne pour qui la fierté était une sorte d'étoffe brillante, une soie coûteuse, qui n'a de prix que si on la piétine et qu'on laisse les autres la piétiner.

Et finalement Brett dit *oui*.

Il ne voulait pas voir Arlette Mayfield, ni aucun des Mayfield, ni personne de sa vie de *là-bas*, et pourtant il céda, il répondit à Mme Mayfield en disant *oui*.

Aussitôt Arlette lui écrivit qu'elle ferait le trajet le vendredi suivant, passerait la nuit dans un motel de Dannemora et arriverait à la prison à 8 heures, heure du début des visites.

Car Arlette viendrait seule, apparemment. Un long trajet par des routes étroites et sinueuses dans les avant-monts des Adirondacks.

C'était un soulagement. Il ne pouvait supporter l'idée de revoir Zeno Mayfield.

Les parents de Juliet. Qui avaient été si près d'être aussi les siens.

La procédure était la suivante : les visiteurs se présentaient à l'entrée de la prison, passaient les contrôles de sécurité, remplissaient le formulaire, et le prisonnier qu'ils souhaitaient voir était prévenu et accompagné au parloir ; les visiteurs n'étaient admis au parloir qu'accompagnés, après que le prisonnier y avait été conduit.

Lorsqu'on appela le caporal, son premier réflexe fut de dire *non*.

Il appréhendait de la revoir au bout de tant d'années. Et de se retrouver en présence d'un visiteur pour qui il n'était pas l'*affaire Kincaid*, mais simplement Brett.

Car Ethel n'était jamais venue : de mois en mois sa santé *empirait*, ce fichu voyage en bus l'aurait *tuée*.

Le parloir était vaste, violemment éclairé, sonore et inhospitalier. Tous les détenus étaient des hommes, la plupart des visiteurs, des femmes.

Éparpillés dans cet immense espace ouvert, il y avait quelques enfants, certains très jeunes. Plus intensément que jamais jusqu'alors Brett fut envahi d'un sentiment de perte : perte de sa vie d'homme, de mari, mais aussi de la vie de famille, de père, qu'il aurait pu avoir.

Tout cela, gâché.

Un gardien conduisait vers lui une petite femme maigre aux cheveux bruns argentés. Elle lui souriait… était-ce Arlette Mayfield ? Il éprouva un léger choc : cette femme fanée, ce grand sourire.

Il y a les parents de vos amis qui sont *vieux*, et il y a ceux qui sont *jeunes* : dans le cas des Mayfield, Zeno comme Arlette avaient été *jeunes*. En jean et chemise polo, revenant d'un « jogging autour du cimetière », ses tennis trempées, Arlette Mayfield avait davantage ressemblé à une sœur aînée de Juliet qu'à sa mère.

« Brett ! Bonjour… »

Ses yeux étaient plus grands qu'il ne se les rappelait, dans son visage maigre. Ses cheveux étaient duveteux, clairsemés. Les coins de sa bouche souriante semblaient plissés de douleur.

Brett bégaya un salut. Se disant *C'est une erreur, je ne vais pas y arriver.*

Mais Arlette Mayfield était déjà assise en face de lui, à une table. Entre eux, une barrière de Plexiglas. Par une ouverture grillagée dans cette barrière, ils pouvaient se parler ; ou plutôt, Arlette pouvait parler à Brett, que l'émotion, le choc rendaient muet.

Les visites étaient limitées à une demi-heure. Le caporal se rappela son entraînement : dans les situations dangereuses où le futur immédiat est imprévisible, il faut ralentir le temps par un acte de volonté, séparer et « s'approprier » chaque seconde sous peine d'être happé et emporté.

C'était impossible, ce qui se passait là. Se retrouver en face de cette femme qu'il avait évitée pendant des années. L'entendre lui parler avec chaleur, avec émotion, mais sans le moindre reproche, presque avec respect (il s'en souviendrait ensuite avec stupéfaction : du respect !) et parvenir à lui répondre, même si ce n'était que gauchement, par monosyllabes : *oui, non, je pense, peut-être…*

Il supposa qu'elle avait été malade.

Ces cheveux maigres, fins et grisonnants – il avait vu des femmes de sa famille comme ça – un cancer probablement, la chimiothérapie, les cheveux qui repoussent, mais pas comme avant.

Il ne pouvait pas lui poser la question. Il ne pouvait pas lui poser une seule question personnelle.

Tu pourras m'appeler maman… bientôt !

Elle avait plaisanté avec lui. Une partie de la plaisanterie tenant à ce qu'Arlette Mayfield était jeune, aussi drôle et espiègle qu'une adolescente, plus portée à plaisanter que Juliet, en fait.

Appeler Mme Mayfield *maman*. Cela avait fait rire Brett.

Sa propre mère n'avait rien d'une *maman*. Cela faisait aussi partie de la plaisanterie.

Mais il devait le reconnaître : Arlette n'était pas *maman*.

Jamais sa belle-mère, mais la mère de la fille qu'il avait assassinée.

(Bizarrement, il se rappelait rarement le prénom de cette fille-là. Un prénom excentrique qu'il n'avait jamais entendu auparavant, peut-être qu'il lui en avait voulu à cause de ça, ce côté «à part», cet air de se savoir «à part» quand elle était en présence de sa sœur aînée, adorée de tous, alors qu'elle-même ne l'était pas. Et quel droit avait-elle, cette sœur sans charme, farouche, d'avoir des prétentions sur lui!)

(Pourtant, ils avaient été amis, au départ. Il y avait eu une complicité entre eux. Un secret : il lui était venu en aide quand elle avait eu un accident de vélo dans Waterman Street, près de la rivière. Une gamine, à l'époque... toute jeune.)

Submergé par un flot d'émotions qui le bouleversait, le stupéfiait.

Comme si avoir tué la fille et l'avoir jetée dans la rivière pour effacer la trace de son crime ne suffisait pas... Il fallait en plus qu'il la haïsse!

Arlette se pencha en avant. En ce jour d'automne hivernal, elle portait une veste torsadée couleur de feuilles brûlées. Maigre au point que les os de ses poignets saillaient sous la peau. Un sentiment de perte si aigu assaillit Brett qu'il se sentit mal.

«Brett? Ce n'est pas si terrible... hein?»

Arlette souriait. Une sorte de plaisanterie mélancolique.

Voir la mère de la fille que tu as assassinée... ce n'est pas si terrible, hein? Comme tu es courageux!

«Je crois que ce doit être quelque chose de très simple... Dieu nous veut ensemble, comme ça. Sans autre but que cela : que nous soyons ensemble.»

Arlette parlait doucement, paisiblement. Il était difficile de l'entendre dans le vacarme du parloir.

Le caporal n'avait pas souvent mis les pieds dans le parloir car les avocats qui étaient venus le voir le retrouvaient dans de petites pièces privées, en dehors de la présence des surveillants. *L'affaire Kincaid. Condamné pour homicide sur la base d'aveux, de preuves indirectes. Le corps de la victime n'a jamais été retrouvé.*

«C'est une conviction que j'ai eue quand... quand on t'a emmené... Que nous formions toujours une famille et que cela n'avait pas d'importance que quelque chose soit arrivé pour rompre ce lien. C'est aussi ancien que cela, mais je... je n'ai pas compris sur le moment. J'étais... Je n'étais pas aussi forte, alors.»

Elle parlait lentement. Élevant sa main droite, elle la pressa contre la barrière de Plexiglas dans un geste implorant.

Une petite main, des doigts fins. Avec un serrement de cœur Brett remarqua qu'il n'y avait pas de bagues sur ces doigts.

«Si Jésus est avec nous, il est avec nous tous. Ceux qui sont vivants et ceux qui... ne le sont plus.»

Des éclats de voix résonnèrent dans une autre partie du parloir. Aussitôt un surveillant s'avança, lançant d'un ton sec *Du calme là-bas! Restez assis.*

Brett se prépara à entendre des cris, la sonnerie stridente d'une alarme.

C'était un lieu d'hallucinations. Des milliers de rêves anonymes mêlés grossièrement, cruellement.

Levant sa main, il la posa timidement contre celle d'Arlette de l'autre côté de la barrière : une main plus grosse, une main d'homme, les ongles rabotés, rognés.

«*Elle* est avec nous. Elle est plus heureuse maintenant, sachant que nous l'aimons.»

Ainsi, silencieux et obscurément réconfortés, ils restèrent ensemble jusqu'à ce qu'une sonnerie brutale les réveille et marque la fin de la visite.

Tous les deux ou trois mois Arlette revint.

Elle passait la nuit dans un motel de Dannemora, venait tôt à la prison et rentrait seule à Carthage.

Elle parlait rarement de Zeno ou de Juliet, rarement même de Carthage.

Le temps qu'ils passaient ensemble était essentiellement silence. En les voyant dans le parloir, on aurait pu les prendre pour une mère et un fils liés par un chagrin singulier.

Ce silence apportait un profond réconfort à Brett. À la façon d'un médicament si puissant qu'il ne peut passer d'un seul coup dans le sang, mais doit y être libéré lentement sur une période de plusieurs heures, plusieurs jours.

Il cessa de se haïr avec autant de virulence.

Il pensa *J'ai une amie. Deux amis.*

Il pensa *Si je suis une merde, je ne suis pas que cela. Je suis... quelque chose de plus.*

À l'intérieur du mur haut de dix-huit mètres la réputation détériorée du caporal se rétablit peu à peu. Par défaut Kincaid était le préféré des surveillants qui voyaient en lui quelqu'un qui leur ressemblait : sa personnalité, son intelligence, son intégrité, sa *santé mentale*.

Il se porta volontaire pour donner des cours d'alphabétisation dans la prison. Travailla de nouveau comme aide-soignant à l'infirmerie et dans le service psychiatrique de l'hospice. Bien qu'il ne fût pas catholique et ne communiât pas, il était l'aide le plus zélé du père Kranach dans l'église du Bon Larron : il balayait, lavait, cirait les bancs en chêne rouge des Appalaches, réparait les marches cassées, nettoyait les vitraux et la statue sculptée de saint Dismas crucifié.

Entre dans mon âme, et mon âme sera guérie.

Il commença à seconder le père Kranach qui réunissait des groupes de parole plusieurs fois par semaine dans son église. (Le père Fred Kranach, le thérapeute/conseiller le plus aimé de la prison, avait un diplôme de psychologie clinique, en plus de son diplôme du séminaire.) Brett distribuait les documents, aidait le père Kranach à conseiller les détenus. C'était exaltant pour lui de se voir regardé avec reconnaissance plutôt qu'avec méfiance; de pouvoir encourager les autres, sinon lui-même.

Le père Kranach évoqua un «avenir» pour Brett Kincaid dans le travail social, le conseil psychologique, quand il serait libéré.

Libéré! Le mot lui paraissait étrange, moqueur. S'il faisait toute sa peine, il ne serait libéré que vers 2027; il aurait quarante-six ans.

Dans la sixième année de son incarcération, à la mi-mai 2012, le caporal fut convoqué.

Le père Kranach avait été chargé de conduire Brett Kincaid dans le bureau du directeur.

«Je crois que c'est une bonne nouvelle, Brett. J'en suis sûr. Tu dois te préparer.»

On lisait une étrange agitation sur le visage du prêtre. Brett n'avait jamais vu son ami aussi… *ému.*

Une bonne nouvelle. Il ne s'agissait donc pas de sa mère… de la mort de sa mère.

Dans le bureau du directeur Heike, on lui répéta à plusieurs reprises de s'asseoir.

Jamais les détenus n'étaient invités à s'asseoir dans le bureau du directeur.

15

Le père

Mars 2012

Il savait : elle était en vie.

Il savait : s'il persévérait, s'il ne désespérait pas, il la retrouverait.

Elle était son plus jeune enfant. Elle était l'enfant difficile. Celle qui devait lui briser le cœur.

C'était sa maladie, qu'il devait cacher contre son cœur comme une main de poker si merveilleuse que les cartes flamboient et aveuglent.

Six ans, huit mois. Et ce jour-là, le 27 mars.

Un appel de Juliet sur son portable : *Papa? Rappelle-moi quand tu peux.*

Elle ne disait pas *C'est urgent.* Car éveiller l'inquiétude n'était pas dans ses habitudes. Mais il le sentit : *urgent.*

Il se hâta de rappeler sa fille.

Elle, sa fille aînée, avait été contrainte de quitter Carthage. Ne pouvait supporter l'idée d'y revenir. Le simple souvenir de Carthage, trop douloureux pour elle.

Elle était partie, s'était mariée. Un homme qui avait près de vingt ans de plus qu'elle.

*Tu vois, papa! J'ai grandi, je suis une adulte. Je ne suis plus
ta petite fille et ne tomberais plus amoureuse d'un jeune benêt de
soldat capable de nous briser le cœur.*

Il avait donc perdu son autre fille aussi. Comme si le caporal
avait tué ses deux filles.

Juliet était la fille « survivante » : une héroïne de tabloïd ou
une malheureuse idiote dont la jeune sœur avait été « sauvagement assassinée » par son fiancé, un « héros de guerre ».

Des semaines, des mois. Une couverture médiatique impitoyable.

Juliet avait dû abandonner son poste d'enseignante auquel
elle tenait. Ses activités de bénévole à la Home Front auxquelles
elle tenait. Son troisième cycle d'enseignement avait été reporté
à une date indéterminée.

Elle avait d'abord séjourné chez des amis, évitant la maison familiale où journalistes et équipes de télévision la guettaient tels des oiseaux de proie. La loi leur interdisant d'entrer
dans les propriétés privées, ils attendaient devant la pelouse des
Mayfield, sur le trottoir et dans la rue ; avant de vous engager
dans l'allée des Mayfield, vous deviez les prier de vous laisser
passer et essuyer les flashs de leurs appareils photo.

Juliet avait fini par quitter Carthage pour aller vivre ailleurs
« dans l'anonymat » : même ses parents ne savaient pas toujours
où elle était.

Aucun des Mayfield ne s'était douté des retombées toxiques
d'un crime violent. La phosphorescence morbide du scandale
s'attachant à un nom : *Mayfield*.

La petite notoriété dont Zeno Mayfield avait joui en sa qualité de maire controversé de Carthage pâlit et s'évanouit au profit de cette attention virulente et prolongée.

C'était illogique, puisque les *Mayfield* étaient les victimes. L'assassin était *Kincaid*.

C'était la *rivalité entre sœurs*, réelle ou supposée, qui avait excité la curiosité des médias. Une rivalité scabreuse pour l'amour du caporal Kincaid, transformant les sœurs Mayfield en *ennemies acharnées*.

Dans les blogs, on sous-entendait que Juliet, la fiancée, était enceinte : qu'elle avait fait une fausse couche ou avorté ; ou qu'elle avait eu un enfant (prématuré, condamné) du caporal Kincaid.

Il avait été incapable de sauver sa fille cadette. Et maintenant c'était au tour de l'aînée.

La belle Juliet Mayfield, traquée et harcelée comme la licorne de la légende médiévale. Zeno était obsédé par cette image étrange et absurde : l'élégante licorne blanche des tapisseries françaises du XVᵉ siècle, les chasseurs barbares et cruels, l'emprisonnement, le sang éclatant de l'innocence.

Dans le musée des Cloisters de New York, Arlette et lui avaient été à la fois fascinés et rebutés par ces tapisseries. Un sadisme raffiné dans cette beauté, l'apothéose du martyre chrétien.

Et cependant, dans la dernière tapisserie... la licorne retrouve miraculeusement la vie, quoique emprisonnée dans un enclos minuscule à la façon d'un vulgaire animal de ferme.

Une femme était entrée dans sa vie pour boire avec lui.

Une femme qui n'était pas l'une de *ses* femmes. Qui ne l'avait pas connu, avant.

L'ancien Zeno. Elle ne l'avait pas connu.

Bien qu'elle en eût probablement *entendu parler*. Tout le monde à Carthage semblait avoir *entendu parler* de Zeno Mayfield.

Il ressemblait à un vieux général romain. Un Romain de l'Antiquité. Il avait livré de nombreuses guerres contre les Goths, perdu ses nombreux fils au cours des décennies, et maintenant il survivait dans une autre époque où son nom était «connu» – mais sans qu'on en sache la raison, ni si cette célébrité tenait à son mérite.

Elle s'appelait Genevieve. Un nom qui avait de classe, et c'était une femme qui avait de la classe, ou qui en avait eu jusqu'il y avait peu : de grands yeux noisette, une bouche douce qui semblait meurtrie, d'épais cheveux bruns tombant aux épaules. Elle avait perdu un mari, un fils de dix-huit ans : divorce pour le premier, drogue pour le second. Elle avait dû vendre à perte la maison qu'elle occupait dans le quartier de Cumberland et habitait maintenant, par coïncidence, bien qu'il n'y ait pas de coïncidence dans ce genre de récit, l'immeuble de Cedar Hill où, depuis la dissolution de son mariage, Zeno Mayfield occupait également un appartement de célibataire sordide, au sixième étage en terrasse.

Genevieve était entrée dans la vie de Zeno après qu'Arlette en fut sortie. Juste pour préciser les choses.

«Dis-le aux gens, Zeno, s'il te plaît. Explique-leur la chronologie.

– Pourquoi? Quelle importance?

– Parce que cela a évidemment de l'importance.

– Mais... pourquoi? À notre âge?

– Encore plus à notre âge.»

Genevieve savait que tous les amis de Zeno qui avaient été ceux d'Arlette lui en voudraient. Car Arlette Mayfield était une femme que les autres femmes aimaient beaucoup et auraient aimé protéger.

Surtout depuis la perte de sa fille.

Depuis la perte si *publique* de sa fille.

Zeno était amusé par le sens des convenances de Genevieve. Mais il était aussi touché : elle tenait si fort à ce que tout soit correct, convenable, entre eux.

En dépit de ses quarante-sept ans, de son divorce et des « relations » que, de son propre aveu, elle avait eues avec d'autres hommes depuis son divorce.

Dans l'intimité, ils étaient ardents et gauches comme des acteurs : des acteurs entre deux âges, mais néanmoins sans expérience, jouant des rôles pour lesquels ils n'étaient pas préparés. Des textes qu'ils n'avaient pas appris par cœur ni vraiment compris. Marié pendant si longtemps, habitué à une femme qui vivait avec lui sans particulièrement le *voir*, Zeno était contrarié à l'idée que cette nouvelle compagne *verrait* son physique dégradé d'un œil forcément impitoyable ; de son côté, il était enclin à la regarder, dans un aimable désordre de draps et de lingerie, les yeux galamment mi-clos.

En fait, Genevieve avait connu Arlette avant de rencontrer Zeno. Bénévole à la boutique perruques du centre HELP, que fréquentaient principalement des femmes sortant de chimiothérapie, elle avait conseillé Arlette sur la façon de personnaliser une sorte de perruque, synthétique ou naturelle, ou un mélange des deux, quand Arlette avait perdu ses cheveux à la suite du traitement post-chirurgical de son cancer du sein.

(Le cancer d'Arlette avait été diagnostiqué relativement tôt, au stade II. Zeno avait été plus terrifié que sa femme, semblait-il. À mesure que, soumise à une chimiothérapie éprouvante, suivie de radiothérapie, Arlette maigrissait – une maigreur éthérée, « rayonnante » et « spirituelle » –, Zeno, de plus en plus désorienté, négligé, *perdait le contrôle* de sa consommation d'alcool, comme disent les Alcooliques Anonymes).

Contrairement à Arlette, qui estimait avoir fait des folies quand elle avait dépensé plus de vingt-cinq dollars dans un dépôt-vente, Genevieve s'habillait avec soin et avec chic ; alors qu'Arlette portait des jeans usés, des pulls rapiécés et des parkas en nylon, Genevieve mettait des jeans de marque, des pulls en cachemire et d'élégants manteaux en fausse fourrure ; elle dépensait davantage en chaussures au cours d'une saison qu'Arlette ne l'avait fait de toute la durée de son mariage avec Zeno.

À sa façon plus désinvolte, Zeno aussi avait soigné son apparence lorsqu'il était un homme public. Il connaissait la valeur d'une cravate aux couleurs hardies. Il connaissait la valeur des vêtements élégants mais sans extravagance qu'Arlette l'aidait à choisir : un homme politique ne doit pas inspirer l'envie ni le ressentiment, mais la confiance. Avec une obstination maniaque, tournée en ridicule par les femmes pragmatiques de son entourage, Zeno avait refusé de porter un chapeau, et souvent même un manteau, y compris pendant les hivers polaires du nord de l'État de New York.

À présent, à demi retraité, à demi vivant, quel que fût cet état d'ennui anxieux, Zeno portait sans beaucoup d'attention ni d'intérêt ses vieux habits familiers, vestes en tweed, pulls troués aux coudes, jeans déchirés, vestiges de costumes J. Press qui épousaient son corps affaissé comme un gant ; il avait entièrement renoncé aux cravates et ne mettait plus que rarement ces chemises de coton blanc parfaitement repassées qui avaient été la marque distinctive du maire. Il conservait l'habitude de se doucher tous les matins, de shampouiner ses épais cheveux grisonnants, sentant que sauter un seul matin marquerait le fameux début de la *fin*.

Au début il avait été flatté par les cadeaux de Genevieve. Touché et heureux que cette femme séduisante pense à *lui*. Puis, rapidement, il lui avait semblé que ces cadeaux, presque toujours des vêtements – chemises italiennes, pulls en cachemire, ceintures de cuir, gants – lui faisaient reproche de son goût, ou de son manque de goût. Genevieve lui offrait aussi ses petits tableaux de fleurs et ses céramiques fauves, qu'elle disposait stratégiquement dans son appartement pour «égayer» l'atmosphère.

Et elle lui apportait des vins sophistiqués. Genevieve était une aventurière dans ce domaine : vins néo-zélandais, marocains, brésiliens, en sus des plus fiables, italiens, français et californiens. Le plaisir qu'ils prenaient à être ensemble devait beaucoup au vin, de même qu'au whisky, au gin, à la vodka, au cognac, et à diverses sortes de bières et d'ales – domaine où l'aventurier était Zeno.

La galanterie n'était pas une obligation quand vous étiez aimablement/gaiement ivre, elle venait tout naturellement.

De même qu'un rire aigu de jeune fille, apparemment spontané et ravi, venait alors tout naturellement à Genevieve.

«C'est si bon de rire à nouveau, Zeno. Merci pour ça.»

Et il n'avait su que dire. Il avait été frappé de mutisme.

Car c'était un texte qu'ils n'avaient pas encore appris par cœur. Un texte maladroit et plein d'espoir en cours de création.

En examinant les petits tableaux carrés de Genevieve, dont aucun ne dépassait les vingt centimètres de côté et qui, tous, exprimait une vie luxuriante, sensuelle, vertigineusement exubérante, Zeno se disait *Quelle différence avec Cressida.*

Ce qui voulait dire *Quelle différence avec l'art de Cressida.*

Zeno avait montré certains des dessins de sa fille à Genevieve. Il avait été étonné par leur taille et par leur complexité d'exécution; par la vision de l'artiste si *particulière* et si *difficile d'accès.*

Les tableaux de Genevieve et de ses amies artistes, que Zeno voyait fréquemment dans les galeries de Carthage où Genevieve l'emmenait, restaient presque exclusivement à la surface, tels des nénuphars gaiement colorés sur un étang; l'art minutieux, pointilleux de Cressida était une affaire de profondeurs.

Vous étiez attiré d'instinct vers l'art aux couleurs hardies célébrant la vie. Mais c'était l'autre, plus complexe, qui provoquait et dérangeait, qui captivait votre attention.

« Si étrange pour une fille! Si... inhabituel. »

Zeno tiqua en entendant cette remarque inepte. Il imaginait la réaction de Cressida.

« Et tu dis qu'elle avait... quel âge? Elle était encore au lycée? »

Zeno répondit qu'il le pensait, oui.

En fait, le dessin représentant un enchevêtrement vertigineux de ponts, une fantaisie de M. C. Escher superposée sur les six ponts de Carthage, était sans doute plus ancien, car il y avait des traces de couleur dans les « ombres » des ponts.

Genevieve ne se doutait pas de l'influence d'Escher, et Zeno n'avait pas envie de lui en parler.

Elle se rappela alors avoir vu une sélection des dessins de Cressida dans la bibliothèque publique de Carthage en janvier 2006. L'exposition, organisée par Arlette et par la responsable de la bibliothèque, avait connu un grand succès local en raison de la « disparition tragique » de la jeune artiste, âgée de dix-neuf ans.

Genevieve ne connaissait alors pas les Mayfield et ne leur en avait pas parlé, mais des années plus tard, quand Zeno lui montra certaines des œuvres de Cressida, elle se rappela l'exposition avec beaucoup de netteté : « Ces dessins m'ont fait une forte impression. Je me suis dit que c'était une jeune fille étonnante. Et qu'il n'avait pas dû être facile pour ses parents d'avoir une enfant comme elle.

– C'est vrai... c'était vrai. »

Zeno avait été flatté, mais aussi légèrement écœuré de l'accueil fait au travail de Cressida. Il imaginait la réaction sardonique de sa fille : *Où étaient tous ces «admirateurs» quand j'étais en vie?*

Le journal de Carthage avait consacré deux pleines pages à l'exposition. Les gros titres étaient dithyrambiques.

UNE REMARQUABLE EXPOSITION
RETRACE LA NAISSANCE
D'UN EXCEPTIONNEL TALENT D'ARTISTE
«Un cadeau posthume»

Des photos familiales rares, où la jeune *artiste* souriait, ou du moins ne faisait pas manifestement la tête, accompagnaient l'exposition, qui avait été reprise quelques mois plus tard, sous une forme plus ambitieuse, à Carnegie House, un ancien hôtel particulier légué à la municipalité pour des activités de proximité ou à but non lucratif.

Zeno trouvait ironique que sa fille doive une célébrité, *posthume*, à ces dessins austères, minimalistes, nés du désespoir féroce d'une adolescence solitaire et pleine d'amertume. Quasiment tout le monde à Carthage – y compris les adolescents de son âge – connaissait maintenant le nom de *Cressida Mayfield*, victime (présumée) d'un viol et d'un meurtre (présumés) en même temps qu'*artiste* acclamée.

«Seigneur! Cressida en serait malade», dit Zeno, en secouant la tête.

Arlette fut offensée. Arlette supportait mal, depuis juillet 2005, les propos qu'elle qualifiait de cyniques, calomnieux, irrévérencieux ou *négatifs*.

«Tu ne sais pas ce que Cressida en penserait, tu n'en as aucune idée. Notre fille avait un côté, nous l'avons vu quand elle s'est portée volontaire pour le programme de mathématiques, qui souhaitait le contact avec les autres. Cressida n'était pas négative, elle était... complexe.»

Zeno avait remarqué que le mot même de *négatif* semblait préoccuper Arlette. Que le seul fait de suggérer que Cressida aurait pu réagir avec son scepticisme habituel au maelström d'attention concentrée sur elle depuis juillet 2005, et qui avait à peine molli depuis les aveux du caporal Kincaid en octobre de la même année, creusait une ride profonde et peu flatteuse entre les sourcils d'Arlette. Comme si c'était la mère, et non le père, qui était devenu l'interprète de la fille disparue : le substitut de la fille disparue.

Il avait entendu dire que la mort d'un membre de la famille provoque une réorganisation sismique parmi les survivants. Les anciens rapports sont brisés, de nouveaux doivent être trouvés, mais comment?... L'absent reste à la fois absent et douloureusement présent.

Concentrés comme il l'était sur la fille disparue, Arlette et lui négligeaient maintenant leur fille survivante, Zeno s'en rendait compte. Longtemps, Juliet avait été le centre de leur attention, au détriment de Cressida; maintenant, cela avait changé. Et Juliet aussi avait été blessée, irrévocablement.

(La façon dont Juliet affrontait la perte de sa sœur était d'en parler très peu. Sa façon d'affronter la perte de son fiancé, de ne pas en parler du tout.)

(Sa façon d'affronter le naufrage de sa vie à Carthage fut d'en partir... pour s'installer finalement à Albany où elle s'inscrirait en troisième cycle d'enseignement à l'université d'État et obtiendrait un mastère d'enseignement de l'anglais; elle trouverait un poste dans le prestigieux lycée privé Hedley et, presque simultanément, un nouveau fiancé, dont ses parents ne sauraient presque rien avant le mariage.)

Après la disparition de Cressida, Arlette entreprit de célébrer le souvenir de leur fille d'une façon qui émut d'abord Zeno, puis le mit mal à l'aise et, finalement, le perturba. Il sentait qu'Arlette parvenait à accepter le *décès* de leur fille d'une manière qui lui était inaccessible ; il avait beau faire appel à son être rationnel, à ce qu'on pouvait qualifier de bon sens, il conservait dans un coin de son esprit une dose de... scepticisme, d'espoir ?

De ses années d'université il gardait le souvenir du paradoxe du *chat de Schrödinger*.

Une expérience de pensée des années 1930. Un paradoxe où le chat (enfermé dans une boîte) est à la fois vivant et mort jusqu'à ce que l'on ouvre la boîte pour constater par soi-même s'il est vivant ou mort.

Zeno ne se rappelait pas si l'observateur, celui qui ouvre la boîte, décide aussi du destin du chat. Ouvrir la boîte précipite-t-il la mort du chat ? Zeno se rappelait vaguement une histoire de radiation, de boulettes empoisonnées... Personne ne jugeait cette expérience de pensée « cruelle envers les animaux » car personne à l'époque, à part quelques antivivisectionnistes excentriques, ne se souciait de la souffrance et de la mort des animaux de laboratoire ; et personne, assurément, ne semblait se soucier du fameux chat de Schrödinger.

Insomniaque pendant des années, il vivait, revivait ces premières heures des recherches.

Ces premières heures intenses où l'excitation... l'espoir avaient été presque insupportables.

Les recherches dans la Réserve. Le professionnalisme de bon nombre des secouristes qui savaient comment rechercher les randonneurs perdus dans les Adirondacks.

*Nous la trouverons, monsieur Mayfield. Si Cressida est ici...
nous la trouverons.*

Et il l'avait cru. Il avait voulu le croire.

L'ultime effort physique de sa vie d'*homme*.

Car, malgré son ardeur, il avait échoué. Malgré ses compétences de scout il avait échoué à retrouver sa fille.

Échoué plus fondamentalement – même s'il était le seul à se condamner – en tant que secouriste, car la douleur l'avait abattu très vite, au bout de quelques heures. (Peut-être avait-il tout de même tenu huit heures ?) Zeno Mayfield, qui s'était vanté de ses compétences de randonneur, qui prônait des week-ends de retraite dans les Adirondacks à son personnel et à ses associés de la mairie, contraint de reconnaître sa piètre condition physique, ses insuffisances. À présent, des années plus tard, à moins de boire jusqu'à l'inconscience, il avait pris la morne habitude de rouvrir ses blessures en se remémorant l'humiliation ultime, son effondrement, terrassé par la douleur, et le jeune homme qui avait bondi à son secours.

Monsieur Mayfield ! Zeno ! Je suis là.

Il ne parlera pas à Genevieve de ce passé. Une étiologie pitoyable.

Qu'elle découvre par elle-même que Zeno Mayfield n'est plus ce qu'il avait passé pour être dans certains milieux de Carthage (à tort, en fait... et il avait aimé cela) : *sexy, sensuel, aimant les femmes et irrésistible à leurs yeux.*

Les parents de la jeune fille disparue, 19 ans.

Les parents éplorés de la jeune fille assassinée, 19 ans.

Arlette avait affronté la disparition de leur fille d'une manière que personne n'aurait pu prévoir. Elle avait fait de son deuil une sorte de célébration, implacablement publique. Peu après les aveux du caporal Kincaid, sa condamnation et son incarcération à Dannemora, quand il avait semblé qu'il n'y avait plus lieu de rechercher la *jeune disparue*, elle avait aidé à l'organisation de l'exposition dans la bibliothèque publique de Carthage, et participé à des campagnes de collectes de fonds pour des centres d'accueil de femmes battues ; elle avait été invitée à un talk-show de l'après-midi sur une chaîne affiliée de CBS-TV à Watertown ; elle avait organisé d'autres expositions artistiques dans des galeries de la région et à la Home Front Alliance ; elle avait fait don de l'un des grands dessins de Cressida à la vente aux enchères annuelle de la Home Front, où il avait été adjugé à un prix élevé : deux mille dollars. (Zeno avait été furieux qu'elle eût donné *Montée et Descente* sans le consulter. Et elle avait été choquée de sa colère.) Elle avait fait des dons à l'équipe de soutien en mathématiques, en les accompagnant de commentaires publics enthousiastes laissant penser que l'expérience de bénévolat de Cressida avait été une brillante réussite et non, comme ils le savaient, une déception.

Avec plus d'ambition, aidée par des amies compatissantes, Arlette finança, en mémoire de leur fille disparue, un sentier de randonnée et un « jardin du souvenir » dans le parc Friendship, qui s'étendait sur plusieurs kilomètres le long d'une falaise dominant la Black River ; un beau banc en cèdre, orné d'une petite plaque en cuivre – CRESSIDA MAYFIELD 1986-2005 – donnait sur la rivière. Zeno en fut si furieux qu'il hurla à Arlette que c'était pervers, obscène : « Son nom ne suffit pas ? Pourquoi faut-il ces dates ? Pourquoi tout doit-il être daté, finalisé ? »

Cette fois encore, sa colère froissa Arlette. Elle s'était attendue qu'il soit profondément ému, comme elle, et comme d'autres ; elle lui dit, d'un ton blessé, perplexe : « Je ne sais pas, Zeno. Pourquoi ? C'est toi l'intellectuel de la famille. *Pourquoi* les choses ont-elles une fin ? »

C'était peut-être lors de la réception d'inauguration, dans un belvédère au-dessus de la rivière, ou lors d'une autre réception, similaire, à Carnegie House, que Zeno abusa visiblement de la boisson, alors que jusque-là il n'avait fait que boire un peu trop ; ses abus de boisson commençaient à être remarqués par d'autres que les membres de sa famille et ses amis proches. Car Zeno était malheureux, et il n'était pas dans la nature de Zeno Mayfield d'être malheureux seul. C'était un homme public, mal taillé pour les discrétions de la vie privée. Pourtant, au milieu de la foule et de ses bavardages, il se sentait gauche, vulnérable. Il avait toujours trouvé refuge dans la vie sociale, dans cette griserie particulière des soirées, où il brillait d'un éclat indomptable ; à présent, cependant, il ne se sentait pas à sa place. Des vers du *Roi Lear* de Shakespeare lui traversaient l'esprit, les paroles desespérées qu'adresse le vieux Lear à sa fille assassinée, Cordelia, qu'il a stupidement mal jugée et traitée :

Pourquoi un chien vivrait-il, un cheval, un rat,
Quand, toi, tu n'as plus de souffle[1] *?*

C'était la question essentielle, qui n'avait pas de réponse.

Il but trop de vin, dans de petits verres en plastique. Vous êtes censé boire le vin blanc à petites gorgées, en conversant avec d'autres personnes qui boivent à petites gorgées ; vous n'êtes pas censé *boire* le vin comme Zeno le *buvait*, à grandes lampées avides. Vous n'êtes pas censé vous essuyer la bouche d'un revers de main.

Et puis les doigts grossiers de Zeno surestimèrent la solidité du verre en plastique, le serrèrent trop fort et le fendirent : du vin blanc gicla sur ses vêtements.

«Merde.

– Oh! papa.» Juliet le regardait avec consternation.

Elle s'apprêtait à tamponner le vin avec une serviette en papier, mais hésita devant l'expression féroce de Zeno.

---

1. *Le Roi Lear*, Shakespeare, Gallimard, trad. Jean-Michel Déprats.

Bientôt on dirait *Pauvre Zeno. Il est sur la mauvaise pente, il n'arrive même plus à le cacher.*

Et bientôt on dirait *Pauvre Arlette! Combien de temps va-t-elle tenir?*

Il l'aimait. Il avait aimé sa petite famille.

Il n'avait pas eu de fils, qui lui auraient posé d'autres problèmes que ceux que lui avaient posés ses filles. Et donc, il devait le concéder, il était peut-être incomplet, immature : il avait toujours été le mari adoré, le père adoré.

Mais il les avait aimées, jusqu'au désespoir. Chacune de ses filles lui avait paru une naissance miraculeuse. Et son amour pour sa femme n'avait cessé de s'approfondir.

Et cependant il en était arrivé à lui en vouloir, après la disparition de Cressida.

Après la reconnaissance de sa *mort*, et le besoin de *commémorer*, de *célébrer*.

Au début ils avaient pleuré ensemble. Ils avaient même bu ensemble.

Et puis, peu à peu, Arlette avait semblé se détacher de lui. Comme quelqu'un à qui une étreinte réconfortante devient étouffante.

Il lui en voulait amèrement de ce qui lui semblait être une *acceptation chrétienne* de la mort. Alors qu'une partie de lui-même, peut-être bien son cerveau le plus primitif, continuait à croire que leur fille pouvait être en vie, simplement parce qu'ils n'avaient aucune preuve de sa mort.

Dans ses rêves confus et anarchiques, Cressida était bel et bien vivante.

Pas la Cressida dont il avait le souvenir, mais un personnage féminin courroucé quoique silencieux, une figure mythologique de la fille. Ses rêves imbibés d'alcool se mêlaient aux souvenirs imbibés d'alcool de la réserve du Nautauga et du cauchemar de leurs vaines recherches. Et pourtant, sur le moment, se berçant d'illusions, il avait trouvé tout naturel qu'on ne la retrouve pas. *Évidemment. Elle est loin d'ici. Elle a disparu. Mais elle est en vie.*

Une façon de penser absurde. Malsaine, morbide et névrotique.

Pourtant, après quelques bouteilles de bière, quelques verres de vin, de whisky sur glace, rien ne paraissait plus naturel, plus logique, plus inévitable, le bon sens même.

Disparue. Mais toujours en vie.

Zeno avait envie de hurler : quiconque ne buvait pas ne pouvait pas comprendre. Boire met au présent l'histoire entière. Le passé est perdu, le futur est inaccessible, ne reste qu'aujourd'hui.

Il avait souri : quelle consolation ! Et avait rempli son verre.

« Il est antinaturel d'arrêter le temps. D'essayer d'arrêter le temps. Tu disais que Platon commettait l'erreur de croire qu'on peut "arrêter" le temps, que rien de ce qui change ne peut être bon. Mais le changement est notre vie, Zeno : Dieu ne souhaiterait pas nous voir rester inchangés. Que notre fille disparaisse de nos vies fait partie du dessein de Dieu. »

Voilà comment Arlette se mit à parler. Pas quand elle buvait avec Zeno, mais après avoir bu avec lui.

Zeno l'écoutait avec stupéfaction. Comme si quelqu'un d'autre, une inconnue, se tenait devant lui.

Sa femme ! *Sa* femme.

« Ce que Brett a fait… il n'avait pas l'intention de le faire. C'était courageux de sa part d'avouer quelque chose d'aussi terrible. Il ne peut pas nous rendre Cressida, mais notre colère contre lui ne nous ne la rendra pas davantage. » Arlette s'interrompit pour choisir ses mots, comme si elle savait que chacun d'eux s'imprimerait irrémédiablement dans la mémoire de Zeno. Puis elle se lança : « Il est malade… lui aussi est une victime. Leurs deux jeunes vies ont été détruites. Nous devons essayer de lui pardonner. »

Sa voix courageuse se fêla imperceptiblement sur le mot *pardonner*.

Zeno marmonna quelque chose d'inaudible.

« Quoi ? Que dis-tu, Zeno ?

– J'ai dit merde ! Merde au "pardon". »

Il avait foncé hors de la pièce, un ours blessé sur ses pattes de derrière, tourmenté et aveuglé au-delà du supportable, ne pensant qu'à s'enfuir, mais pour aller où ?… dans sa propre maison, où la femme qui partageait sa vie le suivait naturellement dans toutes les pièces et où, s'il fermait une porte, s'il s'enfermait dans une salle de bains par exemple, elle avait toutes les raisons de chercher à ouvrir, alarmée, anxieuse et s'efforçant de parler avec calme en mère-épouse responsable.

« Cela n'aboutit qu'à te faire souffrir, Zeno. Nous devons pardonner. Plus rien ne peut faire de mal à Cressida, maintenant. »

Le départ d'Arlette n'était pas évident. Comme était douloureusement évident le départ de Juliet.

Était-ce la faute de Zeno ? Si la corde raide de la sobriété, tous les jours, absolument tous les jours, l'horreur atroce et monotone de la sobriété, sa *banalité*, était au-delà de ses forces ?

Si, quand il descendait une volée de marches, il arrivait de temps à autre qu'il tienne, *agrippe* la rampe pour ne pas tomber la tête la première ? Ou si, face aux sourires gênés, lors d'un dîner par exemple, il lui fallait avouer, avec un rire embarrassé : « Qu'est-ce que je disais ? Excusez-moi. »

Chez les Mayfield il était de tradition que, dans tout véhicule où montait Zeno Mayfield, il prît le volant. (Exception faite des périodes où ses filles suivaient des cours au lycée et avaient leur permis de conduite accompagnée.)

À présent il devenait habituel que Zeno conduise à l'aller pour se rendre à une soirée et qu'Arlette prenne le volant au retour ; puis il devint habituel qu'Arlette conduise à l'aller comme au retour.

Puis il devint habituel qu'Arlette décline les invitations. En consultant ou en ne consultant pas Zeno.

Alcoolique mondain.

Ça vaut mieux que de boire en solitaire !

(Naturellement, Zeno buvait aussi en solitaire. Mais personne ne le savait.)

(Personne ne le savait ? Tu parles !)

Cela devint une sorte de… d'étrangeté flottante : un vide béant s'ouvrant sous le pied tâtonnant de Zeno quand il *descendait* un escalier.

Comme si, à moins d'avoir tous les sens en alerte, il risquait de perdre connaissance, de perdre l'équilibre et de *chuter*.

Il disait à Arlette, comme si leur différend couvait souterrainement à la manière de ces champs de combustible de Pennsylvanie couvant depuis des décennies dans un paysage défiguré : « Si tu lui pardonnes, tu insultes ceux d'entre nous qui l'aimons. Tu l'insultes, elle. »

Il tremblait. La violence du ressentiment qu'il éprouvait pour cette femme pondérée qui était son épouse, cette bouffée de haine soudaine étaient aussi déroutantes pour Zeno que pour elle.

« Non, Zeno. Le pardon est un choix individuel. Si tu choisis de haïr Brett Kincaid plutôt que de lui pardonner – de lui "pardonner" d'une certaine manière – c'est ton droit. Tu ne sais pas ce que notre fille aurait voulu. Si ça se trouve, elle aurait peut-être déjà pardonné à Brett. »

C'était un discours courageux, prononcé d'une voix tremblante. Car elle sentait combien il était près de l'empoigner et de la secouer violemment avec une indignation d'époux. « Foutaises ! Kincaid l'a brutalisée, puis il l'a noyée. Il s'est débarrassé de notre fille comme d'un déchet.

– Tu n'en sais rien. Tu ne sais pas ce qu'il y avait de "vrai" dans ses aveux. Sa mémoire est détériorée. Nous en avons déjà discuté. »

Discuté. C'était une litote.

En tant que père de la victime, Zeno avait été stupéfait – et pour tout dire, scandalisé, furieux – que des tiers se croient le droit d'avoir une opinion sur le sujet ; le droit de déclarer, et parfois de publier, que le caporal Brett Kincaid n'était pas suffisamment sain d'esprit pour comprendre les chefs d'accusation retenus contre lui et pour participer à sa défense ; pire encore, qu'il n'était pas suffisamment sain d'esprit pour avoir commis un crime quelconque. Et de se demander si le chef d'accusation retenu par l'accusation après négociation avec l'avocat de la défense aurait dû être celui de meurtre au second degré ou d'homicide involontaire.

D'autres pensaient que Kincaid avait commis un meurtre atroce et brutal et que l'on avait montré trop d'indulgence en lui permettant de plaider coupable d'un chef d'accusation de moindre gravité.

Certains avaient peut-être souhaité que Kincaid soit condamné à mort. Mais Zeno n'était pas de ceux-là.

Car Zeno était opposé à la peine de mort. Même pour le meurtre atroce et brutal de sa fille.

Quant à savoir si Kincaid était capable de participer à sa propre défense et de distinguer « le bien du mal »… les adjoints du shérif du comté avaient attesté que Kincaid leur avait d'abord menti au moment de son arrestation ; qu'il avait tenté de «dissimuler son crime», de les «induire en erreur». C'est un principe du droit pénal qu'un criminel qui tente de dissimuler son crime a compris qu'il en avait commis un : celui qui cherche à «induire en erreur» comprend qu'il a des raisons de le faire.

Dans la salle du tribunal du juge Nathan Brede, Brett Kincaid ne s'était pas exprimé directement. L'expression de son «remords» comme l'admission de sa culpabilité avaient été communiquées par son avocat, tandis que le caporal menotté et muet regardait dans le vide, telle une bête dangereuse qui, réduite à l'impuissance, n'offre plus qu'un spectacle pitoyable.

Zeno ne doutait pas de la culpabilité de Kincaid. Ne doutait pas qu'il devait être condamné à une longue peine de prison.

Homicide volontaire était une condamnation légère. Avec une peine de *quinze à vingt ans,* une libération conditionnelle était possible au bout de sept ans. Zeno le savait, et cette idée le rendait malade. Mais il savait aussi ne pas protester publiquement : il ne vitupérerait pas devant les caméras de télévision comme un ours maltraité sur ses pattes de derrière. Il n'offrirait pas ce spectacle divertissant aux médias insatiables.

Malgré tout, en sa qualité d'avocat, Zeno savait : il y avait la question des aveux du caporal, obtenus au bout de sept heures d'interrogatoire policier, en l'absence de tout avocat. (Parce que Kincaid n'en avait pas voulu.) Quelle authenticité avaient ses aveux ? Comment avoir confirmation de ces détails ? Avaient-ils été obtenus par la contrainte ? D'autres personnes avaient-elles agressé la victime au bord du lac ? Dans le parking du Roebuck ? Ou l'agression s'était-elle produite entièrement dans la réserve du Nautauga, et Brett Kincaid en était-il l'unique auteur ? Zeno avait été autorisé à assister à une grande partie de l'entretien par l'intermédiaire d'une caméra de télévision dans les bureaux du shérif du comté de Beechum, et il avait pu regarder les vidéos qui n'étaient pas toutes entièrement cohérentes ni audibles. Une expérience qui revenait, dirait-il plus tard, avec un humour noir légèrement alcoolisé, à regarder en observateur vos intestins extirpés de votre personne, tordus, coupés et brûlés, à supposer qu'une torture aussi exquise puisse être prolongée sept heures durant sans que la victime perde connaissance.

Oui. Zeno voyait que le jeune homme qui avait avoué le meurtre de sa fille s'en repentait sincèrement. Il était visible que Kincaid éprouvait de la répugnance pour sa personne physique telle une créature enragée, prête à se déchirer elle-même de ses dents. Mais cela ne le rendait pas moins coupable aux yeux de Zeno. Cela ne diminuait en rien sa haine pour le caporal ni ne lui donnait la moindre envie de *pardonner*.

Le bruit avait couru que le caporal avait fourni des informations contre certains de ses camarades de section en Irak ; qu'il avait participé à une enquête de l'armée sur les atrocités commises par des soldats américains contre des civils irakiens ; que son témoignage était peut-être la cause de certaines de ses blessures, voire de toutes, et qu'il avait fallu l'expédier de toute urgence loin de sa section, et hors d'Irak, pour éviter qu'il ne fût tué. Aucune de ces rumeurs n'avait jamais été confirmée, et quand Zeno Mayfield tenta de découvrir ce qui s'était passé, directement, et par l'intermédiaire d'un contact personnel qu'il souhaitait croire haut placé au ministère des Anciens Combattants, il lui fut répondu qu'il n'y avait aucune trace de cette enquête : aucune plainte n'avait été déposée contre un membre quelconque de la section du caporal Kincaid.

Ce qui voulait dire… ? Que l'armée américaine avait enterré l'enquête, ou qu'il n'y en avait jamais eu ? Que le caporal

Kincaid avait été blessé par l'ennemi irakien, ou par ses propres camarades ? Ou les deux à la fois ?

Après les premières interviews, au moment où ils croyaient Cressida simplement disparue et pensaient que leurs appels au public pourraient aider à la retrouver, les Mayfield avaient refusé toutes les autres.

Lorsque Evvie Estes les sollicita une fois de trop, Zeno lui déclara brutalement *Terminé. Nous n'amuserons plus la galerie.*

Il n'éprouvait aucun désir pour sa femme, ni pour aucune autre.

Il ne désirait qu'une chose (un fantasme insipide, il en avait conscience) : retrouver tout ce qu'il avait perdu, même si au moment où il l'avait perdue en juillet 2005, il n'avait qu'une vague perception de son insondable valeur ; et de sa propre valeur, qui en était le reflet.

Se consolant, les soirs où Arlette était «sortie» – elle prenait soin de lui expliquer où elle était, dans quelle organisation bénévole ou chez quelles amies – avec un verre de whisky et les *Personal Memoirs of Ulysses S. Grant.*

*

Il comprendrait un peu tard que même la maladie d'Arlette les avait éloignés l'un de l'autre. Avait participé à leur éloignement.

Alors qu'auparavant cette crise personnelle et physique les aurait rapprochés, ainsi que cela s'était produit pendant ces journées d'émotion profonde qui avaient précédé et suivi la naissance de leurs filles, la découverte du cancer d'Arlette fut comme un coup de coude dans les côtes, poussant le mari à l'écart.

C'est ainsi que Zeno le ressentit. Raison de plus, dans son état de terreur suspendue, pour prendre un verre de temps à autre (à la dérobée, chez lui). Un seul.

Ou peut-être, un verre et demi.

(Car qui le saurait?)

(Pas Arlette, de plus en plus enserrée dans la toile d'araignée d'un emploi du temps d'une précision maniaque où, faisait-on savoir au mari, sa présence anxieuse était davantage un handicap qu'une bénédiction.)

Car, de la découverte d'une minuscule grosseur dans le sein gauche d'Arlette à la suite d'une série de mammographies, de scanners, de biopsies et d'opérations chirurgicales, jusqu'au régime exténuant des chimiothérapies, radiothérapies et médicaments qui s'était poursuivi plus de six mois entre la fin de l'été, l'automne et l'hiver 2006 -2007, c'était moins à son mari qu'elle s'était confiée qu'à sa sœur, et à d'autres amies qui s'étaient rassemblées autour d'elle comme des dauphins dans une mer dangereuse autour d'un de leurs congénères blessé.

Zeno éprouva un regain de fureur contre Kincaid. Qui avait tué sa fille, et tuait maintenant sa femme.

Cela ne pouvait être une coïncidence, se disait-il. Que l'on diagnostique un cancer chez sa femme, la mère de Cressida, un an environ après la disparition de leur fille.

(Zeno avait des raisons de penser que certains, sa sœur Katie Hewitt par exemple, pensaient comme lui; mais avaient trop de tact pour en faire part à l'un des Mayfield.)

Il voyait dans cette minuscule grosseur «de la taille d'une graine de kaki» (Arlette s'obstinait à la décrire avec ce vocabulaire de livre pour enfants) l'autre moyen qu'avait trouvé l'élément destructeur qui leur avait arraché leur fille pour s'introduire dans son mariage.

Il avait voulu emmener Arlette à Buffalo, à l'institut anti-cancéreux de Roswell Park. Il avait voulu qu'elle soit suivie par le meilleur spécialiste du cancer du sein de cette partie de l'État. Mais Arlette avait préféré rester près de chez elle. Elle avait conféré avec ses amies, et pris la décision de s'en tenir aux médecins locaux : chirurgien, radiologue, oncologue. « Buffalo est à près de quatre cents kilomètres d'ici. Cela ne ferait que compliquer les choses. Laisse-moi affronter cela de la manière la moins angoissante pour moi, je t'en prie.

– Mais tu es ma femme ! Je veux que tu aies ce qu'il y a de mieux. »

Arlette n'avait révélé qu'à contrecœur la nouvelle alarmante de son cancer quand il l'avait interrogée sur une « procédure chirurgicale » prévue à l'hôpital de Carthage – l'euphémisme d'Arlette pour « biopsie ».

Si elle avait pleuré, si elle avait fondu en larmes, elle ne l'avait pas fait dans les bras de son mari.

« Et tu n'allais pas m'en parler ? Quand au juste comptais-tu de me le dire ?

– Je ne voulais pas t'inquiéter, Zeno. Tu as été tellement... Tu as tellement tendance à...

– *À me faire du souci ?* Concernant ma *famille ?*

– Ne te mets pas en colère contre moi, je t'en prie. Tu es si souvent...

– Je ne suis pas en colère ! Je suis étonné, je suis triste, et déçu, mais... je ne suis pas en colère. »

Se rendant compte qu'Arlette réprimait à grand-peine un mouvement de recul.

Il savait que sa belle égalité d'humeur l'avait abandonné depuis quelques mois. Il savait qu'il effrayait sa femme, qu'il l'éloignait de lui, alors même qu'il cherchait à se rapprocher d'elle.

« Je ne voyais pas de raison de t'inquiéter prématurément, Zeno. Le kyste pouvait se révéler bénin, comme c'est souvent le cas...

– Tu aurais dû m'en parler, évidemment ! C'est ridicule et insultant.

– Je... ce n'était pas mon intention.

– Tu sais comment les nouvelles se répandent à Carthage. Que diraient les gens s'ils savaient que la femme de Zeno Mayfield avait fait une biopsie sans même qu'il soit au courant ? »

Zeno s'entendait : *femme de Zeno Mayfield. Ma femme.*

Zeno savait que ce n'était pas ce qu'il fallait dire. Pas à sa femme, qui s'était si courageusement efforcée de lui dissimuler son angoisse ; pas à Arlette qui l'aimait et voulait le protéger. Mais c'était plus fort que lui, apparemment : la blessure était trop profonde.

« Je veux t'emmener à Buffalo, Arlette. Nous prendrons rendez-vous, nous partirons... demain. Je vais appeler mon ami médecin, Artie Bender, à Buffalo, il pourra nous obtenir un rendez-vous avec le meilleur spécialiste du cancer du sein de Roswell.

– Non, Zeno ! Ce n'est pas possible.

– Pas possible ? Que veux-tu dire ?

– J'ai un chirurgien et un oncologue. Je... je suis très attachée à eux. Je leur fais confiance. J'en ai parlé à des gens, des amies, qui me les ont recommandés et qui les connaissent. Et Katie leur fait confiance, elle aussi. Tu sais comme elle a l'esprit critique développé...

– Au diable Katie ! Katie n'est pas ton mari, c'est moi qui le suis. »

Ton mari. Je suis.

Ces mots grossiers résonnaient dans son crâne. Mais c'était plus fort que lui, il fallait qu'il la contredise, qu'il tente de lui imposer sa volonté car *sa femme devait avoir ce qui se faisait de mieux.*

«Tu m'exclus de ta vie, Arlette. Et pas seulement dans ce domaine… je déteste ça.

– Je… ce n'est pas mon intention.»

Effectivement, Arlette se rendait plus souvent à l'église. Réunions d'associations de proximité, campagnes de collecte de fonds pour des causes locales, elle s'absentait des soirs entiers sans que Zeno sache très bien où elle était, ce qu'elle faisait et avec qui.

Arlette, où diable étais-tu ? Pourquoi rentres-tu si tard ?

Je te l'ai dit, Zeno. Je te l'ai expliqué, mais tu n'écoutais pas.

Il faut me le redire, alors. J'écouterai.

Effectivement, Arlette se rendait plus souvent à l'église, seule. Car Juliet avait déménagé. Et Zeno n'allait jamais à l'église.

(Il aurait pourtant accompagné Arlette à l'église congréga-tionnaliste, si elle le lui avait demandé. Il voulait qu'elle le pense.)

Et effectivement, Arlette tenait des propos qui dérangeaient Zeno, le rationaliste suprême.

«J'ai parfois l'impression… que quelque chose cherche à me dire quelque chose. J'essaie de le "lire", mais je n'y arrive pas. Comme dans ces rêves où on ne peut pas lire.

– Que veux-tu dire ?

– Quand tu rêves que tu as un livre ou un journal à la main, mais que tu n'arrives pas à lire les caractères. Parce que tout se brouille devant tes yeux.

– Qui dit ça ?

– Personne !» Arlette rit, avec un peu de son exaspération attendrie de naguère. «J'imagine que c'est assez courant.»

Zeno était sceptique. Il enverrait un e-mail à son ami pro-fesseur de Cornell, spécialisé en psychologie cognitive, pour avoir un avis informé.

«La prochaine fois que tu rêves, Zeno, tâche de voir si tu arrives à "lire". Regarde un journal ou un livre. Tu constateras que les lettres sont toutes floues.»

Zeno trouva cela si fantaisiste qu'il en rit. Non que ça ne puisse être vrai, mais que sa chère femme, qui en savait si peu dans le domaine de la psychologie, sans parler de celui du cerveau humain, puisse en être convaincue.

Et pourtant : Zeno lui-même devenait de plus en plus irrationnel et superstitieux. À la façon particulière d'un homme entre deux âges, agressivement rationnel, égocentrique, confronté à une façade qui se désagrège et s'écroule sans qu'il soit en son pouvoir d'y remédier. Dans la vie politique locale, Zeno Mayfield avait été *l'homme à voir pour faire bouger les choses;* dans l'ensemble, sa présence avait été bénéfique, et même ses adversaires politiques l'avaient apprécié; mais maintenant que des années avaient passé et qu'il ne se souciait même plus d'entretenir ses anciens contacts de Carthage, il n'avait plus pour occuper son temps, ses pensées enragées qui patinaient comme des pneus dans la boue, quoi que ce fût d'*important.*

Il aurait fait une campagne du cancer de sa femme, si seulement!

À Juliet il disait *Pourquoi ta mère ne m'a-t-elle pas permis de l'aider? Elle ne savait pas que je l'aimais... que je l'aime?*

Et Juliet répondait *Si, papa, maman le sait. Mais elle a une nouvelle vie, à présent.*

Ils ne purent se résoudre à vendre la maison.

Cette belle maison de style colonial de Cumberland Avenue, avec son hectare de terrain planté de grands chênes et de cèdres, dans le quartier vallonné du cimetière épiscopalien... *c'était impossible.*

Bien qu'Arlette eût déménagé. Et que Zeno ne supportât pas de vivre seul dans une maison aussi grande, comme un hanneton – disait-il – bringuebalant dans un piège à hannetons.

Pendant deux semaines, Arlette avait séjourné chez Juliet à Averill Park, sous le prétexte de lui donner un coup de main avec les enfants. À son retour, elle avait déménagé, car c'était un temps de renouveau, dit-elle.

Et non un temps de retour au passé.

Elle informa Zeno de ses projets. Elle informa Zeno de projets déjà en application. Sa femme, qui avait rarement pris une grande décision en près de trente ans, lui expliquait à présent ce qu'elle avait fait et ce qu'elle ferait, de sa propre volonté et seule.

Zeno protesta qu'il n'avait rien vu venir. N'avait rien pressenti. Mais naturellement il avait su, avait sûrement pressenti pendant ces semaines et ces mois d'éloignement insensible, puis de plus en plus sensible dans la maison de Cumberland Avenue.

Des semaines, des mois d'alcoolisme. En solitaire, et en compagnie.

Des sommes de fin d'après-midi dont il se réveillait abruti et hébété à 8 heures du soir sans savoir si c'était l'aube ou le crépuscule ; s'il était seul dans la maison ou si Arlette l'attendait patiemment au rez-de-chaussée pour un repas qu'il ne pourrait se forcer à avaler.

De plus en plus souvent, Arlette ne l'attendait pas.

M'exclure de ta vie, c'est comme me vider de mon sang comment peux-tu alors que je t'aime.

Trop fier pour protester et assurément trop fier pour implorer la femme de rester avec lui.

Ivresse disait-il. Jamais *cuite*.

« Ivresse » avait petit côté hippie innocent. « Cuite » n'avait rien d'innocent.

Pourtant il était entièrement sobre – ou presque – quand Arlette vint s'expliquer.

Prenant ses mains, ses grosses pattes d'ours, dans les siennes. Pour lui expliquer.

Elle déménageait à quinze kilomètres de là, à Mount Olive, dit-elle. Elle partagerait une maison avec une avocate nommée Alisandra Raoul, la codirectrice d'un centre d'accueil pour femmes battues, et travaillerait dans ce centre plus ou moins à plein temps.

Zeno avait déjà entendu parler de ce *centre d'accueil*. Il n'y avait pas prêté attention, apparemment.

Mais : « "Alisandra Raoul" ? Qui est-ce ?

– Je te l'ai dit, Zeno. Je t'ai souvent parlé d'elle.

– Non, je ne pense pas. Jamais entendu ce nom-là, et tu sais que j'ai la mémoire des noms. »

Malgré tout, ils ne vendraient pas la maison. Juliet les avait suppliés de ne pas le faire et si Cressida était en vie (*si Cressida était en vie*, était le raisonnement bancal de Zeno), elle leur aurait fait la même prière.

Ni l'un ni l'autre n'auraient su l'expliquer tout à fait : le mariage pouvait être repris à tout moment, mais la maison, une fois vendue, le serait définitivement et tomberait entre les mains d'inconnus.

Ni l'un ni l'autre n'auraient su l'expliquer tout à fait : si leur fille disparue devenait revenir, oui c'était improbable, oui, bien sûr, impossible, mais tout de même quel choc pour elle de découvrir des inconnus dans la maison de son enfance !

Sur la pelouse, le panneau d'une agence immobilière, d'un jaune et noir agressif : À LOUER. Dès la première tempête, il se mit à pencher.

Arlette était allée s'installer à Mount Olive et, sans cœur, distraite par sa nouvelle vie, trépidante et fascinante, elle ne revenait plus dans Cumberland Avenue. Zeno, qui habitait un immeuble du centre-ville en bord de ville, dans un quartier récemment réhabilité dans le haut de gamme, allait souvent vérifier l'état de la maison, estimant que c'était son devoir d'époux.

Un coup au cœur : l'odeur d'une maison abandonnée.

Reconnaissable entre mille : l'odeur d'une maison abandonnée.

Inhabitée, elle avait toujours l'électricité, le gaz et l'eau. Ils ne l'avaient pas fait couper. La plupart des meubles n'avaient pas bougé. Y compris un téléviseur, dans ce qui avait été la salle de séjour du sous-sol.

Mais quand l'agente immobilière téléphonait à Zeno pour lui annoncer de «bonnes nouvelles» : des clients intéressés si le loyer était très légèrement revu à la baisse... Zeno refusait d'un non catégorique.

Et si l'agente téléphonait à Mme Mayfield pour la persuader, Arlette répondait avec un petit rire d'excuse *Oh non! L'immobilier, c'est la partie de Zeno, je ne veux surtout pas m'en mêler.*

Et la maison de Cumberland Avenue restait inoccupée.

Sur la colline de Mount Olive, Arlette habitait un quartier résidentiel plus ancien : vieilles maisons victoriennes rénovées et reconverties en immeubles de bureaux pour jeunes avocats, architectes et dentistes; boutiques de cadeaux, de phytothérapie, ingénieurs écologiques du comté de Beechum. Le centre d'accueil pour femmes battues WomanSpaceInc., qui offrait trente-cinq lits, était logé dans une ancienne école catholique de filles, un grand bâtiment de brique rouge, derrière des grilles de fer forgé.

La nuit, la propriété était éclairée par des lumières vives et équipée de caméras de surveillance reliées au service de police de Mount Olive. Dans les premiers temps de l'ouverture du centre, ses bénévoles s'étaient heurtés à l'hostilité des voisins et au dédain des forces publiques ; mais, depuis qu'un changement était intervenu dans le petit service de police, ses agents épaulaient WomanSpaceInc. dans son combat pour « réduire les violences conjugales », « réduire la violence dans le monde en commençant par chez soi ». (Qu'un lieutenant du service fût le frère de l'un des fondateurs et que les effectifs policiers jusque-là exclusivement masculins comptent maintenant une femme n'était évidemment pas indifférent.)

Des affiches conçues par des artistes de la ville faisaient appel aux bonnes volontés et aux dons – LA VIOLENCE COMMENCE À LA MAISON. PRENEZ GARDE. Arlette s'était approprié l'un des premiers dessins à la plume, pré-Escher, de Cressida, des figures enfantines jouant avec des animaux dans une oasis de verdure, pour en faire l'arrière-plan d'une affiche WomanSpace.

Zeno, qui s'était souvent offensé de voir Arlette s'approprier les œuvres de leur fille, fut touché. Ce dessin charmant évoquait une époque de la vie de Cressida où elle avait été moins repliée sur elle-même, moins difficile, plus heureuse.

Les après-midi de solitude Zeno allait à Mount Olive comme s'il sentait qu'Arlette pensait peut-être à lui. L'appelait.

Il savait où elle habitait : 18, Cross Patch Lane.

Cross Patch Lane ! Une adresse de livre pour enfants.

Et la vieille maison de bardeaux retapée et peinte en vert vif, avec sa petite pelouse soignée et son allée couleur corail, au bout d'une ruelle en cul-de-sac bordée de maisons identiques magenta, bleu paon, crème... Zeno passait lentement devant la maison, sachant qu'Arlette n'y serait pas, ni son amie Alisandra, pas durant la journée, car toutes les deux étaient au Centre d'accueil des femmes battues, toutes les deux travaillaient, seul Zeno Mayfield errait, à la dérive.

Il aurait pu donner un cours à l'université de cycle court de Beechum, où il avait enseigné par le passé : «Les originaux américains : de Tom Paine à Woody Guthrie». Il aurait pu se rendre à la Home Front Alliance où l'on manquait cruellement de bénévoles masculins. Il aurait pu faire beaucoup de choses, mais peu qu'il eût envie de faire.

Il passait devant le WomanSpaceInc. Des panneaux avertissaient PROPRIÉTÉ PRIVÉE DÉFENSE D'ENTRER. Des grilles de fer forgé hautes de deux mètres et, derrière, l'austère bâtiment de brique rouge, transformé en dortoir pour des femmes désespérées et leurs enfants. Lorsqu'il était maire de Carthage, il en avait appris beaucoup sur les violences conjugales, et il avait fait son possible pour venir en aide aux femmes obligées de fuir leur domicile. Certaines, terriblement battues, craignant pour leur vie. Ironiquement, pourtant, ces femmes changeaient souvent d'avis et refusaient de porter plainte contre leurs hommes.

Les temps avaient peut-être changé. Les femmes désespérées de Mount Olive étaient peut-être plus résolues. Leurs sauveurs, comme Arlette Mayfield, seraient leurs protecteurs.

Un jour, devant le Centre, il vit Arlette en compagnie de deux autres femmes se diriger vers un véhicule garé dans l'allée. C'était une belle journée venteuse : Arlette avait noué un foulard autour de ses cheveux tout neufs, ce qui lui donnait un air juvénile et gai, bien qu'elle fût encore très maigre et visiblement convalescente. Il avait eu envie d'attirer son attention, d'agiter le bras par la vitre, de donner un coup de klaxon… mais non, mieux valait s'abstenir. La propriété de WomanSpace était interdite à l'espèce mâle, exception faite du postier, des livreurs et des garçons de moins de douze ans accompagnés de leur mère. Il faut que les femmes aient un « refuge » où aucun homme ne peut venir, disait Arlette, avec autant de passion que si elle était elle-même pourchassée par des hommes.

Quoique Zeno n'eût pas assisté à ces réunions – cela aurait été trop douloureux pour lui –, il savait par des tiers qu'Arlette parlait en public de la «violence masculine», de la «violence masculine exaspérée par l'alcool» qui lui avait valu de perdre sa fille. Elle en voulait moins au jeune homme, un ancien combattant de la guerre d'Irak, déclarait-elle, qu'à la «civilisation consumériste, malade, cruelle et sans cœur, qui transformait les jeunes filles en objets publicitaires pour vendre des produits. Ce fut un choc pour Zeno de se rendre compte qu'il ne pourrait s'approcher du Centre s'il le voulait : on ne le laisserait pas entrer dans cette résidence-forteresse, même pour parler à sa femme.

Combien d'hommes violents, à la recherche de leur femme en fuite, prétendaient vouloir leur «parler».

Il dînait parfois avec Arlette à Mount Olive. Mais ils ne parlaient plus de Cressida.

Ils parlaient en revanche de la santé d'Arlette : car les nouvelles étaient plutôt bonnes dans l'ensemble. La chimiothérapie semblait marcher, le cancer ne s'était pas étendu.

Arlette portait une perruque de cheveux humains, blond foncé, bouclés, très semblables à ses propres cheveux, à ceci près qu'ils étaient plus épais et plus brillants que les siens ne l'étaient depuis des années. Une amie lui avait conseillé de s'en procurer une avant que ses cheveux tombent par poignées : «Subir une double mastectomie m'a paru moins terrible que de devenir chauve. Je sais que cela paraît ridicule, mais il se trouve que beaucoup de femmes réagissent ainsi, dont moi.»

Zeno fit une grimace quand on lui rapporta ces propos. *Double mastectomie* évoquait de trop près *double orchidectomie*.

Arlette n'avait pas subi de mastectomie, double ou simple. Sa *graine de kaki* avait été diagnostiquée à temps. Elle estimait donc avoir beaucoup de chance et ne se plaignait jamais de la chimiothérapie qui la laissait hébétée, épuisée et nauséeuse. Un fait curieux de la nouvelle vie d'Arlette était qu'elle ne semblait jamais se plaindre de rien.

« J'ai le sentiment que nous sommes tous les passagers d'un avion entré dans une zone de turbulences : nous devrions nous estimer heureux de ne pas nous être encore écrasés. »

Arlette rit, presque gaiement. Zeno tiqua.

Il voyait d'autres femmes à présent. Ou plutôt d'autres femmes le voyaient : lui téléphonaient pour l'inviter à dîner, pour qu'il les accompagne à des soirées. Si la nature a horreur du vide, Zeno Mayfield découvrait qu'un homme solitaire est aussi une sorte de vide exerçant un attrait irrésistible sur les femmes solitaires.

Aucune de ces rencontres n'avait beaucoup de réalité pour lui. Aucune de ces femmes ne restait longtemps dans sa mémoire. Il était toujours amoureux de sa femme insaisissable et énigmatique.

Les restaurants de Mount Olive étaient généralement situés dans des maisons à charpente de bois mises au goût du jour, avec tables éclairées aux chandelles et serrées les unes contre les autres, repas bio et pas d'alcool. Zeno, malin, téléphonait à l'avance pour connaître leur licence ; il apportait sa bouteille.

« Tu n'en veux pas un tout petit peu, Arlette ? La moitié d'un verre.

– Merci, Zeno, mais non. Je suis de service.

– De service... comment cela ?

– Au Centre. Nous manquons terriblement de personnel, nous sommes toujours plus ou moins de service. »

Arlette eut un sourire heureux. Toujours être *de service!*
Zeno l'enviait.

Qu'il eût bu ou non, beaucoup de choses commençaient à
lui paraître irréelles et anormales. Dîner aux chandelles avec
sa femme dans une majestueuse demeure de style colonial au
plancher de bois nu et savoir qu'il devrait en repartir sans elle,
dans une voiture différente, lui semblait aussi profondément
étrange que de savoir que l'une de ses jambes se déroberait sous
lui quand il se lèverait.

La vie n'est qu'un songe, un peu moins inconstant.

(Qui avait dit cela? Des siècles plus tôt? Pascal?)

(Lequel avait aussi dit Quand tout se remue également, rien ne
se remue en apparence.)

Le mari abandonné s'imagine refaire la rencontre de sa
femme, lui faire la cour et la conquérir à nouveau. Si elle était
tombée amoureuse de lui une fois, pourquoi pas une seconde?
Voilà ce qu'imaginait Zeno. Voilà ce qu'il complotait. Osant
effleurer comme par accident la main fine d'Arlette, quoique
forcé de constater qu'Arlette lui parlait, ou plutôt l'écoutait,
avec distraction; trop souvent pendant le repas, la sonnerie de
son portable résonnait.

«Pardonne-moi, Zeno! Il faut que je réponde.»

Alors que naguère il aurait été furieux que sa femme ait aussi
peu d'égards pour lui et commette le genre d'impolitesse que
ni l'un ni l'autre n'auraient toléré de la part de leurs filles, il
était maintenant touché qu'elle sente le besoin de s'excuser. *Elle*
m'aime encore. Si j'ai besoin d'elle, elle me reviendra.

À de nombreuses reprises, il avait demandé à Juliet, au téléphone, pourquoi sa mère l'avait quittée, pourquoi elle avait
déménagé? Il ne lui avait jamais demandé pourquoi elle avait
cessé de l'aimer parce qu'il ne pouvait croire que ce fût vrai.

Juliet lui répondait avec embarras qu'elle n'en savait rien.

Souvent quand ils dînaient ensemble dans ces petits restaurants exotiques de Mount Olive, Arlette devait partir en hâte, après des excuses embarrassées et un léger baiser sur la joue de Zeno. Resté seul, le mari abandonné finissait alors son verre de vin, en broyant du noir.

(La tentation était grande de vider la bouteille qu'il avait apportée.)

Il insistait pour payer l'addition, naturellement. Il savait qu'Arlette n'avait pas beaucoup d'argent, même si elle paraissait incapable de lui en demander.

Si la maison de Cumberland Avenue devait être vendue, Zeno et Arlette se partageraient le prix de la vente. Mais cela rendrait leur rupture irrévocable. Zeno ne pouvait y penser sans angoisse.

Le mari abandonné imagine que sa femme a besoin de lui – de son argent, à tout le moins. Toute dévouée à ses activités de bénévole, Arlette semblait avoir peu de besoins personnels.

Lorsqu'ils se retrouvèrent au restaurant, la fois suivante, Zeno étonna Arlette en lui tendant un chèque.

« Oh ! Zeno ! Que... ? »

Un chèque de trois mille dollars à l'ordre de WomanSpaceInc.

« Oh ! Zeno. Merci. »

Elle se leva pour le serrer dans ses bras et poser un baiser sur sa joue râpeuse. Un effet de son imagination, peut-être, mais Zeno sentit des larmes sur son visage.

D'humeur sentimentalo-larmoyante, à demi ivre, cahotant sur la chaussée défoncée de Potsdam Street. Et là, la maison des Kincaid, ou ce qu'il en restait : une charpente en bois écaillée presque en bordure de trottoir, des stores tirés à toutes les fenêtres et un tas de vieux journaux et de prospectus amoncelés sur le perron tels des ossements anciens.

Plus personne n'habitait là. Ethel Kincaid avait quitté Carthage.

Elle avait quitté la ville qu'elle détestait tant, laissant une maison pleine (au dire des médias) de détritus en tous genres, carcasses de rongeurs pourrissantes et ordures comprises : son ultime geste de défi. Personne ne savait où elle était allée, bien que le bruit eût couru qu'elle s'était installée dans le village de Dannemora pour être près de son fils incarcéré.

Un bruit qui s'était révélé faux. Ethel Kincaid n'habitait pas à Dannemora mais à Tonawanda, une banlieue de Buffalo, chez des parents. Elle avait rompu tout lien avec Carthage. Elle avait même cessé de donner ses interviews furibondes – à moins que les tabloïds ne se fussent lassés les premiers de la mère affligée du «héros de guerre».

Devant la maison abandonnée et délabrée, Zeno se rappela l'espoir anxieux qui l'avait précipité vers cette même porte, ce matin de juillet 2005.

À ce moment-là, déjà, sa fille avait disparu. Sa fille *n'était plus*.

Et pourtant, quand il avait frappé à la porte d'Ethel Kincaid, il ignorait ce fait mélancolique. Un tel espoir bouillonnait alors en lui qu'il enviait presque maintenant ce Zeno d'autrefois, ce père évanoui, qui s'imaginait que ses fanfaronnades et sa pugnacité lui feraient retrouver sa fille disparue.

Il avait demandé à Ethel, stupéfaite, de le laisser entrer. De le laisser entrer dans la chambre de Brett Kincaid. Avec l'idée folle, la corde fragile à laquelle il s'accrochait avec désespoir, que sa fille s'y trouvait peut-être avec Brett : le plus improbable des amants.

Et Ethel l'avait chassé en se moquant de lui.

Elle l'avait chassé en maudissant tous les Mayfield du monde, ceux qui demeuraient dans Cumberland Avenue et non dans les maisons miteuses de Potsdam Street *Mon fils vous déteste tous*.

*

La femme qui était entrée dans sa vie pour boire avec lui.

Pour le soutenir. Pour écouter ses divagations et rire de ses plaisanteries. Pour l'aimer.

«Zeno? Vous pourriez peut-être venir dîner un de ces soirs? J'adorerais nous faire à dîner.»

Il avait hésité. Qu'était-ce? Le premier pas trébuchant de sa nouvelle vie? De sa vie après Arlette? Ou le premier pas trébuchant d'une série de bévues?

Elle s'appelait Genevieve. Il n'avait pas saisi son nom de famille.

Ils s'étaient rencontrés dans une soirée, en janvier 2012. Il connaissait son mari – non? – mais ne pouvait s'en assurer, car il ne se rappelait pas son nom.

Il avait souri. Il avait hésité. Il avait un verre à la main, l'une de ces coupes en plastique trop fragiles pour ses gros doigts. Merci! avait-il dit. Regrets polis : *Je suis au bout du rouleau, chérie. Tu ferais mieux de prendre tes jambes à ton cou.*

Mais elle avait insisté. Une femme souriante attendant Zeno près du vestiaire.

Pas d'autre solution que de l'inviter au moins à prendre un verre au bar d'en face. Un verre pour faire passer le goût aigre du mauvais vin blanc de la soirée.

C'était flatteur – ou peut-être dérangeant, triste – que, dans cette soirée donnée à Carnegie House pour fêter le départ à la retraite du directeur de la fondation Carnegie pour les arts, Zeno Mayfield eût été au centre des conversations, comme au bon vieux temps. Car tous les habitants de Carthage susceptibles d'être invités à cette réception connaissaient Zeno : souhaitaient se réchauffer à sa bonne humeur, son rire, sa sagacité et son audace, son affabilité. Peut-être Zeno buvait-il trop ces derniers temps, peut-être depuis le départ de sa femme s'acheminait-il bel et bien vers le *bout du rouleau*, mais dans ce brouhaha réconfortant de voix et de rires, qui s'en apercevait? Qui s'en souciait?

«Genevieve... c'est votre nom? Pour être tout à fait franc, je ne pense pas que ce soit une bonne idée.»

Il s'était excusé, avait bafouillé. Il avait laissé son éloquence dans les lumières de la réception.

Elle paraissait trente-cinq ans tout au plus. Lui paraissait plus vieux que son âge, à savoir... passons.

«Un simple dîner? Quel danger peut bien représenter un simple dîner? Vous savez que nous habitons le même immeuble, n'est-ce pas? Vous au dernier étage, et moi au quatrième.»

Il savait par ouï-dire : quelque chose de terrible était arrivé dans la vie de cette femme. Son mari, un fils adolescent. Il ne poserait pas de questions. Il ne voulait pas susciter des pleurs. Il ne voulait pas susciter la compassion. Cela ressemblait à une hémorragie, ce genre de compassion. Il remarqua que ses mains, belles, portaient plusieurs bagues, mais pas d'alliance : un signal d'alarme.

L'alliance de Zeno s'était incrustée dans la chair grasse de son doigt, vraisemblablement. Un motif celte, en argent. Les doigts d'Arlette étaient devenus si maigres qu'elle avait dû renoncer à toutes ses bagues.

La femme souriante disait : «Nous avons tous les deux souffert une perte. Je comprends. La vôtre est peut-être plus profonde et plus tragique que la mienne, mais...»

Zeno résista à l'envie de toucher sa main. De prendre sa main. Non, pas question. À la place, il leva son verre.

Un verre de vin valait mieux que ces fichues coupes en plastique à deux sous.

Il vit ses lèvres remuer. Elle parlait avec sérieux. Cette pénombre valait mieux que les lumières trop vives de Carnegie House.

« J'ai "perdu" mon fils, bien qu'il soit toujours… en vie. Il a vingt-quatre ans, et je ne l'ai pas vu depuis près de deux ans. Je pense que les gens qui ont souffert des pertes similaires peuvent se comprendre et s'entraider, même si je ne veux pas dire… cela ne signifie pas… s'appesantir sur le passé… je veux dire… je crois que je veux dire… pour essayer de vivre *maintenant*. » Elle se mit soudain à rire avec une gaieté inattendue, choquant son verre contre celui de Zeno.

Un vin bien meilleur dans ce bar de Mercer Street qu'à la réception de l'autre côté de la rue.

« Eh bien, je bois à cela.

– *Et moi aussi*. »

Ils rirent. Ils burent et rirent.

Quoi de plus précieux que l'occasion de boire, de rire et de boire.

Il dit à Genevieve qu'il en voulait terriblement à sa femme d'être aussi courageuse et aussi *bonne*. Aussi *stoïque* face à sa maladie, si bien que par comparaison lui qui tremblait pour elle se faisait l'effet d'une poule mouillée.

Mais surtout, ce qu'il ne pouvait lui pardonner, c'était de « pardonner » au meurtrier de leur fille.

« Oh ! Oh ! Zeno. »

Arlette était allée le voir en prison. Elle n'en avait jamais parlé à Zeno, mais… il savait. Il l'avait découvert.

Qu'elle aille au diable, elle et sa fichue bonté chrétienne ! *Elle avait pardonné l'impardonnable, il la détestait.*

Voilà, c'était dit. Il s'était juré de ne jamais parler de la sorte en présence d'un inconnu ni même des parents bien intentionnés qui l'y incitaient, et pourtant, à sa consternation, voilà qu'il entendait sa voix divaguer comme une roue folle dévalant une pente abrupte.

Et parce qu'elle «pardonnait» à Dieu : il la détestait pour cela aussi.

«Ce foutu salopard de *Dieu.*»

Il était si véhément que des clients se retournaient vers eux.

Genevieve rit.

Une femme raisonnable se serait enfuie. Genevieve remplit leurs deux verres et rit.

Et que c'était bon qu'on se moque de vous au lieu de vous regarder avec consternation !

«J'ai souvent pensé la même chose, Zeno. *Foutu salopard de Dieu.*»

Il lui parla des Grecs de l'Antiquité. La passion du sang. *L'Orestie* d'Eschyle. Un ressort semblait avoir lâché dans son cerveau comme de la graisse desséchée liquéfiée par la chaleur. Il avait toujours été un buveur éloquent, mais les occasions lui avaient manqué ces derniers temps.

Il dit que les lois avaient été inventées pour refréner la soif primitive de vengeance, mais que le sentiment d'indignation, le désir de se venger dans le sang, ne se laisse pas aisément étouffer.

Il parla à la femme qui l'écoutait avec une attention intense, une attention flatteuse, d'un documentaire qu'il avait vu la veille à la télévision, les meurtres d'honneur dans les familles musulmanes installées aux États-Unis, y compris tout ce qu'il y a de bourgeois et de cultivé. Des pères qui pleuraient en garde à vue parce qu'ils avaient tué leur fille «désobéissante» qui avait «souillé» leur nom. Le chagrin qu'il avait vu sur le visage de l'un de ces hommes était si semblable au sien qu'ils auraient pu être deux frères, malgré la démence de l'acte.

L'insupportable était que sa fille avait été assassinée... et qu'il avait été trop faible pour se venger.

Naturellement : trop civilisé.

« Auxiliaire de justice. »

Et maintenant il lui semblait ne plus avoir d'honneur. Son âme n'était plus qu'une coquille vide et desséchée.

Des années avaient passé. Plus de six ans. Et c'était comme une moelle maligne dans ses os. Même dans la pénombre, on voyait cette magnilité en lui, phosphorescente, mortelle.

La femme avait dit : « Je peux courir ce risque. »

*

Sonnerie du téléphone. L'écran n'affichait pas *Trachtman*, le nom de Genevieve, mais *Stedman*, le nom d'épouse de Juliet.

« Papa ? J'ai reçu un coup de téléphone perturbant, aujourd'hui. »

Quel jour était-on ? La vue brouillée, il déduisit qu'on devait être à la mi-mars. Sur le calendrier au-dessus de son bureau, cinq ou six jours du mois de mars étaient vaguement barrés d'une croix. Mais c'était la semaine précédente.

Juliet lui parlait de la « voix jeune » qu'elle avait entendue au téléphone, ce matin-là. Une inconnue – d'après elle – qui avait prétendu être Cressida.

Zeno pressa le combiné contre son oreille, doutant d'avoir bien entendu.

« Ça ne peut être qu'une inconnue... évidemment... mais... » – Juliet s'interrompit ; Zeno imagina son sourire confus – « ... elle ne... sa voix... n'avait rien à voir avec celle de Cressida. J'en suis sûre.

– Attends, chérie. Quelqu'un t'a appelée ?

– Elle a dit… je ne sais plus trop ce qu'elle a dit. Je n'ai pas cru un instant que c'était Cressida, bien sûr, juste un genre de blague cruelle. Et après, la même personne a rappelé et laissé un message et, je ne sais comment, il a été effacé.

– Le message est effacé ?

– J'étais bouleversée, j'imagine… j'ai dû l'effacer par erreur. » Avec calme, Zeno lui demanda si elle avait une trace du numéro.

« Sur mon portable, oui. Juste le numéro, pas le message. Mais ça ne répond pas : le numéro ne semble pas exister. »

Assis à son bureau, Zeno était penché en avant, les coudes sur le bureau, et les yeux fermés pour mieux se concentrer.

« Julie. Pourquoi quelqu'un appellerait-il pour faire une blague de ce genre ?

– Je n'en sais rien, papa ! À cause d'internet, peut-être. On trouve encore des informations sur Cressida. Je ne regarde jamais, mais je le sais parce que des gens me le disent. Certaines personnes pensent qu'il y a un "mystère"… parce qu'on n'a pas retrouvé Cressida… son corps. Et puis les gens peuvent être cruels sans raison. »

Toujours avec calme, Zeno dit : « Cet appel que tu as reçu. Cette personne. A-t-elle dit d'où elle appelait ?

– Non. Si, en fait… de Floride, je crois. »

Juliet réfléchit de nouveau. « Elle a dit qu'elle "rentrait à la maison". Je *crois*.

– Elle a dit qu'elle "rentrait à la maison" ? »

Il serrait si fort le combiné, à présent, qu'il craignait de le briser.

« Je n'ai pas appelé maman. Je ne voulais pas la bouleverser. Elle a fait sa paix avec ce qui est arrivé, je crois… c'est sa façon d'affronter la perte de Cressida. Lui redonner de l'espoir serait cruel.

– Oui. Tu as raison. Je suis content que tu m'aies appelé, ma chérie. Et je suis sûr que, comme tu le dis, c'est… une blague cruelle.

– Brett a avoué, dit Juliet, avec hésitation. Et on a trouvé… ce pull, tu sais ?»

Zeno garda le silence. Ils avaient si souvent prononcé ces mots-là ou d'autres, similaires, que c'était comme l'approche d'un tunnel… y entrer une fois encore était au-dessus de vos forces.

Même si, parfois, en discutant de ce sujet, Juliet disait *Mon pull.*

Comme si elle ne savait pas ce qu'elle disait. *Mon pull.*

«Cette personne… qui n'avait pas la voix de Cressida… qu'a-t-elle dit d'autre ?

– Dans son message, ce que je m'en rappelle du moins, elle disait téléphoner de Floride – de quelque part en Floride, je crois. Mais je n'entendais pas bien. La liaison était mauvaise. Ou sa voix était assourdie. Elle a dit quelque chose d'étrange : "Je ne suis pas malade." Et aussi, je crois : "Je pensais que vous ne m'aimiez pas beaucoup…"

– Et quoi d'autre, chérie ? A-t-elle dit autre chose ?

– Non. Je ne crois pas.

– Mais toi… que lui as-tu dit ?

– Je ne crois pas avoir dit quoi que ce soit. Je crois… je crois que j'ai raccroché.»

Zeno entendit, en bruit de fond, le babil suraigu d'un enfant.

Distraitement, il demanda à Juliet des nouvelles des petits et de son mari. Les «petits» : le mot même, si familier, si ordinaire, lui était un baume en ce moment étrange.

Juliet répondit avec son animation coutumière. Si elle rencontrait des difficultés dans sa nouvelle famille, s'il y avait des problèmes médicaux ou de santé, il se passerait longtemps avant que Juliet consente à abandonner son ton enjoué et apaisant.

Poliment à son tour elle prit des nouvelles de *son amie Gwendolyn*. Zeno répondit brièvement, distraitement. Sans prendre la peine de corriger sa fille.

Avec plus d'animation, il déclara, pour combler le silence interdit entre eux : « Quel bonheur d'avoir des petits-enfants ! Je me le dis dix fois par jour.

– Oh ! papa. Oui ! Je pense exactement la même chose... de mes enfants. »

Juliet avait épousé un homme très différent de Brett Kincaid. Il avait dix-neuf ans de plus qu'elle et était d'une autre génération. Le nom des Mayfield lui était inconnu, de même que ses résonances politiques dans le comté de Beechum. Il avait été lobbyiste dans le syndicat des enseignants du public et était maintenant haut fonctionnaire au ministère de l'Éducation de l'État de New York, un poste que ne remettaient pas fondamentalement en question les changements électoraux – gouverneur, législature. Il avait publié des articles dans *The Chronicle of Higher Education, The New York Times Education Issue*. Il était d'une vieille famille d'Albany, l'un de ses arrière-grands-pères avait été aide-de-camp du gouverneur Thomas Dewey. Il était parti au Ghana servir dans le Peace Corps, frais émoulu du Williams College. C'était son second mariage, le premier s'était terminé par un divorce « à l'amiable », sans enfant.

Les Stedman avaient fait fortune dans les chemins de fer pendant les années 1890 et jouissaient encore d'une partie de cette fortune au XXIe siècle. Zeno n'aurait su expliquer l'antipathie qu'il avait pour ce gendre entre deux âges, car il était sincèrement heureux de la présence de David D. Stedman dans la vie de sa fille.

En fait, David D. Stedman était un homme intègre et digne. Il était taciturne, mais bienveillant. Il avait appris à manipuler les autres exactement comme Zeno Mayfield avait appris à le faire dans les cafouillages des rouages politiques de la vie publique. Faute d'affection, Zeno avait donc du respect pour son gendre.

Quand Zeno se réveillait en pleine nuit, angoissé et la peau moite, terrorisé par l'avenir, la seule chose qui lui importait était que David D. Stedman aime sa fille et souhaite la protéger.

Il semblait capital aussi que Stedman n'ait jamais rencontré Cressida. Sa compassion, sa pitié, son indignation étaient abstraites et non personnelles.

Zeno trouvait merveilleux que ses petits-enfants doivent lui survivre.

Une loi de la nature, que les jeunes générations survivent à leurs aînés.

Zeno interrogea de nouveau Juliet sur le coup de téléphone, car elle s'était tue.

Sa fille répéta ce qu'elle avait dit, mais avec plus de lenteur et d'incertitude.

Comme un avocat bienveillant, Zeno demanda : «A-t-elle dit "Je pensais que vous m'aimiez pas beaucoup" ou "Je pensais que vous ne m'aimiez pas beaucoup"?

– "Que vous ne m'aimiez pas", je crois…

– Avec la négation.

– Elle parlait d'une façon empruntée, guindée. Comme quelqu'un qui ne sait pas bien l'anglais ou alors» – Juliet s'interrompit – «quelqu'un qui ne parle pas beaucoup.

– Elle a vraiment dit qu'elle "rentrait à la maison"?

– "À condition qu'on veuille de moi".

– "À condition que". Ce n'est pas vraiment du langage familier.

– Non. Ou alors c'est quelqu'un qui n'est pas à l'aise en anglais.

– Ou qui ne se sentait pas à l'aise avec toi.

– Mais je ne pense pas qu'elle me connaissait. Comment aurait-elle pu me connaître ?

– Et comment aurait-elle eu ton numéro de téléphone à Averill Park ? »

Juliet n'avait pas de réponse. En bruit de fond, le joyeux babil se poursuivait.

« "Rentrer à la maison"… eh bien, on verra !»

Zeno rit et raccrocha.

Et parvint de justesse à gagner un coin de son bureau où il se laissa tomber, de tout le poids de ses quatre-vingt-dix kilos, sur un canapé en cuir.

Pas ce jour-là ni le suivant, mais la semaine d'après, un voisin de Cumberland Avenue lui téléphona.

« Zeno ? J'ai l'impression qu'il y a quelqu'un sur votre balancelle. Sur la véranda, vous savez. Ma femme dit qu'il est là depuis au moins une heure. »

Zeno demanda qui cela pouvait être. Un SDF ?

Peu vraisemblable dans le quartier résidentiel de Cumberland.

Il remercia son ami. De toute façon, il avait eu l'intention d'aller jeter un coup d'œil à la maison, plus tard dans la journée. « Je vais passer tout de suite. »

Les anciens combattants : le pays en était rempli. Dans les coins perdus des Appalaches, dans les communautés hispaniques de l'Ouest et du Sud-Ouest, dans les États des Grandes Plaines comme dans l'ouest et le nord de l'État de New York, les anciens combattants de la croisade contre la terreur : blessés à peine ambulatoires, mutilés (visiblement ou invisiblement), «handicapés». Quand il longeait la rivière en voiture jusqu'à la ville, traversait les quartiers ouvriers à l'ouest de Carthage, il en voyait de plus en plus souvent, des jeunes gens, de jeunes vieillards, appuyés sur des béquilles, en fauteuil roulant. Peau noire, peau blanche. Les victimes de la guerre. Maintenant que les guerres d'Afghanistan et d'Irak ralentissaient, les anciens combattants allaient être rendus à la vie civile, telles des épaves sur une plage après le reflux d'une grande marée.

En tant qu'homme politisé, progressiste, Zeno Mayfield était sensible à leur sort. Il savait que le gouvernement fédéral ne pourrait jamais dédommager ces hommes de tout ce qu'ils avaient sacrifié dans la naïveté de leur patriotisme. Mais en tant que père, il éprouvait une rage déraisonnable. Ces hommes avaient appris à tuer à la guerre et ils revenaient au pays avec leur appétit de meurtre et sa fille avait été assassinée par l'un d'eux, une machine de guerre devenue folle furieuse.

On disait que dans les annales du département du shérif de Beechum aucun autre suspect n'avait fait des aveux aussi longs, décousus, naïfs et compromettants que Brett Kincaid. Il avait semblé parler de nombreux meurtres, et pas seulement de celui de Cressida Mayfield.

Il avait donné les noms de ses chefs de section. Il avait donné les noms de ses camarades de combat. Il avait fallu lui rappeler qu'il n'était plus en Irak mais à Carthage, plus un soldat mais un civil : il avait fallu lui rappeler que l'on parlait de Cressida Mayfield.

Dans Cumberland Avenue, Zeno vit avec un plaisir douloureux les maisons inchangées de ses voisins. La procession de grands chênes, de cèdres. Sa dernière visite ne datait guère que d'une semaine, il était normal que rien n'ait beaucoup changé dans l'intervalle. Il fut néanmoins soulagé de voir sa maison et le panneau À LOUER de l'agence immobilière sur le trottoir.

Il se gara dans l'allée. Il ne vit pas immédiatement la silhouette dans la balancelle, car un crépuscule précoce assombrissait déjà l'après-midi, mais en s'approchant il vit clairement quelqu'un – un homme, une femme? – un enfant de douze ans, peut-être? – enveloppé dans une couverture; le vieux plaid rugueux L. L. Bean qu'ils laissaient dehors sur la balancelle. La silhouette était féminine : une jeune fille, une femme menue. Elle avait les cheveux sombres, le visage en partie dissimulée sous la couverture. Elle était recroquevillée sur elle-même comme si elle avait très froid. (Il faisait zéro, quelques flocons de neige tombaient et fondaient presque instantanément.) Sa respiration était rauque. Devait-il appeler le 911? Il s'approcha encore. À la Home Front Alliance, on lui proposerait un lit dans la section des femmes, un médecin bénévole l'examinerait et lui prescrirait peut-être des antibiotiques.

Zeno était à quelques mètres de la jeune fille endormie enroulée dans la couverture sale. Si pelotonnée sur elle-même qu'on ne voyait pas ses pieds. Sans raison logique il les imaginait nus. Elle était malade, fiévreuse. Il lui faudrait des soins. Mais il ne bougerait pas avant que, sentant sa présence, elle se réveille. Il ne pouvait se résoudre à réveiller la jeune fille endormie, car alors le charme prendrait fin.

16

La mère

Mars 2012

Elle venait de rentrer du Centre. De sa longue garde qui aurait dû s'achever à 18 heures, mais il y avait eu une admission problématique, ce jour-là, il avait fallu appeler une infirmière psychiatrique ainsi qu'un agent du service de police de Mount Olive parce qu'ils avaient reçu des menaces de mort anonymes. Il était plus de 20 heures quand elle était arrivée dans la maison de Cross Patch Lane et, moins de dix minutes plus tard, on sonnait à la porte.

À cette heure-là, vous hésitiez à ouvrir. Elles avaient reçu de nombreuses menaces, elles avaient été abordées et harcelées par des maris, des petits amis et des maquereaux furieux. On voyait arriver au centre WomanSpaces des filles sans cesse plus jeunes, des filles d'Europe de l'Est qui ne savaient que quelques mots d'anglais, des immigrées clandestines terrifiées à l'idée d'être expulsées. Mais elles avaient fui leurs exploiteurs, elles avaient cherché refuge au Centre de Mount Olive et leurs « employeurs » avaient engagé des avocats agressifs pour riposter à leurs accusations de sévices et de violences sexuelles par la menace de poursuites pénales.

Alisandra alla à la porte. Arlette l'entendit dire : *Oui ?*

Sur le perron se tenaient son mari Zeno et sa fille Juliet.

«Oh!»

Totalement abasourdie, elle se dit : *Ils sont venus me ramener de force à la maison.*

Elle vit leurs visages. Elle sut que quelque chose venait de bouleverser profondément leur vie, mais fut incapable de deviner quoi.

Juliet l'enlaça, la serra avec force dans ses bras. Zeno lui effleura l'épaule avec un sourire anxieux.

«Maman. On peut entrer? Tu pourrais t'asseoir, peut-être? Nous avons des nouvelles.»

Elle se mit à trembler. Cette étrange lueur dans leur regard, peur ou excitation.

Elle était assise : à la table de la cuisine. Depuis sa chimiothérapie, elle avait maigri, n'avait repris que quelques petits kilos et était souvent au bord de l'évanouissement. Et quelquefois, en secret, elle s'évanouissait bel et bien sans en parler à personne. Et Alisandra disait à Zeno et Juliet qu'elle serait au premier étage si on avait besoin d'elle.

Les oreilles grondantes, elle les entendit dire que Cressida était vivante. Cressida était revenue à Carthage ce jour-là. Mais elle était gravement malade et soignée à l'hôpital de Carthage, où ils pourraient la voir le lendemain matin.

Zeno expliquait qu'il avait découvert Cressida chez eux, enveloppée dans une couverture sale sur la balancelle de la véranda. Elle délirait de fièvre, à peine consciente. Il l'avait emmenée aux urgences, où l'on avait diagnostiqué une pneumonie.

Sur le chemin de l'hôpital, il avait téléphoné à Juliet. Il avait préféré ne pas appeler Arlette tout de suite.

Plus tard il expliquerait qu'il était terrifié à l'idée que Cressida était peut-être mourante. Comment appeler Arlette dans ces conditions!

Cressida, vivante! Arlette ne comprenait pas ce que son mari et sa fille lui disaient.

Elle venait de Floride, apparemment. Combien de temps et comment y avait-elle vécu, ce qu'il lui était arrivé dans la Réserve... ils l'ignoraient.

Zeno n'avait pu parler à Cressida, elle était trop malade. À quoi elle ressemblait?... Elle était plus âgée, évidemment; et elle était très malade. Mais... sans le moindre doute, c'était leur fille, dit Zeno. C'était Cressida.

Ce qui s'était passé avec Brett Kincaid dans la Réserve... Zeno n'en avait aucune idée. Il avait téléphoné en hâte au procureur du comté de Beechum et aux autorités pénitentiaires de l'État de New York, ainsi qu'au directeur du centre pénitentiaire de Clinton à Dannemora où Brett Kincaid était incarcéré.

Il ferait davantage quand Cressida serait hors de danger. Car Brett Kincaid était manifestement innocent : il avait fait de faux aveux à la police.

Peut-être y avait-il été forcé par les policiers. À moins qu'il n'eût véritablement cru avoir assassiné Cressida.

Il l'avait blessée, très probablement. Mais il ne l'avait pas tuée et il n'avait pas jeté son corps dans la Nautauga, comme il l'avait assuré.

Zeno n'avait pas le temps de s'occuper de cela maintenant. La condamnation, l'incarcération injuste de Brett Kincaid... il verrait ça plus tard. La priorité, pour l'instant, c'était Cressida qui, hospitalisée dans le service de télémétrie avec 39° 6 de fièvre, un tube dans la trachée, luttait contre la mort.

Arlette résistait à une sensation de vertige. La nouvelle l'éblouissait comme une cécité fulgurante lui brûlant le cerveau.

D'une voix rêveuse Zeno disait qu'il avait su, dès qu'il l'avait vue.

Cressida ? Revenue ? Au bout de sept ans ? Et pourtant, il avait su.

La veille, un voisin l'avait appelé. Il s'était immédiatement rendu à la maison. Et là, sur la véranda, enveloppée dans une couverture sur la vieille balancelle, le visage presque invisible, une jeune personne, une jeune fille, très menue ; et il avait su aussitôt qui elle était.

Car Juliet avait reçu un coup de téléphone mystérieux quelques jours plus tôt – elle avait cru à une blague cruelle –, une femme qui disait être Cressida.

« J'ai essayé de rappeler... mais je n'ai pas pu. J'en ai parlé à papa mais pas à toi – pas tout de suite – je ne voulais pas te bouleverser. »

Zeno décrivait à Arlette la façon dont Cressida, épuisée et malade, s'était enveloppée dans la vieille couverture de camping à carreaux de chez L. L. Bean : « Tu sais, celle que tu essayais de jeter, mais que je récupérais chaque fois dans la poubelle ? Cette couverture que nous avions laissée sur la balancelle. »

Arlette sourit. « Ce vieux plaid déchiré ! Je croyais m'en être débarrassée. »

Dans ce plaid à carreaux Cressida avait été transportée aux urgences de l'hôpital de Carthage. Zeno l'avait prise dans ses bras, portée jusqu'à la voiture et emmenée, et il avait appelé le 911 sur son portable pour signaler son arrivée, puis téléphoné à Juliet à Albany pour la prévenir, et elle avait immédiatement sauté dans son SUV et était arrivée à l'hôpital au moment où, le diagnostic posé, on transférait Cressida dans le service de télémétrie. Juliet avait vu sa sœur presque sans connaissance et avait fondu en larmes, entre stupéfaction, euphorie et terreur.

Cressida était si changée! Et pourtant Juliet l'aurait reconnue n'importe où.

Elle n'aurait jamais cru que cela puisse être vrai, que sa sœur puisse être *en vie.*

Elle savait, l'hypothèse avait été envisagée par d'autres, qu'il était (théoriquement) possible que Cressida Mayfield soit en vie et non morte; il était (théoriquement) possible que Brett Kincaid ne l'eût pas tuée comme il le prétendait; que Cressida se fût enfuie et vécût quelque part où personne ne la connaissait. Ces suppositions avaient fait fureur sur internet pendant au moins un an après la disparition de Cressida, mais Juliet évitait ces articles, comme elle aurait évité la pornographie en ligne. Elle n'avait jamais cru qu'ils avaient la moindre vraisemblance. Mais à présent...

« Nous allons t'emmener à l'hôpital la voir, maman. Viens!

– Oui. S'il vous plaît. »

Arlette eut un pâle sourire. Elle tendit les bras pour qu'on l'aide à se lever, et Zeno la serra contre lui à lui écraser les côtes. Oh! Elle l'aimait.

Bien sûr qu'elle aimait son mari, le quitter avait été une erreur. Et elle aimait Juliet. Ces gens qu'elle aimait étaient venus la chercher, ils s'étaient efforcés de lui épargner un choc terrible, un bonheur si extrême qu'il était à peine supportable, et maintenant ils allaient l'emmener à l'hôpital voir sa fille perdue.

Sa fille dont elle avait accepté la perte. La mort et la perte. Elle les avait acceptées comme voulues par Dieu, pour des raisons obscures qu'elle n'avait pas contestées, comme elle n'avait pas contesté la *graine de kaki* dans son sein gauche, ni aucune des blessures, des humiliations et des chagrins de sa vie, car au fond de son cœur elle croyait véritablement à la justice de tout ce qui existait au fond du cœur de Dieu, l'humanité demeurant en Dieu et ne pouvant exister sans Lui. Tout cela, elle l'avait accepté. Et elle avait rejeté son mari, qui se débattait et désespérait dans son incroyance, elle avait abandonné son mari qu'elle aimait parce que son incroyance la menaçait. Et maintenant, Dieu lui révélait le plus profond des mystères, à savoir que même la logique cruelle de sa miséricorde était inaccessible à l'examen humain, inaccessible à tout effort de l'homme pour la comprendre ou l'identifier.

Elle enfilait son manteau. Elle s'efforçait d'enfiler son manteau.

Faisant tinter ses clés, Zeno déclara, de son ton gentiment catégorique, que c'était lui qui conduirait.

17

La sœur

Avril 2012

Je ne me sens plus jeune à présent. Je pense que j'ai le cœur vieux.
La lettre que j'ai gardée. La lettre que personne ne sait que j'ai gardée. Tel un trésor.
Je t'aime tant, Juliet. C'est la seule vérité que je connaisse.

Et je sais : je devrais lui pardonner.

Ils croient que je déborde de joie comme eux. Ils croient que je suis une vraie *sœur* pour elle. Tout le monde pense : *les sœurs Mayfield, réunies.*

Mais je ne lui pardonne pas, je crois que je la hais.

Ce sentiment de haine est violent et nouveau pour moi, au point de me couper la respiration. Comment lui pardonner, alors qu'elle a détruit ma vie et celle de Brett Kincaid ? Alors que, à cause d'elle, mes parents ont souffert sept ans durant, que chaque heure, chaque minute de leur vie ont été empoisonnées par son absence.

Son égoïsme, que tout le monde prend pour une maladie, voilà ce que je déteste.

Maladie mentale, détresse psychique, « amnésie »…

L'infirmité de ma sœur est morale. Elle n'est pas normale. Elle a toujours été *à part*, une *artiste*. Nous autres qui n'étions ni *à part* ni *artistes* devions lui trouver des excuses, la ménager, lui pardonner son impolitesse, sa méchanceté, son égoïsme.

Ta sœur ne ressemble pas aux autres filles, Juliet. Elle trouvera sa voie mais avec difficulté.

Je ne suis plus aussi certaine d'être chrétienne. Au fond de mon cœur, j'ai changé.

Mais personne ne le sait. Car Juliet Mayfield est la *jolie* sœur Mayfield, on n'imagine pas Juliet devenir sceptique, incroyante comme son père.

Vous, les incroyants, dépendez de nous pour vous confirmer dans votre sentiment de supériorité. Il vous est nécessaire de nous imaginer inchangés, inchangeables.

Il vous est nécessaire de nous imaginer ignorants, faibles d'esprit. Il vous est nécessaire de nous imaginer semblables à des *enfants*.

Mais je ne suis plus une enfant. J'ai vingt-neuf ans.

Brett Kincaid, incarcéré au centre pénitentiaire de Clinton à Dannemora depuis avril 2006, a trente-trois ans.

Même si sa condamnation pour *homicide volontaire* est commuée, il restera incarcéré un temps indéterminé, car en prison il a été mêlé à des «incidents». Et même si le gouverneur commue sa peine, comme papa a l'intention de le demander, Brett aura perdu sept ans de sa vie à tout jamais.

Oh! Juliet, quel miracle! Tes parents et toi... quelle surprise incroyable, le retour de Cressida! Vous devez être si heureux!

Voilà ce que les gens disent. Voilà comment les gens nous perçoivent.

Et pourtant… où est le *miracle* ? Que ma sœur se soit exilée pendant sept ans et nous soit revenue aujourd'hui n'a rien d'un *miracle*.

Elle n'est pas *revenue d'entre les morts*. Pas Cressida !

C'était délibéré de sa part, je pense. Par vengeance, par rancune.

Mais c'est une sorte de miracle que mon père n'ait plus à boire pour être heureux. Et que ma mère puisse dire en toute sincérité *Mes prières ont été exaucées. Je n'avais jamais perdu espoir.*

Sur les photos des journaux et à la télé les Mayfield sont souriants, bien entendu. Y compris Cressida.

Mon sourire public est fluctuant comme une lumière allumée, éteinte.

La *jolie*… Allumée, éteinte.

M'aimez-vous, me pardonnez-vous. Ses yeux implorent.

Elle sait que sa sœur ne l'aime pas. Le vieil amour familial, l'amour que j'avais pour Cressida quand nous étions enfants… s'est évanoui.

À l'idée qu'elle était morte, qu'elle avait été «assassinée»… quel sentiment d'horreur, de pitié, d'amour, j'ai éprouvé pour ma sœur !

Mais plus maintenant. Je ne lui pardonne pas. Même à son chevet à l'hôpital je l'ai confessé à Dieu qui comprend car Il ne m'a pas donné la force de Jésus pour pardonner à ceux qui nous ont offensés.

Sa guérison a été lente. Sa pneumonie l'a ravagée, elle ne ressemble plus à une jeune fille, mais à une femme accablée par le chagrin.

Le chagrin, le regret. Le repentir.

C'est pendant son long trajet en bus vers le Nord, a-t-elle dit, qu'elle est tombée malade. Elle n'imaginait pas que ce serait aussi grave. Les deux poumons infectés. À l'hôpital de Carthage elle avait frôlé la mort, et quelle ironie, quelle ironie amère, sensationnelle – les tabloïds guettaient, tels des vautours – si cette fille, crue morte pendant sept ans, et «miraculeusement» rendue à sa famille, était morte de pneumonie à l'hôpital.

Dieu voit au fond de mon cœur et sait : j'aurais prié pour qu'elle meure en Floride avant même son coup de téléphone.

Sauf que : mes parents sont transformés. Et je ne voudrais pas qu'il en aille autrement.

Mais suis-je capable de lui parler. De supporter sa présence. Nous nous serions réconciliés, je pense. Brett et moi. Mon fiancé, que j'aurais épousé malgré ses blessures – bien qu'il ait changé, que son âme ait changé – car tel était mon serment.

Dans la santé et la maladie jusqu'à ce que la mort nous sépare.

J'étais assez forte, alors. J'étais une jeune femme – une femme plus jeune – pénétrée de la force de mon idéalisme et de mon premier amour.

Pendant des mois, je l'avais conduit à l'hôpital des anciens combattants. Je l'avais conduit au centre de rééducation, aidé à faire ses exercices; j'avais parlé et ri avec lui pour lui remonter le moral. Si ma sœur ne s'était pas ingérée dans notre vie, j'aurais épousé Brett Kincaid.

Cressida dirait qu'elle m'a rendu service! En m'épargnant un mariage avec un homme physiquement et mentalement infirme, et je lui jetterais au visage que je ne demandais pas à être épargnée.

Pendant sept ans j'ai considéré que tu étais mort. Comme ma sœur était morte.

Maintenant que ma sœur est revenue à la vie, tu as repris vie, toi aussi.

Mon père pense que tu seras libéré. Il fera l'impossible pour
que tu le sois.

Je ne peux pas te voir. Je ne te reverrai jamais.

Je n'en ai jamais eu le courage. Ma mère t'a rendu visite
souvent, et elle m'aurait parlé de toi si je ne l'en avais pas empêchée : Non !

Elle voulait m'emmener te voir. Mais j'ai dit Non !

*Pourquoi Juliet ? Pourquoi pas ? Viens avec moi, juste une fois.
Brett aimerait te voir. Il demande comment tu vas… ton mariage,
tes enfants. Il dit qu'il est heureux pour toi. Il est toujours amoureux de toi, il n'a pas eu besoin de le dire.*

Ce serait si important pour lui de te voir.

(Pour moi, c'était de la folie. Ce pardon chrétien me semblait de la folie. Si Zeno avait su qu'elle me demandait, qu'elle
m'implorait de l'accompagner à la prison, il aurait été consterné
et furieux contre elle. *Ta mère n'a pas les idées claires. Sa souffrance
est si profonde que cela trouble son jugement. Ne l'écoute pas !*)

Un jour j'ai fait le serment d'être *ta femme aimante pour
toujours et à jamais Amen.*

Nous n'étions pas mariés. Nous ne nous sommes jamais
mariés. Mais je t'ai fait cette promesse comme tu me l'as faite
toi aussi en prenant Jésus notre Sauveur à témoin *pour toujours
et à jamais Amen.*

Cela ne changera jamais. Même si nous ne devons pas nous
revoir.

Dans ma nouvelle vie, je suis heureuse. J'ai le bonheur
d'avoir un mari aimant et de beaux enfants.

Je suis forte, je peux lui pardonner. Pardonne-lui, dit Zeno,
ce n'est pas sa faute, juridiquement ce n'est pas sa faute : elle n'a
violé aucune loi en s'absentant pendant sept ans.

Et moralement? Est-elle coupable moralement? ai-je demandé.

Et Zeno a répondu, avec précaution : Non. Elle n'est coupable ni moralement ni légalement.

Et pourquoi n'est-elle pas moralement coupable? ai-je demandé.

Ma question était calme et posée. Elle n'était pas courroucée ni vengeresse. Mais Zeno m'a regardée comme s'il n'avait jamais entendu sa *jolie* fille prononcer des mots aussi rebutants. Ta sœur a été malade. Nous ne savons pas ce qu'elle a enduré. Sa santé est compromise. Elle a apparemment vécu dans des conditions désespérées. Nous ne pouvons pas la juger. Nous ne pouvons que nous réjouir qu'elle nous soit revenue.

Mais moi, je peux la juger. Et je la juge. Durement.

Elle est revenue libérer Brett Kincaid. Avec des années de retard.

D'ici quelque temps, quelques mois j'espère, Brett pourra peut-être bénéficier d'une libération conditionnelle ou d'une commutation de peine.

Zeno parlait d'un ton songeur en frottant ses joues, de nouveau rasées de près. Les mains moins tremblantes, la voix plus assurée depuis qu'il a cessé de boire.

Je ne lui ai pas dit *Brett Kincaid était mon grand amour. Et cela ne changera pas, bien que j'aie changé. J'en voudrais toujours à Cressida d'avoir détruit cet amour.*

Bravement elle dit : Mais je veux le faire! Il faut que je le fasse.

Elle dit : Je ne peux pas me cacher davantage.

Trois jours après sa sortie de l'hôpital, ma mère et moi conduisons Cressida dans le parc Friendship.

Plus exactement, je conduis. Ma mère est assise à côté de moi, et Cressida, raide et droite à l'arrière, a une expression lointaine et tendue sur le visage, comme par anticipation de la douleur.

Son visage flotte dans le rétroviseur telle une lune fantomatique.

Sa pâleur, ses yeux cernés, ses cheveux noirs bouclés, clairsemés depuis sa maladie... est-ce ma sœur ? Depuis son retour, c'est toujours un choc pour moi de la voir, et de la voir si proche de moi. Je me dis *Elle est à plaindre, pourquoi donc ne puis-je pas la plaindre ? Elle a détruit nos vies, mais elle ne s'est pas épargnée.*

À l'hôpital, Cressida a mis longtemps à se rétablir. Elle a contracté des infections nosocomiales, dont chacune aurait pu la tuer. On nous a informés qu'elle avait le foie endommagé, et que c'était peut-être irréversible ; que son taux de globules blancs était élevé, et qu'elle souffrait d'anémie ; dans un premier temps, ses analyses de sang avaient révélé des anomalies, pouvant indiquer qu'elle était séropositive, mais elles avaient disparu quand son état s'était amélioré.

(Séropositive ! Sa famille était consternée. Cressida avait-elle été infectée ? Quelle vie avait-elle donc menée pendant ces sept années ?)

Nous sommes à la fin d'avril, un après-midi tiède, éclaboussé de soleil. Des reflets tapageurs d'éclats de verre sur la Nautauga, des rafales de vent dans les conifères, dont les bourgeons viennent d'éclore. Dans Friendship Park, sur les marches du majestueux belvédère victorien, une jeune femme se fait photographier dans une robe blanche éblouissante – une jeune mariée, en fait, avec son compagnon. La mariée porte une longue robe, manches longues, voilette et traîne étalée sur les marches, d'un ridicule attendrissant. Ses cheveux tressés sont d'un blond nacré ; sa voilette de dentelle ondule dans le vent. À mon insu, mon pied a relâché sa pression sur l'accélérateur, je ne m'en aperçois que lorsque Arlette me tire ma rêverie : Oh oui, n'est-ce pas, qu'ils sont beaux !

Elle semblait vouloir en dire davantage. *Oh oui, n'est-ce pas, qu'ils ont du courage de prendre ce risque ?*

Ma robe de mariée. Un si beau modèle, qui n'a jamais été cousu. Si ravissante, dentelle ivoire, soie ivoire, dos en dentelle, corsage plissé et jupe évasée, jamais cousus.

Ma voilette, ma « traîne ».

(Si idiote, cette traîne de mariée qui balaie le sol, les marches sales. À quoi cela peut-il bien rimer une belle soie coûteuse d'un blanc éblouissant, si vite souillée.)

Le *modèle nuptial* nous ensorcelait. Ma chère mère et moi.

Si bien que lorsque j'ai épousé mon mari, j'ai eu l'impression d'un deuxième mariage.

Le premier, qui n'a jamais eu lieu et m'ensorcelle toujours. Le deuxième, qui a eu lieu, mais qui n'occupe pas la première place dans mon souvenir.

Nous n'étions pas de « jeunes mariés » – nous ne portions pas la tenue de noces traditionnelle – et notre mariage s'est fait sans grande célébration. Il a plutôt été solennisé (ce mot existe-t-il ? C'est le plus adéquat qui me vienne à l'esprit) par un juge d'Albany, un ami de la famille Stedman.

Nous n'étions pas en habits de noces. Car c'était à midi, un jour de semaine. Car cela se passait dans le bureau de l'ami de mon mari, tapissé de livres et de revues de droit du sol au plafond. Car peu de gens extérieurs à notre famille étaient invités à cette cérémonie civile, cordiale mais expéditive.

Je portais un tailleur de laine crème foncée à jupe plissée, une démarque qu'Arlette m'avait trouvée à quatre-vingt-cinq dollars – un Versace «de seconde main». (Après l'avoir acheté, nous découvrîmes une petite tache sur la manche... mais si pâle que personne ne la remarquerait, Arlette en était convaincue.) David portait un costume sombre à rayures, une chemise en soie blanche et des boutons de manchettes.

Tel était mon désir. Un petit mariage «dans l'intimité». Et cela devint aussi celui de David quand il connut mieux l'histoire de la vie de sa fiancée.

Car j'avais toujours redouté que les «médias d'information» n'aient vent de ma nouvelle vie, de mon mariage, de mon mari ; de même que je redouterais plus tard qu'ils n'apprennent la naissance de mes enfants.

Je craignais par-dessus tout les tabloïds, impitoyables et implacables, doués de l'instinct des oiseaux prédateurs qui planent au-dessus de leur proie, battant l'air de leurs grandes ailes noires impatientes.

Ils surgissent de nulle part, ces oiseaux prédateurs. Comme ces mouches des fruits qui naissent d'œufs microscopiques pondus dans la peau même du fruit, donnant ainsi l'impression d'être engendrées par le fruit lui-même.

Avant David il y avait eu d'autres hommes – pas beaucoup, mais quelques-uns – attirés, je crois, par ma «notoriété médiatique» – même s'il m'avait fallu un certain temps pour m'en rendre compte. Mais David Stedman ne posait jamais de questions. S'il avait entendu parler de Cressida et du caporal Brett Kincaid, ce qu'il me faut supposer, il ne posait pas de questions ; jusqu'à ce qu'un soir, je me décide à lui en parler.

Et il avait pris ma main et l'avait embrassée. David n'a rien d'un homme impulsif, et je sais qu'il met mon père mal à l'aise parce qu'il ne rit pas facilement des plaisanteries de Zeno Mayfield ; mais David est un homme sincère, un homme fidèle, qui n'avait nul besoin de m'assurer, comme il le fit ce soir-là, qu'il m'aimerait et me protégerait : *Je ne peux défaire le passé. C'est donc vers l'avenir que nous regarderons ensemble.*

Si j'aime mon mari, oui beaucoup, j'aime mon mari et nos deux jeunes enfants plus que ma vie !

Comment donc puis-je la haïr, cette sœur qui a rendu possible ma vie avec David et avec nos enfants : c'est mon *avenir.*

Comment puis-je ne pas lui pardonner, alors qu'elle a agi aveuglément, ignorant le mal qu'elle faisait aux autres autant qu'à elle-même.

Dans ta lettre, que je n'étais censée ouvrir que si tu ne revenais pas d'Irak, tu disais que les enfants que j'aurais d'un autre homme, d'un mari, seraient aussi les tiens.

Si tu mourais en Irak. Si tu mourais de tes blessures. Si tu ne revenais jamais m'épouser.

Il me semble donc parfois que les enfants que j'ai eus de David Stedman sont d'une certaine façon aussi les tiens.

Avant ton deuxième départ, avant que tu sois aussi gravement blessé. Avant que ton âme soit blessée. Quand nous pleurions ensemble parce que nous allions être séparés si longtemps, nous nous sommes pourtant aimés avec un tel bonheur que c'était une sorte d'innocence et je me suis dit *Si je tombe enceinte maintenant, nous saurons que notre amour est béni.*

Et tes paroles ont fait écho à mes pensées, que je n'avais pas exprimées à voix haute : *C'est comme si quelque chose se décidait ce soir, n'est-ce pas. Oh mon Dieu.*

Ensemble dans un bonheur si intense qu'une flamme pure et radieuse semblait brûler autour de notre lit nous aveuglant en même temps qu'elle nous réchauffait et nous protégeait de tous les autres.

« C'est beau. Quelle belle journée. »

Nous sommes allés à Friendship Park. La première journée de Cressida au soleil. Elle regardait avidement autour d'elle. Un lieu familier, nous avions fait des pique-niques et des sorties dans le parc durant notre enfance, mais aux yeux de Cressida les choses semblaient avoir un aspect différent. Et Arlette lui indiquait ce qui avait changé : un kiosque à musique restauré, un terrain de jeu agrandi.

Les yeux de Cressida sont devenus sensibles à la lumière, et elle portait l'une de mes paires de lunettes de soleil. Et sur la tête, un foulard coloré, l'un des foulards pré-perruque de maman, qui lui donnait un air à la fois gai et convalescent.

Nous avions parlé à Cressida du chemin de randonnée auquel on avait attribué son nom. Nous l'avions avertie de la plaque sur le banc : *CRESSIDA MAYFIELD 1986-2005*. Elle contempla la plaque. Elle l'effleura de ses doigts.

« Tu as fait cela pour moi, maman ? C'est très beau.

– Il n'y avait pas que moi. D'autres gens ont fait des dons. Et Zeno et Juliet m'ont aidée… bien entendu. »

Était-ce vrai ? Pour Zeno, j'en doute, il avait été irrité de la publicité donnée à notre perte privée. Et je sais que ma participation avait été minime pour les mêmes raisons.

Le deuil de ma mère était public, elle avait ardemment souhaité garder vivant le souvenir de sa fille perdue dans la mémoire de tous ; elle avait souhaité faire de la disparition de sa fille un souvenir commun à tout Carthage : elle nous avait raconté que d'autres mères, qui avaient perdu des filles ou des fils, l'avaient serrée dans leurs bras, en pleurant avec elle.

Comme s'il y avait un fleuve de chagrin. Et que nous devions tous y entrer et être emportés par son courant, un jour ou l'autre.

« Je suis un fantôme, je suppose. Qui revient. »

La voix de Cressida était un murmure rauque. La pneumonie lui avait laissé les cordes vocales à vif.

« La plaque sera bientôt enlevée ! dit Arlette. Les autorités du parc l'ont promis.

– Est-ce que tout le monde me hait ici, à Carthage ? Je sais que je me haïrais si j'étais à leur place.

– Mais non, Cressie ! Pas du tout. Tout le monde comprend que tu as été malade. »

Arlette s'assit sur le banc, dans une flaque de soleil. Elle nous fit signe de la rejoindre, et je le fis, mais Cressida resta debout.

Elle portait un pantalon en kaki léger et un pull ; elle était encore très maigre, et d'une pâleur maladive, mais elle retrouvait par intermittence des bouffées de son ancienne énergie.

Au majeur de sa main gauche, une bague en forme d'étoile – sans doute en argent – pas très belle. Comme elle est beaucoup trop grande pour son doigt mince, Cressida l'a grossièrement entourée d'un bout de ficelle et, d'un geste machinal, exaspérant, interminablement, elle la fait tourner autour de son doigt. J'éprouve une impatience de sœur, l'envie de lui donner une tape sur la main pour la faire cesser.

Quand nous étions enfants aussi, Cressida avait des habitudes exaspérantes : tapoter du pied, se tortiller, s'agiter sur sa chaise pendant les repas en poussant de grands soupirs impolis ; se gratter le crâne, se gratter le visage, les aisselles et Dieu sait quoi encore, aussi indifférente aux autres qu'un petit singe. Mes parents trouvaient-ils « Cressie » *mignonne* ?

Ses sarcasmes, sa manie d'interrompre les autres – sa sœur aînée notamment –, trouvaient-ils cela *charmant* ? La méchanceté avec laquelle elle traitait ses rares amies, la façon dédaigneuse dont elle parlait de ses camarades de classe « populaires » et de nombre de ses professeurs : trouvaient-ils cela *admirable* ? La seule fois de ma vie où je me rappelle avoir choqué ma mère, ce fut le jour où je lui dis que je craignais, si j'avais des enfants, d'être porteuse d'un gène familial d'«autisme» ou de «personnalité borderline» – quel que soit le terme définissant Cressida ; l'idée de le transmettre à un enfant m'était insupportable. Et Arlette m'avait dévisagée avec une incompréhension totale.

Mais qu'est-ce que tu racontes, Juliet ? Je ne comprends pas.

J'avais aussitôt abandonné le sujet. Mais j'en parlai à David, avec qui j'étais fiancée à l'époque. Et David avait dit : *Voyons Juliet ! Nos enfants seront beaux, intelligents et parfaits... aie confiance.*

Cressida m'avait un peu raconté sa vie en Floride : elle avait vécu avec une femme dans une succession d'endroits et de villes et, si elles s'aimaient, elles n'avaient pas été *amantes*.

Choquant d'entendre cela dans la bouche de ma sœur. Mais bien entendu Cressida n'est plus une enfant, c'est une femme adulte de vingt-cinq ans. Nous n'avions jamais discuté de sexualité ensemble, ni d'aucun sujet intime, sexuel ou affectif. Cressida affectait de mépriser ce genre de prédilection comme si ce n'était qu'une faiblesse dont elle était exempte.

Elle n'avait jamais été amoureuse, dit-elle. Ou du moins elle n'avait jamais été *amoureuse* de quelqu'un qui l'ait aimée en retour.

Là, un silence. Un silence sans grâce. Ses paupières palpitaient.

Oui je l'aimais, ton fiancé. Bien sûr que je l'aimais, et mon amour égoïste a précipité la ruine de nos deux vies.

Avec circonspection Cressida dit qu'elle apprenait à seulement *aimer*. Il pouvait y avoir du bonheur et un sens secret à cela, *aimer* quelqu'un d'autre sans rien attendre en retour.

J'eus envie de hurler. J'eus envie de frapper sa main, d'envoyer voler cette bague encombrante à son doigt.

Calmement, avec la douceur de l'ancienne Juliet je lui dis que oui, on pouvait vivre ainsi. Une vie pleine, riche… *aimante*.

Je me rappelai une repartie cinglante de ma sœur des années auparavant : elle avait tourné en ridicule ceux de notre famille qui travaillaient comme bénévoles dans des organisations caritatives en citant le poète Auden, une plaisanterie cynique quelconque sur les travailleurs sociaux, sur l'inutilité d'*aider les gens*.

Mais à présent Cressida parlait avec sincérité. À présent nous devons la supposer sincère.

Aimante!

Comme quelqu'un qui n'a pas marché seule depuis longtemps, Cressida avançait sur un sentier de copeaux, long d'environ trois kilomètres, qui passait par les bois avant de revenir au point de départ. Arlette et moi la regardions marcher, le pas mal assuré mais avec enthousiasme – comme une enfant empotée – et nos mains se cherchèrent.

Nos deux mains étaient froides. Les doigts d'Arlette sont toujours froids.

Une pensée me traversa l'esprit : *Elle va s'enfuir à nouveau. Elle va disparaître. Dans la rivière cette fois. C'est pour cela qu'elle nous est revenue, pour faire une fin.*

Sur la Nautauga, à une quinzaine de mètres en contrebas, dansait le reflet fugitif des nuages qui filaient haut dans le ciel. Bien que les nuits soient encore froides, ces journées de la fin avril étaient douces, chaudes. On sentait l'attraction subtile de la rivière, comme une force de gravité.

Quand Brett avait quitté ma vie, quand mon bien-aimé m'avait rejetée comme un ridicule petit bateau en papier, j'étais souvent venue là. Appuyée contre le parapet, je pensais *Jésus ne me libérera pas, c'est cruel. Pourquoi dans ce cas Jésus a-t-il laissé mon fiancé se retourner contre moi?*

À Carthage on croyait que c'était Juliet Mayfield qui avait rompu ses fiançailles avec le caporal Brett Kincaid. On croyait que la *jolie Mayfield* était une garce opportuniste et superficielle qui méritait remarques grossières, regards torves et mépris.

Impossible de corriger ces interprétations erronées. Car elles étaient murmurées à la dérobée, jamais tout à fait à portée de voix. Des regards hostiles, brouillés comme des reflets dans une glace, à la périphérie de votre champ de vision.

Brett aussi m'avait raillée, à la fin. Comme si son corps défiguré me raillait, son visage cousu de cicatrices. *Laisse tomber. Ce sont des conneries. Prends tes jambes à ton cou. Et ne regarde pas en arrière.*

Sur le sentier de copeaux de bois des randonneurs dépassaient Cressida, le pas rapide, les jambes musclées. Peut-être la saluaient-ils, comme le font souvent les randonneurs, mais ils ne semblaient pas la reconnaître.

Au bout de quatre cents mètres Cressida fit demi-tour. Comme si elle avait épuisé ses forces, elle revint en traînant le pas et, parvenue près de nous, fondit soudain en larmes.

Allait-elle s'évanouir? S'effondrer? Stupéfaite, nous regardâmes ma sœur s'agenouiller brusquement dans l'herbe à côté du sentier. Nous entendîmes sa voix rauque : «Je suis si reconnaissante. Si reconnaissante.» Telle une pénitente, elle s'étendit de tout son long sur le sol, les bras écartés, le visage enfoui dans l'herbe pâle de ce début de printemps, et il me sembla qu'elle embrassait la terre dans un élan de gratitude pour la vie qui lui était rendue.

Cette terre qu'elle avait souillée de son amertume, de sa haine. Cette terre qu'elle aimait maintenant avec une passion effrenée.

Je le savais. Cressida n'avait pas à l'expliquer.

Tu as été brisée. Maintenant tu te reconstruis. Nous nous reconstruirons avec toi. Nous t'aimons.

Sur le chemin du retour, Cressida dit : Tu me pardonnes, Juliet ?

Je répondis avec calme : Il n'y a rien à pardonner.

ÉPILOGUE

Avril 2012

Suivant le long mur en voiture.

Un mur haut de dix-huit mètres, sans fin (visible).

    Je fais le trajet seule, jusqu'à Dannemora. Je verrai Brett Kincaid seule dans son quartier de haute sécurité à Dannemora.

    Je le verrai – Brett – sans ma mère. Arlette avait proposé que nous allions lui rendre visite ensemble mais j'ai refusé, disant que cela me faciliterait trop les choses.

    Sur les routes de montagne. Les routes étroites, tortueuses et hypnotiques des Adirondacks.

    Ma nouvelle vie. La vie qui m'a été rendue. Je chérirai à jamais le souvenir de la façon dont Brett m'avait aidée quand j'étais tombée de mon vélo dans Waterman Street. La façon dont il avait redressé la roue, et le garde-boue, qui aurait frotté contre le pneu.

    Je chérirai à jamais la façon dont il m'avait raccompagnée chez moi ce jour-là. La bonté et la tendresse qui sont le fond de son cœur.

    L'autre Brett, le caporal Kincaid… est un inconnu.

    Cet autre Brett… doit être aimé lui aussi.

Zeno est certain qu'il sera libéré dans moins d'un an.

Zeno a retrouvé l'énergie et l'animation de l'ancien Zeno pour passer des flopées de coups de téléphone : au procureur du comté qui s'est occupé de l'affaire, à la cour d'appel de l'État de New York, au bureau du gouverneur, au ministère des Anciens Combattants et au bureau des procédures de grâce de Washington.

Il y a aussi une organisation d'anciens combattants : le Wounded Warrior Project.

J'aiderai Zeno moi aussi ! Je ferai l'impossible pour aider Brett. Je te le promets, Brett ! Aussi longtemps que tu resteras incarcéré ici, j'habiterai à Dannemora et je serai ton amie.

Je serai ton amie aimante, mais n'attendrai pas de toi que tu m'aimes en retour, comprends-le s'il te plaît.

Je ne suis plus aussi naïve. Je suis une femme adulte, à présent.

Arlette m'a dit que Brett était un homme changé. Il n'est plus le jeune homme détruit ni le jeune Brett que nous avons connu mais quelqu'un d'autre, se réveillant d'un sommeil douloureux, impatient maintenant d'être entièrement réveillé, et disposé à me voir.

Arlette m'a conseillé d'écrire à Brett pour lui demander la permission de venir le voir, et Brett a accepté.

Ma lettre était brève. Sa réponse l'était encore davantage.

Arlette a dit : Tu n'es pas obligée de parler sans interruption. Reste auprès de lui et soyez silencieux ensemble. Ne le rends pas nerveux et il ne te rendra pas nerveuse. Si tu hésites sur ce que tu dois lui dire, ne dis rien jusqu'à ce que les mots justes te viennent.

Comme chez les quakers : attends la Lumière intérieure.

Je le ferai. J'attendrai la Lumière intérieure.

Dans un restaurant de la petite ville des Adirondacks de Mountain Falls, une serveuse me demande si je vais à Dannemora, et je lui réponds que oui. Elle dit que ceux qui se rendent à la prison s'arrêtent toujours à Mountain Falls. Elle dit que la majorité sont des femmes : des mères, des épouses, des petites amies. Au bout d'un an d'incarcération, les visites diminuent et ce sont essentiellement les femmes qui continuent.

Est-ce quelqu'un de particulier que je vais voir, demande la serveuse.

Je ne sais pas comment répondre à cette curieuse question. Je lui dis que oui, c'est quelqu'un de particulier. Il a fait la guerre d'Irak où il a été gravement blessé, mais pas assez gravement pour que l'État de New York ne le juge pas en condition d'être incarcéré dans une prison de haute sécurité.

Je dis que c'est ma première visite. Je passerai la nuit à Dannemora et le verrai le lendemain matin et je… j'ai peur, je crois.

La serveuse baisse la voix pour que les autres clients n'entendent pas Oh! mon chou… tout le monde a peur, mais on s'habitue. Le plus dur c'est la première fois quand on le voit en tenue de prisonnier, mais après, tu sais, on prend l'habitude. Je suis allée là-bas, moi aussi, voir un type que je connais.

La serveuse me parle des visites. De ce qui m'attend aux contrôles de sécurité. Des distributeurs automatiques qui ne sont pas fiables. Dit qu'il faut être poli et courtois et supporter n'importe quelle connerie des surveillants parce qu'ils ont le droit de vous interdire l'entrée et qu'ils peuvent sacrément vous pourrir la vie quand vous venez de loin.

Je suis assise dans un box. Une table en imitation cèdre. Une terrible sensation de faiblesse me submerge, j'ai l'impression que je vais m'écrouler. Je crains de pleurer. De m'effondrer devant des inconnus. La serveuse s'en rend compte et dit : oh, tu vas y arriver, mon chou. Vraiment, je t'assure. Il faut juste prendre ça… une respiration après l'autre

L'important, c'est de ne pas pleurer. Quand tu le verras… surtout pas. Ça ne lui fera aucun bien ni à toi non plus. Un homme ne veut pas pleurer parce que voir des larmes c'est dangereux pour lui, parce qu'un homme ne veut pas pleurer. Alors ne le fais pas.

Sur la Route 375 en direction de Dannemora. Une distance considérable, un voyage fatigant. C'est imprudent de ma part de faire un aussi long trajet, seule au volant, Zeno n'était pas d'accord. Arlette voulait m'accompagner. Juliet n'a rien dit : pas un mot.

Ma sœur est toujours amoureuse de Brett Kincaid. Le jeune soldat, resplendissant d'innocence. Elle est amoureuse du souvenir qu'elle garde de Brett Kincaid avant qu'il ne soit blessé, c'est pour cela qu'elle ne veut pas le voir et sentir cet amour et ce regret s'éveiller de nouveau en elle.

Je comprenais cet amour. Je le comprenais et en étais malade de jalousie et de dépit. Et j'ai tué leur amour, et ne pourrai jamais être véritablement pardonnée.

Je dois l'accepter, accepter de ne jamais être véritablement pardonné. Je ne voudrais pas que Juliet me pardonne. Ni Brett.

C'est Cressida qui devrait être incarcérée. Cressida, l'intelligente, à l'intérieur du long mur telle une lépreuse.

Le choc de ce haut mur tout près de la route et de ce premier panneau : CENTRE PÉNITENTIAIRE DE CLINTON.

Cette sensation nauséeuse d'enfermement, de désespoir à la prison d'Orion. La chambre d'exécution, la cloche à plongeur contenant la mort.

Je me rappelle cette sensation d'effondrement, de désespoir soudain... comme si les molécules du corps étaient au bord de la dissolution. La proprioception du corps, balayée.

J'étais couchée sur la table d'exécution. Les sangles au niveau de mes poignets, de mes chevilles. Mais je n'ai pas été attachée, on ne m'a pas injecté de poison. Je ne suis pas morte.

Arlette m'avait prévenue : une prison est un endroit terrifiant, ma chérie, même de l'extérieur.

Il te faudra du courage. Il te faudra de la force pour lui dissimuler ta détresse.

Ma résolution est prise : je m'installerai à Dannemora pour être près de lui et je ferai la navette — si je peux — entre Dannemora et l'université de Burlington dans le Vermont. J'apporterai des livres à Brett — si je peux — et je lui donnerai des cours — si je peux. Je serai son lien avec l'extérieur. S'il m'y autorise.

Suivant le long mur en voiture. Entrant maintenant dans la ville de Dannemora, un endroit auquel je m'habituerai dans les mois à venir.

Un long mur de béton apparemment sans fin. Comme dans un conte de fées cinématographique. La vision du conducteur est sévèrement bornée à droite par le mur, ce qui crée une sensation de claustrophobie, d'enfermement.

Voici la procédure qui m'attend : un surveillant appellera le prisonnier après l'arrivée du visiteur. Le visiteur n'entre pas dans l'établissement avant que le prisonnier ne soit au parloir. Puis, à la fin de la visite, le prisonnier sort sous escorte, et le visiteur s'en va. Arlette m'a dit qu'il y aura une barrière de Plexiglas entre nous et un petit guichet à travers lequel parler, mais que très vite cela deviendra naturel.

Combien de temps, je me demande, faudra-t-il pour que les choses deviennent naturelles pour Brett et pour moi ?

Suivant le haut et long mur jusqu'au village de Dannemora. Suivant le long mur.

REMERCIEMENTS

Une version abrégée du chapitre 2 est parue dans *Fighting Words*, Roddy Doyle, dir., 2011.

Mes remerciements à Mariette Kalinowski, sergent à la retraite de l'United States Marine Corps, titulaire d'une bourse de recherche du programme Hertog au Hunter College, qui a lu ce texte avec un soin particulier, et à Greg Johnson pour son indéfectible amitié, sa justesse de vue et d'oreille, et l'infaillibilité de son jugement littéraire.

Table

Une éducation sentimentale
Bellefleur
Eux
L'homme que les femmes adoraient
Les mystères de Winterthurn
Souvenez-vous de ces années-là
Cette saveur amère de l'amour
Solstice
Le rendez-vous
Le goût de l'Amérique
Confessions d'un gang de filles
Corky
Zombi
Nous étions les Mulvaney
Man Crazy
Blonde
Mon cœur mis à nu
Johnny Blues
Infidèle
Hudson River
Je vous emmène
La fille tatouée

AUX ÉDITIONS ACTES SUD
Premier amour
En cas de meurtre
Reflets en eau trouble

AUX ÉDITIONS DU FÉLIN
Au commencement était la vie
Un amour noir

AUX ÉDITIONS TRISTRAM
De la boxe

AUX ÉDITIONS LES ALLUSIFS
Le triomphe du singe-araignée